Portugal

J.-P. Lescourret/EXPLORER – Palácio de Fronteira

D1314432

Éditions des Voyages

46, avenue de Breteuil – 75324 Paris Cedex 07
☎ 01 45 66 12 34
www.ViaMichelin.fr
LeGuideVert@fr.michelin.com

Manufacture française des pneumatiques Michelin
Société en commandite par actions au capital de 304 000 000 EUR
Place des Carmes-Déchaux – 63 Clermont-Ferrand (France)
R.C.S. Clermont-Fd B 855 200 507

Dépôt légal janvier 2001 – ISBN 2-06-000097-1 – ISSN 0293-9436
Printed in France 03-02/3.3

Compogravure : Nord Compo, Villeneuve d'Ascq
Impression et brochage : Aubin, Ligugé

Maquette de couverture extérieure : Agence Carré Noir à Paris 17ᵉ

LE GUIDE VERT,
l'esprit de découverte

Avec Le Guide Vert, voyager c'est être acteur de ses vacances, profiter pleinement de ce temps privilégié pour se faire plaisir : apprendre sur le terrain, découvrir de nouveaux paysages, goûter l'art de vivre des régions et des pays. Le Guide Vert vous ouvre la voie, suivez-le ! Grands voyageurs, nos auteurs parcourent chaque année villes et villages pour préparer vos vacances : repérage et élaboration de circuits, sélection des plus beaux sites, recherche des hôtels et des restaurants les plus agréables, reconnaissance détaillée des lieux pour réaliser des cartes et plans de qualité... Aujourd'hui, vous avez en main un guide élaboré avec le plus grand soin, fruit de l'expérience touristique de Michelin. Régulièrement remis à jour, Le Guide Vert se tient à votre écoute. Tous vos courriers sont ainsi les bienvenus.
Partagez avec nous la passion du voyage qui nous a conduits à explorer plus de soixante destinations, en France et à l'étranger. Laissez-vous guider, comme nous, par cette curiosité insatiable, qui donne au voyage son véritable esprit : l'esprit de découverte.

Jean-Michel DULIN
Rédacteur en chef

Sommaire

Introduction au voyage   31

Y. Travert/PHOTONONSTOP

Henri le Navigateur

J. Gabanou/PHOTONONSTOP

Coq de Barcelos

Villes et curiosités   81

Madère et les Açores   301

Couvent de Tomar – Fenêtre manuéline

Faïence

Cartographie

Les produits complémentaires au guide

Cartes Michelin n° 940 Portugal et n° 441 España (Galicia – Asturias – León), qui couvre le territoire portugais au Nord de Coimbra

– cartographie au 1/400 000 avec le détail du réseau routier et l'indication des sites et monuments isolés décrits dans ce guide

– répertoire des localités

Atlas routier Michelin Espagne & Portugal

– la même cartographie que dans les cartes n°s 940 et 441, étendue à l'ensemble de la péninsule Ibérique

... et pour se rendre au Portugal

Carte Michelin n° 990 (Espagne & Portugal)

– carte au 1/1 000 000 mettant en évidence le grand réseau routier de la péninsule Ibérique

Atlas routier Michelin Europe

– toute l'Europe au 1/1 000 000 présentée en un seul volume

– les grands axes routiers et 70 plans d'agglomération ou cartes d'environs

– la réglementation routière appliquée dans chaque pays

Index cartographique

Schémas

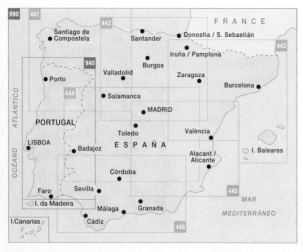

Votre guide

Ce guide a été conçu pour vous aider à tirer le meilleur parti de votre voyage au Portugal. Il est présenté en quatre grandes parties – Renseignements pratiques, Introduction au voyage, Villes et curiosités, puis Madère et les Açores – complétées par une sélection de plans et de schémas.

● Les cartes des pages 10 à 13 vous aident à préparer votre voyage : la carte des **principales curiosités** situe les pôles d'intérêt les plus importants, la carte des **itinéraires de visite** propose des circuits régionaux, et la carte des **lieux de séjour** présente une sélection de localités où l'hébergement est agrémenté par un environnement sportif.

● Le chapitre des **Renseignements pratiques** groupe toutes les précisions utiles à votre voyage : formalités, loisirs, conditions d'accès aux monuments, etc.
Nous vous recommandons de lire, avant votre départ, l'**Introduction**, qui vous propose une approche culturelle du Portugal.

● Les parties **Villes et curiosités** – qui traite de la part continentale du territoire portugais – et **Madère et les Açores** répertorient dans l'ordre alphabétique les principaux sites et monuments. Les moins importants sont dans la plupart des cas décrits en excursions à partir des localités les plus conséquentes.
Les principales villes continentales (Braga, Coimbra, Évora, Faro, Guimarães, Lisbonne, Óbidos, Porto, Sintra et Viana do Castelo) sont dotées d'un **Carnet d'adresses** qui, en vous recommandant quelques hôtels et restaurants, vous permettra de les découvrir sous un autre jour.

Si vous avez des remarques ou des suggestions à faire, nous sommes à votre disposition sur notre site Web ou par courrier électronique :
www.ViaMichelin.fr
LeGuideVert@fr.michelin.com

Bon voyage !

X. Testelin/RAPHO

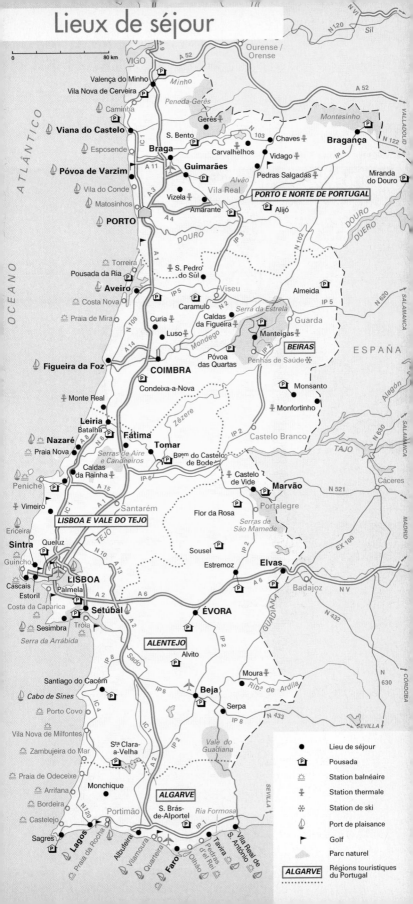

Une fenêtre dans le quartier de l'Alfama – Lisbonne

Renseignements
pratiques

Avant le départ

À QUELLE SAISON VISITER LE PORTUGAL ?

Le climat du Portugal est relativement doux. Cependant, l'époque la plus favorable pour le voyage dépend de la région que l'on veut visiter. Le Nord est plus froid que le Sud, en particulier la région du Trás-os-Montes, où les hivers peuvent être très rigoureux. Pour une visite d'ensemble du pays, on préférera le printemps et l'automne.

Printemps – C'est l'époque des maisons fleuries et des paysages verdoyants. C'est une très bonne saison pour visiter le Sud du pays, en évitant ainsi les grandes chaleurs et les foules en Algarve. Avril offre l'attrait des cérémonies de la Semaine sainte et des nombreuses manifestations folkloriques.

Été – Sec et chaud à l'intérieur, il est tempéré sur le littoral par des brises marines. Romarias, festivals, compétitions sportives se succèdent. C'est la meilleure saison pour profiter des plages, du Nord au Sud du pays. Température moyenne de l'eau : 16/19 °C sur la côte Ouest, 21/23 °C sur la côte de l'Algarve. Températures moyennes de l'air : Porto 20 °C, Lisbonne 26 °C, Évora 29 °C, Faro 28 °C.

Automne – Dans le Nord du pays en particulier, le paysage (où poussent châtaigniers et vignes) prend de jolis tons. La vallée du Douro s'anime au moment des vendanges (mi-septembre à mi-octobre). C'est le moment idéal pour visiter le Minho et le Trás-os-Montes. Températures moyennes dans ces régions : 13 °C et 8 °C respectivement (entre octobre et décembre).

Hiver – En Algarve, où l'on peut se baigner de mars à novembre (mer à 17 °C et air à 18 °C), sur la Costa do Estoril (mer à 16 °C et air à 17 °C), et surtout à Madère (mer et air à 21 °C), l'hiver est très doux et ensoleillé. La floraison des amandiers d'Algarve, vers fin janvier, métamorphose le paysage. On peut pratiquer les sports d'hiver dans la serra de Estrela.

FORMALITÉS D'ENTRÉE

Pièces d'identité – Chaque personne séjournant moins de 3 mois doit présenter une carte d'identité de moins de 10 ans ou un passeport (en cours de validité ou périmé depuis moins de 5 ans). Les mineurs voyageant seuls ont besoin d'un passeport en cours de validité. S'ils n'ont que la carte d'identité, il est demandé une autorisation parentale sous forme d'attestation délivrée par la mairie ou le commissariat de police.

Véhicules – Le conducteur d'une voiture de tourisme doit être en possession d'un permis de conduire à trois volets ou d'un permis international.
Les papiers du véhicule doivent pouvoir être présentés ainsi que la carte verte, délivrée par la compagnie d'assurances. La plaque réglementaire de nationalité est obligatoire à l'arrière du véhicule.

Animaux domestiques – Pour les chats et les chiens, un certificat de vaccination antirabique de plus d'un mois et un certificat de bonne santé de moins d'un mois traduits en portugais sont exigés.

ADRESSES UTILES

Offices de tourisme du Portugal (ICEP)

Paris – 135, boulevard Haussmann, 75005 Paris, ☎ 01 56 88 30 80. www.portugalinsite.pt

Bruxelles – Rue Joseph II, 5, boîte 3, 1000 Bruxelles, ☎ (2) 230 52 50.

Zürich – Badenerstrasse 15, 8004 Zürich, ☎ (1) 241 00 01/5.

Montréal – 2075, University, Suite 1206, Montréal, Québec H3A 2L1 ☎ (514) 282 12 64.

Autres adresses à Paris

Ambassade du Portugal – 3, rue de Noisiel, 75016, ☎ 01 47 27 35 29.

Centre culturel (Instituto Camões) – 26, rue Raffet, 75016, ☎ 01 53 92 01 00.

Fondation Calouste Gulbenkian – 51, av. d'Iéna, 75016, ☎ 01 53 23 93 93. Les ouvrages et thèses publiés par la fondation Calouste Gulbenkian sont en vente à la librairie Jean Touzot, 38, rue Saint-Sulpice, 75006.

Librairie Portugaise – 10, rue Tournefort, 75005, ☎ 01 43 36 34 37.

Librairie Lusophone – 22, rue du Sommerard, 75005, ☎ 01 46 33 59 39.

Librairie L'Harmattan – 16, rue des Écoles, 75005, ☎ 01 40 46 79 10.

Librairie Portugal – 146, rue Chevaleret, 75013, ☎ 01 45 85 07 82.

Internet – embaixada-portugal-fr.org ; www.portugalinsite.pt

Assistance sanitaire – Afin de bénéficier de la même assistance médicale que les Portugais, les touristes français doivent se procurer le formulaire E 111, soit auprès de leur centre de paiement de Sécurité sociale, soit par l'intermédiaire d'Internet (www.cerfa.gouv.fr). Dès l'arrivée au Portugal, il faut solliciter auprès de la Segurança Social un livret d'assistance sociale qui sera remis en échange de l'imprimé E 111.

COMMENT SE RENDRE AU PORTUGAL ?

Les renseignements pratiques spécifiques aux archipels de Madère et des Açores se trouvent dans les chapitres les concernant.

En voiture – La route la plus directe de Paris passe par Bordeaux, Bayonne, Vitoria, Burgos, Salamanque, ce qui représente 1 360 km jusqu'à la frontière portugaise, à **Vilar Formoso**. Pour aller dans le Sud, on suivra le même parcours jusqu'à Salamanque, où l'on bifurquera par Cáceres et Badajoz pour passer par le poste frontière de **Elvas-Caia**.

Choix d'itinéraires – Le service de planification d'itinéraires des Éditions des Voyages Michelin, moyennant un paiement par itinéraire, indique des trajets selon votre préférence (le plus court, le plus rapide...) et les distances entre localités, restaurants et hôtels. Service Minitel : 3615 MICHELIN ou consultation sur Internet : http://www.ViaMichelin.fr

Par le train – Il existe une liaison quotidienne entre Paris et Lisbonne ou Porto (compter au moins 16 heures de trajet), par TGV (départ à 15 h) jusqu'à Irun, puis correspondance vers Lisbonne ou Porto par train-couchettes.
L'abonnement Inter-Rail (BIGE) pour les moins de 26 ansainsi que la carte Jeunes et la carte Vermeil sont valables en Espagne et au Portugal, à condition que les billets soient achetés en France (renseignements auprès de la SNCF au ☎ 01 53 90 20 20, par Minitel 3615 SNCF ou Internet : www.sncf.com).

En avion – Réserver les billets plusieurs mois à l'avance pour les départs en été compte tenu des nombreux retours des Portugais résidant à l'étranger, surtout au mois d'août. La TAP (compagnie aérienne portugaise) et Air France assurent plusieurs liaisons quotidiennes directes de Paris (ou Zurich, Genève, Bruxelles) vers Lisbonne, Porto et Faro, avec correspondance pour Funchal (île de Madère) ou pour les Açores.

TAP Air Portugal – 11 bis/13, boulevard Haussmann, 75009 Paris, ☎ 01 44 86 89 89, www.tap.pt

Air France – ☎ 01 42 99 22 04 ou Minitel 3615 AF ou www.airfrance.fr
En été, de nombreux vols charters desservent Porto, Lisbonne et Faro. S'adresser aux agences de Nouvelles Frontières, Look Voyages ou Wa steels, notamment.

En autocar – Avec la compagnie Eurolines, dont les cars se prennent à la gare routière internationale de Paris Gallieni, 28, avenue du Général-de-Gaulle, 93541 Bagnolet : ☎ 01 49 72 51 51, Minitel 3615 Eurolines, www.eurolines.fr
Avec France Cars (seulement pour Porto), 75, bd de Clichy, 75009 Paris, ☎ 01 48 74 12 50.

Séjourner au Portugal

SE DÉPLACER AU PORTUGAL

En voiture

La vitesse est limitée à 120 km/h sur autoroute, 90 km/h sur route, 50 km/h en agglomération. Le port de la ceinture de sécurité est obligatoire à l'avant et à l'arrière. La carte verte est obligatoire.
La circulation est à droite. Dans les croisements, la priorité appartient en principe aux véhicules venant de droite. Les sens giratoires fonctionnent comme en France.
Une grande prudence est recommandée aux automobilistes. En effet, les Portugais roulent à vive allure. En traversant les villes et les villages, il faut faire très attention aux enfants qui gambadent au bord de la chaussée et se frayer lentement un passage, dans la soirée, lorsque la population est dans la rue. Dans le Nord, de nombreuses routes sont encore pavées. De nombreux camions, chariots ou bicyclettes encombrent les routes, rendant la circulation difficile. Pour réduire le nombre d'accidents, le programme « Tolérance zéro » est appliqué sur certaines grandes voies, par un renforcement des contrôles de police et une application rigoureuse du code de la route (par exemple, tout dépassement de la vitesse autorisée est sanctionné par une amende). Le taux d'alcoolémie dans le sang est limité à 0,5 gramme/litre.

Cartes et plans – Voir le chapitre Cartographie en début de guide.

Essence (gasolina) – On trouve dans les stations d'essence du super, du sans plomb *(sem chumbo)*, du normal et du gasoil. Elles sont généralement ouvertes de 7 h à 24 h et certaines fonctionnent 24 h/24.

Location de voitures – Les principales sociétés de location de voitures sont bien représentées au Portugal dans les aéroports et les gares de chemin de fer ayant des départs internationaux. L'âge minimum pour louer une voiture est 21 ans. Avis : ☎ 217 54 78 00 ou 800 20 10 02 ; Europcar : ☎ 219 40 77 90 ou à l'aéroport de Lisbonne : 218 40 11 76 ; Hertz : ☎ 213 81 24 30 ou 219 42 63 00.

Assistance automobile – Les automobiles-clubs français proposent à leurs adhérents un document d'assistance internationale auto qui leur fournit certaines garanties en cas d'accident. Les membres de ces associations sont autorisés par l'Automóvel Clube du Portugal (ACP Lisbonne : rua Rosa Araújo, 24, ☎ 213 18 01 00) à utiliser ses services d'assistance médicale, juridique et dépannage, moyennant une somme variable selon la distance parcourue. SOS ☎ 228 34 00 01 (au Nord de Pombal), 219 42 91 03 (au Sud de Pombal). Le numéro national d'urgence est le 112.

Le service de planification d'itinéraires de Michelin, disponible sur Internet, moyennant un paiement par itinéraire, vous indique des trajets selon votre préférence (plus court, plus rapide...) et les distances entre localités, ainsi que des restaurants et des hôtels. Internet : www.ViaMichelin.fr

En avion

Ce moyen de transport permet de gagner du temps entre le Sud et le Nord. Cependant, le prix des billets est assez élevé.

Aéroports internationaux : Lisbonne, Porto, Faro, Funchal et Porto Santo (à Madère), Ponta Delgada, Santa Maria et Terceira (aux Açores). Durée de certains trajets : Lisbonne-Porto : 1/2 h ; Lisbonne-Faro : 1/2 h ; Lisbonne-Funchal : 1 h 30 ; Lisbonne-Ponta Delgada : 2 h 15.

COMPAGNIES AÉRIENNES

Tap-AirPortugal – Aéroport de Lisbonne – ☎ 218 41 50 00 et Av. de Berlim, Ed. Oriente – ☎ 213 17 91 00. Réservations ☎ 808 205 700.

Portugália – Aéroport de Lisbonne – ☎ 218 42 55 00. Réservations ☎ 218 42 55 59.

SATA – Air Açores – Av. Infante D. Henrique, Ponta Delgada. Réservations ☎ 296 20 97 20.

Air France – Av. 5 de Outubro, 206 – ☎ 217 90 02 02. Réservations ☎ 808 608 608.

Par le train

Des billets touristiques (forfaits) valables pour 7, 14 ou 21 jours peuvent être achetés dans les gares portugaises et permettent de voyager sur tout le réseau de la Companhia dos Caminhos de ferro portugueses. Pour des informations sur les chemins de fer à Lisbonne : ☎ 218 88 40 25. Consultation sur Internet : www.cp.pt

En autocar

La Rodoviária Nacional a un réseau dense à travers tout le Portugal. Pour se renseigner : Rede Nacional de Expressos, av. Duque d'Ávila, 12, 1000-140 Lisboa – ☎ 707 223 344 – www.rede-expressos.pt

Gare d'Aveiro

Vie pratique

HÉBERGEMENT

Hôtels – **Le Guide Rouge Michelin Portugal** contient une sélection de ressources hôtelières. On trouvera dans l'édition annuelle de cet ouvrage un choix d'hôtels agréables, tranquilles, bien situés, avec l'indication de leurs équipements : piscine, tennis, golf, jardin. Au Portugal, il y a différentes catégories d'hôtels, depuis la **pensão** (pension), modeste, la **residencial**, plus confortable mais sans restaurant, jusqu'à l'**estalagem**, plus luxueux, et l'**hôtel**, de une à cinq étoiles. Le prix du petit-déjeuner est presque toujours compris dans le tarif de la chambre. Nous recommandons dans ce guide une sélection d'hôtels dans les carnets d'adresses des principales villes.

Pousadas – *Voir le symbole* ⊕ *sur la carte des Lieux de séjour p. 13 et sur la carte Michelin n° 940.* Comparables aux paradors espagnols, ces établissements, au nombre d'une trentaine, dépendent de l'ENATUR. Construites dans un site choisi ou installées dans des villes-étapes et des centres d'excursion, les pousadas offrent des prix contrôlés et un accueil particulièrement soigné. Elles sont souvent complètes et il est prudent de réserver. S'adresser directement à ENATUR, rua Sta Joana Princesa, 10 – 1749-090 Lisboa, ☎ 218 44 20 00. Internet : www.pousadas.pt

Chambres d'hôte – Il y a plusieurs possibilités de logement chez l'habitant. Le plus luxueux est le « **Turismo de Habitação** ». Particulièrement développé dans le Nord du Portugal, il offre une magnifique opportunité de loger dans des fermes paisibles de campagne ou dans de splendides manoirs (*solar* ou *quinta*). Il est prudent de réserver. On peut réserver auprès de Associação do Turismo de Habitação, praça da República, 4990-062 Ponte de Lima, ☎ 258 74 16 72 ou 258 74 28 27, fax 258 74 14 44, Internet : www.turihab.pt, E-mail : turihab@mail.telepac.pt

Camping-caravaning – *Voir le symbole* △ *sur la carte Michelin n° 940.* Le camping « sauvage » n'est pas autorisé. Les offices de tourisme fournissent une liste des terrains aménagés : ceux-ci sont classés officiellement par ordre de confort croissant de 1 à 4 étoiles et en campings privés. On peut se procurer le *Roteiro campista*, guide décrivant les terrains de camping et leurs accès, auprès de Roteiro campista, rua do Giestal, 5, 1300-274 Lisboa, pour un prix d'environ 10 €, ou sur Internet : www.roteiro-campista.pt
Le carnet international de camping est exigé à l'entrée des terrains ; pour l'obtenir, s'adresser à la Fédération française de camping-caravaning, 78, rue de Rivoli, 75004 Paris (☎ 01 42 72 84 08, fax 01 42 72 70 21). Le règlement du séjour s'effectue le plus souvent en espèces.
Pour tout renseignement, s'adresser à la Federação Portuguesa de Campismo e Caravanismo, avenida Coronel Eduardo Galhardo, 24, 1170-105 Lisboa – ☎ 218 12 69 00.

Auberges de jeunesse – Les auberges de jeunesse (pousadas de juventude) sont au nombre de 22 au Portugal (dont 2 aux Açores). Contacter MOVIJOVEM – Pousadas de Juventude – avenida Duque de Ávila, 135-6°, 1050-081 Lisboa. Réservations pour toutes les auberges de jeunesse : ☎ 213 52 14 66. On trouve une auberge de jeunesse dans les localités suivantes, du Nord au Sud : Vila Nova de Cerveira, Vilarinho das Furnas, Foz do Cávado, Braga, Porto, Ovar, Mira, Penhas da Saúde, Coimbra, Leiria, São Martinho do Porto, Praia da Areia Branca, Sintra, Oeiras, Lisboa, Sines, Alcoutim, Vila Real de Santo António, Portimão et Lagos. Aux Açores : l'une à Angra do Heroísmo (Terceira), l'autre à Ponta Delgada (São Miguel).

RESTAURATION

La sélection du **Guide Rouge Michelin Portugal** vous permettra de connaître les restaurants les plus gastronomiques. Les localités citées dans le Guide Rouge Michelin sont souli-

gnées en rouge sur la carte n° 940. Vous trouverez une autre sélection de restaurants dans ce guide, dans les carnets d'adresses des principales villes. Dans les restaurants populaires, surtout dans le Nord, deux prix différents sont affichés pour le même plat. L'un concerne la demi-portion (*meia dose*), déjà bien copieuse, et l'autre la portion entière (*dose*). Dans la plupart des cas, avant le plat choisi, sont servis de petits

J.-P. Lescouret/EXPLORER - Palácio de Fronteira

hors-d'œuvre (fromage, jambon cru, chouriço, olives, pâté de thon, etc.) qui sont inclus dans l'addition lorsqu'ils sont consommés. On laisse généralement un pourboire d'environ 10 % du montant de l'addition. Pour plus d'informations sur la gastronomie et les vins du Portugal, consulter les chapitres correspondants dans l'introduction de ce guide.

VIE QUOTIDIENNE

Horaires – *L'heure légale du Portugal est celle du méridien de Greenwich, soit une heure de moins par rapport à la France.*
Au Portugal, les horaires sont à peu près semblables à ceux de la France, notamment pour les heures des repas. En portugais, les **jours** de la semaine sont numérotés : le lundi est *segunda-feira* (littéralement : seconde foire), le mardi *terça-feira*, le mercredi *quarta-feira*, le jeudi *quinta-feira*, le vendredi *sexta-feira*. Le samedi et le dimanche échappent à cette règle : *sábado* et *domingo*.

Visite des monuments, églises et musées – Les monuments se visitent en général entre 10 h et 12 h et entre 14 h et 18 h. Certaines églises ne sont ouvertes que pendant les offices religieux. Pour des informations détaillées, consulter le chapitre des Conditions de visite.

Magasins – Ils sont, dans l'ensemble, ouverts de 9 h à 13 h et de 15 h à 19 h, et ferment en principe le samedi après-midi et le dimanche. Les centres commerciaux sont généralement ouverts tous les jours, de 10 h à minuit.

Banques – Les guichets sont ouverts de 8 h 30 à 15 h du lundi au vendredi.

Jours fériés

le 1er janvier	Jeudi de la Fête-Dieu
Mardi gras	le 15 août
Vendredi saint	le 5 octobre (proclamation de la République)
le 25 avril (anniversaire de la révolution des Œillets)	le 1er novembre
le 1er mai	le 1er décembre
le 10 juin (fête nationale : mort de Camões et fête des communautés portugaises)	le 8 décembre (Immaculée Conception) le 25 décembre

Ainsi que, dans chaque ville, le jour de la fête patronale (saint Antoine à Lisbonne le 13 juin ; saint Jean à Porto le 24 juin) ou le férié municipal.

Bureaux de poste – On trouvera les bureaux de poste *(Correios)* à l'enseigne CTT. Ils sont ouverts du lundi au vendredi, de 9 h à 18 h. La poste de l'aéroport de Lisbonne est ouverte 24 h/24.
Pour envoyer du courrier en poste restante, indiquer : « Posta Restante » et « Estação de Correios Central » avec le nom de la ville où on l'adresse.
Les timbres *(selos)* sont en vente dans les bureaux de poste et certains kiosques à journaux.

Cabines téléphoniques – La plupart sont équipées pour recevoir des cartes : la carte Portugal Telecom fonctionne surtout à Lisbonne et Porto, tandis que Credifone est plus courante dans le reste du pays. Certaines cabines permettent l'utilisation de certaines cartes de crédit. Les cartes téléphoniques sont en vente dans les boutiques Telecom Portugal, dans les bureaux de poste et dans certains kiosques et bureaux de tabac. Pour téléphoner au Portugal depuis la France, composer le 00 + 351 + numéro à 9 chiffres du correspondant, du Portugal en France le 00 + 33.

Journaux et télévision – Les principaux **quotidiens** sont le *Diário de Noticias*, le *Correio da Manhã*, le *Público* et à Porto le *Jornal de Notícias*. Les hebdomadaires sont *Expresso*, le plus lu, et *O Independente*.
La **télévision** comprend cinq chaînes : RTP1, RTP2, SIC, TVI et RTPI sur satellite, s'adressant plus particulièrement aux communautés portugaises à travers le monde.

Change et cartes de crédit – Le change de monnaies étrangères en euros peut se faire dans les banques et les bureaux de change. Il existe également des machines automatiques de change devant certaines banques. Les distributeurs automatiques de billets appelés « Multibanco » permettent de retirer de l'argent avec la plupart des cartes de crédit.

ACHATS

Que faut-il acheter au Portugal ? – La richesse de l'artisanat traditionnel portugais est une tentation. Ses prix modérés en sont une autre. Du Nord au Sud, la variété s'exprime souvent dans la couleur et dans

---

Quelques numéros utiles

Renseignements : 118

Police et SOS : 112

Prévisions météorologiques : 150

ADRESSES UTILES AU PORTUGAL

Ambassade de France
Rua de Santos-o-Velho, 5, 1200-718 Lisboa, ☎ 213 93 91 00 ou 213 90 81 21, www.ambafrance-pt.org

Consulats de France
Calçada Marquês de Abrantes, 123, 1200-718 Lisboa, ☎ 213 93 92 92, www.consulfrance-lisbonne.org
Rua Eugénio de Castro, 352 2°, 4100-225 Porto, ☎ 226 09 48 05, www.consulfrance-porto.org

Ambassade/Consulat de Belgique
Praça do Marquês de Pombal, 14-6°, 1269-024 Lisboa, ☎ 213 17 05 10.

Ambassade de Suisse
Rua Castilho, 20-6°, 1250-069 Lisboa, ☎ 213 19 18 90.

les matières naturelles : à Viana do Castelo, broderies à la main sur du lin ou du coton (nappes et linge de maison, chemisiers, tabliers...) et les fameux bijoux en filigrane d'or ou d'argent ; couvre-lits brodés à Castelo Branco, tapis à la main d'Arraiolos, et un peu partout, les céramiques (Caldas da Rainha, Coimbra...) et les poteries (Barcelos, Alentejo, Algarve), le travail du bois (objets décoratifs, ustensiles de cuisine, jouets), ferblanterie (*almotolias*, récipients pour l'huile d'olive), verres de Marinha Grande, azulejos dans tout le pays, objets et casseroles en cuivre (dont la typique *cataplana* de l'Algarve)... Pour plus de détails, voir également le chapitre *le Portugal traditionnel*.

Broderies traditionnelles

Sports et loisirs

SPORTS NAUTIQUES

La voile – Elle est pratiquée sur tout le littoral, dans l'estuaire du Tage et dans de nombreuses retenues d'eau à l'intérieur des terres. Des régates et des compétitions internationales sont organisées en saison dans les grandes stations.
Pour toute information concernant la voile, se renseigner auprès de la Federação Portuguesa de Vela, Doca de Belém, 1300-082 Lisboa, ☎ 213 64 73 24, www.fpvela.pt

La planche à voile – C'est un sport très répandu qui se pratique surtout sur le littoral d'Estoril (Praia do Guincho), sur les plages de l'Algarve et sur les côtes de Madère. La pratique de ce sport est réglementée sur les plages : s'adresser aux clubs de voile.

Plongée sous-marine – D'excellents lieux pour la plongée sous-marine se trouvent dans les secteurs escarpés du littoral (île de Berlenga, Peniche, côte de Sesimbra) et les grottes marines qui caractérisent la côte de l'Algarve entre Albufeira et Sagres.

Station balnéaire de Costa Nova

Navigation de plaisance – *Voir le symbole ⚓ sur la carte des Lieux de séjour p. 13 et sur la carte Michelin n° 940.*
Les ports de plaisance qui apparaissent sur la carte n° 940 ont été sélectionnés pour leurs équipements et leurs infrastructures. Avant de partir en mer, il est important de consulter le bulletin météorologique.

Parcs aquatiques – Ils se trouvent surtout autour de Lisbonne et en Algarve *(voir ce nom)*. S'informer auprès des offices de tourisme.

Plages – *Voir le symbole ⌓ sur la carte des Lieux de séjour p. 13 et sur la carte Michelin n° 940.*
Du Nord au Sud, le littoral portugais n'est qu'une succession de plages. Les plus fréquentées sont les plages de l'**Algarve** s'allongeant le long de falaises ocre ou sur des cordons littoraux. Elles bénéficient d'un climat chaud et d'une eau de température agréable (17 °C en hiver et jusqu'à 23 °C en été).
Entre le cap St-Vincent et Setúbal, la côte est plus accidentée, avec des plages souvent nichées au pied de hautes falaises et une mer froide et mouvementée (15 °C en hiver et 19 °C en été).
La **Costa de Lisboa**, de Setúbal au Cabo da Roca, comprend les agréables plages de la serra da Arrábida, bien protégées, celle de Costa da Caparica au Sud de l'estuaire du Tage, et celles d'Estoril et Cascais, très fréquentées par les Lisboètes.
La **Costa de Prata** du Cabo da Roca à Aveiro est constituée d'immenses plages de sable rectilignes où l'on peut assister à la pittoresque remontée des bateaux.
La **Costa Verde** entre l'estuaire du Douro et la frontière espagnole est aussi formée de longues plages sur fond d'arrière-pays agreste verdoyant.

STATIONS THERMALES

Voir le symbole ♯ sur la carte des Lieux de séjour p. 13 et sur la carte Michelin n° 940.
Nombreuses au Portugal, elles attirent de nombreux curistes par la grande gamme de leurs eaux minéro-médicinales : radioactives, titaniques, sulfurées, sulfatées... *(Pour une petite sélection, voir l'encadré du chapitre consacré à Chaves ou celui du chapitre consacré à Coimbra.)*

CHASSE

La chasse est très pratiquée dans le Portugal continental, surtout au Sud. Selon la saison, on chasse le pigeon, le canard, la caille, la perdrix, le lièvre, le lapin et le renard. Permis de chasse temporaire délivré par la Direcção Geral dos Serviços Florestais e Agrícolas, av. João Crisóstomo, 26-28, 1069-040 Lisboa, ☎ 213 12 48 00, ou par la Divisão de Caça e Pesca nas Águas Interiores, r. da Restauração, 336 r/c, 4050-501 Porto, ☎ 226 06 48 24 ou 228 32 99 18.
Pour emporter son fusil, il faut payer une caution à la douane portugaise. Si l'on passe par l'Espagne, un permis de port d'armes est nécessaire.

PÊCHE

Pêche en eau douce – Elle se pratique surtout dans le Nord : truite, saumon, barbeau, alose (rio Minho, Douro) et dans les nombreuses rivières de montagne dans la serra da Estrela (carpe, barbeau, truite).
On peut se procurer une licence à la Direcção Geral dos Serviços Florestais e Agrícolas *(adresse ci-dessus)*. Pour des informations d'ordre général, contacter la Federação Portuguesa da Pesca Desportiva, rua Eça de Queiroz, 3, 1050-095 Lisboa, ☎ 213 56 31 47. Pour connaître les dates d'ouverture de la pêche en rivière, s'adresser aux offices de tourisme.

Pêche en mer – Sur les côtes du Nord, on pêche des poissons d'eau froide : la raie, la merluche, la roussette, le bar, tandis que le Sud est plus riche en espèces méditerranéennes. L'Algarve est réputé pour sa pêche de gros en haute mer (espadon, thon, squale).

GOLF

Voir le symbole ☞ sur la carte des Lieux de séjour p. 13 et sur la carte Michelin n° 940.
La douceur du climat et les nombreux terrains de golf de haut niveau du Portugal (en particulier ceux de l'Algarve, réputés dans le monde entier) permettent de pratiquer ce sport toute l'année.
Renseignements auprès de la Federação Portuguesa de Golfe, av. das Túlipas, 6 (Ed. Miraflores 17º), 1495-161 Algés, ☎ 214 12 37 80, www.fpg.pt, et des offices de tourisme.
Les terrains de golf les plus importants sont signalés dans le **Guide Rouge Michelin Portugal**.

COURSES DE TAUREAUX

La saison commence à Pâques et se termine en octobre. Pour se renseigner sur les dates et les lieux où l'on peut assister à une tourada (corrida à cheval), s'adresser aux offices de tourisme locaux.

Golf d'Alvor

B. Barbier

Principales manifestations

Ce tableau ne prétend pas donner une liste exhaustive des manifestations au Portugal. Vous trouverez dans les offices de tourisme des calendriers des fêtes régionales. Pour les Açores, voir le cahier des informations pratiques des Açores.
Les coordonnées indiquées après certaines localités renvoient à la carte Michelin n° 940.

Semaine avant le Mardi gras

Ovar (J 4) .... Fêtes du carnaval : défilés de chars.

Torres Vedras (O 2) .... Fêtes du carnaval : défilés de chars.

Loulé .... Bataille de fleurs et Fête des amandiers.

Semaine sainte

Braga .... Processions et cérémonies religieuses.

Dimanche de Pâques

Loulé .... Pèlerinage à Nossa Senhora da Piedade, renouvelé deux dimanches plus tard.

3 mai

Barcelos .... Fête « das Cruzes », foire à la poterie, danses populaires.

3 au 5 mai

Sesimbra .... Fête « do Senhor das Chagas » : fête des pêcheurs datant du 16e s. Procession le 4 mai.

1er dimanche qui suit le 3 mai

Monsanto .... Fête du château.

2e week-end de mai

Vila Franca do Lima .... Fête des roses : cortège des « Mordomas » (maîtresses de maison) portant sur la tête des plateaux fleuris, pesant plus de 40 kg, représentant les blasons des diverses provinces.

12 et 13 mai

Fátima .... Premier grand pèlerinage annuel. 12 mai : procession des Cierges à 21 h 30 ; 13 mai : messe internationale. Les deux manifestations se répètent les 12 et 13 de chaque mois jusqu'en octobre.

2e quinzaine de mai

Leiria .... Foire-exposition (agricole et artisanale) avec fête de la ville le 22 mai (processions, danses...).

Le mardi suivant la Pentecôte

Matosinhos .... Fête « do Senhor de Matosinhos » : danses folkloriques.

Cortège des « Mordomas » pendant la Fête des roses à Vila Franca do Lima

6, 7 et 8 juin

Amarante .... Fêtes de São Gonçalo.

1ʳᵉ quinzaine de juin

Santarém............................ Foire nationale d'agriculture : folklore.

12 au 29 juin

Lisbonne .... Fête des saints populaires : défilés *(marchas)*.

13 juin

Vila Real............................ Fête de Santo António : procession, feu d'artifice. Foire de Santo António du 6 au 17 juin.

23-24 juin (St-Jean)

Braga .... Fête de São João (Saint-Jean).

Porto................................. Fêtes des saints populaires.

Vila do Conde..................... Défilé de dentellières.

Dernière semaine de juin-première semaine de juillet

Póvoa de Varzim................ Fête de São Pedro.

28 et 29 juin

Sintra .... Grande Foire de São Pedro.

Vila Real............................ Foire de São Pedro.

Première semaine de juillet (tous les 4 ans, prochaine en 2003)

Tomar .... Fête des « Tabuleiros ».

Juillet et août

Estoril .... Foire des artisans, qui viennent de toutes les régions exposer leurs produits.

1ᵉʳ week-end de juillet (années paires)

Coimbra .... Fête « da Rainha Santa » (la Reine sainte).

1ᵉʳ week-end de juillet

Vila Franca de Xira .... Fête du « Colete Encarnado » (gilet rouge).

26 juillet au 17 août

Sétúbal............................. Foire de Santiago : *touradas* – groupes folkloriques.

En juillet et une partie du mois d'août

Aveiro................................ Festival de la ria, avec concours de proues décorées de moliceiros.

1ᵉʳ week-end d'août

Guimarães.......................... Fête des « Gualterianas » : foires, rues décorées, géants, etc.

Peniche .... Fête de la « Senhora da Boa Viagem ».

3ᵉ semaine d'août

Viana do Castelo................ Fête de « Nossa Senhora da Agonia ».

3ᵉ dimanche d'août

Miranda do Douro .... Fête de Santa Bárbara : danse des *pauliteiros*.

Fin août - début septembre

Lamego .... Pèlerinage de « Nossa Senhora dos Remédios ».

1ʳᵉ semaine de septembre

Palmela .... Fête des vendanges : bénédiction des raisins, lâchers de taureaux, feux d'artifice, etc.

8 septembre

Mirando do Douro .... Pèlerinage à « Nossa Senhora do Nazo », à Póvoa *(11 km au Nord)*. Une foire précède le pèlerinage et une fête le clôture.

À partir du 8 septembre

Nazaré............................... Fête de Notre-Dame de Nazaré.

4 au 12 octobre

Vila Franca de Xira .... Foire d'artisanat, lâchers de taureaux, *touradas*.

2ᵉ dimanche d'octobre

Santarém............................ Festival national de la gastronomie : gastronomie, artisanat, folklore, etc.

12 et 13 octobre

Fátima............................... Dernier grand pèlerinage annuel.

3ᵉ dimanche d'octobre

Castro Verde....................... Foire d'octobre (agriculture et artisanat) depuis le 17ᵉ s.

1ʳᵉ quinzaine de novembre

Golegã (N 4)...................... Foire nationale du cheval et de la Saint-Martin (São Martinho) : présentation des chevaux. Tradition remontant au 17ᵉ s.

Quelques livres

OUVRAGES GÉNÉRAUX, TOURISME

Portugal, par Christian AUSCHER *(Seuil, coll. Points Planète)*.

Le Portugal, par Paul TEYSSIER *(PUF, coll. Nous partons pour...)*.

Le Portugal, par Yves BOTTINEAU *(Arthaud, coll. Pays)*.

Lisbonne, par Pierre-Jacques HÉLIAS *(Autrement)*.

Portugal, par Miguel TORGA *(José Corti)*.

GÉOGRAPHIE, HISTOIRE

Géographie du Portugal, par François GUICHARD *(Masson)*.

Le Portugal et sa vocation maritime, par Yves BOTTINEAU *(De Boccard)*.

Histoire du Portugal, par Albert-Alain BOURDON *(Chandeigne)*.

Histoire du Portugal, par Robert DURAND *(Hatier)*.

Voyages de Vasco de Gama (relation des expéditions de 1497-1499 et 1502-1503) *(Chandeigne)*.

Moi, Amélie, dernière reine du Portugal, par Stéphane BERN *(Denoël, coll. Histoire)*.

Amélie, princesse de France, reine de Portugal, par Laurence CATINOT-CROST *(J & D)*.

ART

Portugal roman *(Zodiaque, coll. La Nuit des temps)*.

L'Art de vivre au Portugal, par Anne de STOOP *(Flammarion)*.

La Frontière : Azulejos du palais Fronteira, Lisbonne, par P. QUIGNARD *(Chandeigne)*.

Azulejos du Portugal, par Rioletta SABO et Jorge Nuno FALCATO *(Citadelles)*.

Foz Côa, par João Paulo SOTTO MAYOR *(Afrontamento)*.

GASTRONOMIE ET VINS

Portugal *(Romain Pagès, coll. Saveurs du monde)*.

Recettes du Portugal, par Jean-Pierre LÉGER *(Éditions du Laquet)*.

Saveurs de Porto *(L'Escampette, coll. Jumelles)*.

Le Porto, par Chantal LECOUTY *(Robert Laffont)*.

TRADITIONS

Le Fado d'Amalia : les textes des fados chantés par Amália Rodrigues en portugais et en français *(Actes Sud)*.

Fado et musiques traditionnelles du Portugal, par Salwa El-SHAWAN CASTELO-BRANCO *(Actes Sud)*.

La Tauromachie équestre au Portugal, par Fernando SOMMER D'ANDRADE *(Chandeigne)*.

LITTÉRATURE

Eugénio de ANDRADE, **Écrits sur la Terre** (poésies) *(La Différence)*.

Agustina BESSA-LUÍS, **Fanny Owen** *(Actes Sud)*.

Camilo CASTELO BRANCO, **Amour de perdition** *(Actes Sud)*.

Luís de CAMÕES, **Les Lusiades** *(bilingue)* *(Robert Laffont)*.

Vergílio FERREIRA, **Le Matin perdu** *(Havas Poche)*.

Lídia JORGE, **Le Rivage des murmures, Le Jardin sans limites, La Couverture du soldat** *(Métailié)*.

António LOBO ANTUNES, **Le Cul de Judas** *(Métailié)*.

Vitorino NEMÉSIO, **Gros temps sur l'archipel** *(La Différence)*.

Fernando PESSOA : toute son œuvre, dont **Le Livre de l'intranquillité**, est publiée aux *éditions Christian Bourgois*.

José Cardoso PIRES, **Lisbonne, livre de bord : voix, regards, ressouvenances** *(Gallimard)*.

Aquilino RIBEIRO, **Casa Grande** *(Bibliothèque cosmopolite Stock)*.

Eça de QUEIRÓS, **Les Maia** *(Chandeigne)*.

José SARAMAGO, **L'Année de la mort de Ricardo Reis, L'Évangile selon Jésus-Christ, L'Aveuglement** *(Seuil)*. **Le Dieu manchot** *(Seuil, coll. Points)*.

Miguel TORGA, **Vendanges : Contes et nouveaux contes de la montagne** *(José Corti, coll. Ibériques)*.

Lexique

Consultez la rubrique « La langue portugaise » au chapitre Littérature en Introduction : vous y trouverez quelques rudiments de prononciation. Pour les termes employés en histoire de l'art, voir en Introduction le chapitre consacré à l'Art.
Un lexique plus complet figure dans Le Guide Rouge Michelin Portugal.

MOTS USUELS

à droite	**à direita**	merci (par une femme)	**Obrigada**
à gauche	**à esquerda**	midi	**meio-dia**
arrêt	**paragem**	monsieur	**Senhor**
aujourd'hui	**hoje**	où ? quand ?	**onde ? quando ?**
au revoir	**adeus**	pardon	**Desculpe**
autobus ;	**autocarro ;**	oui ; non	**sim ; não**
tramway	**eléctrico**	parc de stationnement	**parque de estacionamento**
banque ; change	**banco ; câmbio**	pharmacie	**Farmácia**
bateau	**barco**	place	**largo, praça**
beau	**belo, formoso**	poste	**Correios**
beaucoup ; peu	**muito ; pouco**	timbre	**Selo**
boîte aux lettres	**caixa de correio**	poste restante	**posta-restante**
bonjour (le matin)	**bom dia**	renseignements	**Informações**
bonjour (l'après-midi)	**boa tarde**	rue ; avenue	**rua ; avenida**
demain matin	**amanhã de manhã**	s'il vous plaît	**(se) faz favor**
dimanche	**Domingo**	tout ; tous	**tudo ; todos**
entrée ; sortie	**entrada ; saída**	ville ; quartier	**cidade ; bairro**
essence ; huile	**gasolina ; óleo**	voiture	**Carro**
fleuve ; rivière	**rio ; ribeira**	où est... ?	**onde é... ?**
gare ; train	**estação ; comboio**	la route pour... ?	**a estrada para... ?**
grand ; petit	**grande ; pequeno**	à quelle heure... ?	**a que horas... ?**
lettre ; carte postale	**carta ; postal**	combien coûte... ?	**quanto custa... ?**
lumière	**luz**	douane	**Alfândega**
madame	**minha senhora**	travaux	**Obras**
mademoiselle	**menina**	danger	**Perigo**
médecin	**médico**	interdit	**Prohibido**
merci (par un homme)	**obrigado**	péage	**Portagem**

SITES ET CURIOSITÉS

pode-se visitar ?	peut-on visiter ?	**guia**	guide
dirigir-se a...	s'adresser à...	**igreja**	église
fechado ; aberto	fermé ; ouvert	**ilha**	île
2a feira	lundi	**local**	site
abadia	abbaye	**mata**	bois
albufeira	lac de barrage	**mercado**	marché
andar	étage	**miradouro**	belvédère
baixa, centro urbano	centre-ville	**mosteiro**	monastère
barragem	barrage	**moinho**	moulin
câmara municipal	mairie	**paço, palácio**	palais, château
capela	chapelle	**paços do concelho**	hôtel de ville
capela-mor	chœur	**paisagem**	paysage
casa	maison	**parque**	parc

castelo	château fort, citadelle	praia	plage
chafariz	fontaine	**Quinta**	propriété à la campagne
chave	clé	rio	fleuve, rivière
citânia	cité	ruínas	ruines
colo, porto	col, port	**Sé**	Cathédrale préhistorique
convento,	couvent	século	siècle
cova, gruta	grotte	**Solar**	manoir
cruz ; cruzeiro	croix ; calvaire	talha	boiserie
escada	escalier	**tapete, tapeçaria**	tapisserie
escavações	fouilles	**tesouro**	trésor
feira	foire	**torre**	tour
		torre de menagem	donjon
		túmulo	tombeau
		vista	vue, panorama

À L'HÔTEL

pensão : établissement d'une catégorie légèrement inférieure à l'hôtel
pensão residencial : où l'on ne peut prendre des repas
pousada, estalagem : hôtel de luxe
quarto (de casal) : chambre (à deux personnes)
quarto com banho : chambre avec salle de bains

AU RESTAURANT

sucre	**açúcar**	glace, glaçon	**gelo**
eau ; verre	**água ; copo**	dîner	**jantar, ceia**
(petit) déjeuner	**(pequeno) almoço**	carte	**Lista**
huile d'olive	**azeite**	huile d'arachide	**Óleo**
café au lait	**café com leite**	pain	**Pão**
viande	**carne**	poisson	**Peixe**
bière	**cerveja**	poivre, sel	**pimenta, sal**
addition	**conta**	plat du jour	**prato do dia**
menu	**ementa, carta**	jus de fruits	**sumo de fruta**
frais, réfrigéré	**fresco**	vin rouge	**vinho tinto**

Quelques plats typiques

Açorda de Marisco	Panade de palourdes et de gambas mélangée à de l'ail, des œufs, de la coriandre et des épices
Amêijoas à Bulhão Pato	Petites palourdes cuites dans l'huile d'olive, ail et coriandre
Arroz de Marisco	Riz cuisiné avec des palourdes, des crevettes, des moules et de la coriandre
Bacalhau	Morue
Cabrito	Chevreau rôti
Caldeirada	Sorte de bouillabaisse
Caldo verde	Bouillon de pommes de terre et de choux
Canja de Galinha	Bouillon de poulet avec riz et jaunes d'œufs bouillis
Carne de porco à Alentejana	Dés de porc cuits dans une sauce à l'huile d'olive, ail, coriandre, avec pommes de terre coupées en dés et petites palourdes
Cataplana	Fruits de mer cuits à la pression, avec des morceaux de jambon
Chouriço	Saucisse fumée
Cozido	Pot-au-feu avec viandes, saucissons et légumes
Feijoada	Fèves avec viande de porc, choux et saucisson
Gaspacho	Soupe de légumes froide
Leitão assado	Cochon de lait grillé, servi chaud ou froid
Presunto	Jambon fumé

Salpicão	Saucisson fumé et épicé
Sopa à Alentejana	Soupe à l'ail et au pain, avec œuf poché et coriandre
Sopa de Feijão verde	Soupe de haricots verts
Sopa de Grão	Soupe de pois chiches
Sopa de Legumes	Soupe de légumes
Sopa de Marisco	Soupe de fruits de mer
Sopa de Peixe	Soupe de poisson

Arènes du Campo Pequeno à Lisbonne

Introduction
au voyage

Physionomie du pays

Les étendues monotones de la Meseta espagnole se retrouvent rarement au Portugal. Sur une superficie relativement faible (88 944 km²), la partie continentale du pays, au Sud-Ouest de la péninsule Ibérique, qui s'inscrit dans un rectangle de 560 km de long sur 220 km de large, présente une grande diversité de paysages. L'altitude décroît de la frontière espagnole à l'Océan et du Nord au Sud. Le Tage sépare une région montagneuse au Nord d'une région de plateaux et de plaines au Sud. À ce territoire s'ajoutent ceux des archipels de Madère (782 km²) et des Açores (2 335 km²) *(descriptions à la fin du guide)*.

LA FORMATION DU SOL

À l'ère primaire, le plissement hercynien a affecté le Nord du Portugal en y dressant des montagnes granitiques ou schisteuses très résistantes. L'ère secondaire voit ces montagnes arasées en un immense plateau où quelques éléments plus durs sont restés en relief (serra de São Mamede). À l'ère tertiaire, le relèvement brutal de ce plateau provoque sa dislocation en de nombreux massifs (serras do Marão, da Estrela), séparés par des fossés d'effondrement, et quelques phénomènes éruptifs (serras de Sintra et de Monchique). Les bassins du Tage et du Sado se sont alors creusés tandis que les plaines côtières se plissaient en petits chaînons (serras de Aire, do Caldeirão, da Arrábida).
Dans cette zone faible de l'écorce terrestre, les perturbations géologiques ne sont pas tout à fait éteintes, comme en témoignent le tremblement de terre qui détruisit Lisbonne en 1755 et des secousses plus récentes.
Les côtes se sont régularisées, à l'ère quaternaire, par l'érosion des falaises de l'Estrémadure et de l'Alentejo et par l'accumulation littorale dans les régions d'Aveiro et de Sines.

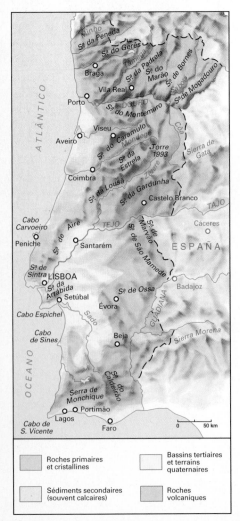

▨ Roches primaires et cristallines	▢ Bassins tertiaires et terrains quaternaires
▢ Sédiments secondaires (souvent calcaires)	▨ Roches volcaniques

RELIEF

Au Nord du Douro, la cordillère cantabrique est prolongée par des montagnes massives séparées par des vallées aux versants violemment érodés.
Entre le Douro et le Tage se rencontrent des reliefs particulièrement vigoureux qui font suite aux sierras de Castille : la serra da Estrela culmine au mont Torre (1 993 m), sommet le plus élevé du Portugal continental ; les vallées du Mondego et du Zêzere ceinturent cette échine.
Au Sud du Tage s'étend le grand plateau descendant vers l'Océan ; les immenses horizons sont à peine barrés par les affleurements des serras de Monchique et do Caldeirão.
Les 837 km de littoral offrent une incroyable variété de sites : interminables grèves, plages de sable fin abritées au creux de falaises rocheuses, criques et caps : Carvoeiro, Espichel, St-Vincent. Les vastes estuaires sont occupés par les principaux ports : Porto sur le Douro, Lisbonne sur le Tage, Setúbal sur le Sado. Quelques baies offrent leur abri aux ports de pêche comme Portimão, quelques promontoires les protègent du vent : à Peniche, à Lagos, mais la majeure partie du littoral est une côte sablonneuse plate parfois doublée par un cordon littoral (côte Est de l'Algarve, ria d'Aveiro).
La fraîcheur de l'eau qui baigne les côtes est due au courant froid des Canaries.

RÉGIONS ET PAYSAGES

Cette description par région reprend les limites des anciennes provinces qui correspondent à des régions naturelles ; les divisions administratives sont les districts *(voir carte dans le chapitre : Le Portugal aujourd'hui)*.

Le Nord

Il comprend les anciennes provinces du Minho, du Douro, très cultivées, et à l'intérieur du pays, les régions plus sèches du Trás-os-Montes et des Beiras Alta et Baixa.

Le Minho (districts : Braga et Viana do Castelo) **et le Douro** (district : Porto)

Cette région fait partie de la zone touristique appelée **Porto et Nord du Portugal**. Ces deux provinces sont essentiellement formées de collines granitiques couvertes d'une abondante végétation. Seules les serras de Gerês, de Soajo et de Marão, qui constituent le parc national de Peneda-Gerês, présentent des sommets dénudés parsemés d'éboulis de rochers. Les champs entourés de haies et de vignes grimpantes produisent parfois deux récoltes par an ; çà et là apparaissent quelques boqueteaux d'eucalyptus, de pins (sur la côte) et de chênes. Vignes, arbres fruitiers et pâturages complètent une économie de terroir. Sur les pentes bien exposées poussent des oliviers, des pommiers et parfois des orangers. La population très dense vit dans des villages petits et extrêmement nombreux, reliés entre eux par des routes tortueuses et souvent pavées. Des vallées verdoyantes comme celles du rio Lima ou du rio Vez servent d'axes de circulation.

Porto est la capitale de cette région active qui regroupe plus du quart de la population du pays. Les industries sont nombreuses autour de Porto et de Braga.

Le Trás-os-Montes (districts : Bragança et Vila Real)

Son nom signifie « au-delà des monts » : c'est en effet au-delà des serras de Marão et de Gerês que s'étire cette province constituée de hauts plateaux surmontés de crêtes rocheuses et coupés de profondes vallées. Les plateaux, dominés par des sommets pelés, couverts d'une végétation rabougrie, sont le domaine de la lande à moutons. Les villages isolés, bâtis en granit ou en schiste, se confondent avec le paysage. Les bassins plus peuplés, autour de Chaves, Mirandela et Bragança, ressemblent à de véritables oasis où croissent arbres fruitiers, vignes, maïs et légumes. Cette région a toujours été un grand foyer d'émigration et aujourd'hui les petites villes se voient grossies par les constructions des immigrants de retour au pays.

L'Alto Douro au Sud fait exception. Les rebords des plateaux et les versants du Douro et du Tua ont été aménagés en terrasses sur lesquelles poussent oliviers, figuiers, amandiers et surtout le célèbre vignoble produisant le porto et le *vinho verde*.

La Beira Alta (districts : Guarda, Viseu) **et la Beira Baixa** (district : Castelo Branco)

Cette région, la plus montagneuse du Portugal, prolonge vers l'Ouest la cordillère centrale hispanique. Le paysage comporte une succession de blocs surélevés et de bassins d'effondrement. Les montagnes – les principales sont les **serras da Estrela et da Lousã** – montrent des versants fortement boisés que déterminent des sommets herbeux, parfois hérissés de chicots rocheux, où paissent les moutons. Quelques lacs de barrage occupent les emplacements d'anciens cirques glaciaires ou de gorges creusées dans les quartz. De vieux villages se dressent au-dessus des fonds de vallées quadrillés de cultures en terrasses (maïs, seigle, oliviers).

La population s'est établie dans les vallées du Mondego et du Zêzere. La vallée du Mondego, vaste couloir d'effondrement qu'empruntent les principales voies de communication, est couverte de riches cultures ; les versants bien exposés deviennent le

Vignobles du Douro

G. Sioën/RAPHO

domaine des vignobles de crus (région du Dão). La haute vallée du Zêzere, appelée Cova da Beira, est plus orientée vers l'élevage ; Covilhã, la principale ville, maintient une industrie lainière importante. Aux environs de Guarda, la plupart des villages, construits en granit, sont encore protégés par un château fort ou des remparts, témoins des luttes qui opposaient autrefois Portugais et Espagnols.

Le Centre

La Beira Littorale (districts : Coimbra, Aveiro)

Cette région sillonnée de nombreux canaux correspond à peu près aux basses vallées du Vouga, du Mondego et de la Lis ; les rizières s'étendent dans les zones irriguées autour de Soure et d'Aveiro. Ses longues plages rectilignes sont fixées par d'immenses pinèdes (Pinhal de Leiria, Pinhal do Urso) ; la ria de Aveiro forme un paysage original. L'arrière-pays se couvre de petits champs de blé ou de maïs bordés d'arbres fruitiers et de vigne, ainsi que de belles forêts comme celle de Buçaco.
Les deux grands pôles d'activité sont Coimbra, célèbre pour son université, Aveiro et sa ria.

L'Estrémadure (districts : Leiria, Lisbonne, Setúbal)

Jadis, c'était la limite méridionale des territoires reconquis sur des musulmans, d'où son nom qui signifie extrémité. Aujourd'hui, cette région regroupe un tiers de la population du pays. De Nazaré à Setúbal le paysage est vallonné et verdoyant : entre les bosquets de pins et d'eucalyptus, le blé, le maïs, les oliviers, la vigne et les arbres fruitiers sont l'objet de soins minutieux. Les exploitations, petites dans le Nord, plus vastes dans le Sud, s'ordonnent autour de villages aux maisons basses.
Sur la côte où alternent de hautes falaises et de belles plages de sable, les villages de pêcheurs sont nombreux. La serra de Sintra est un agréable massif boisé à proximité de Lisbonne. Au Sud du Tage, la serra da Arrábida abrite de petites stations balnéaires. Lisbonne, qui est le grand pôle d'activité de la région, centralise le pouvoir politique, administratif, financier, ainsi que de nombreux sièges sociaux et commerciaux.

Le Ribatejo (district : Santarém)

La « rive du Tage » (Riba do Tejo) est une plaine alluviale formée aux ères tertiaire et quaternaire. Sur les collines de la rive droite, les habitants pratiquent une polyculture à base d'oliviers, de vignes et de légumes. Sur les terrasses de la rive gauche s'étendent de grandes propriétés où se pratique la culture du blé et des oliviers.
La plaine inondable est occupée par des rizières, des cultures maraîchères, et surtout par de grandes prairies vouées à l'élevage des chevaux et des taureaux noirs de combat. Cette région, dont le principal centre est Santarém, est connue pour ses *touradas*, corridas à la portugaise.

Le Sud

L'Alentejo (districts : Beja, Évora, Portalegre)

Alentejo signifie au-delà du Tage (Além Tejo). Cette région, l'une des plus pittoresques et des plus belles du Portugal, couvre près du tiers de la superficie du pays. Elle est uniforme et sans grand relief, exception faite de la serra de São Mamede.

Paysage de l'Alentejo

La végétation naturelle y est presque inexistante : « en Alentejo, il n'y a pas d'ombre », dit un proverbe. Cependant, malgré les difficultés d'irrigation, le sol est rarement laissé à l'abandon. L'Alentejo, grenier à blé du Portugal, est aussi le domaine du chêne-liège, du chêne vert et de l'olivier ; on y cultive également le prunier aux environs de Vendas Novas et d'Elvas. Moutons et porcs noirs pâturent sur les mauvais sols.

Traditionnellement c'est une région de grandes propriétés avec des domaines immenses s'étendant autour du *monte*, grosse ferme blanchie à la chaux, isolée sur une butte, où habite le propriétaire ; les autres habitants se groupent dans des villages aux maisons basses, surmontées d'énormes cheminées. À la suite de la révolution des Œillets, la réforme agraire de juillet 1975 a réparti les terres entre de nombreuses coopératives. Cette réforme n'ayant pas eu le succès attendu, on est revenu progressivement au régime de la moyenne et de la grande propriété.

La côte est, en général, peu hospitalière, cependant quelques stations balnéaires s'y développent. Les ports sont rares à part celui bien équipé de Sines.

Il n'y a pas de villes importantes ; Évora avec ses 35 000 habitants joue le rôle de capitale de la région mais vit surtout du tourisme.

L'Algarve (district : Faro)

Son nom vient de l'arabe *El Gharb* qui signifie Ouest ; c'était en effet la contrée la plus occidentale des territoires conquis par les Arabes. Cette région, séparée de l'Alentejo par des collines schisteuses, ressemble à un jardin ; les fleurs (géraniums, camélias, lauriers-roses) se mêlent aux cultures (coton, riz, canne à sucre) et aux vergers (caroubiers, figuiers, amandiers, orangers) ; la plupart des jardins sont clôturés de haies d'agaves. Les villages rassemblent des maisons éblouissantes de blancheur, décorées de jolies cheminées. À l'Ouest se dresse un massif de roches volcaniques, la serra de Monchique, que couvre une végétation luxuriante.

La côte est très sablonneuse. À l'Est de Faro (Sotavento), elle est protégée par des cordons littoraux ; à l'Ouest (Barlavento), les plages sont agrémentées de hautes falaises qui forment au cap St-Vincent un impressionnant promontoire.

L'Algarve a connu ces dernières années un immense succès touristique, parfois au détriment des activités traditionnelles : la pêche, les conserveries, l'horticulture et l'industrie du liège. Les petits villages de pêcheurs sont devenus pour la plupart d'énormes stations balnéaires au style hélas international.

Les principales villes sont Faro, Lagos et Portimão.

PARCS ET RÉSERVES

Des zones de protection de la nature ont été créées afin de conserver intacte la beauté de certains paysages et de préserver la faune et la flore.

Parc national – Le Portugal ne compte qu'un parc national, celui de **Peneda-Gerês** (72 000 ha), dans l'extrême Nord du pays *(description à son nom)*.

Parcs naturels – Des régions ont été décrétées parcs naturels et font l'objet d'une protection particulière. Il s'agit, du Nord au Sud, des parcs naturels de **Montesinho** (75 000 ha) près de Bragance, du **Douro Internacional** (86 500 ha) dans un cadre naturel grandiose et inaltéré, de **Alvão** (7 220 ha) près de Vila Real, de **la serra da Estrela** (100 000 ha), des **serras de Aire et Candeeiros** (34 000 ha) près de Fátima, très beau paysage calcaire avec de nombreuses grottes, de **Sintra-Cascais** (23 280 ha), entre mer et forêt, d'**Arrábida** (10 820 ha plus 5 700 ha marins), de **la serra de São Mamede** (31 750 ha), de la **vallée du Guadiana** (69 600 ha), le long du fleuve, entre les monts de l'Algarve, du **Sudoeste Alentejano et de la Costa Vicentina** (74 788 ha), de **la Ria Formosa** (18 400 ha), un écosystème où nidifient des espèces rares d'oiseaux marins. Tous ces parcs naturels se trouvent dans des zones montagneuses, à l'exception des deux derniers, situés en Algarve et destinés d'une part à préserver les zones où ils se trouvent de la dégradation du littoral provoquée par les méfaits du tourisme (grands aménagements, constructions non contrôlées, pollution), d'autre part de faire face à l'intense érosion de cette côte.

Les réserves naturelles – Nombreuses, elles sont destinées à protéger la végétation et la faune : ce sont des zones de montagne comme la **serra de Malcata** (21 760 ha), au Nord-Est de Penamacor, mais aussi des marais comme le **Paúl de Arzila** (535 ha), au Nord du Mondego, le **Paúl do Boquilobo** (530 ha), près du Tage, ou des estuaires de fleuves particulièrement riches pour leur avifaune : l'**estuaire du Tage** (14 560 ha), l'**estuaire du Sado** (22 700 ha), **Sapal de Castro Marim-Vila Real de Santo António** (2 089 ha) dans l'estuaire du Guadiana, ou encore des zones dunaires comme les **dunes de São Jacinto** (666 ha) dans la ria de Aveiro, ou insulaires comme **Berlenga** (1 063 ha), au large de Peniche.

À Madère et aux Açores, la plupart des sites naturels ont été classés réserves naturelles *(voir la description de l'archipel de Madère et de celui des Açores)*.

Aires de paysage protégé – Elles ont notamment pour but de protéger la côte des constructions anarchiques : **serra do Açor** (346 ha), **littoral de Esposende** (440 ha), **Costa de Caparica** (1 570 ha). Outre ces aires de paysage protégé, il existe également un certain nombre de sites classés dans tout le pays.

BOIS ET FORÊTS
RÉPARTITION DES ESPÈCES DOMINANTES

Chênes à feuilles caduques	▲ Parcs naturels
Chênes à feuilles persistantes	Eucalyptus
Pins	Caroubiers

VÉGÉTATION

La multiplicité et la diversité des essences végétales témoignent des contrastes climatiques et des différences de nature des sols.

Sur les sommets très arrosés dont l'altitude dépasse 500 m (dans le Nord du pays et dans les serras de São Mamede et de Monchique au Sud) croissent le **chêne rouvre**, le **chêne tauzin**, accompagnés de **châtaigniers**, de bouleaux et d'érables. Bien que très décimé, le **chêne lusitanien** se rencontre encore dans le Centre et le Sud.

Au Sud du Tage et dans la haute vallée du Douro qui connaît un été très sec, on rencontre des peuplements considérables de **chênes verts** et de **chênes-lièges** voisinant avec des garrigues et des landes à cistes où poussent aussi lavande, romarin et thym. Bien que représentés dans tout le pays, les chênes-lièges sont surtout la dominante des paysages de l'Alentejo. Rappelons que le Portugal est le premier producteur au monde de liège. L'**eucalyptus** pousse surtout le long du littoral, espace qu'il partage avec les **pins maritimes** et les pins parasols qui forment de vastes forêts le long des plages de la côte près de Leiria, de Coimbra et d'Aveiro. Eucalyptus et pins sont les essences préférées pour le reboisement et occupent de plus en plus de superficie.

En Algarve, les plantes méditerranéennes s'acclimatent bien et l'on trouve des **agaves**, des **caroubiers**, des **amandiers**, des **figuiers**, des **orangers** et des **oliviers**.

Histoire

QUELQUES FAITS HISTORIQUES

Jusqu'au 11ᵉ s., le Portugal n'est qu'une région de la péninsule Ibérique.

Avant J.-C. :	
9ᵉ-7ᵉ s.	Grecs et Phéniciens fondent des comptoirs sur les côtes de la péninsule Ibérique dont l'Ouest est occupé par les tribus lusitaniennes, d'origine celtibère.
3ᵉ-2ᵉ s.	Les Carthaginois soumettent le pays. Les Romains interviennent lors de la deuxième guerre punique et administrent la Lusitanie, baptisée ainsi par Auguste. Le chef lusitanien Viriathe organise la résistance ; il est assassiné en 139.
Après J.-C. :	
5ᵉ s.	Les Suèves puis les Wisigoths occupent la majeure partie de la péninsule.

Occupation musulmane

711	Invasion par les musulmans venus d'Afrique du Nord.
8ᵉ-9ᵉ s.	La reconquête de la péninsule Ibérique par les chrétiens part de Covadonga dans les Asturies en 718 avec Pélage à sa tête. Dès le 9ᵉ s., la région de Portucale, au Nord du fleuve Mondego, est libérée.

La formation du royaume

En 1087, Alphonse VI, roi de León et de Castille, entreprend la reconquête de la Nouvelle-Castille, actuelle Castille-La Manche, alors sous domination musulmane. Il reçoit l'aide de plusieurs chevaliers français dont Henri de Bourgogne, descendant du roi de France Hugues Capet, et son cousin Raymond de Bourgogne. Les musulmans vaincus, il accorde à ces princes la main de ses filles. Urraca, l'héritière du trône, épouse Raymond ; Thérèse apporte en dot le comté « portucalense » à **Henri de Bourgogne** qui devient comte du Portugal. Ce comté s'étend entre les rios Minho et Douro.
En 1112 ou 1114, Henri meurt ; Thérèse devient régente en attendant la majorité de son fils **Alphonse Henriques**, né en 1109. Mais en 1128 ce dernier oblige sa mère à renoncer au pouvoir ; en 1139, il rompt les liens de vassalité que lui avait imposés Alphonse VII de Castille et se proclame roi du Portugal sous le nom d'Alphonse Iᵉʳ ; la Castille s'incline en 1143. Par ailleurs, Alphonse Henriques poursuit la reconquête et, après la victoire d'Ourique (1139), s'empare de Santarém, puis de Lisbonne (1147), grâce à l'aide d'une flotte de la deuxième croisade. La prise de Faro en 1249 marque la fin de l'occupation musulmane.

La dynastie des Bourgogne (de 1128 à 1383)

Conflits avec la Castille

1279-1325	Règne du roi Denis Iᵉʳ. Il fonde l'université de Coimbra et instaure comme langue officielle le « portugais », dialecte de la région de Porto.
1369-1383	Règne de Ferdinand Iᵉʳ. Profitant de troubles en Castille, le roi tente d'agrandir son territoire ; il échoue et doit marier sa fille unique, Beatriz, au roi de Castille Jean Iᵉʳ.

Bataille d'Aljubarrota (miniature du 15ᵉ s.)

British Library, London/BRIDGEMAN-GIRAUDON

37

La dynastie des Avis (1385 à 1578)

Les Grandes Découvertes

(Pour les Grandes Découvertes, voir en fin de chapitre)

1385	À la mort de Ferdinand Ier en 1383, son gendre Jean de Castille a fait valoir ses droits à la succession ; mais c'est un frère bâtard de Ferdinand, Jean, grand maître de l'ordre d'Avis, que la bourgeoisie choisit. Les Cortes de Coimbra le proclament roi du Portugal sous le nom de **Jean Ier**. Sept jours plus tard, le 14 août, Jean de Castille affronte Jean d'Avis lors de la **bataille d'Aljubarrota**, mais échoue. Celui-ci, pour célébrer sa victoire, fait construire le monastère de Batalha. Il se marie avec Philippa de Lancastre, s'assurant ainsi l'alliance de l'Angleterre, alliance qui se maintiendra tout au long de l'histoire du Portugal.
1415	La **prise de Ceuta** par Jean Ier et ses fils, dont l'infant Henri, marque le début de l'expansion portugaise.
1420-1444	L'archipel de Madère commence à être peuplé en 1420 et celui des Açores en 1444.
1481-1495	**Jean II**, surnommé « le Parfait », encouragea la science nautique ; il fit cependant l'erreur de ne pas accepter le projet de Christophe Colomb. C'est sous son règne que Bartolomeu Dias franchit le cap de Bonne-Espérance (1488) et que fut signé le **traité de Tordesillas** (1494), partageant le Nouveau Monde en deux zones d'influence : castillane et portugaise.
1495-1521	Règne de **Manuel Ier**. Pour épouser Isabelle, la fille des Rois Catholiques d'Espagne, il doit s'engager à expulser tous les juifs par un arrêt lancé en 1497. Le Portugal est alors privé de nombreux commerçants, banquiers et savants. **Vasco de Gama** arrive aux Indes en 1498 et **Pedro Álvares Cabral** accoste au Brésil en 1500 ; l'expédition de **Magellan** accomplit le premier tour du monde entre 1519 et 1522.
Août 1578	Au cours de la bataille de El-Ksar-el-Kébir, au Maroc, le jeune roi **Sébastien Ier** est tué ; c'est la fin de la suprématie du Portugal dans le monde. Mais sa mort provoque aussi un problème de succession et, bientôt, trois de ses cousins prétendent à la couronne : Antoine, prieur de Crato, la duchesse de Bragance, et le roi d'Espagne, Philippe II, fils de l'infante Isabelle. Philippe II, qui avait rallié à sa cause des personnages de haut rang, triompha et entra dans Lisbonne en 1580. Le prieur de Crato alla chercher du soutien aux Açores *(voir ce nom)*.

Sébastien Ier, le « roi-chevalier » (1554-1578)

Sébastien monta sur le trône en 1557 à l'âge de 3 ans. Il fut élevé par un jésuite qui lui inculqua les valeurs déjà désuètes de la chevalerie auxquelles le prédisposait son esprit rêveur et altier. Il se crut investi d'une mission : conquérir l'Afrique sur les infidèles... En 1578, il décida d'accomplir son destin et embarqua pour le Maroc après avoir levé une armée de 17 000 hommes encadrée par la fine fleur de la noblesse portugaise. Mais, les soldats mal préparés souffrant du soleil accablant sous leurs riches armures, l'équipée se termina brutalement sur les bords de l'oued Makhazen près de El-Ksar-el-Kébir, où la moitié de l'armée périt et l'autre fut capturée. On ne retrouva jamais le corps du roi. Aussi, la période de domination espagnole qui suivit fut-elle propice au développement du **sébastianisme** qui, faisant du jeune roi disparu un messie éternellement attendu pour sauver le Portugal, vint enrichir l'âme portugaise d'un autre aspect de la *saudade*.

Sébastien Ier, par Cristóvão Morais (16e s.)

Museu Nacional de Arte Antiga

La domination espagnole (de 1580 à 1640)

1580	**Philippe II d'Espagne** envahit le Portugal et s'en fait proclamer roi sous le nom de Philippe Ier. La domination espagnole va durer soixante ans.
1er déc. 1640	Soulèvement contre les Espagnols. C'est la guerre de Restauration. Le duc Jean de Bragance est proclamé roi sous le nom de Jean IV : la **dynastie de Bragance** régnera jusqu'en 1853.
1668	L'Espagne reconnaît l'indépendance du Portugal.

Le 18e s.

1683-1706	Règne de **Pierre II**.
1703	Le Portugal signe avec l'Angleterre le traité de Methuen, favorisant l'exportation du vin de Porto.
1706-1750	Le règne de **Jean V** « le Magnanime » a laissé le souvenir d'une magnificence inouïe alimentée par les richesses du Brésil et conforme au faste d'un roi de l'époque baroque *(voir Mafra)*.
1er nov. 1755	Un tremblement de terre détruit Lisbonne.
1750-1777	Règne de **Joseph Ier** qui laisse son ministre, le **marquis de Pombal**, gouverner le pays d'une main de fer, donnant l'exemple d'un despotisme éclairé. Pombal fait expulser les jésuites du Portugal en 1759.

Les guerres napoléoniennes

Le Portugal, allié de l'Angleterre depuis le traité de Methuen (1703), participe à la première coalition qui se constitue en 1793 contre la France révolutionnaire. En 1796, l'Espagne se détache de la coalition et s'allie à la France. Le Portugal se trouve isolé. Il n'en refuse pas moins de dénoncer l'alliance anglaise et de participer au blocus continental. Mais pour éviter les représailles de l'armée espagnole, il cède Olivença (Olivenza) à l'Espagne au terme de la **guerre des Oranges**, en 1801 *(voir Elvas)*.

Pour assurer une stricte application du blocus, Napoléon envoie alors son armée au Portugal ; mais trois expéditions successives menées par Junot (1807), par Soult (1809) et par Masséna (1810) ne viennent pas à bout du pays que soutiennent des renforts venus d'Angleterre commandés par Wellesley, futur duc de Wellington. Les troupes françaises sont contraintes à la retraite par un ennemi insaisissable.

Le pays a subi les déprédations des deux armées ; les dégâts matériels, les conséquences politiques et morales sont tragiques : pendant le long exil au Brésil du roi Jean VI (1807-1821), le Portugal est devenu une dépendance britannique.

Quand le Portugal était gouverné par un général britannique...

Général d'origine irlandaise, **William Carr** (1768-1854) servait à la fin du 18e s. dans les lointaines colonies britanniques. Lorsque Napoléon s'allie à l'Espagne par le traité de Fontainebleau en 1807, le Portugal resserre ses liens avec la Grande-Bretagne et se place sous son autorité en vue d'une guerre prochaine contre la France. Carr est alors envoyé au Portugal afin de réorganiser et professionnaliser l'armée portugaise.

Nommé en 1909 généralissime (ou maréchal commandant) de l'armée portugaise, il vainc Soult à La Albuera (près de Badajoz) en 1811.

L'année 1814 le verra entrer à Bordeaux au côté du duc d'Angoulême et recevoir du prince-régent George le titre de vicomte de Beresford.

Revenu au Portugal et détenant un fort pouvoir au sein de l'armée, Beresford fait du Portugal une « colonie » anglaise : les Anglais l'imposent au roi du Portugal et du Brésil Jean VI, qui, resté à Rio de Janeiro, le nomme régent du Portugal en 1816. Mais la tyrannie qu'il exerce provoque contre lui une conspiration en 1817. Celle-ci ayant échoué, c'est seulement à la fin de l'année 1820 que Beresford est chassé du pays par les forces libérales portugaises.

La fin de la monarchie

1828-1834	**Guerre civile entre libéraux et absolutistes** : en 1822, le Brésil s'est proclamé indépendant et a pris comme empereur le fils aîné du roi **Jean VI**, Pierre IV, sous le nom de Pierre Ier du Brésil. À la mort de Jean VI en 1826, Pierre Ier conserve le trône du Brésil et installe sur celui du Portugal sa fille **Marie II** en adoptant une constitution libérale où l'autorité royale est sous la suprématie du pouvoir parlementaire. Son frère **Miguel**, qui a le titre de régent, se fait alors le champion de la monarchie absolue et réclame la couronne qu'il finit par obtenir en 1828. Une lutte acharnée s'instaure entre les absolutistes et les libéraux qui soutiennent Pierre. Celui-ci, aidé par les Anglais, vient rétablir sa fille sur le trône en 1834 ; la **convention d'Evoramonte** met fin à la guerre civile. Marie II épouse en 1836 Ferdinand de Saxe-Cobourg-Gotha.

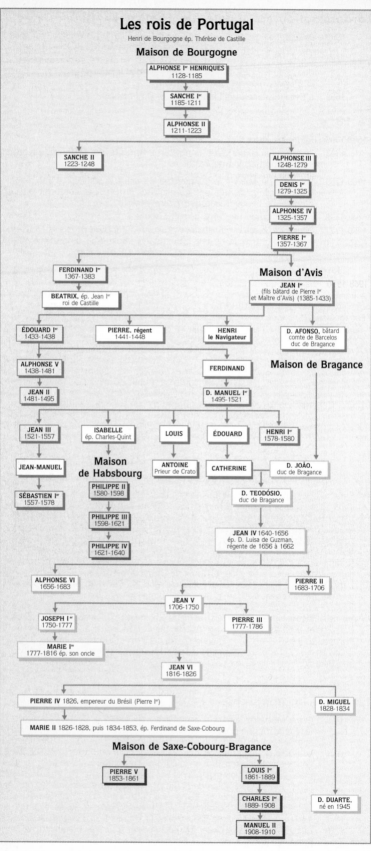

Les rois de Portugal

Henri de Bourgogne ép. Thérèse de Castille

Maison de Bourgogne

ALPHONSE I er HENRIQUES
1128-1185

SANCHE I er
1185-1211

ALPHONSE II
1211-1223

SANCHE II
1223-1248

ALPHONSE III
1248-1279

DENIS I er
1279-1325

ALPHONSE IV
1325-1357

PIERRE I er
1357-1367

FERDINAND I er
1367-1383

BEATRIX, ép. Jean I er
roi de Castille

Maison d'Avis

JEAN I er
(fils bâtard de Pierre I er
et Maître d'Avis) (1385-1433)

ÉDOUARD I er
1433-1438

PIERRE, régent
1441-1448

HENRI
le Navigateur

D. AFONSO, bâtard
comte de Barcelos
duc de Bragance

ALPHONSE V
1438-1481

FERDINAND

Maison de Bragance

JEAN II
1481-1495

D. MANUEL I er
1495-1521

JEAN III
1521-1557

ISABELLE
ép. Charles-Quint

LOUIS

ÉDOUARD

HENRI I er
1578-1580

JEAN-MANUEL

Maison
de Habsbourg

ANTOINE
Prieur de Crato

CATHERINE

D. JOÃO,
duc de Bragance

SÉBASTIEN I er
1557-1578

PHILIPPE II
1580-1598

D. TEODÓSIO,
duc de Bragance

PHILIPPE III
1598-1621

JEAN IV 1640-1656
ép. D. Luisa de Guzman,
régente de 1656 à 1662

PHILIPPE IV
1621-1640

ALPHONSE VI
1656-1683

PIERRE II
1683-1706

JEAN V
1706-1750

JOSEPH I er
1750-1777

PIERRE III
1777-1786

MARIE I re
1777-1816 ép. son oncle

JEAN VI
1816-1826

PIERRE IV 1826, empereur du Brésil (Pierre I er)

D. MIGUEL
1828-1834

MARIE II 1826-1828, puis 1834-1853, ép. Ferdinand de Saxe-Cobourg

Maison de Saxe-Cobourg-Bragance

PIERRE V
1853-1861

LOUIS I er
1861-1889

CHARLES I er
1889-1908

D. DUARTE,
né en 1945

MANUEL II
1908-1910

1855-1890	Sous les règnes de **Pierre V** (1855-1861), de **Louis I**er (1861-1889) et de **Charles I**er (1889-1908), la vie politique, bien qu'agitée, n'empêche pas la reconstitution d'un troisième empire en Angola et au Mozambique. L'Angleterre s'oppose à l'entreprise du gouverneur **Serpa Pinto** qui veut conquérir des territoires entre l'Angola et le Mozambique afin de les réunir.
1er février 1908	Assassinat à Lisbonne du roi Charles Ier et du prince héritier. Le sang-froid de la reine Amélie permet de sauver son plus jeune fils qui monte sur le trône sous le nom de **Manuel II**.
5 oct. 1910	Abdication de Manuel II et proclamation de la République.

La République

1910-1933	La République ne parvient pas à restaurer l'ordre. L'entrée en guerre contre l'Allemagne en 1916 et l'envoi de troupes en France aggravent la situation intérieure qui devient critique en 1928. Le général Carmona fait alors appel à un professeur de l'université de Coimbra, António de Oliveira Salazar. **Salazar**, nommé ministre des Finances puis, en 1932, président du Conseil, rétablit la stabilité monétaire et politique, mais promulgue en 1933 la Constitution de « l'État nouveau » (Estado Novo), instituant un régime dictatorial (censure des journaux, police secrète : la PIDE).
1939-1945	Le Portugal reste neutre pendant la Seconde Guerre mondiale.
1949	Le Portugal est l'un des membres fondateurs de l'Otan.
1961	L'Inde annexe Goa, portugais depuis 1515.
1968-1970	Salazar, qu'un accident écarte des affaires fin 1968, meurt en juillet 1970. Son successeur, Caetano, poursuit une lutte anti-guérilla ruineuse et impopulaire en Afrique.

C. Costa Madeira/Arquivo Nacional de Fotografia, Lisboa

25 avril 1974 : une révolution beatnik

25 avril 1974	**Révolution des Œillets** : prise du pouvoir par le Mouvement des forces armées mené par le général Spínola.
1974	Indépendance de la Guinée-Bissau.
1975	Indépendance des îles du Cap-Vert, du Mozambique, de l'Angola, de São Tomé.
1976	Nouvelle constitution socialiste. Le général Ramalho Eanes est élu président de la République.
	Indépendance de Timor. Autonomie de Macao (territoire chinois sous administration portugaise) et des archipels de Madère et des Açores.
1980	Le parti conservateur remporte les élections législatives. Sá Carneiro forme un gouvernement, mais il trouve la mort le 4 décembre dans un accident d'avion. Le mandat présidentiel du général António Ramalho Eanes est renouvelé.
1986	Le Portugal entre dans la CEE. Le socialiste Mário Soares est élu président de la République.
1991	Réélection de Mário Soares.
1994	Lisbonne, capitale européenne de la culture.
1996	Élection de Jorge Sampaio à la présidence de la République.
1998	**Expo' 98** : Exposition mondiale à Lisbonne.
1999	Le territoire de Macao est cédé à la Chine.
2001	Réélection de Jorge Sampaio.

LES GRANDES DÉCOUVERTES

Parlez d'histoire à un Portugais, aussitôt il évoquera avec orgueil et nostalgie les Grandes Découvertes ; il racontera comment quelques poignées de ces audacieux Lusitaniens ont parcouru les océans à la recherche de terres nouvelles, dans un esprit d'exploration et non de conquête comme leurs voisins, si fiers de leurs « conquistadores ».

Henri le Navigateur
(polyptyque de S. Vicente – 15ᵉ s.)

A. Wolf/EXPLORER

D'ambitieux desseins – Le 25 juillet 1415, une flotte de plus de 200 navires quitte Lisbonne, commandée par le roi Jean Iᵉʳ et trois de ses fils dont l'infant Henri. Par la **prise de Ceuta**, les Portugais mettent fin aux actes de piraterie barbaresque sur leurs côtes, ils s'assurent le contrôle du détroit de Gibraltar et espèrent obtenir à prix avantageux l'or et les esclaves du Soudan. L'esprit de croisade n'est pas complètement étranger à cette lutte qui oppose chrétiens et musulmans. En abordant l'Afrique, les Portugais voudraient faire la jonction avec le royaume chrétien du prêtre Jean (l'Éthiopie), qui, dit-on, se trouve au-delà des contrées islamiques.

Par ailleurs, le sentiment qu'il existe des terres à découvrir et que l'on peut « faire reculer les bornes du monde » préoccupe les esprits de l'époque. Dans cette fin du Moyen Âge, la richesse appartient à ceux qui ont le monopole du commerce des épices et des parfums provenant d'Extrême-Orient. Or, ce commerce est aux mains d'une part des Maures, qui contrôlent le passage des caravanes vers le golfe Persique et la Méditerranée, d'autre part de la république de Venise. Pour les éviter, il faut trouver une voie maritime : Henri le Navigateur va consacrer sa vie à ce rêve.

L'école de Sagres – L'infant Henri (1394-1460), surnommé **Henri le Navigateur**, se retire sur le promontoire de Sagres et là, entouré de nombreux cosmographes, cartographes et navigateurs, il essaie de trouver une route maritime directe qui relie l'Europe aux Indes ; l'idée de contourner le continent africain par le Sud germe déjà dans son esprit. Il fait appel à des navigateurs expérimentés et leur demande à chaque voyage de pousser plus avant vers le Sud : l'île de **Madère** est découverte en 1419 par João Gonçalves Zarco et Tristão Vaz Teixeira, **les Açores** en 1427 probablement par Diogo de Silves ; en 1434, **Gil Eanes** franchit le **cap Bojador** ; c'était alors la limite du monde connu. Pour assurer le succès des expéditions, l'école de Sagres met au point la caravelle et perfectionne les instruments de navigation. Sur chaque nouvelle côte découverte, les marins plantent un « **padrão** », sorte de borne portant une croix et les écussons des armes du Portugal. Et surtout ils assurent les relations commerciales. L'infant Henri inaugure de nouvelles méthodes de colonisation : la *feitoria*, factorerie ou comptoir (établissement de commerce ou de banque fondé par des particuliers, qui parfois a donné naissance à des villes indépendantes du pouvoir local, comme Goa), la « compagnie » (société créée pour contrôler le trafic d'un produit), la « donation » (terrain octroyé – en général à un capitaine de vaisseau – avec mission de le mettre en valeur), comme ce fut le cas pour les capitaines-donataires des archipels de Madère et des Açores. Henri meurt en 1460, mais l'élan est donné.

Les Grandes Découvertes – C'est sous le règne de Jean II, puis sous celui de Manuel Iᵉʳ, tous deux petits-neveux de Henri le Navigateur, que vont avoir lieu les principales découvertes. **Diogo Cão** atteint l'embouchure du Congo en 1482. Toute la côte angolaise devient possession portugaise. Et en 1488, **Bartolomeu Dias** dépasse le cap des Tempêtes, rebaptisé aussitôt « cap de Bonne-Espérance » par le roi Jean II.

Quelques années plus tôt, **Christophe Colomb**, navigateur génois marié avec une Portugaise, avait eu l'idée de gagner les Indes en partant vers l'Ouest. Refusée à Lisbonne, sa proposition devait conduire, en 1492, à la découverte du Nouveau Monde pour le compte des Rois Catholiques. En 1494, par le **traité de Tordesillas** et avec l'accord du pape, les souverains portugais et castillans se partagent les terres à découvrir au grand dam du roi de France qui écrit à Jean II : « Puisque vous et le roi d'Espagne avez décidé de vous partager le monde, je vous serais bien obligé de me communiquer la copie du testament de notre père Adam qui vous institue seuls légataires universels » ; à l'Ouest d'un méridien tracé à 370 lieues marines des îles du Cap-Vert, les terres reviendront à la Castille, à l'Est au Portugal. Le choix d'une telle ligne laisse supposer à certains historiens que les Portugais connaissaient l'existence du Brésil avant sa découverte officielle, en 1500, par **Pedro Álvares Cabral**.

L'exploration des côtes africaines continue : le 8 juillet 1497, une flotte de quatre navires dirigée par l'amiral **Vasco de Gama** quitte Lisbonne avec mission d'atteindre les Indes en doublant le cap de Bonne-Espérance. Vasco de Gama touche le Mozambique en mars 1498 et réussit à rallier Calicut le 20 mai : la route maritime des Indes est ouverte. Camoens célèbre cette épopée dans les *Lusiades*.

En 1501, **Gaspar Corte Real** arrive à Terre-Neuve, mais c'est l'Asie qui intéresse le roi Manuel. En quelques années, les Portugais explorent le littoral asiatique. En 1515, ils contrôlent l'océan Indien, grâce à quelques places fortes comme Goa dont **Afonso de Albuquerque** s'était emparé en 1510.

Mais c'est pour le compte du roi d'Espagne que le Portugais **Fernão de Magalhães** (Magellan) atteint les Indes par l'Ouest (1519-1521). Il est assassiné aux Philippines par les indigènes, l'un de ses navires boucle cependant le premier tour du monde (1522).

En 1517, le roi Manuel Ier avait essayé d'envoyer un ambassadeur en **Chine**, mais cette expédition

Vasco de Gama (peinture du 15e s.)

avait été un échec et il faut attendre 1554 pour que les Portugais soient autorisés à commercer avec Canton. Ils commencent alors à fréquenter Macao.

Quant au **Japon**, les Portugais y arrivent en 1543 et avec l'introduction des armes à feu bouleversent sa politique. Les jésuites, dont la compagnie avait été fondée en 1540, y sont très actifs : en 1581 on y compte près de 150 000 chrétiens.

Un bilan positif – Survenues dans la période troublée du Moyen Âge finissant, les découvertes ont eu les plus importantes conséquences sur l'évolution du monde à l'aube de la Renaissance. Dès le début du 16e s., le monopole du commerce avec les Indes, détenu jusque-là par les Arabes et les Turcs, passe aux mains des Portugais ; les centres commerciaux de la Méditerranée (Venise, Gênes) et de la Baltique (Lübeck) périclitent au profit des ports de l'Europe occidentale, en particulier Lisbonne ; les peuples nordiques viennent y échanger des armes, des céréales, de l'argent et du cuivre contre l'or et l'ivoire d'Afrique, les fameuses épices (poivre, cannelle, gingembre, clou de girofle) des Indes, les soieries de Chine, les tapis de Perse, les métaux précieux de Sumatra. De nouveaux produits sont introduits en Europe (patate douce, maïs, tabac, cacao, indigo). L'or d'Afrique et d'Amérique afflue sur les rives du Tage.

PRINCIPALES EXPÉDITIONS PORTUGAISES (1419-1522)

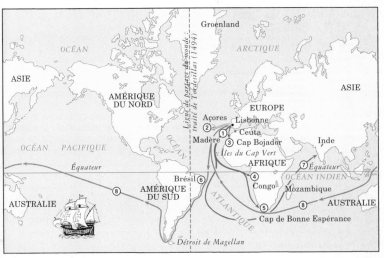

① Madère (João Gonçalves Zarco et Tristão Vaz Teixeira – 1419)
② Açores (1427)
③ Cap Bojador (Gil Eanes – 1434)
④ Embouchure du Congo (Diogo Cão – 1482)
⑤ Cap de Bonne-Espérance (Bartolomeu Dias – 1488)
⑥ Brésil (Pedro Álvares Cabral – 1500)
⑦ Mozambique et Inde (Vasco de Gama – 1498)
⑧ Tour du monde (Magellan – 1522)

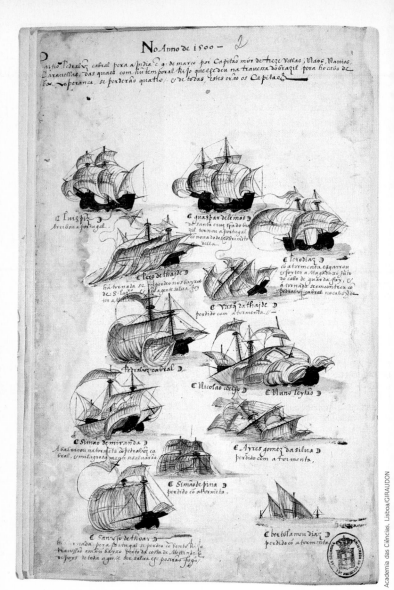

L'escadre de Pedro Álvares Cabral (Livro das Armadas – 16e s.)

Le Portugal et l'Espagne accèdent au rang de grandes puissances tandis que les pays de l'Islam perdent de leur importance ; d'immenses empires coloniaux se constituent. La découverte de nouveaux pays, de nouvelles civilisations provoque des bouleversements dans l'histoire universelle dans tous les domaines : politique, économique, mais aussi culturel et religieux. Par exemple, la révélation de l'existence de peuplades inconnues pose certains problèmes religieux du style : les hommes du Nouveau Monde ont-ils une âme, sont-ils marqués par le péché originel ? Et le trouble provoqué ainsi dans les esprits annonce la Réforme. L'apparition de l'esprit critique prélude à la naissance des sciences ; l'anthropologie et la géographie se développent.

Le besoin d'une main-d'œuvre à bon marché entraîne le trafic du « bois d'ébène » qui amorce le peuplement noir en Amérique.

Une richesse illusoire – Le Portugal a cependant présumé de ses forces : la population du pays est passée de 2 à 1 million d'habitants, en raison des départs outre-mer ; les richesses font augmenter le nombre des oisifs et des aventuriers ; la terre n'est même plus cultivée et il faut importer du blé et du seigle ; l'artisanat périclite ; la vie est devenue très chère. L'or est échangé contre les produits venant de Hollande et de France, la fortune du Portugal n'est bientôt plus qu'une illusion. Le glas de cette époque sonne vraiment le 4 août 1578 avec la mort du jeune roi Sébastien Ier pendant la bataille de El-Ksar-el-Kébir, au Maroc. Deux ans après sa mort, le Portugal passe sous le contrôle de l'Espagne.

Le Portugal aujourd'hui

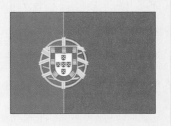
LA POPULATION PORTUGAISE

Les Portugais, dont le nombre dépasse les 10 millions, vivent dans leur grande majorité le long de la côte, où ils trouvent de meilleures conditions de vie. La densité moyenne de la population est de 110 habitants/km². La région du Minho est la plus peuplée, tandis que le Trás-os-Montes et surtout l'Alentejo présentent un taux d'occupation très réduit.

UN PEUPLE MIGRATEUR

Le Portugais est partagé entre sa terre, à laquelle il est profondément attaché, et ses rêves d'exploration. Après avoir découvert tant de territoires nouveaux, il a souvent dû émigrer pour aller chercher fortune ailleurs. Au 19ᵉ s., le Brésil était la destination de prédilection, suivi de l'Amérique du Nord, de l'Argentine et du Venezuela. Au début du 20ᵉ s., les colonies africaines (surtout Mozambique et Angola) attirèrent aussi leur lot d'immigrants portugais. À partir des années 1950, l'émigration, provoquée par une situation économique difficile, s'orienta vers les pays européens industrialisés qui cherchaient de la main-d'œuvre, en particulier la France, l'Allemagne, le Luxembourg et le Royaume-Uni. Les principaux foyers d'émigration furent les archipels de Madère et des Açores, ainsi que les provinces intérieures du Nord du pays. Dans les années 1960, aux problèmes économiques s'ajoutèrent les guerres de libération de l'Angola, de Guinée-Bissau et du Mozambique ; de nombreux jeunes gens émigrèrent pour ne pas être enrôlés. De 1960 à 1972, plus d'un million et demi de Portugais quittèrent le pays. Ce flot fut interrompu en 1974 : la révolution des Œillets avait renversé la situation politique et les pays industrialisés commençaient à être touchés par la crise. Plus de 4 millions de Portugais vivent aujourd'hui à l'étranger, soit 40 % de la population. Les pays de résidence sont dans l'ordre les États-Unis, le Brésil, la France, le Canada, le Venezuela et l'Afrique du Sud. Depuis quelques années, on assiste à une inversion des flux migratoires due au retour de certains émigrés des années 1960 et 1970 et à l'arrivée de groupes importants d'immigrés venus des anciennes colonies, en particulier du Cap-Vert, de la Guinée-Bissau, des îles de São Tomé e Príncipe, d'Angola, du Brésil et d'Inde.

LA LANGUE PORTUGAISE

« De ma langue, on voit la mer » *(Vergílio Ferreira)* – Bien que le territoire portugais ait été occupé par différents peuples (Phéniciens, Wisigoths, Celtes, Arabes), la langue portugaise, dans son vocabulaire comme dans sa syntaxe, dérive directement et principalement du latin parlé par les Romains qui ont séjourné dans la péninsule Ibérique. Plus tard, les Wisigoths et les Suèves (du 6ᵉ au 8ᵉ s.) sont passés sans laisser de traces dans la langue. L'autre langue ayant eu une grande influence sur le portugais est l'arabe, qui à partir du 8ᵉ s., a enrichi le lexique avec des mots ayant trait aux techniques introduites par ce peuple. Toutefois, à mesure que celles-ci évoluaient, ces termes ont été progressivement remplacés par d'autres. Il en subsiste cependant un certain nombre, en particulier tous les mots commençant par « al ».
À l'époque des Grandes Découvertes, les Portugais ne se sont pas contentés de disséminer leur langue dans le monde, ils ont aussi importé, en même temps que les précieuses épices, de nouveaux vocables exotiques, qui sont le condiment de cette langue.

LE PORTUGAIS DANS LE MONDE

Plus de 180 millions de personnes s'expriment en portugais dans le monde ; c'est la septième langue parlée après les langues chinoises, l'anglais, l'espagnol, les langues indiennes (hindi et bengali), le russe et l'arabe. Elle est parlée sur quatre continents : l'Europe avec le Portugal bien sûr, l'Amérique avec le Brésil, l'Afrique avec l'Angola, le Mozambique, la Guinée-Bissau, les îles du Cap-Vert et de São Tomé e Príncipe, l'Asie enfin avec Timor, Macao et Goa.

QUELQUES NOTIONS DE PRONONCIATION

Bien que la syntaxe et l'étymologie soient très proches du castillan, la prononciation du portugais est complètement différente et similaire au français pour certaines lettres comme le j, le c, le z, le ç, le ch, mais tout à fait originale par ses chuintantes, ses nasales et ses sifflantes.

Accent tonique – Dans les mots terminés par une voyelle (sauf i, u et les diphtongues) et par m ou s (sauf après i et u), l'accent porte sur l'avant-dernière syllabe. Les autres mots sont accentués sur la dernière syllabe (Tomar, Almeirim). Toute exception se signale dans l'écriture par un accent (Évora). Les voyelles atones sont souvent « avalées ».

Terminaisons nasales – Elles sont marquées par un m (Belém : B'lein), ou par le tilde (til), accent écrit qu'on trouve dans les voyelles ou diphtongues nasales ã (prononcer ain), ãe (ain-i), ão (ain-ou), ões (on-ich), etc. Très fréquente est la terminaison –ção, qui correspond à la finale française « tion » (estação, gare ou station) et se prononce « sain-ou ».

Consonnes – Le s est chuintant en fin de syllabe (Lisboa : Lijboa). Le r est guttural au début des mots. Le lh a un son mouillé comme dans « bille ». Le nh est prononcé « gne ».

L'ÉCONOMIE

Au moment de la révolution des Œillets de 1974, le Portugal avait accumulé sous le régime de Salazar près de cinquante ans de retard, faute d'investissements en industries et infrastructures pour le pays, qui disposait par ailleurs de grandes réserves d'or provenant en partie de l'exploitation des anciennes colonies. Les activités traditionnelles étaient prédominantes : production agricole et vinicole, extraction de liège, de pierres, pêche. L'adhésion à la Communauté économique européenne en 1986 permit de franchir un pas décisif dans le développement du pays, grâce en partie aux aides communautaires. Aujourd'hui, les acti-

PROVINCES ET DISTRICTS

○ Braga — Limites et capitale de district

MINHO — Nom des anciennes provinces

vités traditionnelles ont été modernisées et occupent toujours une place importante, avec 13 % de l'emploi (le Portugal est l'un des grands producteurs mondiaux de vin et le premier producteur de liège). Dans le domaine industriel, de la transformation et de l'énergie (35 % de l'emploi) se détachent les secteurs de la chaussure, des textiles, du papier, les industries automobile, métallurgique et mécanique. Dans le secteur tertiaire (52 % de la population active), le tourisme enregistre une croissance significative : il occupe près de 5 % de la population active et représente 5 % du PIB. Avec l'un des taux de chômage les plus bas de l'Union européenne (4,1 % en 2001) et parce qu'il fut l'un des premiers pays à répondre aux critères de convergence qualificatifs de l'intégration à la zone euro, le Portugal est considéré par certains comme le « petit dragon » de l'Europe.

ORGANISATION POLITIQUE

La **Constitution** du 2 avril 1976, révisée en 1982, a instauré un régime semi-présidentiel. Le **pouvoir exécutif** est détenu par le **président de la République** élu au suffrage universel pour un mandat de cinq ans renouvelable une seule fois consécutive. Il nomme le **Premier ministre**, représentant de la majorité parlementaire et, sur proposition de ce dernier, les autres ministres ; il dispose d'un droit de veto sur les lois approuvées par l'Assemblée.

Le **pouvoir législatif** est représenté par une chambre unique comprenant 240 à 250 députés élus pour quatre ans.

Les archipels de Madère et des Açores constituent deux régions autonomes, dotées d'un gouvernement régional et d'une assemblée régionale élue au suffrage universel. Le président de la République y nomme un **ministre de la République** qui représente la souveraineté de la république et désigne à son tour le **président du gouvernement régional**.

ORGANISATION ADMINISTRATIVE

Autrefois, le Portugal était divisé en provinces (le Minho, le Trás-os-Montes, le Douro, les Beiras Alta, Baixa, Littorale, le Ribatejo, l'Estrémadure, l'Alentejo, l'Algarve) dont le nom désigne encore les principales régions du pays.

Aujourd'hui on distingue :

– les **districts** : il y en a 18 dans le Portugal continental, 3 aux Açores et 1 à Madère. De nombreuses administrations publiques fonctionnent au niveau du district : santé, éducation, finances...

– les **concelhos**, au nombre de 305 pour tout le pays, représentent le pouvoir municipal. Ils sont l'équivalent de certaines communes urbaines ou de cantons. Le concelho est doté d'une mairie *(Paços do concelho)*, d'un conseil exécutif *(câmara municipal)*, dont le président joue le rôle de maire. Il est élu, ainsi que l'assemblée municipale, tous les quatre ans au suffrage universel.

– chaque concelho compte plusieurs **freguesias** (environ 4 200 pour l'ensemble du pays) qui dans certains cas peuvent représenter un village, dans d'autres un quartier. C'est à leur niveau que s'effectuent la tenue de l'état civil, l'entretien du patrimoine, l'organisation des fêtes et autres manifestations locales.

ABC d'architecture

Architecture religieuse

Coupe d'une église

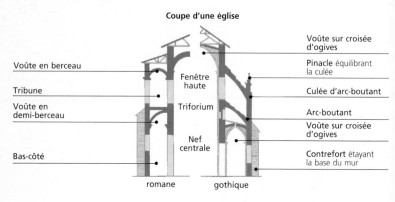

Voûte en berceau

Tribune

Voûte en demi-berceau

Bas-côté

Fenêtre haute

Triforium

Nef centrale

romane

gothique

Voûte sur croisée d'ogives

Pinacle équilibrant la culée

Culée d'arc-boutant

Arc-boutant

Voûte sur croisée d'ogives

Contrefort étayant la base du mur

LISBONNE – Plan de l'église Sta Maria de Belém (couvent des Hiéronymites)

Église de type **église-halle** (la nef centrale et les collatéraux sont de même hauteur ; quand la hauteur est différente, on distingue alors nef centrale et bas-côtés).

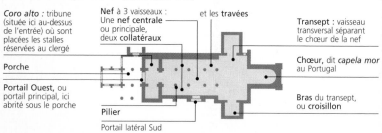

Coro alto : tribune (située ici au-dessus de l'entrée) où sont placées les stalles réservées au clergé

Porche

Portail Ouest, ou portail principal, ici abrité sous le porche

Pilier

Portail latéral Sud

Nef à 3 vaisseaux : Une **nef centrale** ou principale, deux **collatéraux**

et les **travées**

Transept : vaisseau transversal séparant le chœur de la nef

Chœur, dit *capela mor* au Portugal

Bras du transept, ou **croisillon**

FREIXO DE ESPADA-À-CINTA – Portail latéral Sud de l'église

Attribuée à Boytac, la petite église paroissiale présente les caractères essentiels du **style manuélin** : colonnes torses entrecoupées d'anneaux, décor végétal, pinacles en spirale. Cette décoration, prolongement du style mudéjar *(voir pages suivantes)*, n'est pas sans rappeler le style platéresque appliqué en Espagne. Limitée ici aux portails, elle va rapidement se multiplier et envahir façades et intérieurs.

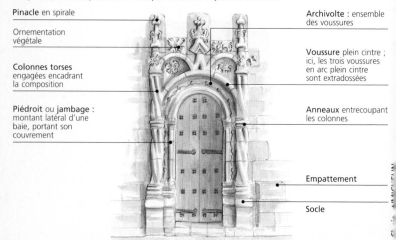

Pinacle en spirale

Ornementation végétale

Colonnes torses engagées encadrant la composition

Piédroit ou jambage : montant latéral d'une baie, portant son couvrement

Archivolte : ensemble des voussures

Voussure plein cintre ; ici, les trois voussures en arc plein cintre sont extradossées

Anneaux entrecoupant les colonnes

Empattement

Socle

48

RATES – Chevet de l'église S. Pedro (12e-13e s.)

Représentative de l'art roman portugais, cette église est l'un des vestiges d'un monastère fondé par Henri de Bourgogne pour les moines de Cluny.

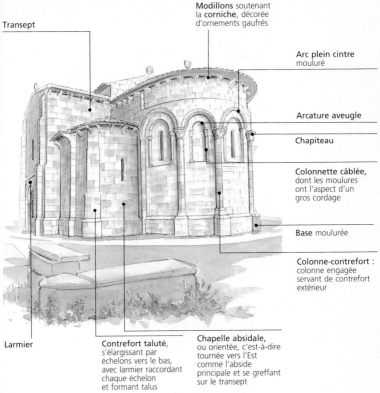

Transept

Modillons soutenant la **corniche**, décorée d'ornements gaufrés

Arc plein cintre mouluré

Arcature aveugle

Chapiteau

Colonnette câblée, dont les moulures ont l'aspect d'un gros cordage

Base moulurée

Colonne-contrefort : colonne engagée servant de contrefort extérieur

Larmier

Contrefort taluté, s'élargissant par échelons vers le bas, avec larmier raccordant chaque échelon et formant talus

Chapelle absidale, ou orientée, c'est-à-dire tournée vers l'Est comme l'abside principale et se greffant sur le transept

BATALHA – Monastère : chapelle du Fondateur (15e s.)

Splendide exemple de gothique triomphant, la chapelle où reposent le roi Jean Ier, son épouse, Philippa de Lancastre, et leurs fils, parmi lesquels Henri le Navigateur, est une salle carrée surmontée d'une lanterne octogonale à deux étages et d'une voûte d'ogives nervurée en étoile à huit pointes.

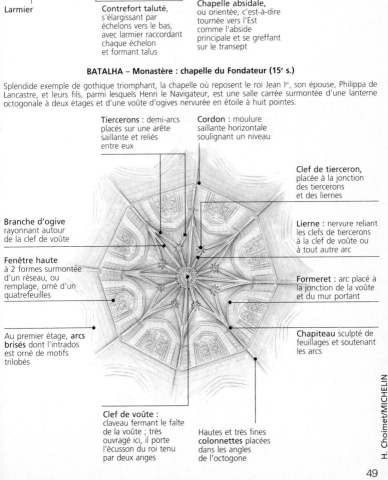

Tiercerons : demi-arcs placés sur une arête saillante et reliés entre eux

Cordon : moulure saillante horizontale soulignant un niveau

Clef de tierceron, placée à la jonction des tiercerons et des liernes

Branche d'ogive rayonnant autour de la clef de voûte

Lierne : nervure reliant les clefs de tiercerons à la clef de voûte ou à tout autre arc

Fenêtre haute à 2 formes surmontée d'un réseau, ou remplage, orné d'un quatrefeuilles

Formeret : arc placé à la jonction de la voûte et du mur portant

Au premier étage, **arcs brisés** dont l'intrados est orné de motifs trilobés

Chapiteau sculpté de feuillages et soutenant les arcs

Clef de voûte : claveau fermant le faîte de la voûte ; très ouvragé ici, il porte l'écusson du roi tenu par deux anges

Hautes et très fines **colonnettes** placées dans les angles de l'octogone

H. Choimet/MICHELIN

49

MAFRA - Basilique du palais-couvent (18ᵉ s.)

Chef-d'œuvre de l'architecture portugaise du 18ᵉ s. où prédominent les influences du néoclassicisme italien et du baroque allemand, la basilique s'inspire de la basilique de Saint-Pierre du Vatican et de l'église du Jésus à Rome.

Arc doubleau transversal jumelé renforçant la voûte en berceau et orné de caissons

Corniche à larmier souligné par des denticules entre deux corps de moulures

Fronton triangulaire servant de base à un groupe sculpté (le Christ en croix, en gloire, entre deux anges en adoration)

Arc plein cintre garni de fleurons

Pendentif : espace triangulaire concave assurant le raccord entre la surface de la coupole et les murs

Lunette : portion de voûte en berceau ne se développant pas jusqu'à la clef de voûte et dégageant les parties hautes d'une baie

Écoinçon : surface triangulaire comprise entre un arc et son encadrement

Chapiteau toscan

Frise en marbre rose

Cordon régnant au niveau des chapiteaux

Architrave à deux **fasces** (bandeaux délimités par des filets), couronnée d'un corps de moulure

Colonnes de marbre rose encadrant le maître-autel

Orgue

Tribune d'orgue en surplomb

Retable

Autel

Pilastres jumelés ornés de cannelures

Chapiteau composite

Triforium

Architecture civile et militaire

ÓBIDOS – Château (13e-14e s.)

Sur le site d'un oppidum luso-romain, les Arabes élevèrent une forteresse qui fut considérablement modifiée après la reconquête d'Óbidos. Toutefois, l'influence arabe demeure sensible, notamment dans la forme pyramidale donnée aux merlons de la tour dite de Dom. Ferdinand et l'absence d'éléments tels que les mâchicoulis couronnant les murailles hautes de 13 m.

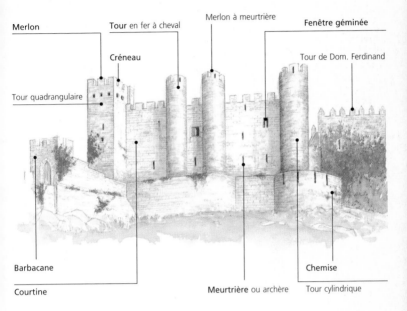

Merlon

Tour en fer à cheval

Créneau

Tour quadrangulaire

Merlon à meurtrière

Fenêtre géminée

Tour de Dom. Ferdinand

Barbacane

Courtine

Meurtrière ou archère

Chemise

Tour cylindrique

L'influence mudéjar (13e au 16e s.)

Après la Reconquête se développe dans la péninsule Ibérique une forme d'art qui emprunte certaines formes décoratives à l'art islamique et que l'on qualifie de mudéjar, d'après le nom donné aux musulmans restés sous le joug chrétien. Au Portugal, cette influence fut particulièrement sensible dans la région d'**Évora**, où le roi Manuel Ier fit édifier un palais dont il ne subsiste qu'un pavillon.

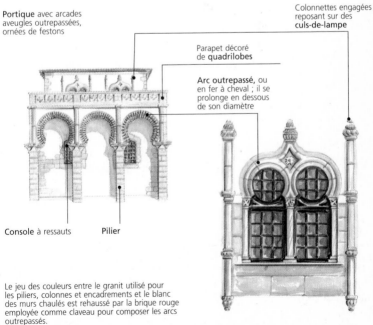

Portique avec arcades aveugles outrepassées, ornées de festons

Colonnettes engagées reposant sur des **culs-de-lampe**

Parapet décoré de **quadrilobes**

Arc outrepassé, ou en fer à cheval ; il se prolonge en dessous de son diamètre

Console à ressauts

Pilier

Le jeu des couleurs entre le granit utilisé pour les piliers, colonnes et encadrements et le blanc des murs chaulés est rehaussé par la brique rouge employée comme claveau pour composer les arcs outrepassés.

Fenêtres géminées sous arcs en fer à cheval, surmontées d'un encadrement en accolade.

H. Choimet/MICHELIN

51

GUIMARÃES – Palais des ducs de Bragance (15ᵉ s.)

Élevé par le premier duc de Bragance, le château, d''inspiration à la fois normande et bourguignonne, a retrouvé après restauration son aspect d'origine. S'il garde un caractère défensif par ses massives tours d'angle, ses créneaux et ses mâchicoulis, il préfigure les bâtiments de la Renaissance par ses toitures pentues hérissées de cheminées et ses larges baies.

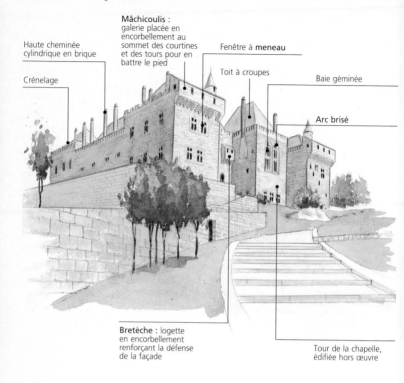

Mâchicoulis : galerie placée en encorbellement au sommet des courtines et des tours pour en battre le pied

Haute cheminée cylindrique en brique

Crénelage

Fenêtre à **meneau**

Toit à croupes

Baie géminée

Arc brisé

Bretèche : logette en encorbellement renforçant la défense de la façade

Tour de la chapelle, édifiée hors œuvre

ÉVORA – Cloître de l'ancienne université (16ᵉ s.)

L'ancienne université jésuite s'inspire de la Renaissance italienne. L'avant-corps central à trois travées, délimité par des pilastres dont l'amortissement est constitué par des statues, donne accès à la salle des Actes. À l'aplomb de la travée centrale, un attique de couronnement orné d'un écusson porte un fronton brisé dans lequel s'inscrit un groupe sculpté. Remarquer de part et d'autre les arcades en plein cintre, reposant sur des colonnettes à piédestal dans la galerie haute et sur des colonnes au niveau du portique.

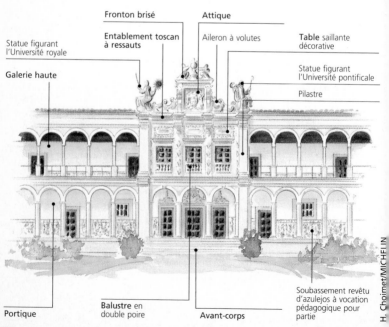

Fronton brisé

Attique

Entablement toscan à ressauts

Aileron à volutes

Statue figurant l'Université royale

Table saillante décorative

Galerie haute

Statue figurant l'Université pontificale

Pilastre

Portique

Balustre en double poire

Avant-corps

Soubassement revêtu d'azulejos à vocation pédagogique pour partie

H. Choimet/MICHELIN

52

LISBONNE – Praça do Comércio (18ᵉ s.)

Après le tremblement de terre du 1ᵉʳ novembre 1755, le ministre Pombal prend le parti de raser et remodeler le quartier de la Baixa. Entre le Terreiro do Paço, rebaptisé Praça do Comércio, et le Rossio, il fait édifier un quartier régulier de rues se coupant à angle droit, dont tous les immeubles comptent trois étages. Seuls quelques détails décoratifs distinguent les rues. Ce nouveau style, en partie inspiré du passé architectural de la ville, prendra le nom de **style pombalin**.

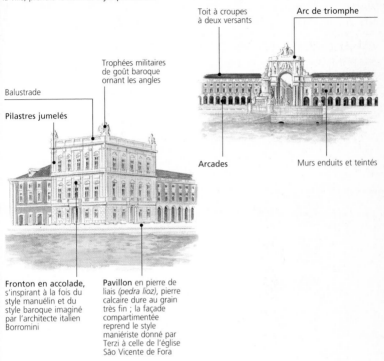

Toit à croupes à deux versants

Arc de triomphe

Trophées militaires de goût baroque ornant les angles

Balustrade

Pilastres jumelés

Arcades

Murs enduits et teintés

Fronton en accolade, s'inspirant à la fois du style manuélin et du style baroque imaginé par l'architecte italien Borromini

Pavillon en pierre de liais (*pedra lioz*), pierre calcaire dure au grain très fin ; la façade compartimentée reprend le style maniériste donné par Terzi à celle de l'église São Vicente de Fora

LISBONNE – Gare centrale, place du Rossio (19ᵉ s.)

Édifiée en 1886-1887 par José Luis Monteiro, elle cache derrière sa façade, bel exemple du style néo-manuélin, une architecture en fer. Les trois compartiments sont rythmés à l'étage par des colonnettes polygonales engagées reposant sur les épaulements talutés du rez-de-chaussée. Un édicule de couronnement abrite l'horloge. Les éléments de décoration (cordages, anneaux, pinacles en spirale) sont typiquement manuélins.

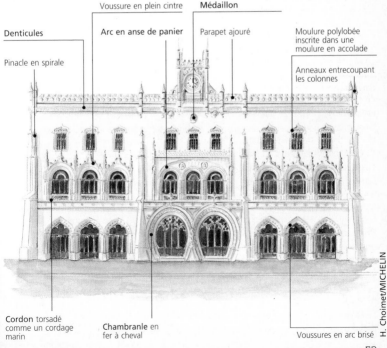

Voussure en plein cintre

Médaillon

Denticules

Arc en anse de panier

Parapet ajouré

Moulure polylobée inscrite dans une moulure en accolade

Pinacle en spirale

Anneaux entrecoupant les colonnes

Cordon torsadé comme un cordage marin

Chambranle en fer à cheval

Voussures en arc brisé

H. Choimet/MICHELIN

53

Termes d'art

(Cadeiral : les mots en italique gras sont en portugais ou en espagnol)

Abside : extrémité arrondie d'une église, derrière le chœur.

Ajimez : baie géminée.

Altar mor : maître-autel.

Arbre de Jessé : représentation de la généalogie du Christ qui descendait de David, fils de Jessé.

Arc en tiers-point : arc brisé dans lequel s'inscrit un triangle équilatéral.

Arc outrepassé : arc en fer à cheval.

Arc triomphal : dans une église, arcade se trouvant à l'entrée du chœur.

M. Chaput/MICHELIN

Arcature lombarde : décoration en faible saillie, faite de petites arcades aveugles reliant des bandes verticales. Caractéristique de l'art roman.

Artesonado : plafond à marqueterie où des baguettes assemblées dessinent des caissons en étoile. Décor mauresque, né sous les Almohades.

Atlante (ou télamon) : statue masculine servant de support.

Atrium : dans la maison romaine c'était le patio.

Azulejos : carreaux de faïence vernissée (voir chapitre suivant).

Cadeiral : désigne l'ensemble des stalles.

Campanile : clocher isolé, souvent près d'une église.

Castro : du latin castrum : ville fortifiée d'époque romaine ou préromaine et aussi camp romain, destiné à retarder l'assaillant.

Chicane : passage en zigzag ménagé à travers un obstacle.

Chrisme : monogramme du Christ, formé des lettres grecques *khi* (X) et *rhô* (P) majuscules, qui sont les deux premières lettres du mot Christos.

Churrigueresque : dans le style des Churriguera, famille d'architectes espagnols du 18ᵉ s. Désigne un décor baroque surchargé.

Citânia : terme désignant dans la péninsule Ibérique les ruines de forteresses romaines ou préromaines.

Coro : lieu réservé aux chanoines ou autres membres du clergé dans une église. Endroit où se trouvent les stalles.

Dôme : toit galbé, le plus souvent hémisphérique, surmontant la partie la plus haute d'un édifice.

Empedrado : pavage caractéristique des trottoirs et des ruelles portugaises, constitué de pierres de types et de couleurs différents afin de former un motif décoratif.

Enfeu : niche pratiquée dans le mur d'une église pour recevoir une tombe.

Entablement : couronnement horizontal d'une ordonnance d'architecture comprenant une corniche, une frise et une architrave.

Gâble : pignon décoratif très aigu.

Gisant : effigie funéraire couchée.

Glacis : talus d'un ouvrage fortifié en pente douce (où l'on glisse comme sur de la glace).

Grotesque : de *grotta* (grotte en italien) : nom donné aux ornements fantastiques utilisés pendant la Renaissance, inspirés des monuments antiques italiens.

Hypocauste : chauffage souterrain dans les maisons romaines.

Impluvium : dans l'atrium d'une maison romaine, bassin pour recueillir la pluie.

Jalousie : dispositif de fermeture de fenêtre composé de lamelles mobiles.

Judiaria : ancien quartier juif.

Lanterneau : construction basse à la périphérie d'un dôme, destinée à assurer un éclairage latéral.

Lavabo : dans un cloître, fontaine destinée aux ablutions des moines.

Levada : canal d'irrigation coulant entre des remblais, ou levées.

Modillon : petite console soutenant une corniche.

Moucharabieh : grillage en bois tourné placé devant une fenêtre.

Mouraria : ancien quartier maure.

Mozarabe : se dit de l'art des chrétiens vivant sous la domination musulmane après l'invasion de 711.

Mudéjar : se dit de l'art des musulmans restés sous le joug chrétien après la Reconquête et caractérise les œuvres (13ᵉ au 16ᵉ s.) où interviennent des réminiscences mauresques.

Ostensoir : *custódia* : pièce d'orfèvrerie composée d'une lunule en cristal entourée de rayons servant à exposer l'hostie consacrée.

Padrão : monument commémoratif élevé par les Portugais sur les terres qu'ils découvraient.

Péristyle : colonnes disposées autour ou en façade d'un monument.

Plateresque : style né en Espagne au 16ᵉ s., caractérisé par un décor finement ciselé rappelant le travail des orfèvres d'où son nom venant de *plata* : argent.

M. Chaput/MICHELIN

Prédelle : partie inférieure d'un retable.

Púlpito : chaire.

Remplage : réseau léger de pierre découpée garnissant tout ou partie d'une baie, d'une rose ou la partie haute d'une fenêtre.

Retable : architecture de marbre, de pierre ou de bois qui compose la décoration de la partie postérieure d'un autel.

Rinceaux : ornements de sculpture ou de peinture empruntés au règne végétal et formant souvent une frise.

Rococo : style qui succéda à la fin du 18ᵉ s. au style baroque. Comme celui-ci, il se caractérise par le goût des ornements avec plus de joliesse mièvre.

Salomonique : nom donné aux colonnes torses décorées d'un réseau végétal.

Sé : du latin *sedes* qui signifie siège. Désigne le siège épiscopal, donc la cathédrale.

Sphère armillaire : globe formé de cercles symbolisant la course des astres. Elle est très représentée dans l'art manuélin et fut l'emblème du roi Manuel.

Stuc : matière que l'on peut mouler, composée principalement de plâtre.

Talha dourada : boiseries sculptées et dorées, caractéristiques de l'art baroque portugais.

Triptyque : ouvrage de peinture ou de sculpture composé de trois panneaux articulés pouvant se refermer.

M. Chaput/MICHELIN

L'art

DE LA PRÉHISTOIRE AU HAUT MOYEN ÂGE

Quelques sites préhistoriques (gravures rupestres de la vallée du Côa, mégalithes autour d'Évora) ou protohistoriques comme celui de Briteiros datant de l'âge du fer, quelques ruines romaines à Conímbriga, à Tróia, à Évora retiennent l'amateur d'archéologie. De petites églises préromanes rappellent les différentes influences qui se sont succédé dans la péninsule Ibérique, venant du Nord ou de l'Est : wisigothique (São Pedro de Balsemão près de Lamego, Santo Amaro à Beja), mozarabe (São Pedro de Lourosa à Oliveira do Hospital), byzantine (São Frutuoso près de Braga). Mais c'est au 11e s., avec l'accession du pays à l'indépendance, que l'art portugais acquiert ses caractères propres.

MOYEN ÂGE (11e-15e S.)

Art roman

Il n'a pénétré que tardivement au Portugal (11e s.), importé de France par des chevaliers bourguignons et des moines de Cluny et de Moissac ; aussi a-t-il gardé dans son ensemble les traits du roman français. Cependant, le rayonnement de St-Jacques-de-Compostelle lui a donné dans le Nord du pays, où il est le mieux représenté, un style plutôt galicien encore accentué par l'emploi du granit. De ce fait, les édifices ont un aspect massif et fruste : les chapiteaux montrent la résistance que ce matériau offre au ciseau du sculpteur.

Les cathédrales, souvent édifiées par des architectes français, de préférence sur une éminence au centre de la cité, ont été construites en même temps que les châteaux forts pour soutenir l'action entreprise contre les musulmans, d'où leur allure de forteresse si visible dans les cathédrales de Coimbra, de Lisbonne, d'Évora, de Porto et de Braga. Les églises de campagne, plus tardives, présentent des portails parfois richement sculptés. L'intérieur, où apparaît souvent l'arc brisé et même la voûte d'arêtes, a été transformé par des adjonctions manuélines ou baroques.

Monastère de Batalha

Art gothique

Alors que le style roman s'était épanoui dans le Nord du pays avec la construction de cathédrales et de chapelles, l'art gothique s'est développé à la fin du 13e s. dans les régions calcaires de Coimbra et de Lisbonne avec l'éclosion de grands monastères. Les églises, qui sont à trois nefs avec abside et absidioles polygonales, conservent encore les proportions et la sobriété de l'art roman. Le **monastère d'Alcobaça**, reflet de l'ancienne abbaye de Clairvaux en France, a servi de modèle pour les cloîtres cisterciens (14e s.) des cathédrales de Coimbra, de Lisbonne et d'Évora. Le gothique flamboyant, qui fut de brève durée, a trouvé sa meilleure expression dans le **monastère de Batalha**, bien que celui-ci ait été achevé à l'époque manuéline.

Sculpture – La sculpture gothique s'est développée au 14e s. dans l'art tumulaire, négligeant la décoration des tympans et des portails ; les chapiteaux et les corniches n'ont guère reçu que des décors géométriques ou végétaux, à l'exception de quelques animaux stylisés ou de rares sujets humains (chapiteaux du monastère de Celas, à Coimbra).

L'art tumulaire s'est épanoui à partir de trois foyers : Lisbonne, Évora et surtout Coimbra dont l'influence, sous la direction de **maître Pero**, s'étendit sur le Nord du Portugal, en particulier à Porto, Lamego, Oliveira do Hospital et São João de Tarouca, malgré les difficultés d'emploi du granit. Les plus beaux tombeaux, ceux d'Inès de Castro et de Pierre Ier au monastère d'Alcobaça, ont été sculptés dans le calcaire.

Le rayonnement de Coimbra persista au 15e s., avec **João Afonso** et **Diogo Pires le Vieux** ; un second centre se créa à Batalha sous l'inspiration du **maître Huguet** (tombeaux de Jean Ier et de Philippa de Lancastre).

La statuaire, influencée par l'art français, en particulier à Braga, est caractérisée par la finesse des détails, le réalisme des têtes et la douceur de l'expression.

Architecture militaire

Pour lutter contre les musulmans, puis contre les Espagnols, les Portugais édifièrent de nombreux châteaux forts qui constituent un des éléments marquants du paysage. Les premiers jalonnent les étapes successives de la Reconquête, les seconds, édifiés du 13e au 17e s., gardent les voies de passage les plus fréquentées. La plupart, bâtis au Moyen Âge, ont un air de famille avec leur double enceinte entourant le donjon *(torre de menagem)*, carré, massif, couronné de merlons pyramidaux où l'on reconnaît un ultime rappel de l'influence musulmane.

LA PÉRIODE MANUÉLINE

Le style manuélin marque, au Portugal, la transition du gothique à la Renaissance. Son nom, qui lui a été donné au 19e s., rappelle que ce style s'est épanoui sous le règne de Manuel Ier. Il est en dépit de sa brièveté (1490-1520), mais en raison de son indéniable originalité, d'une importance capitale dans l'histoire de l'art portugais.

Il reflète tout naturellement la passion de la mer et des territoires lointains récemment découverts qui anime alors le pays, et il manifeste la puissance naissante et la richesse qui s'installent sur les bords du Tage.

Architecture – Les églises demeurent gothiques par leur plan, la hauteur de leurs piliers et le réseau de leurs nervures ; mais la nouveauté et le mouvement apparaissent dans les piliers qui se tordent en spirale. Les arcs triomphaux accueillent des moulures représentant des câbles marins. Les voûtes, d'abord sur simples croisées d'ogives, reçoivent de grosses nervures en relief, rondes ou quadrangulaires, dont le dessin se transforme en étoile à quatre pointes ; des cordages décoratifs y apparaissent, faisant quelquefois des nœuds ; la forme des voûtes évolue, elles s'aplatissent, reposent sur des arcs segmentés, les collatéraux s'élèvent, donnant naissance à d'authentiques églises-halles.

Sculpture – C'est dans le domaine de la décoration que le style manuélin prend tout son caractère. Les fenêtres, les portes, les rosaces, les balustrades se couvrent alors de rameaux de laurier, de capsules de pavot, de roses, d'épis de maïs, de glands, de feuilles de chêne, de grappes d'ombelles, d'artichauts, de chardons, de perles, d'écailles, de cordages, d'ancres, de globes terrestres, de sphères armillaires et enfin de la croix du Christ qui régnait sur ces ensembles décoratifs.

Les artistes – **Boytac**, d'origine française, est l'auteur du premier édifice manuélin, l'église de Jésus à Setúbal, et de la cathédrale de Guarda ; il a participé à la construction du monastère des Hiéronymites (Jerónimos) à Belém, ainsi qu'à celle de l'église du monastère de Santa Cruz à Coimbra et du monastère de Batalha.

Son art évolue dans le sens de la complication : les colonnes torsadées dont il

La célèbre fenêtre du couvent du Christ, à Tomar

Y. Travert/PHOTONONSTOP

est le spécialiste se recouvrent de feuilles de laurier et d'écailles et sont entrecoupées d'anneaux. Ses portails, élément majeur de l'art manuélin, s'inscrivent dans une composition rectangulaire que bordent des colonnes torses surmontées de pinacles en spirale ; au centre de la composition ou au-dessus d'elle sont disposés les emblèmes manuélins : écusson, croix de l'ordre du Christ, sphère armillaire.

Mateus Fernandes donne à Batalha une tournure manuéline. Son art est nettement influencé par l'élégance du style gothique flamboyant. Le décor, surtout composé de thèmes végétaux, géométriques ou calligraphiques qui se répètent à l'infini, prime sur le volume. Le portail des Chapelles inachevées de Batalha frappe par sa richesse décorative.

Auteur de l'exubérante fenêtre de Tomar, **Diogo de Arruda** est l'artiste le plus original du style manuélin. Chez lui, les thèmes nautiques sont devenus une véritable obsession.

Concepteur de la tour de Belém à Lisbonne, **Francisco de Arruda** rejette les excès décoratifs de son frère, préférant la sobriété de l'art gothique, qu'il agrémente de motifs mauresques.

Les frères Arruda furent également les « maîtres d'œuvre de l'Alentejo », où ils surent colorer l'art manuélin d'éléments d'art musulman, donnant ainsi un style original : la plupart des résidences seigneuriales et des châteaux de cette région ainsi que les palais royaux de Sintra et de Lisbonne sont marqués par ce style « luso-mauresque », caractérisé par l'arc outrepassé, aux moulures très fines, des portes et des fenêtres.

Parallèlement à l'épanouissement de l'art manuélin, la sculpture portugaise subit à la fin du 15ᵉ s. l'influence flamande sous l'impulsion d'**Olivier de Gand** et de **Jean d'Ypres** (leur chef-d'œuvre est le retable en bois de l'ancienne cathédrale de Coimbra). Puis **Diogo Pires le Jeune** reprend les thèmes manuélins : la cuve baptismale du monastère de Leça do Balio (1515) en est le meilleur exemple.

Au début du 16ᵉ s., plusieurs maîtres, venus de Galice et de Biscaye, exercent leur art dans le Nord du Portugal ; ils participent à la construction des églises de Caminha, de Braga, de Vila do Conde et de Viana do Castelo. Leur art tient du gothique flamboyant et du platéresque espagnol. À partir de 1517, deux artistes biscaïens, **João** et **Diogo de Castilho**, travaillent successivement à Lisbonne, Tomar et Coimbra ; leur art proche du platéresque s'intègre au style manuélin comme on peut le voir dans le monastère des Jerónimos.

Les arts mineurs – Le goût manuélin se traduit dans les arts mineurs par une exubérance des motifs de décoration, souvent inspirés de l'Orient. L'orfèvrerie religieuse, particulièrement fastueuse aux 15ᵉ et 16ᵉ s., se ressent de l'exotisme oriental. La faïence subit l'influence de la porcelaine chinoise ; le mobilier adopte des procédés de décoration venus d'Orient : emploi de laques (Chine) ou de marqueterie de nacre et d'ivoire.

LA PEINTURE DE 1450 À 1550

En se dégageant des influences étrangères, les peintres portugais traduisent à leur manière, mais plus tardivement que les architectes et les sculpteurs, la prodigieuse ascension politique du pays.

Les primitifs (1450-1505) – Les premiers peintres subissent l'influence de l'art flamand dont la pénétration au Portugal est favorisée par l'existence de relations commerciales étroites entre Lisbonne et les Pays-Bas. Seul **Nuno Gonçalves**, auteur du célèbre polyptyque de l'Adoration de saint Vincent (au musée d'Art ancien à Lisbonne), a su faire preuve d'originalité ; son tableau évoque, par sa composition, l'art de la tapisserie ; malheureusement, on ne lui connaît guère d'autres œuvres, à l'exception des cartons et tapisseries représentant la prise d'Asilah et de Tanger qui se trouvent dans le trésor de l'église de Pastrana près de Guadalajara en Espagne. Deux copies de ces tapisseries ornent une salle du palais des ducs à Guimarães.

Une floraison de « maîtres » anonymes dont le « **Maître de Sardoal** » ont laissé de nombreuses œuvres bien représentées dans les musées du pays sous le nom de « primitifs portugais ».

Parmi les peintres flamands venus s'installer au Portugal, **Francisco Henriques** et **Frei Carlos** se distinguent par leurs compositions amples et la richesse chromatique.

Les peintres manuélins (1505-1550) – Ils créent une véritable école portugaise de peinture caractérisée par la finesse du dessin, la beauté et la vérité des couleurs, la composition réaliste des arrière-plans, la dimension en grandeur nature des personnages, le naturalisme expressif des visages cependant tempéré d'idéalisme.

Les principaux artistes ont travaillé à Viseu ou à Lisbonne. L'**école de Viseu** est dirigée par **Vasco Fernandes**, dit « Grão Vasco » (Vasco le Grand) ; les premières œuvres de cet artiste (retable de Lamego) révèlent l'influence de la peinture flamande ; son art devient ensuite plus original par son réalisme, la richesse de sa palette, le sens dramatique de la composition (tableaux de la cathédrale de Viseu aujourd'hui au musée Grão Vasco). **Gaspar Vaz** pratique une peinture plus raffinée (tableaux de l'église São João de Tarouca), et, bien que formé à l'école de Lisbonne, réalise ses meilleures toiles dans la région de Viseu. Les deux maîtres ont probablement collaboré au polyptyque de la cathédrale de Viseu.

L'**école de Lisbonne** voit se développer, autour de **Jorge Afonso**, peintre officiel du roi Manuel, l'art de plusieurs peintres de talent :

– **Cristóvão de Figueiredo** dont la technique évoque l'impressionnisme (utilisation de la tache à la place du trait) et qui utilise les noirs et les gris pour représenter les portraits ; son style fut imité par plusieurs artistes (Maître de Santa Auta : retable de l'église primitive de la Madre de Deus à Lisbonne) ;

– **Garcia Fernandes**, parfois archaïsant, affecte dans ses portraits une certaine préciosité ;

– **Gregório Lopes**, plus dur dans le dessin et le modelé, est le peintre de la vie de cour ; il excelle dans les arrière-plans qui évoquent toujours de façon précise un paysage ou une scène de la vie portugaise (retables de l'église São João Baptista à Tomar) ; son influence est visible chez le Maître d'Abrantes, au style cependant déjà baroque.

L'Annonciation, par Frei Carlos

Museu Nacional de Arte Antiga – L. Pavão/ANF-IPM

LA RENAISSANCE

La Renaissance conserve au Portugal ses traits essentiels, venus d'Italie et de France. Elle s'épanouit dans la sculpture, à partir de Coimbra, sous l'impulsion d'artistes français.
Dans son style resté fidèle aux principes de la Renaissance italienne, **Nicolas Chanterene** se charge de la décoration du portail Nord du couvent des Jerónimos à Belém avant de devenir le principal sculpteur de l'école de Coimbra, où il réalise son chef-d'œuvre, la chaire de l'église de Santa Cruz. **Jean de Rouen** excelle dans l'art des retables et des bas-reliefs. **Philippe Houdart** succède, à partir de 1530, à Chanterene comme grand maître de la statuaire de Coimbra ; on reconnaît ses sculptures à leur réalisme.
L'architecture connaît un essor plus tardif, sous la direction d'architectes portugais. **Miguel de Arruda** introduit à Batalha une note de classicisme à partir de 1533. **Diogo de Torralva** achève le couvent du Christ à Tomar. **Afonso Álvares** assure la transition avec l'art classique en faisant prendre aux édifices un aspect monumental et sobre.

ART CLASSIQUE

La période classique voit le succès du style jésuite avec **Philippe Terzi**, architecte italien venu au Portugal en 1576, et **Baltazar Álvares** (1550-1624) ; les églises adoptent un plan rectangulaire, sans transept, ni chevet.
La **peinture protobaroque** portugaise, peu connue jusqu'à une date récente, a néanmoins produit de grands artistes. Le maître incontestable de la nature morte est **Baltazar Gomes Figueira** (1604-1674). Ses œuvres ont été souvent attribuées aux peintures plus naïves mais débordantes de vie de sa fille, Josefa de Ayala, appelée **Josefa de Óbidos**. **Domingos Vieira** (1600-1678) est considéré comme le plus grand peintre portugais du 17ᵉ s. Tout comme **André Reinoso** (1610-1641), il a surtout peint des motifs religieux. **Diogo Pereira** (mort en 1658) s'est distingué dans les scènes mytologiques et romantiques, figurant des paysages et des incendies.
Le goût pour les compositions classiques apparaît également dans l'orfèvrerie.
Le 17ᵉ s. est par ailleurs la grande époque du mobilier indo-portugais dont le secrétaire à incrustations de bois précieux et d'ivoire est l'exemple le plus courant.

ART BAROQUE (FIN 17ᵉ-18ᵉ S.)

Le style baroque doit son nom au mot portugais *barroco* qui désigne une perle irrégulière. Il correspond, dans le domaine de l'art, à l'esprit de la Contre-Réforme qui, au 16ᵉ et au 17ᵉ s., pour combattre les hérésies, opposa à l'austérité protestante les séductions d'un art savant et populaire au service de la foi catholique.

Architecture – Opposé aux dispositions symétriques de l'art classique, le baroque manifeste un sens du mouvement, du volume et de la profondeur, une prédilection pour les lignes courbes et une recherche de la grandeur.

Au 17e s., l'architecture, à peine libérée de l'influence espagnole imposée par Philippe II, prend un aspect austère et simple sous la direction de **João Nunes Tinoco** et **João Turiano**. Mais dès la fin du siècle, les façades s'animent de festons, de figures d'anges et de jeux de courbes, en particulier à Braga ; **João Antunes** prône l'adoption du plan octogonal pour les édifices religieux (église de Santa Engrácia à Lisbonne). Au 18e s., le roi Jean V fait appel à des artistes étrangers : l'Allemand **Friedrich Ludwig** et le Hongrois **Mardel**, formés à l'école italienne, importent un art sobre et monumental dont le plus beau chef-d'œuvre est le monastère de Mafra.

Le véritable baroque portugais se développe dans le Nord du pays, tant dans les églises que dans les constructions civiles ; l'esthétique des façades est soulignée par le contraste des murs blancs, crépis à la chaux, avec les pilastres et les corniches de granit qui les entourent. À Porto, **Nicolau Nasoni**, d'origine italienne, orne les façades de motifs floraux, de palmes et de draperies. À Braga, l'architecture évolue vers le rococo (palais du Raio, église Santa Maria Madalena à Falperra).

Décoration – Les azulejos et la *talha dourada* connaissent alors une grande faveur. Cette dernière expression désigne les bois dorés qui ornent l'intérieur des églises et, à partir de 1650, le retable du maître-autel ; celui-ci est alors en bois sculpté, puis doré. Au 17e s., le retable ressemble à un portail : de chaque côté de l'autel, que surmonte un trône à plusieurs degrés, se dressent des colonnes torses ; des motifs décoratifs (pampres, grappes, oiseaux, angelots, etc.) en haut-relief se multiplient. Au 18e s., le retable prend souvent des proportions démesurées et envahit le plafond et les murs du chœur. Son ordonnance se modifie : des entablements à fronton brisé coiffent les colonnes accompagnées d'atlantes ou de statues. Il est surmonté d'un baldaquin.

Cathédrale d'Évora – Détail baroque

Statuaire – En bois généralement, les statues se disséminent dans la multitude des retables qui ornent les églises. Au 18e s., la statuaire est en grande partie tributaire des écoles étrangères : à Mafra, l'Italien **Giusti** forme de nombreux sculpteurs portugais dont **Machado de Castro** ; à Braga, Coimbra et Porto, **Laprade** représente l'école française. Cependant à Arouca, le Portugais **Jacinto Vieira** donne à ses œuvres un style très personnel et très vivant.

Venu d'Italie du Sud, le goût pour les crèches *(presépios)* baroques se développe. Au Portugal, elles sont de caractère plus populaire (leur composition s'inspire des pèlerinages traditionnels), mais ne manquent pas de valeur artistique ; les figurines, en terre cuite, sont souvent l'œuvre de **Machado de Castro, Manuel Texeira** ou **António Ferreira**.

Le talent des sculpteurs baroques se manifeste également dans les innombrables fontaines qui parsèment le Portugal et plus particulièrement la région du Minho.

Le monumental escalier de Bom Jesus, près de Braga, est en fait constitué par une succession de fontaines de style rococo.

Peinture – Elle est représentée par **Vieira Lusitano** (1699-1783) et surtout **Domingos António de Sequeira** (1768-1837), portraitiste et dessinateur remarquable.

DE LA FIN DU 18e S. AU 19e S.

Architecture – La seconde moitié du 18e s. voit le retour aux formes classiques avec les œuvres de **Mateus Vicente** (1747-1786) à Queluz, **Carlos da Cruz Amarante**, et des architectes lisboètes dont **Eugénio dos Santos** qui crée le style « pombalin ».
À la fin du 19e s., le courant romantique affectionne les styles « néos » ; le néomanuélin, évocation de la période prestigieuse des Grandes Découvertes, triomphe avec le château de Pena à Sintra, le palace-hôtel de Buçaco et la gare du Rossio à Lisbonne. À la même époque, les façades des maisons se couvrent d'azulejos.

Sculpture – **Soares dos Reis** (1847-1889) tente de traduire la *saudade* (nostalgie) portugaise ; **Teixeira Lopes** (1866-1918), son élève, dévoile une technique élégante, en particulier pour les bustes d'enfants.

Peinture – Les peintres portugais découvrent le naturalisme de Barbizon : **Silva Porto** (1850-1893) et **Marques de Oliveira** (1853-1927) appartiennent au mouvement naturaliste tandis que **José Malhoa** (1855-1933), peintre des fêtes populaires, et **Henrique Pousão** (1859-1884) se rapprochent de l'impressionnisme ; **Sousa Pinto** (1856-1939) excelle dans les pastels ; enfin **Columbano Bordalo Pinheiro** (1857-1929), frère du célèbre céramiste, est réputé pour ses portraits et ses natures mortes.

20ᵉ-21ᵉ S.

Architecture – L'Art nouveau a un certain succès à Lisbonne, Coimbra et Leiria. Le style Art déco voit l'une de ses plus belles réalisations dans la casa Serralves à Porto. Dans les années 1930, l'architecte **Raul Lino** réalise la casa dos Patudos à Alpiarça.
Mais il faut attendre les années 1950 pour voir une évolution qui se manifeste dans les logements sociaux et des bâtiments comme le musée Gulbenkian. L'école de Porto se signale par le modernisme qu'elle préconise et des architectes comme **Fernando Távora** (né en 1923), **Eduardo Souto Mora** (né en 1953) et **Álvaro Siza** (né en 1933). Ce dernier, de renommée internationale, s'est vu confier entre autres, la réhabilitation du quartier du Chiado à Lisbonne, en partie détruit par l'incendie de 1988, et le pavillon du Portugal de l'Exposition mondiale de 1998. À Lisbonne, le principal événement architectural des années 1980 a été l'édification des tours postmodernes des Amoreiras, conçues par l'architecte **Tomás Taveira**.

Sculpture – **Francisco Franco** (1885-1955) influencera le plus la sculpture officielle des monuments commémoratifs, très appréciés sous Salazar. Plus récemment, **João Cutileiro** s'est fait connaître par l'originalité de ses statues (le roi Sébastien à Lagos, Camões à Cascais, monument célébrant la révolution des Œillets dans le parc Eduardo VII à Lisbonne), tandis que les artistes contemporains **José Pedro Croft** avec la pierre, **Rui Sanches** avec le bois, **Rui Chafes** avec le métal et **Julião Sarmento** avec la photo, la sculpture et la peinture, se définissent comme des sculpteurs plus conceptuels (installations).

Peinture – La peinture portugaise du début du 20ᵉ s. s'était en partie figée dans le naturalisme ; seuls quelques artistes suivirent l'évolution générale de la peinture ; à Paris, **Amadeo de Souza Cardoso** (1887-1918), ami de Modigliani, assimila les leçons de Cézanne et trouva sa voie dans le cubisme, puis dans une sorte d'expressionnisme d'un art haut en couleur ; son ami **Santa Rita** (1889-1918), mort prématurément, apporta une contribution importante au mouvement futuriste portugais. **José de Almada Negreiros** (1893-1970) fut marqué par le cubisme tout en restant un dessinateur classique. Il réalisa en 1945 et en 1948 les grandes fresques des gares maritimes de Lisbonne.
Bien que manifestant un art intégré dans l'évolution de l'école de Paris, où elle arriva en 1928, on retrouve parfois dans les compositions de **Maria Helena Vieira da Silva** (1908-1992), qui recrée un espace imaginaire, la juxtaposition et les tons des azulejos, tout comme chez **Manuel Cargaleiro**, connu surtout pour son travail de céramiste.
Parmi les peintres contemporains les plus connus, citons **Paula Rego** (née en 1935) dont la peinture s'inspire de l'op-art, **José de Guimarães** (peintre et sculpteur), **Júlio Pomar**, **Lourdes Castro**, **Pedro Cabrita Reis** (peintre et sculpteur), **Alberto Carneiro** (installations), **Pedro Calapez** (abstraction et formes volumétriques), **Álvaro Lapa**, **Pedro Portugal**, **Pedro Casqueiro** (abstraction), **Graça Morais**, **Pedro Proença** (allégories).

La Partie d'échecs, par Vieira da Silva

Les azulejos

Depuis le 15ᵉ s., l'azulejo fait partie du domaine architectural portugais et a été une des composantes des différents styles qui se sont succédé au fil des siècles.
L'étymologie du mot azulejo varie selon les sources : beaucoup le disent dérivé de *azul* qui signifie bleu, mais il viendrait plutôt du mot arabe *az-zulay* ou *al zuleich* qui désigne un morceau de terre cuite et lisse.

Sphère armillaire (15ᵉ s.)

Museu Nacional do Azulejo – F. Matias/ANF-IPM

Origine – Les premiers azulejos venaient d'Espagne, plus précisément d'Andalousie, où ils décoraient les alcazars et autres palais. Ils furent introduits au Portugal par le roi Manuel Iᵉʳ qui, revenu ébloui par l'Alhambra de Grenade, fit décorer son palais de Sintra de ces riches carreaux. À l'époque, les azulejos étaient des **alicatados**, morceaux de faïence monochromes découpés et assemblés pour dessiner des motifs géométriques. Ce procédé fut remplacé par celui de la **corda seca** : un fin cordon fait d'huile et de manganèse qui permettait d'isoler les différents émaux et qui noircissait à la cuisson, dessinant les contours des différents motifs. Un autre principe d'isolation consistait à dessiner des arêtes – **aresta** – avec la terre même du carreau. À partir du 16ᵉ s., l'Italien Francesco Nicoloso introduit la technique italienne de la **majolique** dont le principe est de recouvrir la terre cuite d'une couche d'émail blanc sur laquelle se fixent les pigments. Les azulejos deviennent un support comme les autres, un format « standard » est adopté établissant à 14 cm les côtés du carreau, et les Portugais ouvrent des ateliers à Lisbonne.

Style Renaissance et maniériste – Vers le milieu du 16ᵉ s., l'influence flamande supplante les modèles espagnols avec des panneaux plus complexes utilisant des motifs comme la pointe de diamant (transept de São Roque à Lisbonne). Les azulejos sont alors très demandés pour la décoration des pavillons d'été et des jardins. Les plus beaux exemples sont ceux de la quinta de Bacalhoa réalisés en 1565 : de merveilleux panneaux polychromes, dont la facture évoque les majoliques italiennes, représentent les allégories des fleuves et Suzanne et les vieillards. De la même époque date le panneau de Nossa Senhora da Vida (au musée de l'Azulejo à Lisbonne).

Museu Nacional do Azulejo/ANF-IPM

Détail du panneau de
Nossa Senhora da Vida (16ᵉ s.), musée de l'Azulejo

17ᵉ s. – Sous la domination espagnole, le Portugal entre dans une période d'austérité. Pour décorer sans trop de frais les murs des églises, on utilise de simples carreaux monochromes que l'on dispose de façon géométrique. Un très bel exemple en est donné par l'église de Marvila à Santarém. Ces compositions vont évoluer jusqu'à donner le style *tapete* (tapis) évoquant les tentures orientales par leurs motifs géométriques ou floraux se reproduisant à partir des modules de 4, 16 ou 36 carreaux. Ces grands panneaux polychromes couvrant les parois des églises et se combinant avec les bois dorés et les sculptures sont produits à grande échelle dans des ateliers. La restauration des Portugais sur le trône est suivie d'un essor créatif. On revient aux panneaux figuratifs décrivant des scènes mythologiques ou des « singeries » caricaturant les scènes de mœurs contemporaines. Les jaunes et bleus traditionnels sont relevés par le vert du cuivre et le violet du manganèse (très beaux exemples au palais des marquis de Fronteira à Lisbonne). Cette polychromie laisse peu à peu la place au bleu de cobalt sur fond d'émail blanc (salle des Batailles dans le palais des marquis de Fronteira). Parallèlement on assiste à une grande diffusion des carreaux à motif isolé reproduisant un animal, une fleur, une allégorie, qui s'inspirent des modèles hollandais. Ces carreaux sont utilisés pour décorer les cuisines ou les corridors.

Azulejo de type « tapis » (17ᵉ s.)

Le 18ᵉ s. – Au 18ᵉ s., les azulejos seront presque exclusivement bleu et blanc ; cette mode vient des porcelaines chinoises mises au goût du jour par les Grandes Découvertes. Les azulejos sont décorés par de vrais artistes, des maîtres, dont les principaux noms sont **António Pereira, Manuel dos Santos** et surtout **António de Oliveira Bernardes** et son fils **Policarpo**. Parmi leurs œuvres, citons : la chapelle de Remédios à Peniche, l'église São Lourenço à Almansil et le fort São Filipe à Setúbal.

La période du règne de Jean V (1706-1750) se caractérise par sa magnificence. L'or du Brésil permet des folies architecturales. Le goût est à l'extériorisation, à la théâtralité, et cela se manifeste tout particulièrement dans les azulejos. Les panneaux, de véritables tableaux représentant des personnages sur fond de paysages raffinés, sont entourés de bordures où s'entremêlent lambrequins, franges, anges voltigeurs, pilastres. C'est la pleine expression du **style baroque**. **Bartolomeu Antunes** et **Nicolau de Freitas** sont les grands noms de cette époque. Les azulejos se multiplient partout sur le continent mais aussi à Madère, aux Açores et au Brésil.

La seconde moitié du 18ᵉ s. est marquée par le **style rocaille**. On revient à la polychromie : le jaune, le marron et le violet dominent ; la peinture se fait plus fine, les petits motifs plaisent et la décoration des encadrements utilise les ailes de chauve-souris, les éléments végétaux et les coquillages. De beaux exemples de ce style se trouvent au palais de Queluz, notamment le long du canal.

Après le tremblement de terre de Lisbonne, l'azulejo joue un rôle primordial dans la reconstruction. Il égaie une architecture épurée, parfois austère. La création de la fabrique royale de faïence au Rato en 1767 va permettre des productions en quantité. On revient au style *tapete* (tapis).

Le **style néoclassique** sous le règne de Marie Iʳᵉ frappe par la sérénité et la fraîcheur des sujets, les encadrements formés de rubans, de guirlandes, de pilastres, d'urnes, de feuillage.

Le 19ᵉ s. – Vers 1830, des Portugais partis faire fortune au Brésil reviennent dans leur pays

Panneau du 18ᵉ s.

et couvrent les murs extérieurs de leurs maisons d'azulejos. Cette pratique était courante au Brésil où l'on protégeait ainsi les façades des fortes pluies tropicales et de l'humidité. Petit à petit cette mode se répand et des rues entières, des façades d'églises se couvrent de petits carreaux de faïence produits de façon industrielle par le système de l'estampille.

L'azulejo devient aussi l'un des principaux éléments de décoration des magasins, des marchés (Santarém) et des gares (Évora, Aveiro) avec des sujets se rapportant au commerce, aux traditions de la région ou à l'histoire.

Le **romantisme** trouve toute son expression avec **Rafael Bordalo Pinheiro** qui, après la fondation de la fabrique de Caldas da Rainha en 1884, édite des carreaux avec des motifs en relief couverts de nouveaux émaux irisés. Il est le grand inspirateur de l'**Art nouveau** au Portugal. L'un des principaux artistes de cette époque fut **José António Jorge Pinto** qui réalisa de nombreux panneaux allégoriques. Avec le style **Art déco**, c'est la géométrie des formes qui prime, facilitant ainsi la production industrielle.

À la même époque, on trouve aussi des œuvres d'inspiration historique et folklorique. **Jorge Colaço** (1868-1942) décore la gare São Bento de Porto et le palais de Buçaco. Il privilégie les thèmes historiques et les illustre par d'immenses fresques bleu et blanc.

Période contemporaine – Dans les années 1940 et 1950, l'azulejo retrouve un certain prestige. Il est utilisé en accord avec l'architecture sous forme de grandes fresques géométriques, de frises recouvrant essentiellement les façades.

Depuis 1987, la décoration en azulejos des stations de métro de Lisbonne a été confiée à des peintres célèbres : Vieira da Silva, Júlio Pomar, Sá Nogueira.

Littérature

Ouverte aux influences extérieures qu'elle assimile avec promptitude et succès, la littérature portugaise n'en est pas moins originale et capable d'imagination. L'âme lyrique et nostalgique du peuple, imprégnée la fameuse **saudade**, s'y reflète – comme dans le fado – et aussi le sens critique, vite enclin à la satire des injustices ou des aspects ridicules de chaque époque. C'est pourquoi la poésie y a toujours occupé une place privilégiée, avec, pour figure de proue défiant les siècles, l'œuvre monumentale de Camoens.

Moyen Âge – Le Portugal entre dans la littérature à la fin du 12e s. avec la poésie des troubadours, influencée par le lyrisme provençal. On distingue les **cantigas de amor** interprétées par des voix masculines, les **cantigas de amigo** plus populaires, les **cantigas de escárnio** satiriques ; toutes sont réunies dans des *cancioneiros* dont le plus célèbre, le *Cancioneiro Geral*, œuvre de l'Espagnol Garcia de Resende, réunit toute la poésie produite en portugais et en castillan pendant plus d'un siècle. Le roi Denis Ier, poète lui-même, imposa l'usage officiel du portugais. **Fernão Lopes** (né vers 1380/1390), chroniqueur des rois de Portugal *(Crónicas de D. Pedro, D. Fernando, D. João I, D. Dinis)*, fut le grand nom de la littérature médiévale.

Renaissance – Le 16e s. introduit l'humanisme et un renouveau de la poésie et de l'art dramatique qu'illustrent **Francisco Sá de Miranda** (1485-1558), **Bernardim Ribeiro** (1500-1552) (auteur du fameux *Menina e Moça* traduit *Fillette et jouvencelle*), **António Ferreira** (1528-1569) *(Poèmes lusitaniens, Castro)*, mais surtout **Gil Vicente** (1470-1536), grand auteur dramatique qui, au fil de ses 44 pièces de théâtre, dépeint un tableau satirique de la société portugaise au début du 16e s. Il commence par des *autos* (actes), souvent inspirés par des thèmes religieux, puis poursuit avec des tragi-comédies et des « farses ». La grande figure de cette époque reste **Luís de Camões** ou **Camoens** (1524-1580). Dans sa vaste fresque des *Lusiades* (1572), le grand poète épique retrace l'épopée de Vasco de Gama à la manière de l'*Odyssée*. Il se fait ainsi le chantre des Grandes Découvertes après une vie aventureuse qui l'a mené entre autres au Maroc et à Goa.

BOYER-VIOLLET

Assim fomos abrindo aqueles mares,
Que geração alguma não abriu,
As novas Ilhas vendo e os novos ares,
Que o genoroso Henrique descobriu ;
De Mauritânia os montes e lugares,
Terra que Anteu num tempo possuiu,
Deixando à mão esquerda, que a direita
Não há certeza doutra, mas suspeita.

Os Lusiades – Canto V

Ainsi ouvrîmes-nous ces mers que nulle génération n'avait ouvertes, voyant les nouvelles îles et les nouveaux cieux qu'avait découverts le généreux Henri ; laissant à main gauche les monts et les bourgs de Mauritanie, terre où jadis régna Antée : car à droite, il n'y a pas certitude, mais présomption d'existence d'une autre terre.

Traduit du portugais par Roger Bismut.

Classicisme – Au 17e s., durant les soixante années de la domination espagnole, la littérature portugaise se confine dans les académies de Lisbonne et de province ; la préciosité baroque triomphe. Une large part est faite aux chroniques, aux récits de voyages dont ceux de **Fernão Mendes Pinto** (1509-1583) *(Pérégrination)*. Le jésuite **António Vieira** (1608-1697) se signale par ses sermons et ses lettres de missionnaire au Brésil.

18e s. – Le Siècle des lumières a ses représentants au Portugal : savants, historiens, philosophes. Théâtre et poésie se ressentent de l'influence française. **Manuel M. Barbosa du Bocage** (1765-1805), lui-même d'ascendance française, est un grand poète lyrique.

19e s. – Le romantisme s'installe grâce à **Almeida Garrett** (1799-1854), poète *(Fleurs sans fruits, Feuilles tombées)* et maître de toute une génération de poètes, réformateur du théâtre portugais *(Frei Luís de Sousa)*, romancier *(Voyages à travers mon pays)*. Le siècle voit s'imposer d'autres remarquables poètes tels **António F. de Castilho** *(Amour et mélancolie)* et **João de Deus**. **Alexandre Herculano** (1810-1877) introduit le roman historique dans un style se rapprochant de celui de Victor Hugo, son *Histoire du Portugal* fut un grand succès ; son contemporain **Oliveira Martins** s'essaie aussi à retracer l'histoire du pays dans un style rappelant celui de Michelet. La transition avec le réalisme se fait avec **Camilo Castelo Branco** (1825-1890) dont le roman le plus célèbre, *Amour de perdition*, offre un reportage sur la société de l'époque. La fin du romantisme est représentée par l'Açorien **Antero de Quental** (1842-1891) ; ses *Odes modernes* sont un instrument d'agitation sociale. **Eça de Queirós** (1845-1900), diplomate et romancier, fait dans son œuvre une critique des mœurs de son temps, c'est le « Flaubert portugais » *(Le Cousin Basile, Les Maias, Proses barbares, Le Crime du Père Amaro)*. **Guerra Junqueiro** (1850-1923) écrit des poèmes satiriques et polémiques.

Auteurs contemporains –
Génie complexe et précurseur, **Fernando Pessoa** (1888-1935) renouvelle la poésie portugaise en se cachant derrière plusieurs hétéronymes qui lui permettent de s'exprimer dans des styles différents, dont Ricardo Reis, Alvaro de Campo, Alberto Caeiro et Bernardo Soares. *Le Livre de l'intranquillité* fut publié plus de quarante ans après sa mort. Parmi ses contemporains et ses successeurs, citons son ami **Mario de Sá-Carneiro** qui se suicida à 26 ans en laissant de très beaux poèmes, **José Régio** *(Poésies de Dieu et du Diable)*, **Natália Correia**, António Ramos Rosa, Herberto Helder. Parmi les principaux romanciers se distinguent **Fernando Namora** *(Le Bon Grain et l'Ivraie)*, **Ferreira de Castro** (1898-1974) qui a tiré parti d'un long séjour au Brésil *(Forêt*

Fernando Pessoa, vu par Almada Negreiros

vierge, La Mission), **Carlos de Oliveira** (1921-1981) qui décrit la vie des petits villages *(Une abeille sous la pluie)*, Manuel Texeira Gomes *(Lettres sans aucune morale)*, Urbano Tavares Rodrigues *(Bâtard du soleil)*, **Agustina Bessa Luís** *(La Sibylle, Fanny Owen)*, Aquilino Ribeiro et **Miguel Torga** (1907-1995), qui exalte l'amour de la terre *(Contes et nouveaux contes de la montagne)*. **Vergílio Ferreira** s'exprime d'abord dans des romans néoréalistes avant d'adopter un style très personnel où il traite plus des problèmes existentiels *(Aparição)*.

Depuis quelques décennies, la littérature portugaise a connu un renouveau avec les écrivains **José Cardoso Pires**, **Lídia Jorge** *(Le Rivage des murmures)*, **Vitorino Nemésio** et son très beau roman *Gros temps sur l'archipel* qui se déroule aux Açores, **António Lobo Antunes** *(Le Cul de Judas)*, **Sophia de Mello Breyner** dont l'œuvre est surtout poétique, de

---

José Saramago, prix Nobel de littérature en 1998

Né en 1922 à Azinhaga, près de Santarém, José Saramago a vécu dès l'âge de 3 ans à Lisbonne. Il y exerça par la suite différents métiers (mécanicien, dessinateur, employé à la Sécurité sociale, éditeur, traducteur, journaliste) avant de publier son premier roman en 1947 *(Terra do Pecado)*. Il travailla ensuite dans une maison d'édition et fut critique littéraire de la revue *Seara Nova*. Son deuxième livre, *Les Poèmes possibles*, ne parut qu'en 1966, et ses grands succès littéraires datent des années 1980 : *Le Dieu manchot* (1982), qui retrace la construction du couvent de Mafra, *L'Année de la mort de Ricardo Reis* (1984), consacré à Pessoa, *Le Radeau de pierre* (1986), *Histoire du siège de Lisbonne* (1989), *L'Évangile selon Jésus-Christ* (1991).

même que **Nuno Júdice** *(Théorie du sentiment, Un champ dans l'épaisseur du temps)*, **José Saramago** qui, à travers ses romans *(voir encadré)*, brasse les grands mythes de l'histoire du Portugal, **Eduardo Lourenço**, philosophe *(Le Labyrinthe de la saudade)*, **Eugénio de Andrade**, auteur d'une des œuvres poétiques les plus importantes de l'après-guerre, **Almeida Faria** qui chante la mémoire, l'exil et la nostalgie.

Les anciennes colonies portugaises apportent une notable contribution à la littérature lusitanienne : le Brésil avec **Jorge Amado** (1912-2001) et **José Lins do Rego**, l'Angola avec sa tradition de conteurs : **Luandino Vieira** *(Autrefois dans la vie, Nous autres de Makulusu)*, **Pepetela** *(Yaka)*, **José Eduardo Águalusa**. Au Mozambique, la poésie et le conte ont leurs dignes représentants avec **Mia Couto** *(La Véranda au frangipanier)* et **Luís Carlos Patraquim**. Au Cap-Vert, le philologue **Baltazar Lopes** *(Chiquinho)* et le conteur **Manuel Lopes** *(Les Victimes du vent de l'Est)* témoignent de la richesse littéraire de l'archipel.

Cinéma

Dans les années 1930 et 1940, le cinéma s'épanouit avec des thèmes populaires, des films ruraux ou des comédies de mœurs dont les principales vedettes sont Beatriz Costa et António Silva ; ensuite, l'idéologie salazariste prime avec le réalisateur quasi officiel António Lopes Ribeiro. À partir des années 1950, le cinéma portugais se distingue par la créativité et l'indépendance de ses réalisateurs. Dans les années 1960, de jeunes Portugais font des études cinématographiques en France et en Grande-Bretagne. Les réalisateurs les plus connus sont **Paulo Rocha**, qui a été l'assistant de Jean Renoir, **Fernando Lopes** *(Belarmino)* et **António de Macedo** *(Domingo à Tarde)*. Paulo Rocha se signale par son film *Os Verdes Anos (Les Vertes Années)* en 1963, qui marque la rupture avec les œuvres de la dictature et inaugure le « Cinema Novo », équivalent de la Nouvelle Vague française. Il réalise ensuite des films au Japon *(L'Île des amours, Les Montagnes de la lune)*. La plupart des réalisateurs reviennent au Portugal après la révolution des Œillets et tournent des films influencés par le militantisme et la politique, dans la lignée de *O Recado (Le Message)*, réalisé sous la dictature par **José Fonseca e Costa**. Se distinguent en outre **António Reis** *(Jaime)*, **António Pedro de Vasconcelos** *(O lugar do Morto)* et **Lauro António** *(La Brume de l'aube)*.

La nouvelle génération de réalisateurs (depuis les années 1980) fait preuve d'une grande originalité, qui donne au cinéma portugais les caractéristiques d'un cinéma d'auteurs, parmi lesquels on peut citer Joaquim Pinto, **João Mário Grilo** *(O Processo de Rei, Longe da Vista)*, **João Botelho** *(Um Adeus Português, Três Palmeiras, Tráfico)*, **João César Monteiro** *(Souvenirs de la maison jaune, La Comédie de Dieu)*, **Pedro Costa** *(O Sangue, A Casa da Lava, Ossos)*, **Teresa Vilaverde** *(Os Mutantes)*, **Luís Rocha** *(Adeus Pai)*, mais également l'actrice **Maria de Medeiros** *(Capitaines d'Avril)*.

Cinéma et littérature : Manoel de Oliveira. Le cinéma portugais doit sa notoriété internationale à l'extraordinaire personnalité de **Manoel de Oliveira**, né en 1908. Son premier long-métrage, *Aniki Bobo*, est dédié à sa ville natale, Porto, où il a tourné dès 1931. Plus tard, il laisse une large part à l'imagination et s'inspire surtout de la littérature, qu'elle soit portugaise, avec les œuvres de Camilo Castelo Branco *(Amour de perdition, Le Jour du désespoir, une biographie de l'écrivain)*, de Agustina Bessa Luís *(Francisca, d'après Fanny Owen, Le Val Abraham, Le Couvent, d'après Les Terres du risque, Party,* dont elle a signé les dialogues), italienne *(La Divine Comédie,* d'après Dante) ou française *(Le Soulier de satin,* d'après Claudel, Lion d'or spécial au Festival de Venise en 1985, *La Lettre,* adaptation de *La Princesse de Clèves* de Mme de Lafayette, prix du jury du Festival de Cannes en 1999).

À ses acteurs de prédilection, Luís Miguel Sintra et Leonor Silveira, se sont jointes des stars internationales comme Catherine Deneuve, John Malkovich, Michel Piccoli, Irène Papas, Chiara et Marcello Mastroianni.

Leonor Silveira, dans *Le Val Abraham*, de Manoel de Oliveira

Cinemateca Portuguesa

Le Portugal traditionnel

Au début des années 1970, il était courant de croiser des charrettes tirées par des chevaux, des femmes tout en noir portant des jarres d'eau sur la tête, des pêcheurs en costume traditionnel, etc. Aujourd'hui ces scènes se font rares ; le Portugal est devenu membre de la Communauté européenne, le réseau routier s'est modernisé, ouvrant les régions les plus reculées à la civilisation moderne, les émigrés sont revenus au pays avec d'autres habitudes. Cependant les traditions ne se sont pas toutes perdues et demeurent l'un des charmes d'un voyage au Portugal : on les retrouve sur les marchés de poteries, sur certaines plages où l'on remonte encore les bateaux sur des rondins de bois, dans les petits villages retirés où passent les carrioles. Elles sont particulièrement vivaces dans le Nord-Est du pays, dans l'Alentejo et aux Açores.

ARCHITECTURE POPULAIRE

Le Portugal a conservé une architecture populaire bien différente selon les régions. L'architecture traditionnelle a été surtout préservée dans le Nord et au Sud dans l'Alentejo et l'Algarve.

Maison du Minho

Les maisons rurales

Le Nord – Le matériau le plus utilisé est le granit. Les maisons sont massives, recouvertes de tuiles. Les cheminées sont très petites, voire inexistantes, et la fumée s'échappe par les interstices du toit, la porte ou les fenêtres. L'escalier extérieur débouche sur un balcon de bois ou de pierre ou sur une véranda qui peut se transformer en pièce d'habitation.
Dans le Trás-os-Montes, c'est le schiste qui prime et les maisons sont couvertes d'ardoises.
Dans la vallée du Douro, à côté des maisons paysannes, on admirera les manoirs *(solares)* des propriétaires terriens, souvent blanchis à la chaux.

Centre : Estrémadure et Beira Littorale – Le calcaire donne aux habitations une allure plaisante ; la façade s'orne souvent de corniches et de stucs ; l'escalier extérieur disparaît.

Alentejo – Pour lutter contre la luminosité et la chaleur de l'été, on a bâti des maisons très basses, sans étage, aux murs blanchis à la chaux, et réduit les dimensions des ouvertures. Cependant, les rigueurs de l'hiver ont obligé à ériger une énorme cheminée, souvent rectangulaire ou cylindrique (à Mourão). Le matériau de construction utilisé varie selon les régions ; c'est en général de la *taipa* (argile séchée) ou de l'*adobe* (boue et paille coupée mélangées, séchées au soleil), couramment employé par les musulmans. On se sert également de brique, surtout pour la décoration (cheminées, créneaux, vérandas), ou de marbre autour d'Estremoz. Les encadrements de portes et de fenêtres peuvent être peints en bleu, rose ou orange.

Maisons de l'Alentejo

Maison de l'Algarve

R. Corbel/MICHELIN

Algarve – La maison basse, blanchie à la chaux, est composée généralement de plusieurs blocs juxtaposés. Le toit de tuiles rondes est parfois remplacé, dans l'Est, par une terrasse, utilisée pour récupérer l'eau de pluie ou faire sécher le poisson et les fruits. Elle donne à Olhão et Fuseta l'aspect des villes d'Afrique du Nord. À la terrasse se substitue exceptionnellement un toit à quatre pans recourbés *(telhado de tesouro)* que certains attribuent à l'influence chinoise ; ce système est encore bien conservé à Faro, Tavira et Santa Luzia. Les portes sont surmontées d'arcs et de voussures. Les cheminées, fines et élégantes, sont délicatement ajourées et couronnées d'une boule, d'un fleuron, d'un vase ou d'un ornement curieux (lance, faux) ; elles sont peintes en blanc ou utilisent les combinaisons décoratives de la brique.

Madère et les Açores – À Madère, les maisons paysannes traditionnelles (à Santana) ont un toit de chaume à deux pans descendant jusqu'au sol et recouvrant toute la maison. Sur la façade, la porte est flanquée de deux petites fenêtres et, parfois, surmontée d'une troisième. Toutes ces ouvertures sont encadrées de bandes de couleur.

Les maisons açoriennes ressemblent à celles de l'Algarve dont étaient originaires les premiers habitants des îles. Cependant, les **Impérios do Espírito Santo** sont des édifices propres à l'archipel. Peints de couleurs vives, ayant l'aspect de chapelles éclairées par de grandes fenêtres, ils abritent les objets affectés au culte du Saint-Esprit *(voir en introduction à la visite des Açores le paragraphe consacré aux traditions).* Le plus souvent, les bâtiments sont blanchis et ourlés de basalte noir.

Maison de Madère

R. Corbel/MICHELIN

Quelques éléments d'urbanisme traditionnels

Les trottoirs – Dans tout le pays, les trottoirs et les places sont recouverts de belles compositions dessinées par l'alternance des pavés de basalte noir, de grès doré, de calcaire blanc et de granit gris. Ce sont les **empedrados**.

Les greniers à grain (espigueiros) – Très répandus dans le Minho, les greniers à grain, dont les plus beaux exemples se trouvent à Lindoso et Soajo (parc national de Peneda-Gerês), sont des constructions de granit sur pilotis. On y sèche le maïs, des fentes de ventilation étant ménagées dans les parois de granit. Les croix qui les surmontent évoquent le caractère sacré du grain.

Les moulins (moinhos) – Le Portugal comptait plus de 2 000 moulins à vent il y a encore quelques années, mais, inutilisés, la plupart ont été laissés à l'abandon et tombent aujourd'hui en ruine. On en aperçoit encore sur les crêtes des collines autour de Nazaré, d'Óbidos, de Viana do Castelo. Le type de moulin le plus répandu est le moulin méditerranéen formé d'une tour cylindrique en pierre ou en terre battue qui supporte une coupole conique à laquelle est fixé un mât porteur de quatre voiles triangulaires.

Les piloris (pelourinhos) – Au centre des petites villes et des villages se dresse le pilori où l'on exposait autrefois les brigands. Au Moyen Âge, le pilori devint le symbole du municipalisme triomphant ; seuls pouvaient l'ériger ceux qui avaient droit de justice. Ce fut le prélude aux libertés municipales, aussi les trouve-t-on souvent près de la mairie, de la cathédrale ou d'un monastère, tous sièges de juridiction.

Au 12e s., c'était une simple colonne que surmontait la cage où l'on enfermait le malfaiteur. Au fil des ans, la cage perdit de l'importance et on la remplaça par des crochets de fer auxquels étaient enchaînés les contrevenants. La **colonne**, le plus souvent cylindrique, mais parfois prismatique, pyramidale, conique ou torse (au 17e s.), peut être décorée de stries droites ou en spirale, de roses, de disques sculptés, d'écailles, de nœuds ou de figures géométriques. Le **couronnement** est une pièce ornementale qui dérive souvent de la cage primitive : une cage miniature avec colonnettes, ou une sorte de pomme de pin, ou un prisme ou tout simplement une plate-forme agrémentée de colonnettes, une sphère lisse ou armillaire (époque manuéline). Il est parfois surmonté de girouettes ou de bras tenant une épée de justice. Dans la région de Bragança, la plupart des piloris se terminent par quatre bras de pierre en croix auxquels sont suspendus les crochets de fer *(voir illustration p. 143)*.

Le padrão – C'est un monument public, un mémorial portant la croix et les armes du Portugal, que les explorateurs portugais

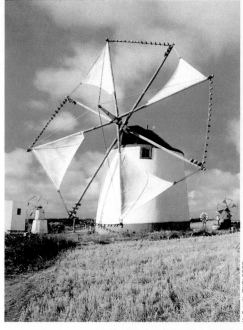

Y. Cavaille/EXPLORER

Moulins à vent

dressaient quand ils abordaient une terre nouvelle. On les trouve dans les anciennes colonies ou dans les îles.

ARTISANAT

L'artisanat offre une remarquable variété de productions, parfois simples pour ne pas dire rustiques. Les marchés qui ont lieu une fois par semaine dans la plupart des bourgades et surtout les foires réputées pour leur animation donnent une idée de cette richesse.

La céramique et la poterie – Dans les villages, les potiers *(oleiros)* restent nombreux à fabriquer au four des objets en argile cuite d'usage domestique ou décoratif, dont la forme et les coloris diffèrent suivant les régions. À **Barcelos**, les poteries sont vernissées, de couleurs vives (jaune et marron) et ornées de rameaux et de fleurs ; on y fabrique également de très jolis coqs multicolores. Dans la région de **Coimbra**, les verts se nuancent de jaune et de marron ; le décor est plus géométrique. Les poteries de **Caldas da Rainha**, d'un vert éclatant, ont des formes inattendues, parfois irrévérencieuses ou grivoises. Dans la lignée de Rafael Bordalo Pinheiro *(voir p. 227)*, les pots à eau, les saladiers, les assiettes se chargent d'un décor de feuilles, de fleurs, d'animaux ; celles d'**Alcobaça** et de **Cruz da Légua**, plus clas-

Museu de Cerâmica – F. Matias/ANF-IPM

Céramique de Caldas da Rainha

siques, se distinguent par la variété de leurs teintes bleues. Dans le Haut-Alentejo, à Redondo, **Estremoz** et Nisa, les argiles s'incrustent d'éclats de quartz et de marbre. En Algarve, les amphores s'inspirent des vases grecs ou romains. Enfin, dans le Trás-os-Montes, les artisans couvrent leur four en fin de cuisson, ce qui donne à la vaisselle une teinte noire.

Les marchés d'artisanat les plus connus

Barcelos : foire tous les jeudis matin (poterie).
São Pedro de Sintra : 2ᵉ et 4ᵉ dimanche du mois : foire aux antiquaires.
Estremoz : marché le samedi (poterie).
Estoril : foire artisanale (feira do Artesanato) en juillet et août.
Santárem : foire agricole en octobre.
Golegã : foire du cheval en novembre.

Les dentelles – Un dicton populaire assure que « là où il y a des filets, il y a des dentelles ». Effectivement, la dentelle se fabrique presque exclusivement le long du littoral (Caminha, Póvoa de Varzim, Vila do Conde, Azurara, Peniche, Setúbal, Lagos, Olhão) ou à proximité (Valença do Minho, Guimarães, Silves) ; Nisa fait exception à cette règle. Les motifs décoratifs sont des pins, des fleurs, et du trèfle à Viana do Castelo où la dentelle elle-même prend l'aspect du tulle ; des algues, coquilles, poissons à Vila do Conde.

Broderie – On connaît surtout les broderies de Madère, mais sur le continent aussi on trouve des châles, des nappes, des couvre-lits *(colchas)* merveilleusement brodés, les plus raffinés étant ceux de **Castelo Branco** brodés avec de la soie sur de la toile de lin. D'une lointaine origine, ils exigent un travail très long et sont devenus une part importante du trousseau de la mariée.

Le filigrane – Le travail à la main de fils d'or ou d'argent, qui connut une période de splendeur sous le règne du roi Jean V, est encore en honneur au Portugal. Le centre principal en est la petite ville de **Gondomar**, près de Porto. Grâce à sa très grande malléabilité, le fil d'or sert à fabriquer des bijoux en forme de cœur, de croix, de guitare, et surtout de caravelle qui prennent des formes vaporeuses. Dans le Minho, les boucles d'oreilles et les broches en filigrane mettent en valeur le costume régional.

Le tissage et les tapis – Malgré la concurrence des produits industriels, le tissage artisanal est encore actif dans quelques villages de montagne : sur d'antiques métiers se tissent de grosses toiles de bure qui deviendront des pèlerines ou des capes. À **Guimarães**, on produit des couvre-lits et des rideaux en toile grossière bordée de motifs classiques de couleur vive. Les tapis de chanvre ou de lin brodés de laine, dont les plus célèbres sont ceux **d'Arraiolos**, ont des dessins d'inspiration plus populaire. Enfin, les tapisseries de **Portalegre** font la fierté du pays.

Le travail du bois – Les objets en bois peint sont nombreux dans l'artisanat traditionnel du Portugal et l'on verra au hasard de pérégrinations les jougs ouvragés (les plus célèbres sont ceux de la région de Barcelos), les carrioles bariolées (sur les routes de l'Alentejo et de l'Algarve), les bateaux de pêche sculptés et ornés de scènes naïves ou d'un œil dans la ria de Aveiro et sur de nombreuses plages portugaises. En Alentejo, on trouve des plateaux, des chaises, des armoires, décorés de motifs naïfs dans des couleurs gaies.

Joug sculpté du Minho

La vannerie – Le travail de l'osier, du roseau, des tiges de saule et de la paille de seigle sert à la fabrication de corbeilles et de paniers décoratifs ou utilitaires : dans le Trás-os-Montes se tressent des bâts équipés de paniers cylindriques doubles.

Les objets en liège – Dans les régions où pousse le chêne-liège (Alentejo, Algarve) s'est développé un artisanat utilisant ce matériau : boîtes, porte-clés, ceintures, sacs, etc.

LES PORTUGAIS EN FÊTE

Malgré sa réputation d'homme réservé, à la différence de l'Espagnol, et sa tendance à la *saudade* (nostalgie), le Portugais sait être accueillant et cordial. Il aime à se retrouver au milieu d'amis et reste attaché à ses traditions que lui rappellent périodiquement les innombrables fêtes locales.

Fado

Petit historique – Mélopée dérivée des poésies chantées par les troubadours du Moyen Âge, chant d'origine mauresque ou afro-brésilienne, les hypothèses ne manquent pas sur les origines du fado. Il apparaît au Portugal à la fin du 18e s. sous la forme d'un chant nostalgique de marin, et se développe au début du 19e s. dans une période agitée par les guerres napoléoniennes et l'indépendance du Brésil. Ces circonstances expliqueraient le succès de ce chant triste dont les principaux thèmes évoquent les fluctuations du destin (son nom viendrait du latin *fatum* : destin). Le fado acquiert sa popularité à Lisbonne dès 1820 avec la chanteuse **Maria Severa**. En 1833 s'ouvrent les premières maisons de fado. À partir de 1870, les aristocrates l'adoptent et s'exercent à exprimer leurs émotions romantiques à travers ces chants. À la fin du siècle, le fado devient un genre littéraire et les grands poètes et écrivains du moment s'y essaient. Dans le roman apparaît le personnage du *fadista* qui traîne de maison de fado en maison de fado en buvant et en écoutant ces airs nostalgiques, les yeux mi-clos dans un nuage de fumée. Au début du 20ᵉ s., le fado sert de support aux luttes idéologiques. **Amália Rodrigues** lui fait passer les frontières et lui confère une gloire internationale telle qu'il devient le symbole du Portugal et de sa *saudade*. Ces dernières années, le fado a trouvé un nouveau souffle, dans les voix de chanteurs qui s'expriment exclusivement ou ponctuellement à travers ce chant : Camané, Filipa Pais, Marta Dias, Mísia, Paulo Bragança, Sofia Varela et la plus célèbre, Teresa Salgueiro, chanteuse du groupe Madredeus.

Pratique du fado – Le chanteur *(fadista)*, souvent une femme, est accompagné par un ou deux joueurs de viole. La viole *(guitarra)* diffère de la guitare espagnole *(viola)* par le nombre de ses cordes (douze au lieu de six) qui lui permettent plus de nuances dans les tonalités. Le *fadista*, souvent vêtu de noir, se tient droit, la tête rejetée en arrière, les yeux mi-clos, et frappe par la force de sa voix souvent grave. C'est très beau, très émouvant, très prenant. L'évolution de la chanson moderne est à l'origine de quelques tentatives pour créer un « fado gai » au rythme varié ; ce nouveau style est controversé par certains amateurs. Le fado de Lisbonne, que l'on peut écouter dans de petits restaurants des vieux quartiers, est presque pur et plus proche des origines que le fado de Coimbra chanté uniquement par des hommes portant les grandes capes noires des étudiants. Ce fado raconte traditionnellement les aventures des étudiants avec les femmes du peuple.

Où l'écouter ? – À Lisbonne, dans les maisons de fado de l'Alfama et du Bairro Alto, des spectacles de fado sont donnés tous les soirs. Malheureusement, nombre de ces maisons sont devenues extrêmement touristiques et le fado y perd un peu de son âme. Parfois, dans un petit restaurant, on peut avoir la chance de se trouver à côté de fadistas amateurs qui chantent pour leur plaisir... et le nôtre *(voir le Carnet d'adresses de Lisbonne)*.

Si vous voulez tout savoir sur le fado, visitez la **Casa-Museu de Amália Rodrigues** *(voir p. 226)* et la **Casa do Fado e da Guitarra Portuguesa**, à Lisbonne.

Vie régionale et danses populaires

Elles reflètent les particularités provinciales et les différences de caractère des habitants.

Minho et Douro Littoral – Les habitants, effacés mais très sociables, se groupent pour effectuer les travaux agricoles (vendanges, moissons) et chantent pour se donner du cœur à l'ouvrage ; cette gaieté se retrouve dans leurs danses qui sont les plus réputées du Portugal. Les **viras**, de rythme vif, sont des sortes de rondes exécutées sur des paroles de chansons anciennes. La **gota** (ou *vira galego*) est encore plus mouvementée. Les danses populaires – **malhão, perim** – mettent en valeur la beauté féminine ; les costumes sont très jolis, parfois ornés de bijoux et de bracelets en or.

Trás-os-Montes et Beiras – Dans ces provinces montagneuses où l'habitant mène une vie rude, les pratiques communautaires n'ont pas tout à fait disparu. Il existe encore un four, un moulin et un pressoir communaux. Les danses – **chulas** et **dança dos Pauliteiros** – soulignent l'attitude effacée de la femme.

Beira Littorale, Estrémadure, Ribatejo – Les distractions revêtent moins d'importance, sauf entre Ovar et Nazaré où la **vira** réapparaît. C'est ici une danse de pêcheurs, remarquable par l'harmonie de ses figures ; à Nazaré, les jeunes filles lui donnent une grâce particulière par le jeu de leurs jupons.
Les grandes prairies du Ribatejo sont le domaine des *campinos*, gardians aux costumes rutilants, qui surveillent les taureaux destinés aux *touradas*.
Beau parleur et quelque peu hâbleur, l'Estremenho est considéré comme le « Gascon » du Portugal, alors que le Ribatejan, plus réservé, aime danser seul le **fandango** et l'**escovinho** ; la femme est vêtue très simplement : jupe courte, blouse claire, souliers aux talons larges et bas, fichu de laine sur la tête.

Alentejo – Le costume féminin répond aux besoins des durs travaux des champs. L'homme, taciturne et peu démonstratif, danse en chantant des **saias** et des **balhas** au rythme lent et triste.

Algarve – Le peuple, grave, déborde, les jours de fête, de joie et de dynamisme. Le **corridinho** se danse sur un rythme vif. Le vêtement féminin est très coloré, avec une pointe de coquetterie.

Costumes
traditionnels

Nazaré

Nazaré

Algarve

Ribatejo

Minho

Ilustração: P. Boussard/MICHELIN

Romarias

Les *romarias* sont des fêtes religieuses célébrées en l'honneur d'un saint patron. Les plus importantes ont lieu dans le Nord du pays, surtout dans le Minho. Les petites romarias se tiennent dans des chapelles de montagne et ne durent qu'une journée. Les grandes romarias, qui se déroulent dans les villes, peuvent s'étaler sur plusieurs jours. Certaines sont réservées à des catégories professionnelles, comme la *romaria* des pêcheurs à Póvoa de Varzim.

La quête – Quelques jours avant la fête, les responsables organisent une quête pour subvenir aux frais de la *romaria*. Les dons en nature sont recueillis dans des paniers ornés de fleurs et de guirlandes, puis vendus aux enchères. Ces quêtes sont déjà l'occasion de réjouissances auxquelles participent le **gaiteiro** (joueur de cornemuse), le **fogueteiro** qui lance les fusées et, en Alentejo, le **tamborileiro** qui joue du tambour. Les rues sont jonchées de tapis de fleurs.

Le cierge – L'essentiel de la cérémonie religieuse consiste en la conduite solennelle d'un cierge (d'où le nom de *círio* donné à la *romaria*) ou d'une bannière, depuis une localité parfois éloignée jusqu'au sanctuaire ; le cierge est transporté sur un char à bœufs ou sur une charrette fleurie. Il est suivi par une procession d'où émerge la statue du saint ou de la Vierge couverte de guirlandes, de dentelles. Le *gaiteiro* ouvre la marche. À l'arrivée, le cortège accomplit deux ou trois fois le tour du sanctuaire dans un vacarme de pétards, de musiques et de cris. Le cierge et la bannière sont ensuite déposés près de l'autel, puis les dévots vénèrent la statue du saint.

Les « saints avocats » – Pour obtenir la faveur particulière de certains saints, les croyants accomplissent des rites de pénitence tels que faire le tour du sanctuaire à genoux en priant. Les ex-voto en cire offerts à cette occasion peuvent avoir la forme de l'organe dont on demande la guérison : cœur, rein, yeux, oreilles. Les saints faiseurs de mariages (saint Jean, saint Antoine, saint Gonzalve) étaient très populaires jadis ; les saints protecteurs du bétail (saint Mamede, saint Marc, saint Sylvestre) voient les animaux participer à la procession.

Fête des Tabuleiros à Tomar

Certains villages pratiquent encore le culte du **Saint-Esprit**, resté vivace surtout aux Açores *(voir île de Terceira)* et au Brésil. La célèbre Fête des Tabuleiros à Tomar, organisée autrefois par les fraternités du Saint-Esprit fondées au 14e s., s'est perpétuée jusqu'à aujourd'hui.

Les réjouissances populaires – Une fois les dévotions achevées, les participants passent aux fêtes profanes : le repas, les danses folkloriques, les feux d'artifice. Chaque romaria s'accompagne de la vente d'objets d'artisanat.

TOURADAS: LES COURSES DE TAUREAUX

Les Portugais se refusent à voir dans le combat qui oppose l'homme au taureau la lutte de l'intelligence contre l'instinct ; pour eux, c'est un spectacle d'adresse, d'élégance et de courage ; le taureau n'est qu'un instrument. À la différence de la corrida, une partie de la *tourada* se passe à cheval et le taureau n'est pas tué. La mise à mort fut interdite au 18e s. par le marquis de Pombal, après l'accident du comte d'Arcos.

À l'origine, la *tourada* fut créée par les nobles pour s'exercer à la guerre, en recourant au cheval lusitanien, connu depuis toujours pour sa dextérité et son intelligence *(voir l'encadré à Vila Franca de Xira)*.

Déroulement – Dans l'arène, les acteurs – cavaliers, toreros *(toureiros)* et forcados – se présentent selon un vrai cérémonial sur fond de musique « tauromachique » et saluent le public et les autorités.

Puis la tourada commence. Le premier cavalier *(cavaleiro)*, vêtu d'un costume style Louis XV (casaque de soie ou de velours brodée d'or, tricorne à plumes, bottes vernies, éperon d'argent), entre dans l'arène monté sur un étalon magnifiquement harnaché. Il est accompagné des *toureiros*, dans leur habit de lumière, brandissant leurs capes jaune et rose. Le cavaleiro provoque le taureau et s'approche assez près pour pouvoir placer les banderilles *(farpas)*. Le spectacle de la course est magnifique ; le cheval se dérobe adroitement devant l'assaut du taureau qui pèse souvent près de 500 kg et dont les cornes sont gainées de cuir *(emboladas)* pour leur ôter tout pouvoir perforant. Le cavalier change de monture. Tandis que les *toureiros* à pied excitent le taureau dans de grands mouvements de cape, le cavalier plante 4, 5, 6 banderilles dans l'échine de l'animal qui devient furieux.

Dès que le taureau donne des signes évidents d'épuisement, le *cavaleiro* cède la place aux valets, les *forcados*, du nom d'une espèce de fourche dont ils étaient armés jadis. Ces derniers, en général au nombre de huit, pénètrent en file indienne, vêtus de beige, marron et rouge. Celui qui est à la tête, coiffé d'un long bonnet vert, avance en se dandinant et en excitant le taureau par des appels. Le rôle des *forcados* est de maîtriser le taureau : c'est la *pega*. Le chef de file tente de saisir l'animal par les cornes tandis que ses équipiers l'immobilisent ; si l'opération se révèle trop difficile, le chef doit saisir le taureau par le garrot en se plaçant de côté. L'un des aides tire sur la queue de l'animal et tournoie avec.

Dans certains cas, un troupeau de vaches, clochettes de cuivre au cou, est lancé dans l'arène pour inciter le taureau à rentrer dans le toril. Le taureau vaincu est en général abattu le lendemain ou achève sa vie à la campagne comme reproducteur.

La tourada traditionnelle compte 3 cavaliers et plusieurs *toureiros*. Une partie du spectacle peut se passer à pied et le combat se déroule à peu près comme en Espagne, les différences sont l'absence de picador et le fait qu'au lieu de l'épée on plante une fleur artificielle.

La saison tauromachique – Au Portugal, elle s'étend de Pâques à octobre ; les spectacles ont lieu en général deux fois par semaine (jeudi et dimanche) ; les plus réputés se tiennent dans les arènes *(praças de touros)* de Lisbonne, Santarém et Vila Franca de Xira, à proximité des centres d'élevage des taureaux de combat situés dans le Ribatejo.

Tourada à cheval

Gastronomie

Les repas portugais comptent plusieurs plats généralement préparés à l'huile d'olive et relevés par de nombreux aromates (romarin, laurier, etc.). Les œufs tiennent une place importante dans la cuisine : ils sont utilisés dans les soupes ou pour accompagner poissons et viandes et ils entrent dans la composition de la plupart des desserts. Aux légumes les Portugais préfèrent le riz dont ils ont acquis le goût à la suite de leurs voyages en Orient. Les pommes de terre frites sont aussi omniprésentes.

Soupes – La soupe manque rarement au repas. On y mêle les composants les plus divers : volaille et riz *(canja de galinha)*, poisson *(sopa de peixe)*, fruits de mer *(sopa de mariscos)*, lapin *(sopa de coelho)*, pois chiches *(sopa de grão)*.

La plus réputée est le **caldo verde** (Minho), très répandu au Nord du Mondego. Elle est à base de purée de pommes de terre et de chou galicien vert, émincé en fines lamelles ; on y ajoute de l'huile d'olive et des rondelles de boudin noir *(tora)*.

Partout on peut déguster les **açordas**, soupes au pain qui, en Alentejo, comprennent de nombreuses variantes telle la *sopa de coentros* que l'on fait avec des feuilles de coriandre, de l'huile d'olive, de l'ail, du pain ainsi qu'un œuf poché. Au Sud, le **gaspacho**, soupe pimentée et vinaigrée aux tomates, oignons, concombres, est servi glacé avec des croûtons de pain grillé.

La caldeirada

Produits de la mer – La cuisine portugaise est essentiellement à base de poisson. La **morue** *(bacalhau)* en est le plus apprécié, surtout dans le Nord du pays. Il y a, dit-on, 365 manières de la préparer *(voir ci-après)*. On accommode toutes sortes de poissons : sardines grillées dont l'odeur parfume les rues de toutes les villes du littoral, poissons-épées, lamproies, saumons du Minho, aloses du Tage, thon de l'Algarve, **caldeirada**, sorte de bouillabaisse que les pêcheurs préparent sur la plage.

Les fruits de mer *(mariscos)* et les poulpes sont abondants et garnissent nombre de plats. Les coquillages, toujours cuits, sont délicieux et variés, surtout en Algarve, où un plat spécial en cuivre, la **cataplana**, sert à les préparer. Agrémentés d'aromates, de tomates et de saucisses, ils acquièrent à la cuisson une saveur agréable. La langouste *(lagosta)* à la mode de Peniche, cuite à l'étouffée, est justement célèbre.

Viandes – Le porc est accommodé et préparé de multiples façons ; le porcelet rôti – **leitão assado** – de Mealhada (au Nord de Coimbra) est délicieux. On consomme aussi la viande de porc en ragoût, en saucisses de langue fumée – **linguiça** –, en filets fumés *(paio)*, en jambon fumé *(presunto)* comme à Chaves et Lamego. Accompagné de haricots rouges ou blancs, de choux et de saucisses *(chouriço)*, le jambon devient un des composants de la **feijoada**. Jambon et saucisses entrent dans la préparation du **cozido à Portuguesa**, pot-au-feu de bœuf, légumes, pommes de terre et riz ; dans celle des tripes à la mode de Porto – **dobrada** –, plat à base de tripes ou de gras-double de veau et de haricots blancs. La viande de porc à l'alentejane – **carne de porco à Alentejana** – est marinée dans le vin et garnie de praires. Le bœuf est souvent mangé sous forme de steak comme le fameux *bife a cavalo* (steak surmonté d'un œuf frit, « à cheval »). On fait aussi, plus rarement, rôtir à la broche cabris et agneaux.

Fromages – On appréciera les fromages de brebis (d'octobre à mai) : ceux de la serra da Estrela *(queijo da Serra)*, de Castelo Branco, d'Azeitão, très crémeux ; les fromages de chèvre comme les *queijos secos* (fromages secs) mais aussi le *cabreiro*, le *rabaçal* (région de Pombal) ; les petits fromages blancs *(quejinhos)* de Tomar, souvent servis en hors-d'œuvre, de même que le fromage de chèvre frais *(queijo fresco)*. Enfin, partout au Portugal, on dégustera le *queijo da Ilha*, provenant des Açores.

75

Queijadas de Sintra

Desserts – Le Portugal compte un nombre infini de gâteaux, presque tous à base d'œufs, hérités de vieilles recettes conventuelles, comme le **toucinho-do-Céu** (lard du ciel), les **barrigas de Freira** (ventres de nonne) et les **queijadas de Sintra**, aux amandes et au fromage de brebis frais. Le **pudim flan**, sorte de crème renversée, a sa place dans la plupart des menus. Avec les mêmes ingrédients, on obtient le **leite-creme** plus crémeux. L'**arroz doce** (riz au lait), saupoudré de cannelle, est souvent réservé aux repas de fête.

En Algarve, figues et amandes permettent la confection de délicieuses friandises.

Dans les pâtisseries, si nombreuses au Portugal, on se procurera notamment des **pastéis de nata** : flan, dans une pâte feuilletée, saupoudré de cannelle.

« L'amie fidèle »...

Dans l'histoire maritime du Portugal, la morue occupe une place particulière. Pêchée dans les lointaines eaux froides de Terre-Neuve, il faut la saler pour la garder jusqu'au retour des bateaux. Pour les Portugais, qui l'appellent « l'amie fidèle », elle est devenue l'aliment populaire par excellence, le plat traditionnel du réveillon, le régal du marin et du paysan, la friandise omniprésente sous forme de beignets... Originaire de Lisbonne, le **Bacalhau à Brás** est aujourd'hui servi dans tout le pays.

Pour 4 personnes, il faut 500 g de morue, 500 g de pommes de terre, 350 g d'oignons, 5 œufs, 2 gousses d'ail, 4 cuillers à soupe d'huile, persil haché, olives noires, sel et poivre.

Faire dessaler la morue pendant une journée en changeant l'eau plusieurs fois. L'effiler en enlevant la peau et les arêtes et la sécher dans une toile. Éplucher les pommes de terre et les couper en fins bâtonnets. Couper les oignons en rondelles très fines. Faire chauffer l'huile dans une poêle avec l'ail que l'on retire lorsqu'il a blondi. Faire blondir les oignons et ajouter la morue. Laisser frire 5 mn et ajouter les pommes de terre préalablement frites et l'ail. Saler et poivrer, puis ajouter les œufs battus en mélangeant bien le tout. Saupoudrer avec le persil et parer avec les olives.

Les vins

Le Portugal, 7e producteur mondial de vin, possède une gamme très riche de crus. Le porto et le madère ont une renommée internationale, en partie redevable aux Anglais, mais on trouve sur place à des prix très abordables des vins d'excellente qualité, de marque ou non, appropriés à toutes les occasions.

LE PORTO

Les vignes des vallées du Haut-Douro et de ses affluents produisent des vins généreux, exportés après traitement du port de Porto qui leur a donné son nom.

Le porto et les Anglais – Au 14e s., certains vins de Lamego étaient déjà exportés en Angleterre. Au 17e s., en échange de leur aide contre les Espagnols, les Portugais accordèrent aux Anglais des privilèges commerciaux. Ainsi, à la fin du 17e s., quand la formule du porto fut mise au point, de nombreux Anglais se portèrent acquéreurs de quintas dans la vallée du Douro et se lancèrent dans la production de ce vin. Le **traité de Methuen** (1703) avait attribué le monopole du commerce des vins portugais à la couronne britannique, mais le roi Joseph Ier et le marquis de Pombal créèrent en 1756 la **Compagnie générale de l'agriculture des vignes du Haut-Douro**, établissement public qui fixerait désormais le prix à l'exportation. L'année suivante, cette compagnie entreprend de déterminer les limites du vignoble ayant droit à l'appellation. Les maisons anglaises se multiplièrent : Cockburn, Campbell, Offley, Harris, Sandeman, Dow, Graham, etc. ; les Portugais attendirent 1830 pour créer leurs propres compagnies : les Ferreira, les Ramos-Pinto... En 1868, le phylloxéra s'abattit sur la région, mais le vignoble fut rapidement reconstitué et l'on produisit des *vintage* dès la fin du 19e s.

Le vignoble – Il est cultivé dans la région délimitée du Douro, créée par la loi de 1756. Celle-ci recouvre 240 000 ha, dont 1/6 en vignes qui s'étendent sur une centaine de kilomètres le long du Douro jusqu'à la frontière espagnole. Le centre se trouve à peu près à Pinhão. On compte 25 000 propriétaires viticulteurs. Les conditions exceptionnelles du climat (été chaud, hiver froid) et du sol schisteux de cette région, associées au vieillissement que l'on fait subir au vin, assurent au porto des caractéristiques uniques. Le vignoble cultivé sur les versants raides du Douro, complètement sculptés en gradins, forme un paysage exceptionnel.

L'élaboration du porto – Les vendanges ont lieu fin septembre. Les grappes sont transportées à dos d'homme dans des hottes en osier. Le raisin cueilli est porté au pressoir où le foulage mécanique s'est substitué au foulage au pied, qui offrait, avec ses chansons et ses rythmes, un spectacle fort pittoresque. Le moût fermente jusqu'à ce qu'il atteigne le degré de sucre souhaité, puis on y ajoute de l'eau-de-vie – de raisin du Douro, obligatoirement – pour en faire cesser la fermentation et retenir le sucre. Au printemps, le vin est transporté jusqu'aux chais de Vila Nova da Gaia. Jusqu'en 1964, ce transport s'effectuait à bord des pittoresques *barcos rabelos* qui descendaient le Douro sur 150 km jusqu'à Porto. On peut voir certains de ces bateaux à Pinhão ou à Vila Nova da Gaia *(voir Porto)*.

VINS ET GASTRONOMIE

Vignoble   *Bucelas* Principaux crus

Les différents portos – La teneur en alcool du porto varie entre 19 et 22 %. Il existe une grande variété de portos en fonction de la marque et du procédé d'élaboration. Vieillis en fût, ils mûrissent par oxydation et prennent une belle couleur ambre ; vieillis en bouteille, ils mûrissent par réduction et se caractérisent par leur teinte rouge sombre. Depuis 1963, les Français ont supplanté les Anglais et sont devenus les premiers importateurs de porto. Ils consomment surtout du tawny, demi-sec et doux, vendu après trois à cinq ans d'âge, alors que les Anglais sont amateurs de portos de grande qualité. Les portos les moins chers sont les **blancs**, les rouges **ruby** ou les jeunes **tawnies**. Ce sont des vins de coupage (*blended* en anglais) faits avec des mélanges de vins de différentes productions et de différentes années. Mis en bouteille entre deux et quatre ans après la vinification, il faut les consommer rapidement pour en apprécier toute la subtilité. Les meilleurs portos, et les plus chers, sont les **vintage** et les **LBV**.

Porto blanc ou **branco** – Ce porto, moins répandu, provient de cépages blancs. Sec ou extra-sec, d'une teneur en alcool de 16,5° minimum, il constitue un excellent apéritif à servir frais.

Ruby – De couleur rouge, c'est un vin jeune, d'environ deux ans, assez vigoureux.

Tawny – Vin de mélange, ayant en général passé trois ou quatre ans en fût, sa couleur est blond doré. Il existe également des tawnies avec indication d'âge et des tawnies de « colheita ».

Porto avec indication d'âge – La mention (10, 20, 30 ans...) correspond au temps passé en fût. Ce vin de très bonne qualité est à boire dans les années suivant la mise en bouteille.

Colheita – Ce porto avec mention de la date de récolte *(colheita)* est réalisé avec des vins de même année, la mise en bouteille se faisant au bout de sept ans minimum (cette date est mentionnée sur l'étiquette).

Vintage – C'est un porto obtenu à partir d'un raisin de qualité remarquable, produit généralement sur un seul domaine en une année exceptionnelle. Il est impérativement mis en bouteille après deux ou trois années passées en fût. La bouteille, qui porte le nom de l'exportateur, est millésimée et ne doit être ouverte qu'au bout de huit à dix ans.

LBV – Ces portos, dont les initiales signifient « Late Bottled Vintage », sont réalisés aussi avec une seule récolte et mis en bouteille entre la 4e et la 6e année après la vendange. Les vintage ou les LBV. peuvent être gardés de nombreuses années, pourvu que l'on prenne certaines précautions (température adéquate, bouteille couchée). Le vintage doit être servi dans une carafe et consommé rapidement, de préférence le jour de l'ouverture de la bouteille.

Pour en savoir plus sur le porto, on pourra consulter à Porto, l'**Institut du vin de Porto** *(Internet : www.ivp.pt)*, qui, en association avec d'autres organismes officiels, notamment le Cabinet de la **route du Vin de Porto**, situé à Peso da Régua, et les offices de tourisme de la région, propose une route du Vin de Porto dans la région délimitée du Douro. L'itinéraire passe par 54 sites (quintas, caves coopératives, œnothèques, etc.) : une bonne occasion pour découvrir la région et ses beaux paysages à la saveur de son précieux nectar...

LE MADÈRE

Ce vin est surtout apprécié par les Britanniques.

L'historique et l'élaboration du madère sont décrits dans l'introduction de l'île de Madère.

LES AUTRES VINS

Plusieurs régions produisent des vins dignes d'intérêt, faisant l'objet depuis 1987 d'un classement en VQPRD (vin de qualité produit dans une région déterminée), qui comprend les DOC (dénomination d'origine contrôlée, correspondant à l'AOC française), les IPR, les vins régionaux et les vins de table. Dans les restaurants, on peut demander le *vinho da casa*, vin de la maison, généralement très convenable.

Le vinho verde (vin vert) – Il est blanc (tendant au jaune) ou rouge foncé (tinto), et son appellation de « vin vert » indique la précocité des vendanges et la brièveté de la fermentation qui donne un vin à faible teneur alcoolique (8 à 11,5°), léger, pétillant, fruité, un peu acidulé même. Il est produit dans le Minho et dans la basse vallée du Douro. Le vinho verde se boit jeune et bien frais. Idéal en apéritif, il accompagne agréablement le poisson et les fruits de mer. Le vinho verde le plus réputé est produit avec le cépage alvarinho et, contrairement aux autres, il peut être conservé plus longtemps.

Douro – Réputée pour le porto, la région délimitée du Douro produit aussi des vins de qualité, d'appellation « douro », généralement rouges, robustes et charpentés, parfois blancs.

Dão – Sur les terrains granitiques des vallées du Dão et du Mondego, on obtient un vin blanc frais et un vin rouge très doux, velouté et chargé d'arômes, dont la qualité peut être comparée à celle des crus du Bordelais. Les vins de « quinta » sont d'ailleurs l'équivalent des vins de « château » français.

Bairrada – Région viticole très ancienne, la Bairrada donne naissance à un vin rouge robuste et parfumé. Elle produit également un mousseux naturel très apprécié au Portugal, qui accompagne à merveille son fameux porcelet rôti.

Colares – Près de la serra de Sintra, la vigne pousse sur un terrain sablonneux, au-dessus d'une couche d'argile, produisant un vin renommé depuis le 13e s.

Bucelas – C'est un vin blanc sec, acidulé, jaune paille, produit sur les rives du rio Trancão, affluent du Tage.

Autres vins de table – Les vignobles du Ribatejo produisent de bons vins ordinaires, vins rouges corsés de la région de Cartaxo, vins blancs de Chamusca, Almeirim et Alpiarça, sur la rive opposée du Tage. Citons encore les vins de Torres Vedras, d'Alcobaça, de Lafões et d'Águeda, les vins rosés de Pinhel, de Mateus (le plus vendu).

Dans l'Alentejo, à côté du vin de Vidigueira, prédominent les vins rouges (à l'exception du blanc de Vidigueira) ronds et corsés : reguengos, borba et redondo. En Algarve, une petite production se maintient autour de Lagoa, dont la coopérative est la plus ancienne du pays.

Vins de dessert – Le **moscatel de Setúbal**, dont le vignoble se situe sur les pentes argilo-calcaires de la serra da Arrábida, est un vin généreux, fruité, qui acquiert avec l'âge une saveur particulièrement agréable. Le **carcavelos**, également fruité, est très apprécié.

G. Sioën/RAPHO

SUR LA ROUTE DU VIN VERT
Suggestions pour une visite du Minho

Profitez de votre séjour dans le Minho pour découvrir les quintas et les caves coopératives où l'on produit et élabore le fameux *vinho verde*. Dans tous ces établissements, vous pourrez goûter et acheter le vin. Certaines quintas font partie du réseau du « Tourisme d'habitation » *(voir chapitre Renseignements pratiques)* et proposent des chambres d'hôte dans un cadre traditionnel et raffiné des plus agréables. Certaines maisons disposent d'un restaurant.

Près de Porto, sur l'itinéraire IP4 en direction d'Amarante, à Paredes, la **Quinta da Aveleda** donne son nom à l'une des marques de vin vert les plus connues. Intégrée dans un beau site naturel, elle comprend un restaurant *(visite des caves, dégustation et achat de vin – ☎ 255 71 82 00 – fax 255 71 11 39)*.

Près de la belle ville de Guimarães, à Santo Amaro, se trouve la magnifique **Casa de Sezim**, dont la fondation remonte au 14ᵉ s. Entourée d'un bois et de 21 ha de vigne, disposant de neuf chambres d'hôte, elle offre une occasion unique de connaître l'élaboration du vin, de le goûter et de jouir de la nature environnante. La maison possède des chevaux que l'on peut monter pour des balades accompagnées, une piscine, un bar, et peut organiser des séminaires et des réunions d'entreprises *(☎ 253 52 30 00 – fax 253 52 31 96)*. Propriétaire : M. José Paulo Mesquita.

Les environs de Braga, dans la zone d'Amares, concentrent plusieurs quintas. La **Quinta do Paço**, au lieu-dit de Lago, offre la possibilité de visiter ses caves sur rendez-vous, de déguster et d'acheter ses vins *(☎ 253 31 17 80)*.

Le **Solar das Bouças**, au lieu-dit de Ancede, à Prozelo, dans un beau paysage, propose également des visites et des dégustations sur rendez-vous *(☎ 253 90 90 10 ; fax 253 90 90 19)*.

À 3 km de Viana do Castelo, la **Quinta do Paço d'Anha**, fondée au 15ᵉ s., fait partie de l'histoire du Portugal. Elle fut la propriété de Dom Afonso, 1ᵉʳ duc de Bragance, dont le blason est encore visible à différents endroits du domaine. Jouissant d'une belle vue sur la mer, elle dispose de six appartements. Les hôtes peuvent participer aux travaux de la quinta et se promener dans la propriété (50 ha, dont 35 de forêt – *visite des caves et dégustation sur rendez-vous ; vente de vin ; ☎ 258 32 24 59 – fax 258 32 39 04)*. Propriétaire : António Júlio d'Alpoim).

Pour d'autres renseignements sur les vins verts :

Região de Turismo do Alto Minho
Castelo de São Tiago da Barra – 4900 Viana do Castelo
☎ 258 82 02 70/1/2 – fax 258 82 97 98

Região de Turismo Verde Minho
Praça Dr. José Ferreira Salgado, 90-6° – 4700-525 Braga
☎ 253 20 27 70 – fax 253 20 27 79.
Internet : *www.vinhoverde.pt*

Sintra – Palais de la Pena

Rojo/ZEFA-HOA QUI

Villes et curiosités

ABRANTES

District de Santarém – 10 691 habitants
Carte Michelin n° 940 N 5

Au centre du Portugal, Abrantes occupe un **site★** bien exposé sur le versant d'une colline dominant la rive droite du Tage. La route de Tramagal, au Sud du fleuve, offre d'excellentes vues sur cette belle ville blanche.

Les troupes de Junot, qui reçut par la suite de Napoléon Ier le titre de duc d'Abrantes, y firent leur entrée le 24 novembre 1807. La ville s'ouvrit sans résistance à cette poignée d'hommes indisciplinés, mal vêtus et harassés, qui arrivaient d'Alcántara après trois jours de marche sur de mauvais chemins de montagne. Quelques jours plus tard, les Français s'installaient à Lisbonne, abandonné par la famille royale.

La *palha de Abrantes* est une délicieuse pâtisserie composée de filaments d'œufs qui lui ont valu son nom de « paille ».

CURIOSITÉS

Château – Des ruelles abondamment fleuries mènent aux anciennes fortifications restaurées. À l'intérieur, le donjon est aménagé en **belvédère** : la vue s'étend sur la moyenne vallée du Tage, jusqu'au confluent du Zêzere en aval ; au Sud, des villages piquettent de leurs taches blanches une campagne couverte d'oliviers ; au Nord se dressent la serra do Moradal et les contreforts de la serra da Estrela.

L'**église Santa Maria** ☉, reconstruite au 15e s., abrite un petit **musée** où l'on remarque une sculpture de la Trinité (16e s.), en pierre polychrome, sur le maître-autel, une belle statue de Vierge à l'Enfant du 15e s., et les tombeaux des comtes d'Abrantes des 15e et 16e s. À noter également, sur l'un des murs, des azulejos hispano-mauresques de cuerda seca du 16e s., relativement rares au Portugal. Le musée organise des expositions d'art sacré.

Église et hôpital da Misericórdia – *Pour la visite, s'adresser à la Santa Casa da Misericórdia, dans la rue qui monte à droite.* Dans cette église datant de 1584 sont conservées six magnifiques peintures sur bois. Du 16e s., attribuées à Gregório Lopes, elles évoquent l'avènement et la vie du Christ. Remarquer également le très bel autel en bois doré du 18e s. et un orgue en forme de meuble, de la même époque. Dans l'ancien hôpital, la salle dite *do Definitório*, ornée de beaux panneaux d'azulejos du 18e s. et surmontée d'un plafond à caissons de bois, contient sept tableaux représentant les sept œuvres de la Miséricorde. Admirer le mobilier, en particulier une *burra* (littéralement, une ânesse) du 16e s., coffre en fer extrêmement lourd doté d'un incroyable système de fermeture et de dispositifs de fixation au sol, qui servait à transporter les objets précieux dans les navires des Grandes Découvertes. Le centre de la pièce est occupé par une curieuse table ronde pourvue de tiroirs, en bois du Brésil, qui accueillait les réunions des organes sociaux de la Santa Casa.

Église de São João Baptista – À gauche de l'église da Misericórdia, elle a été fondée en 1300 par la reine sainte Isabelle et reconstruite à la fin du 16e s. À l'intérieur, sous de beaux plafonds en bois, remarquer les autels Renaissance en bois doré.

ENVIRONS

★**Constância** – *12 km à l'Ouest.* Dans cette charmante petite ville, vécut le grand poète Camões. Sa maison, en cours de restauration, abritera le futur centre d'études camoniennes. Au confluent du Tage et du Zêzere, Constância est une belle endormie, aux rues pavées et abondamment fleuries, entrecoupées de petits escaliers et d'arches.

Église paroissiale – Édifiée au 17e s., elle a été très endommagée par les troupes de Napoléon qui en raison des crues du Zêzere furent contraintes de faire une halte à Constância lors de leur marche sur Lisbonne, halte qui permit à la famille royale de s'enfuir vers le Brésil. Au plafond, une peinture de José Malhoa représente Notre-Dame-de-Bon-Voyage bénissant l'union des deux fleuves.

Quinta de Santa Bárbara – *2250-092 Constância* – ☎ *249 73 92 14 – fax 249 73 93 73 – 8 chambres – 60 € – piscine découverte.*
Cette grande et magnifique quinta située aux alentours de Constância a été construite au 16e s. par un compagnon d'armes de Camões. L'intérieur, empreint d'histoire, donne un aperçu de l'art de vivre des siècles passés. Vous apprécierez son mobilier ancien, sa chapelle baroque, ses plafonds en bois peint. Le restaurant **Refeitório Quinhentista**, installé dans une dépendance de la quinta, sert une bonne cuisine régionale.
En contrebas de la quinta, le **centre hippique de Santa Bárbara**, qui est une école d'équitation, organise des promenades à cheval pour les groupes de 5 ou 6 personnes. Renseignements et réservations au ☎ 219 94 16 23.

ALBUFEIRA★

District de Faro – 15 721 habitants
Carte Michelin n° 940 U 5 – Schéma : ALGARVE

Albufeira, ancienne place forte maure, en a conservé le nom arabe qui signifie « forteresse de la mer ». Ces dernières décennies, elle est devenue la station balnéaire la plus célèbre de l'Algarve, l'une des plus internationales et des plus à la mode pour la vie nocturne.

Son site a été assez abîmé par la multitude de constructions modernes qu'il faut franchir pour parvenir, au centre, à l'ancien village de pêcheurs : accroché au sommet d'une falaise au ton doré, il forme un bel ensemble de maisons blanches au-dessus de la plage qui s'incurve en contrebas, protégée de la houle par la pointe rocheuse de Baleeira à l'Ouest, un curieux bloc calcaire en forme de crosse.

Albufeira – La plage des pêcheurs

VISITE

Points de vue – Pour contempler le **site**★, il faut monter sur l'une des hauteurs, soit à l'Est au sémaphore au-dessus de la plage des Pêcheurs, soit à l'Ouest en allant vers la plage de Galé.

La vieille ville – Albufeira se découvre à pied, en parcourant les ruelles pavées et voûtées d'arcs maures à lanterne. Les rues convergent sur la place principale : le largo Eng. Duarte Pacheco où les terrasses de café accueillent les estivants. En été, les rues piétonnes du centre historique, le long desquelles se succèdent les bars, sont prises d'assaut par une foule cosmopolite et festive, qui plus tard s'égaille dans les nombreuses discothèques des environs.

VIE NOCTURNE

Bars – Dans le centre-ville, la « rue des bars » est une évidence qui ne nécessite pas d'autres explications. L'animation est dans la rue, il n'y a qu'à choisir un endroit… ou bien ne pas choisir et passer d'un bar à l'autre !
Situé Praia da Oura, le **Capítulo V** est un bar-discothèque dont la terrasse est des plus agréables. À Areias de São João, la route de Santa Eulália concentre le plus grand nombre de bars, dans lesquels on peut généralement danser : **Alabastro**, **5° Elemento**, **Crazy Joe**. Toujours dans ce périmètre, rue Alexandre Herculano, au n° 19, se trouve l'**Amnésia** et, un peu plus loin, l'un des hauts lieux de la nuit d'Albufeira, le **Liberto's Bar**, qui dispose d'une terrasse, d'une piscine, de plusieurs bars et d'une piste de danse. Sur la plage de Santa Eulália, le **Bar Atlântico** offre une belle vue sur la mer.

Discothèques – Le **Kiss**, à Areias de São João, est l'une des plus anciennes. Ouverte toute l'année, elle attire un public varié. On trouve également dans cette zone l'**IRS**, un autre classique d'Albufeira. Surplombant la plage de Santa Eulália, la **Locomia** dispose de plusieurs espaces en plein air. En été, les nuits y sont animées par des DJ invités. Sur la praça de Touros, **El Divino** présente des concerts dans une atmosphère joyeuse de rythmes latins.

La plage – Par un tunnel (à l'extrémité de la rua 5 de Outubro), on accède à la plage des baigneurs, séparée de la plage des pêcheurs (Praia dos Barcos) par une falaise. D'agréables rues en corniche dominent cette plage et son rocher.

La plage d'Albufeira est très envahie l'été. Pour ceux qui préfèrent le calme, un grand choix de plages accessibles en voiture se trouvent de part et d'autre d'Albufeira, dont la plage de Galé à l'Ouest.

ALCOBAÇA★★

District de Leiria – 5 079 habitants
Carte Michelin n° 940 N 3

Au cœur de cette petite ville s'élève l'une des plus belles abbayes cisterciennes que nous ait laissées le Moyen Âge.

Alcobaça est située dans une région agricole au confluent de l'Alcoa et de la Baça (qui lui donnèrent son nom). Ses principales activités sont le commerce des fruits, la production de vin et l'élaboration d'une liqueur de cerise appelée la *ginginha*.

C'est aussi un centre animé de vente des faïences locales. De teinte dominante bleue, les vases, les fontaines, les plats aux formes diverses mais au dessin traditionnel envahissent les trottoirs de la vaste place qui s'étend devant le monastère.

Une fondation cistercienne – La légende veut qu'en pleine reconquête, en 1147, Alphonse Henriques, le premier roi du Portugal, ait fait le vœu de fonder un monastère en cet endroit s'il parvenait à prendre Santarém. On sait que quelque temps plus tard, en avril 1153, le roi fait don à saint Bernard des terres d'Alcobaça, où viennent s'installer des cisterciens de Clairvaux. À cette époque, les terres à défricher étaient souvent confiées à des ordres monastiques qui se donnaient pour mission de les mettre en valeur. Alcobaça devint fille de Clairvaux et en reprit le plan. La construction commença en 1178, mais les premiers bâtiments furent démolis par les Maures. Les travaux reprirent au début du 13ᵉ s. et l'église fut terminée en 1253. Alcobaça se développa rapidement et son abbé était l'un des personnages les plus importants du royaume.

Un couronnement posthume – Inès de Castro, qui avait accompagné au Portugal l'infante Constance de Castille, se voit exilée par Alphonse IV. Le monarque trouve ainsi le moyen de l'éloigner de son fils, Pierre, époux de Constance, qui n'avait pas su résister à la beauté de la dame d'honneur. En 1345, à la mort de l'infante, la belle Inès rejoint son amant à Coimbra et s'installe au monastère de Santa Clara. La présence d'Inès et de ses enfants irrite Alphonse IV qui, soucieux de préserver son royaume des prétentions castillanes, ne s'oppose pas à l'assassinat de la jeune femme le 7 janvier 1355. Pierre se soulève, mais il échoue devant Porto. Deux ans plus tard, il succède à son père, fait justice aux meurtriers et révèle qu'il était uni à Inès par les liens d'un mariage secret. En 1361, il fait exhumer le cadavre d'Inès ; la légende rapporte qu'il le vêt d'un manteau pourpre, le ceint de la couronne et contraint les nobles du royaume à venir baiser la main décomposée de la « reine morte ». Un cortège nocturne solennel accompagne enfin sa dépouille dans l'église du monastère d'Alcobaça.

Après António Ferreira dans sa tragédie *Castro*, et Camões qui puisa dans cette aventure dramatique quelques épisodes des *Lusiades*, Henry de Montherlant en fit en 1942 le sujet de sa pièce de théâtre *La Reine morte*.

Tombeau de Pierre Iᵉʳ

★★MOSTEIRO DE SANTA MARIA ⏱ *environ 3/4 h*

De l'extérieur, les bâtiments du 18ᵉ s. ne laissent guère soupçonner les splendeurs de l'architecture cistercienne qu'ils recèlent.

De la façade originale, altérée par les remaniements survenus aux 17ᵉ et 18ᵉ s., n'ont subsisté que le portail et la rose. La façade a été reconstruite aux 17ᵉ et 18ᵉ s. dans le style baroque. Les statues qui l'ornent représentent de bas en haut saint Benoît et saint Bernard, puis les quatre vertus cardinales (Force, Prudence, Justice, Tempérance) et dans une niche Notre-Dame d'Alcobaça.

★★Église

Restaurée, elle a retrouvé la noblesse et le dépouillement des édifices cisterciens ; c'est l'une des plus vastes et des plus hautes églises de ce style.

La nef — Elle est d'une très grande ampleur ; sa voûte sur croisée d'ogives repose, par l'intermédiaire de doubleaux, sur de puissants piliers renforcés de colonnes engagées. En arrêtant ces dernières à 3 m au-dessus du sol, l'architecte a su augmenter considérablement la place disponible pour les convers et donner à l'église une perspective originale. Les collatéraux surprennent par leur verticalité : ils sont presque aussi hauts que la nef.

Le transept — Il abrite les tombeaux (14ᵉ s.) d'Inès et de Pierre Iᵉʳ. De style gothique flamboyant, ces monuments ont été sculptés dans un calcaire tendre. Ils furent gravement endommagés en 1811 par des soldats français du général comte Drouet d'Erlon.

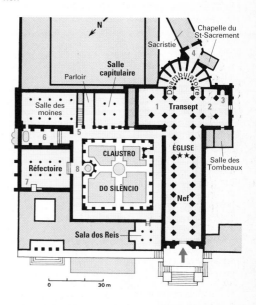

★★**Tombeau d'Inès de Castro** — *Dans le bras gauche du transept* (1). Soutenu par six anges, le gisant repose sur le tombeau dont les quatre faces sont surmontées d'une frise d'armoiries du Portugal et de la famille de Castro. Sur les côtés sont évoquées diverses scènes de la vie du Christ ; le chevet du tombeau porte une Crucifixion dont on remarque la Vierge de douleur au pied de la Croix. Un intéressant Jugement dernier orne la face située aux pieds du gisant : quelques détails particulièrement réalistes attireront l'attention : en bas à gauche, les morts soulèvent les pierres tombales pour se rendre au Jugement ; en bas à droite, les damnés sont précipités dans la gueule d'un monstre qui symbolise l'Enfer.

★★**Tombeau de Pierre Iᵉʳ** — *Dans le bras droit du transept* (2). Au-dessous d'un gisant sévère, le tombeau conte sur ses faces latérales la vie de saint Barthélemy, patron du roi. Le chevet du tombeau est occupé par une très belle rosace représentant la Roue de la Fortune ou, selon certains archéologues, des scènes de la vie d'Inès et Pierre, thème qui se poursuivrait dans la frise supérieure du tombeau ; la face opposée au chevet est consacrée aux derniers instants du souverain.

Dans une chapelle du transept droit (3), un groupe abîmé en terre cuite, dit **Transit de saint Bernard**, a été réalisé par des moines au 17ᵉ s. ; il figure la mort du saint.

Chœur — Il reproduit celui de l'église de Clairvaux et est entouré d'un vaste déambulatoire sur lequel s'ouvrent deux belles **portes manuélines** (4) du 16ᵉ s. et neuf chapelles ornées de statues de bois polychrome réalisées aux 17ᵉ et 18ᵉ s.

★★Bâtiments abbatiaux

Claustro do Silêncio — Édifié au début du 14ᵉ s., le **cloître du Silence** séduit par la simplicité de ses lignes ; entre des contreforts, de fines colonnettes jumelées soutiennent avec élégance trois arcs surmontés d'une rose. L'étage supérieur a été ajouté au 16ᵉ s. par Diogo et João de Castilho.

Salle capitulaire — *Sur la galerie Est du cloître.* Les archivoltes reposent sur de gracieuses colonnettes ; les nervures de la voûte s'épanouissent à partir de piliers centraux et de culs-de-lampe.

Dortoir des moines – Un escalier y conduit (5). Cette vaste salle gothique frappe par ses dimensions : plus de 60 m de long. Les voûtes de ses trois nefs reposent sur deux rangées de colonnes à chapiteaux.

Cuisine (6) – Reconstruite au 18e s., la cuisine monumentale, haute de 18 m, aux parois et plafonds revêtus de céramique blanche, surprend par ses énormes cheminées ; l'eau courante y est apportée par un bras de l'Alcoa.

Réfectoire – C'est une grande salle voûtée d'ogives. Aménagé dans l'épaisseur du mur, un escalier surmonté d'une belle colonnade mène à la chaire du lecteur (7) ; en face de la porte d'entrée, le **lavabo**, avec fontaine du 17e s. (8), fait saillie dans l'enclos du cloître.

Sala dos Reis – 18e s. Une frise d'azulejos illustre la fondation du monastère, et des statues réalisées par les moines représentent les rois portugais jusqu'à Joseph Ier. Belle Vierge à l'Enfant gothique.

AUTRE CURIOSITÉ

Museu da Junta Nacional de Vinho ⊘ – *1 km sur N 8 (vers Leiria), à droite.* Occupant un hangar d'une coopérative vinifiant la production locale, le **musée du Vin** rassemble des centaines de bouteilles (vieux portos et madères), des cuves à vin, des foudres, pressoirs, alambics, d'énormes jarres de fermentation du 19e s.

Côte de l'ALENTEJO★

Carte Michelin no 940 T 4, 3 et S 3

La côte de l'Alentejo est une région aux paysages variés, où la nature reste préservée : plages de dunes ou criques au pied de hautes falaises, battues par les vagues blanches d'écume, petits ports de pêche dans lesquels se balancent des barques colorées, champs verdoyants où paissent les moutons, nobles chênaies de chênes-lièges, maisons blanches bordées de bleu, anciens châteaux forts qui évoquent des histoires de croisés et de Mauresques enchantées...

Odemira – Dominée par la colline où se sont installés les premiers habitants autour d'un château depuis longtemps ruiné, Odemira est une petite ville riante, penchée sur les rives du rio Mira. Sa bibliothèque municipale, sur le site du château, offre de belles **vues** sur le fleuve et les champs environnants. Elle est connue pour sa céramique en terre cuite et depuis les années 1990, pour son grand festival de rock et techno, le « Festival do Sudoeste », organisé tous les ans pendant la première semaine d'août à Herdade Branca (près de São Teotónio). Des jeunes de tout le Portugal et d'Europe s'y rassemblent pour assister aux concerts.

SE LOGER À VILA NOVA DE MILFONTES

Quinta das Varandas – *Eira da Pedra 7645-258 V. N. de Milfontes. Appartements touristiques et pension.* ☎ *283 99 61 55 – fax 283 99 81 02 – pension : 30/40 € ; appartements : 40/55 € (GB).*
Sur le chemin de la plage, cet établissement offre des chambres agréables, certaines avec des terrasses et une vue sur l'embouchure de la rivière et la mer, à des prix raisonnables.

Moinho da Asneira – *7645-014 V. N. de Milfontes* – ☎ *283 99 61 82 – fax 283 99 71 38 – 4 studios, 4 villas, 1 quinta (pouvant recevoir jusqu'à 10 personnes) – 43/105 €* – possibilité de louer des bateaux et des cannes à pêche. Installé sur l'autre rive de la rivière, dans un lieu calme et désert, à la pointe de l'embouchure, cet ancien moulin de marée, avec ses maisons dominant le paysage, est entouré de jardins formant une charmant paysage méditerranéen.

Castelo de Milfontes – *Largo Brito Pais* – ☎ *283 99 82 31 – fax 283 99 71 22 – 7 chambres – 136/147 €.*
Jouissant d'un site et d'un charme exceptionnels, le château dispose d'un patio intérieur avec une arcade tournée vers la mer. Chambres atypiques, assez petites, pour un prix relativement élevé.

Cabo Sardão – Promontoire battu par les vagues sur lequel se dresse un phare, qui offre une vue étendue sur la côte et l'Océan.

Porto Covo – Cette charmante petite ville, dans laquelle on entre par une place pittoresque aux maisons basses traditionnelles, pourvue de bancs où les plus vieux viennent s'asseoir en fin d'après-midi à l'ombre des arbres, ressemble à une vision idyllique d'un Portugal des Petits (voir à Coimbra) de l'Alentejo. Devant la localité, l'île do Pessegueiro, séparée de la terre par un chenal, porte quelques vestiges des différents peuples qui ont habité la région, de même qu'un port d'abri artificiel conçu au 16e s. mais inachevé. Sur la plage, on pratique le surf et la planche à voile. Au nord, on aperçoit les installations industrielles du Port de Sines.

Zambujeira do mar – Cette localité s'étend sur une falaise au-dessus de plages où affleurent des rochers sur lesquels déferlent les vagues. Elle est propice à d'agréables promenades sur ses falaises et ses dunes, pour découvrir des plages souvent désertes, seulement peuplées d'oiseaux marins. Ce petit port de pêche est devenu au fil des années une station balnéaire très appréciée des Lisboètes pour sa relative tranquillité.

Porto das Barcas – *3 km au Nord de Zambujeira.* Ce petit port de pêche abrité par la falaise, où se balancent quelques barques, sur un beau site sauvage et tranquille, semble hors du temps. En haut, se tiennent quelques baraques de pêcheurs isolées et un restaurant de poisson frais, « O Sacas ».

Almograve – À 10 km au Sud de Vila Nova de Milfontes, se trouve la belle plage do Almograve, auprès de laquelle surgissent des sources d'eau douce.

Vila Nova de Milfontes – Située à l'embouchure du rio Mira, avec ses grandes étendues de sable fin, Vila Nova de Milfontes est devenue une attrayante station balnéaire. En été, ses nombreux bars, restaurants et discothèques en font un pôle très animé.

Castelo de Milfontes – Construit sur une butte rocheuse au-dessus de l'embouchure du fleuve, ce château, conquis aux Maures en 1204, a défendu la ville pendant des siècles. Acheté en ruine par des particuliers en 1939, il a été réaménagé par les héritiers du propriétaire afin d'accueillir des hôtes dans le cadre du « Turismo de Habitação » *(voir ci-dessous).*

ALGARVE★★

Carte Michelin n° 940 U 3, 4, 5, 6 et 7

L'Algarve englobe toute la région au Sud du Portugal. Son nom vient de l'arabe *El-Gharb*, qui signifie l'Ouest. Ses paysages et son climat, doux toute l'année, ressemblent déjà à ceux de l'Afrique du Nord. Sa végétation en fait un vrai jardin ; les maisons blanches aux cheminées ouvragées sont entourées de figuiers, d'orangers, de caroubiers, de bougainvilliers, de géraniums, de lauriers-roses.
Parfois défiguré par l'intense urbanisation suscitée par le boum touristique des années 1970, le littoral de l'Algarve offre encore néanmoins des sites splendides et variés, la partie située à l'Ouest de Faro, rocheuse et déchiquetée, contrastant avec la zone lagunaire, bordée de cordons littoraux, qui s'étend entre Faro et l'estuaire du Guadiana.

LA CÔTE EST ET LE CORDON LITTORAL

① De Castro Marim à Faro

70 km – Compter une journée

La partie à l'Est de Faro est appelée « Sotavento » (sous le vent). À partir de Manta Rota près de Cacela Velha, la présence d'une lagune, fermée par un cordon littoral, donne lieu à des paysages très particuliers. Les plages, sur le cordon littoral, sont reliées à la terre ferme par bateau ou par des passerelles construites sur la lagune. Pour préserver ce milieu naturel exceptionnel, toute la côte de Manta Rota à Ancão près de Quinta do Lago a été déclarée **parc naturel de la ria Formosa**. S'étendant sur 18 400 ha pour une longueur de 60 km, ce parc comprend des dunes, des canaux, des îles d'un grand intérêt ornithologique. C'est aussi une région riche en mollusques et en crustacés et un lieu très important pour la ponte des poissons. Les dunes, la lagune et les espèces qui y vivent y sont désormais protégées. La poule sultane *(caimão comum)*, oiseau rare au Portugal, sert d'emblème au parc, où elle se reproduit.

Castro Marim – S'adossant à une hauteur qui domine la basse plaine ocre et marécageuse du Guadiana, près de son embouchure dans le golfe de Cadix, Castro Marim occupe une position forte, face à la ville espagnole d'Ayamonte.
La cité existait déjà à l'époque romaine. Elle devint, en 1321, lors de la dissolution de l'ordre des Templiers au Portugal, le siège des Chevaliers du Christ, avant son transfert à Tomar *(voir ce nom)* en 1334.
Les ruines de son château fort en grès rouge, démoli par le tremblement de terre de 1755, s'élèvent au Nord du village, alors que les vestiges du fort de São Sebastião (17ᵉ s.) couronnent une colline au Sud.

Château ⊘ – *Laisser la voiture en bas du chemin signalisé « castelo » et monter à pied. L'entrée se trouve à gauche.* Les murailles en partie restaurées abritent les ruines d'un château primitif du 12ᵉ s. Le chemin de ronde offre une intéressante vue circulaire sur la petite cité et le fort de São Sebastião, les marais salants, le Guadiana, le pont qui relie le Portugal à l'Espagne, Ayamonte à l'Est, Vila Real de Santo António et la côte au Sud.

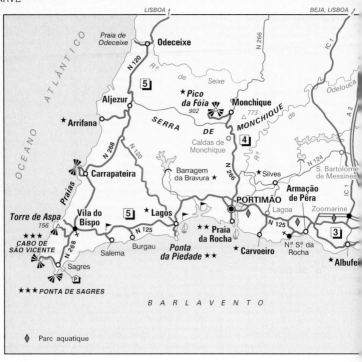

La **réserve naturelle du marais (Sapal) de Castro Marim-Vila Real de Santo António** a été créée pour protéger une faune et une flore caractéristiques des zones chaudes et humides ; il n'est pas rare d'y voir des flamants roses et des cigognes dans leurs grands nids.

Quitter Castro Marim vers le Sud par la N 122.

Vila Real de Santo António – Cette ville frontalière fut fondée en 1774 par le marquis de Pombal pour faire face à la cité andalouse d'Ayamonte sur l'autre rive du Guadiana. L'ensemble fut édifié en cinq mois et montre un bel exemple de l'urbanisme de cette époque avec le plan quadrillé des rues bordées de maisons blanches aux toits à pans retroussés.

Vila Real est devenue l'un des plus importants ports de pêche et de commerce de l'Algarve et un grand centre de conserveries de poisson. On y fabrique également des bateaux de plaisance destinés à l'exportation.

Reliée à l'Espagne par un bac et depuis 1992 par un pont *(au Nord de la ville)*, Vila Real de Santo António est très fréquentée par les Espagnols qui viennent y acheter des cotonnades (nappes, draps, serviettes, etc.).

Praça do Marquês de Pombal – Entourée d'orangers, c'est la place principale au centre du quartier pombalin. Ses pavés noirs et blancs rayonnent autour d'un obélisque. Les rues piétonnes autour sont bordées de boutiques de cotonnades.

Les rives du Guadiana – Des beaux jardins qui bordent le fleuve, on aperçoit la ville blanche d'Ayamonte.

Monte Gordo – *À 3 km.* Au-delà d'agréables pinèdes, on découvre la station balnéaire moderne de Monte Gordo, dotée d'une plage de sable illimitée.

★**Cacela Velha** – Ce hameau, autour des ruines d'une forteresse médiévale et d'une petite église au joli portail, forme un beau **belvédère** au-dessus de la lagune où s'abritent les barques de pêche. En été, la grand-place, avec ses petits restaurants, est l'endroit idéal où savourer la cuisine traditionnelle locale.

★**Tavira** – *Voir ce nom.*

Pedras d'el Rei – Composé de villas et d'agréables jardins, ce village est relié par un petit train *(10 mn)* au cordon littoral où se trouve la belle **plage do Barril**.

Luz de Tavira – À la sortie du village, église Renaissance à la toiture cantonnée de pots et au joli portail manuélin.

Olhão – Sur la côte de l'Algarve au large de laquelle se développent ici de longs cordons littoraux formant des îles sablonneuses aménagées en plages (île d'Armona, île do Farol, accessibles en bateau à partir du quai à l'Est), Olhão est un actif port de pêche à la sardine et au thon, doté de conserveries. En dépit de sa pittoresque physionomie de ville mauresque, aux ruelles étroites, aux maisons cubiques blanches,

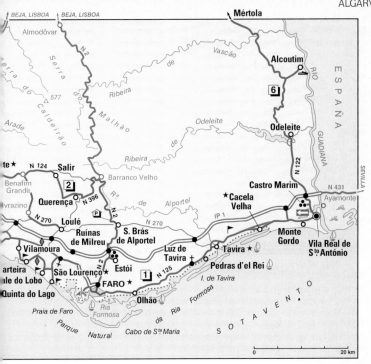

couvertes en terrasses et dotées de cheminées cornières, Olhão ne date pas du temps de l'occupation arabe. La « ville cubiste » est une fondation, au 18ᵉ s., de pêcheurs venus par mer de la ria de Aveiro. Elle devrait son architecture originale aux relations commerciales qu'elle entretient avec l'Afrique du Nord.

Points de vue – Le pont qui franchit la voie ferrée, à l'entrée de la ville, offre un premier coup d'œil sur l'enchevêtrement des maisons blanches. Du clocher de l'**église paroissiale** ⏱, située sur la rue principale menant au port *(accès par la 1ʳᵉ porte à droite en entrant dans l'église)*, se révèle un **panorama**★ curieux sur l'ensemble d'Olhão. Bon nombre de maisons sont couvertes par un étagement de terrasses (*açoteias* et *mirantes*) reliées les unes les autres par de petits escaliers. L'ensemble forme un lumineux tableau.

Enfin, de l'agréable promenade, en bordure de la ria, que constitue le **parc Joaquim Lopes**, on découvre le port de pêche et l'immensité plate des cordons littoraux. Voisines du parc, les **halles** sont, le samedi, entourées d'un important marché.

★**Faro** – *Voir ce nom.*

L'ARRIÈRE-PAYS

2 Circuit par la serra do Caldeirão *107 km – prévoir une journée*

Ce circuit permet de découvrir un aspect peu connu de l'Algarve, entre les collines calcaires du *barrocal* et les monts schisteux de la serra do Caldeirão, à quelques kilomètres seulement de la côte et néanmoins loin de son agitation. Les villages blancs et fleuris, peu peuplés, gardent leur physionomie traditionnelle et l'artisanat y est encore une activité importante. La monotonie est absente de la serra, où le paysage change au fil des saisons : en janvier/février, ce sont les nuées blanches des amandiers en fleur qui envahissent le paysage, au printemps, la serra est constellée du blanc des fleurs des cistes, en hiver comme en été, les oranges se détachent dans le vert profond des vergers... Et les senteurs : eucalyptus, pins, lavandes sauvages, cistes, valent à elles seules la visite.

★**Faro** – *Voir ce nom.*

Quitter Faro par ② *du plan, N 2. À 10 km, prendre à droite la route d'Estói (vers Tavira).*

Ruines romaines de Milreu ⏱ – Une abside carrée et deux tronçons de colonnes en marbre sont les restes d'un temple de l'Ossonoba romaine, ville du 1ᵉʳ s. Autour d'un temple, des soubassements en brique de maisons et de thermes encadrent les aires d'habitation ou des bassins, dont plusieurs ont gardé leur revêtement de mosaïque polychrome : remarquer la **mosaïque aux gros poissons** sur la paroi d'une des piscines.

J.-P. Lescourret/EXPLORER

Dans les jardins du palais d'Estói

Jardins du palais d'Estói – *Dans Estói, 1 km au-delà de Milreu*. Une allée de palmiers mène aux jardins bordés d'orangers qui s'élèvent en terrasses jusqu'à la façade baroque d'un petit palais du 18ᵉ s. Les terrasses à balustres, ornées de pièces d'eau, de statues, bustes et vases en marbre ou en terre cuite, d'azulejos bleus ou polychromes à sujets mythologiques ou fantaisistes, d'éléments de mosaïques romaines pris à Milreu, composent un joli tableau. L'ensemble a un charme tout romantique qui évoque les palais italiens. Le palais est actuellement en restauration afin d'accueillir prochainement une pousada.

Revenir sur la N 2 et reprendre vers le Nord.

São Brás de Alportel – D'origine arabe, l'ancienne Xanabus est une petite ville tranquille, située sur une hauteur et peuplée de maisons blanches surmontées de leurs cheminées typiques. Premier grand centre d'extraction du liège au Portugal, elle conserve encore quelques industries liées à cette activité et possède également une production importante de caroubes, d'amandes et de figues.

Casa da Cultura António Bentes – Museu Etnográfico do Trajo Algarvio ⊙ – Le **musée du Costume de l'Algarve**, installé dans une belle maison bourgeoise du 19ᵉ s., présente une collection intéressante de charrettes et voitures anciennes, d'instruments agricoles, de poupées et de costumes traditionnels et organise des expositions temporaires. Devant le musée se trouve le beau jardin de l'ancienne résidence des évêques de l'Algarve.

Suivre la N 2 sur 14 km. La route dessine d'innombrables lacets, entre pins et eucalyptus. À Barranco Velho, prendre la N 396 en direction de Querença.

Querença – Ce village occupe les versants d'une colline culminant à 276 m, couronnée par l'**église Nossa Senhora da Assunção**, dont la fondation est attribuée aux Templiers. Entièrement restaurée en 1745, elle conserve néanmoins son portail manuélin. À l'intérieur, on peut admirer de beaux bois dorés.

Les maisons d'un blanc éclatant ont encore souvent leur four traditionnel. Alentour, dans la garrigue, poussent les arbousiers, dont les fruits servent à produire la célèbre eau-de-vie de l'Algarve, l'**aguardente de medronho**.

Reprendre la route vers Aldeia da Tôr, village à côté duquel on peut voir un pont romain. Suivre la direction de Salir.

Salir – Son château en ruine, érigé par les Maures, offre de belles vues sur la serra. Au Nord-Est du village, sur une hauteur sauvage et escarpée, la **Rocha da Pena** (479 m), se trouvent deux murailles datées du néolithique. La flore et la faune locales y sont protégées en raison de leur grande richesse : on peut y observer le grand duc, l'aigle de Bonelli et la buse variable, ainsi que le renard, la genette et la mangouste.

Prendre la N 124 vers Alte.

★ **Alte** – Les maisons blanches de ce joli village aux ruelles étroites et sinueuses s'accrochent aux versants d'une hauteur de la serra. En bas du village, deux fontaines champêtres et ombragées, Fonte Pequena et Fonte Grande, où sont installées des tables en pierre pour les pique-niques, offrent une pause agréable. On y organise des fêtes et des pèlerinages.

Église paroissiale – Cette église fondée avant le 16ᵉ s. possède un beau portail manuélin. À l'intérieur, l'une des chapelles est totalement couverte d'azulejos du 18ᵉ s., tandis que la chapelle de Notre-Dame-de-Lourdes est ornée de précieux azulejos polychromes en relief de type sévillan du 16ᵉ s.

Reprendre la N 124. À Benafim Grande, tourner à droite dans une petite route qui conduit à la N 270, que l'on atteint au village de Gilvrazino. Prendre la direction de Loulé.

Loulé – Cette ville, qui fut habitée par les Romains, garde quelques pans de la muraille de son château maure. Grand centre horticole et artisanal, on y vend les produits provenant des villages de la serra, en particulier dans l'étonnant bâtiment de style néomauresque (19ᵉ s.) du marché, très animé, où l'on peut trouver de belles poteries. Autour du centre historique, de nombreux artisans exercent leurs métiers : tressage du palmier nain (pour la confection de chapeaux, de paniers, etc.), sparterie (tapis), travail du cuir, du cuivre, du laiton, sellerie et harnais... Les champs alentour sont plantés de caroubiers, d'amandiers, de figuiers et d'oliviers.

Loulé est également célèbre pour son carnaval qui, dit-on, est à l'origine de celui de Rio de Janeiro. Le pèlerinage de Nossa Senhora da Piedade (Mãe Soberana), le deuxième dimanche de Pâques, a des origines préchrétiennes.

Musée municipal ○ – Situé à côté du château, il présente des pièces d'ethnographie régionale et la reconstitution d'une cuisine traditionnelle.

Église paroissiale – *Entrée par la porte latérale.* Fondée au 13e s., cette église consacrée à saint Clément a été remaniée au fil des siècles. Elle présente un portail à arc brisé. L'intérieur, à trois nefs, contient des chapiteaux ornés de motifs végétaux. Remarquer une chapelle manuéline et une autre, Renaissance. Le chœur est surmonté d'une fenêtre géminée.

Église Nossa Senhora da Conceição – L'intérieur, tapissé de beaux azulejos du 17e s., abrite un retable en bois doré du 18e s.

Revenir à Faro par la N 125-4.

LA CÔTE ROCHEUSE

③ De Faro à Portimão – *100 km – compter une journée*

Cette partie de la côte de l'Algarve, appelée « Barlavento » (au vent), est fameuse pour ses plages s'étendant au pied de falaises ocre (à partir de Vilamoura) et ses eaux turquoise et limpides s'engouffrant dans des grottes que l'on peut visiter en bateau. Elle est malheureusement en de nombreux endroits victime de son succès et défigurée par l'immobilier. Les petits ports sont maintenant perdus au milieu de hautes tours blanches et en été les barques des pêcheurs se découvrent parmi les parasols qui envahissent les plages.

Quitter Faro par ① du plan, N 125. 2 km avant Almansil, au Nord de la route, s'élève l'église de São Lourenço.

★**Église de São Lourenço** ○ – Cet édifice roman, transformé à l'époque baroque, est tapissé d'**azulejos**★★ datés de 1730, dus à Bernardo, artiste connu sous le nom de Policarpo de Oliveira Bernardes. Ceux des murs et de la voûte représentent des scènes de la vie de saint Laurent et son martyre. On reconnaît : de part et d'autre du chœur, la guérison des aveugles et la distribution aux pauvres d'argent produit par la vente des vases sacrés ; dans la nef, à droite, la rencontre entre le saint et le pape, le saint en prison, à gauche, les préparatifs du martyre et saint Laurent, sur son gril, réconforté par un ange. Extérieurement, sur le chevet plat de l'église, un vaste panneau d'azulejos représente saint Laurent et son gril sous une coquille baroque.

Centro cultural de São Lourenço ○ – Dans une maison typique de l'Algarve située près de l'église, le centre culturel propose toute l'année un programme de musique et d'arts plastiques, avec des œuvres d'artistes portugais et étrangers contemporains.

Poursuivre jusqu'à Almansil, où l'on prend à gauche la route menant aux plages.

Église de São Lourenço – Almansil

B. Barbier/PHOTONONSTOP

SORTIR À VILAMOURA

Vilamoura est avec Albufeira l'un des centres de la vie nocturne les plus animés de l'Algarve.

La promenade le long de la **marina** est occupée par un grand nombre de bars et de restaurants où l'on peut « commencer la nuit ». Autre option, un dîner-spectacle-jeu au **casino** de Vilamoura *(dîner à 20 h 30, spectacle à 22 h 30 –* ☎ *289 31 00 00)*. Dans ce même bâtiment, la discothèque **Black Jack** est l'une des plus courues de l'Algarve *(ouverte de 23 h à 6 h)*. Si cette dernière est trop peuplée, on peut essayer son double, situé à Vale do Lobo, à quelques kilomètres : le **Black Jack Beach Club**, avec piscine, trois pistes de danse et vue sur l'Océan. Sur la vieille route entre Vilamoura et Albufeira, le **Kadok**, proposant également trois pistes de danse pour tous les goûts (house, pop/rock et techno), sept bars, des espaces en plein air, est l'une des plus grandes et des plus animées *(fermeture à 6 h/7 h)*. À Quinta do Lago, on trouve au même endroit le T Clube (fréquenté par les VIP portugais) et à l'étage, la **Trigonometria**, pour leurs enfants, ce qui n'exclut pas le mélange de populations et de styles.

Quinta do Lago et **Vale do Lobo** – Ces deux villages de vacances sont intéressants à visiter en tant qu'exemples d'aménagements de grand luxe : ils comprennent plusieurs terrains de golf, des country-clubs, de grands hôtels et tout autour de splendides villas nichées dans une forêt de pins parasols. Leurs plages sont accessibles par des passerelles qui enjambent la lagune.

Poursuivre vers l'Ouest par la route côtière.

Vilamoura – La station balnéaire de Vilamoura et sa voisine **Quarteira** ont vu se construire le long de leurs plages de très vastes complexes touristiques. Les hautes tours de Quarteira bordant un large boulevard voisinent avec les villages de vacances et les hôtels de Vilamoura, son casino, ses quatre terrains de golf et sa marina qui peut accueillir plusieurs centaines de yachts. Le plus surprenant est de découvrir au milieu de toutes ces constructions modernes les ruines d'une cité romaine.

Museu e Estação Arqueológica do Cerro da Vila ⊘ – *À l'angle Nord-Ouest de la marina.* Les fouilles entreprises depuis 1964 ont mis au jour, sous les vestiges maures et wisigothiques, ceux d'une cité romaine comprenant une villa patricienne du 1er s. avec bain privé et cave, un crématorium, des puits, des silos, des étables, un pressoir et, en contrebas, les vestiges de thermes publics du 3e s. La mer venait alors jusqu'ici et ces thermes se trouvaient près du port (mur du quai) ; ils étaient fréquentés par les marins qui faisaient escale.

De beaux panneaux ou fragments de mosaïques, polychromes ou noir et blanc, ornent les sols et bassins (ultérieurement convertis en bacs de salaison et viviers). Le musée présente une intéressante reconstitution de cette grande villa, telle qu'elle devait être à l'époque romaine, ainsi que des vestiges de diverses époques trouvés sur place (pièces de monnaie, céramiques).

Revenir sur la N 125 au Nord, puis tourner à gauche vers Albufeira.

★**Albufeira** – *Voir ce nom.*

Par la route côtière, gagner Armação de Pêra.

Armação de Pêra – Ce port de pêche est devenu une station balnéaire très urbanisée. Les hautes tours blanches servent de toile de fond à la plage, immense et très sûre.

★★**Promenade en bateau** ⊘ – *Jusqu'au cap Carvoeiro, à l'Ouest, au départ d'Armação (plage Est).* La promenade, par mer calme, fait longer des falaises de grès ou des rochers étrangement sculptés par l'érosion, et découvrir 18 **grottes marines**★★ considérées comme les plus belles de la côte algarvienne (Pontal, Mesquita, Ruazes...).

Poursuivre sur la route côtière vers l'Ouest sur 3 km.

Chapelle Nossa Senhora da Rocha ⊘ – Cette jolie chapelle blanche au clocher pointu, bien située sur un promontoire de la falaise, a son portail encadré par deux colonnes supportant des chapiteaux sculptés de facture archaïque ; l'intérieur est revêtu d'azulejos et abrite de charmants ex-voto (navires).

Revenir sur la N 125 au Nord, poursuivre jusqu'à Lagoa où l'on prend à gauche la N 124-1.

★**Carvoeiro** – Encaissé dans une étroite échancrure de la falaise, ce village de pêcheurs est devenu une station balnéaire agréable qui n'a pas été trop envahie par les constructions modernes.

Belvédère Nossa Senhora da Encarnação – Au sommet d'une rampe abrupte, à l'Est de la plage *(devant une chapelle et un poste de police)*, il offre une vue en enfilade sur les falaises du cap Carvoeiro.

La côte près de Praia da Rocha

★★**Algar Seco** – *500 m au-delà du belvédère de N. S. da Encarnação, plus une demi-heure à pied AR. Laisser la voiture au parc de stationnement.*
En contrebas du cap Carvoeiro, le **site marin** d'Algar Seco s'atteint par un dédale *(dont 134 marches)* de rochers rougeâtres sculptés par la mer en forme de pitons, d'arches, de « meules de gruyère », etc. Le cœur du site bat entre les porches béants de plusieurs grottes à demi immergées, sous l'aspect d'un violent tourbillon de courants marins affrontés. Sur la droite *(pancarte « A Boneca »)*, un court tunnel aboutit, sous un piton, à une caverne (aménagée en buvette l'été) percée de deux « fenêtres » naturelles d'où la vue embrasse les falaises Ouest. Sur la gauche, un sentier mène à un promontoire d'où l'on peut contempler l'entrée d'une profonde grotte sous-marine.

En saison, les grottes marines ⊘ du cap Carvoeiro se visitent en bateau.

Revenir à Lagoa, où l'on reprend la N 125 vers l'Ouest.

Portimão – *Plan dans le Guide Rouge Portugal.* Tapi au fond de sa baie naturelle, Portimão est un port animé dont on aura la meilleure **vue**★, à marée haute, du pont qui franchit l'Arade au fond de la baie. Important port de pêche et de commerce, c'est aussi une cité industrielle, spécialisée dans les constructions navales et les conserveries de thon et de sardines.
La célèbre plage de la ville est la station balnéaire de **Praia da Rocha**★★.

Largo 1er de Dezembro – Les bancs du petit square de cette place ont pour dossiers des panneaux d'azulejos (19e s.) illustrant divers épisodes de l'histoire portugaise.

★★**Praia da Rocha** – Praia da Rocha fut rendue célèbre par un groupe d'écrivains et d'intellectuels anglais qui s'y installèrent entre 1930 et 1950. Depuis, ce village est devenu l'une des plus importantes stations balnéaires de l'Algarve, l'une des plus fréquentées même en hiver. Elle est appréciée pour son climat, son ensoleillement exceptionnel, sa vaste plage qui se prolonge par une série de **criques**★★ aux eaux turquoise s'incurvant entre des falaises ocre et rouge creusées de grottes.

★**Belvédère** – À l'Ouest de la station, près de la crique dos Castelos, un promontoire aménagé offre une vue d'ensemble, d'un côté sur la longue plage en pente douce dominée par les immeubles blancs de la station, de l'autre sur la succession de criques abritées par la falaise.

Fort de Santa Catarina – Il domine à l'Ouest l'embouchure de l'Arade et, avec le **fort de Ferragudo** sur la rive opposée, il garde l'entrée de la baie de Portimão. Il fut construit en 1621 pour défendre Silves et Portimão des attaques espagnoles et maures.

SERRA DE MONCHIQUE

④ De Portimão au Pico da Foia – *30 km – environ 2 h – description à Serra de MONCHIQUE*

LAGOS ET LA CÔTE OUEST

⑤ De Portimão à Odeceixe – *140 km – environ une journée*

Plage de Praia da Rocha

Les jésuites au Portugal

Au moment des Grandes Découvertes, alors que se pose la question de l'évangélisation des nouveaux peuples rencontrés, le roi Jean III entend parler de quelques jeunes prêtres réunis au collège Sainte-Barbe à Paris autour d'un certain Ignace de Loyola. Ces hommes, qui veulent consacrer leur vie au prosélytisme, fondent en 1540 la Compagnie de Jésus. Certains vont avoir un rôle extrêmement important comme **François Xavier**, parti dès 1542 évangéliser au nom du Portugal les Indes et le Japon. Dans ce pays, l'influence des jésuites se manifeste surtout dans les tractations commerciales et il y a un tel engouement pour les Portugais que les Japonais de la Cour s'habillent à la mode portugaise (comme on le voit sur les paravents nambans). Un autre jésuite, **Manuel da Nóbrega**, fonde São Paulo au Brésil en 1554. Deux siècles plus tard, les jésuites, devenus fort puissants, inquiètent le marquis de Pombal qui n'a de cesse de leur ôter tout pouvoir. Il interdit les missions du Brésil, supprime le droit de commercer, de prêcher et d'enseigner et, le 3 septembre 1759, obtient un décret d'expulsion pour tous les membres de la Compagnie. Après avoir été arrêtés et incarcérés, ceux-ci sont renvoyés auprès de la maison mère à Rome.

La côte Sud aux alentours de Lagos est moins fréquentée et les petits ports de pêche ont gardé un certain cachet. Au-delà du cap St-Vincent, la côte Ouest est restée très sauvage. Battue par les vents et les flots, elle se compose de hautes falaises grises au pied desquelles se nichent de belles plages accessibles par de petites routes escarpées. De ces plages, le décor est souvent grandiose. L'eau y est plus froide que dans le Sud de l'Algarve et surtout plus agitée : les vagues font le bonheur de ceux qui pratiquent le body surf. Les paysages de l'arrière-pays sont très vallonnés, boisés d'eucalyptus et de pins, plantés d'agaves, et les villages blancs ont conservé leur authenticité. C'est l'endroit rêvé pour ceux qui fuient la foule, pour les amateurs de camping-car.

Quitter Portimão vers l'Ouest par la N 125.

★**Lagos** et **Ponta da Piedade**★★ – *Voir Lagos.*

Entre Lagos et Vila do Bispo, quelques routes mènent à des plages et aux ports de pêche de **Burgau** et **Salema**.

Vila do Bispo – C'est dans ce village tout blanc que se croisent les routes allant vers le Nord, vers l'Algarve et vers Sagres.
L'**église** ⊙ baroque possède un chœur en bois doré et des murs revêtus d'azulejos (1715) ; à gauche du chœur, une porte donne accès à un petit musée d'art sacré (beaux crucifix).

★★★**Pointe de Sagres et cap St-Vincent** – Voir Sagres.
Revenir à Vila do Bispo.

Torre de Aspa – *6 km à l'Ouest. Prendre la route de Sagres puis tourner à droite en suivant la signalisation.*

De ce belvédère à 156 m d'altitude, beau point de **vue**★ sur le cap St-Vincent et Sagres.

Plages de Castelejo, Cordoama, Barriga et **Mouranitos** – Ces plages, accessibles en voiture *(surtout par des pistes)* à partir de Vila do Bispo, s'étendent au pied de hautes falaises grises et frappent par leur caractère sauvage.

Carrapateira – Une route fait le tour de la pointe qui se développe à l'Ouest du village. Belles vues sur cette côte escarpée et sur la longue plage de sable de Bordeira.

Aljezur – À partir de cette ville aux maisons blanches soulignées de couleurs gaies, on peut accéder à **Arrifana**★ *(9 km à l'Ouest)* où le port de pêche et la plage se nichent au pied d'une haute falaise.

Odeceixe – En arrivant du Sud, on découvre ce beau village blanc à travers un rideau d'eucalyptus. Une route suit, sur 4 km, un petit fleuve côtier, le Seixe, dont l'embouchure forme la **plage**.

Les parcs aquatiques

Situés pour la plupart le long de la N 125, les parcs aquatiques font partie du paysage de l'Algarve. Il est difficile de leur résister les jours de grande chaleur, car ils constituent une variante rafraîchissante et divertissante des plages. Ils se composent de toboggans de différentes longueurs et formes, généralement entourés d'une pelouse où l'on peut installer des parasols, d'un snack-bar et d'une boutique d'articles de plage. Ils ouvrent en été. Le billet d'entrée est valable pour une demi-journée ou une journée complète. **Zoomarine** s'adresse surtout aux enfants. Il dispose de piscines, d'un aquarium et présente des spectacles de dauphins et de perroquets et d'autres attractions. Il est situé sur la N 125 à 1 km à l'Ouest de Guia, en direction de Portimão.
À 5 km à l'Ouest de Guia, après Alcantarilha, se trouve le **Big One**.
Slide & Splash est situé entre Lagoa et Estômbar, près du Zoomarine.
Atlantic Park est également sur la N 125, 1,5 km après le carrefour avec la N 396 vers Quarteira et Loulé, en venant d'Almansil. **Aqua Show** se trouve sur la N 396, en direction de Quarteira.

VALLÉE DU GUADIANA

6 De Vila Real de Santo António à Mértola

80 km – compter une journée

Ce parcours bucolique et agreste dans la serra de l'Algarve, le long du Guadiana jusqu'à la petite ville de Mértola, déjà située en Alentejo, dévoile une autre facette de l'Algarve, plus sereine et traditionnelle, où l'on préserve des coutumes et des arts ancestraux. Il est préférable d'entreprendre cette promenade au printemps ou à l'automne, lorsque la serra se montre verdoyante et fleurie et la chaleur n'est pas aussi intense qu'en été. On peut également opter pour une petite croisière, de Vila Real de Santo António à Alcoutim, entre monts couverts de cistes et de chênes-lièges, parsemés ici et là de maisons blanches isolées. De l'autre côté du fleuve, on peut voir quelques *fincas* (propriétés) espagnoles.

Vila Real de Santo António – *Voir p. 88*
Prendre la N 122 en direction de Castro Marim (à 6 km).

Castro Marim – *Voir p. 87*
Reprendre la N 122 vers le Nord.

Odeleite – Le barrage de Odeleite marque l'arrivée dans ce village ancien, fondé au 15ᵉ s. près de la rivière du même nom. On peut y voir une **église paroissiale** de style Renaissance.

Alcoutim – Ce village qui maintient ses traditions est situé à flanc de colline, au bord du Guadiana, face au village andalou de San Lucar del Guadiana, de l'autre côté du fleuve.

Château ⊘ – *De la place da República, où se trouve l'Office de tourisme, prendre la travessa Pedro Nunes. Après une forte montée, on atteint le château.* Construit au 14ᵉ s. pour défendre ce village frontalier, remanié au 17ᵉ s., le château abrite un centre archéologique, le **Núcleo Arqueológico de Alcoutim**, qui contient des vestiges des époques néolithique, romaine, wisigothique, islamique et chrétienne. Dans la galerie du château, on pourra admirer la richesse de l'artisanat de cette région : paniers en osier, couvertures, tapis, objets en liège et en terre cuite...

Les murailles offrent de belles **vues** sur la serra et le fleuve.

Église paroissiale de São Salvador – *Près du fleuve et de la place de São Salvador.* Cette église, construite au 16ᵉ s., offre une vue globale du village, au pied du Guadiana.

Chapelle de Nossa Senhora da Conceição ⊙ *(rua Dom Fernando, proche de la route de V. Real de Santo António et de la Ribeira de Cadavais).* Au sommet d'un escalier baroque, dominant le paysage, cette chapelle gothique-manuéline conserve un portail du 16ᵉ s. surmonté d'une cloche. Elle abrite un **musée d'Art sacré** où ont été réunies des pièces provenant de différentes églises de la région.

Reprendre la N 122 vers Mértola. Après le village de Santa Maria, on entre dans l'Alentejo.

Mértola – *Voir ce nom.*

Château d'ALMOUROL★★
District de Santarém
Carte Michelin n° 940 N 4

Érigée en 1171 par Gualdim Pais, maître de l'ordre des Templiers, à l'emplacement d'un château romain, cette forteresse hérissée de tours et de créneaux se dresse sur un îlot rocheux couvert d'arbres et de cactus, au milieu du Tage qui la reflète.
Son cadre particulièrement romantique se prêta à de nombreuses légendes.
Aujourd'hui, la proximité d'une voie ferrée et d'un camp militaire, sur la rive Nord du Tage, lui crée parfois un fond sonore inattendu...

Visite ⊙ – *Accès à partir de la N 3, au Nord du Tage (2 km à l'Est de Tancos). Laisser la voiture sur le quai, face au château.*
De l'embarcadère, belle vue d'ensemble sur le château et son **site**★★ *(illustration p. 365).* La double enceinte flanquée de dix tours rondes est dominée par un donjon carré dont la plate-forme *(accès par 85 marches puis une porte basse : attention à la tête)* offre un **panorama**★ séduisant sur le fleuve et ses rives.

AMARANTE★
District de Porto – 6 480 habitants
Carte Michelin n° 940 ou 441 I 5 – Schéma : Vallée du DOURO

Étagée sur la pente d'une colline en bordure du Tâmega, Amarante est une charmante et pittoresque bourgade dont les vieilles demeures (du 16ᵉ au 18ᵉ s.) portent des balcons de bois et des grilles de fer forgé.
Connue pour ses pâtisseries *(lérias, foguetes, papos de anjo)* et son *vinho verde (voir Introduction : Les vins)*, la petite cité s'anime chaque année le premier samedi de juin lors de la fête de son patron, saint Gonzalve, qui a la réputation de favoriser les mariages et la fécondité.

CURIOSITÉS

Pont São Gonçalo – Construit à la fin du 18ᵉ s. sur le Tâmega, il est en granit. Sur l'un des obélisques qui gardent l'entrée du pont sur la rive gauche du fleuve, une plaque de marbre rappelle la résistance victorieuse, le 2 mai 1809, du général Silveira, futur comte d'Amarante, face aux troupes napoléoniennes commandées par le général Loison.

Église du monastère São Gonçalo – L'église, érigée en 1540, présente un portail latéral à trois étages de colonnettes de style Renaissance italienne, que couronne un fronton baroque ; la statue de saint Gonzalve se dresse dans la niche centrale du premier étage. À gauche du portail, remarquer, adossées aux piliers d'une loggia, les statues des quatre rois pendant le règne desquels le monastère fut construit. Un dôme, au lanternon revêtu d'azulejos, domine la croisée du transept. L'intérieur, modifié au 18ᵉ s., abrite un beau mobilier baroque en bois doré : retable du chœur, deux chaires se faisant face, et surtout le **buffet d'orgues**★ (début 17ᵉ s.) que supportent trois tritons. Le tombeau de saint Gonzalve (mort en 1259) se trouve dans la chapelle à gauche du chœur ; la chapelle de droite, dite des Miracles, contient des ex-voto.
Au fond du bras gauche du transept, une porte donne accès au cloître Renaissance, sobre, mais dont les galeries voûtées encadrent une fontaine à masques.

Hôtel de ville – Il occupe les anciens bâtiments conventuels *(à droite de l'église, place du marché).*
Au premier étage, un petit **musée** ⊙ présente des vestiges archéologiques, sculptures et peintures modernes : toiles d'**Amadeo de Souza Cardoso**, peintre cubiste né près d'Amarante.

Église São Pedro – Cette construction du 18e s. présente une façade baroque ornée des statues des saints Pierre et Paul.

La nef unique, sous voûte de stuc en berceau, est décorée de bandeaux d'azulejos bleus et jaunes du 17e s. ; le chœur, sous voûte de pierre à caissons sculptés, abrite un autel de bois doré. La sacristie est couverte d'un **plafond★** à caissons, en bois de châtaignier élégamment sculpté.

EXCURSION

Travanca – *18 km par la N 15 en direction de Porto – environ 3/4 h.*

L'**église** (12e s.) fait partie d'un ancien monastère bénédictin qui se dresse au creux d'un vallon boisé. Bâtie en granit, elle présente une façade large et robuste, mais l'intérieur, à trois nefs, frappe par l'harmonie de ses proportions.

Les **chapiteaux★** historiés qui ornent les portails ainsi que l'arc triomphal et le chœur sont remarquables ; parmi les sujets représentés, on reconnaît des oiseaux aux cous enlacés, des dragons, des serpents, des biches, des sirènes, etc.

À gauche de l'église, une tour crénelée avec mâchicoulis s'ouvre par un portail décoré de façon très fruste.

L'ancien monastère est aujourd'hui occupé par un asile.

AROUCA

District d'Aveiro – 3 098 habitants
Carte Michelin n° 940 ou 441 J 5

Au fond d'une vallée encaissée entre des hauteurs boisées, quelques maisons entourent le monastère d'Arouca. Fondé en 716, mais reconstruit au 18e s. à la suite d'un incendie, il forme un ensemble baroque d'aspect très dépouillé.

Église du monastère ⊘ – Sa nef abrite de nombreux autels baroques dorés et plusieurs statues en pierre d'Ançã, du sculpteur Jacinto Vieira ; dans la deuxième chapelle à droite, un tombeau (18e s.) en argent ciselé, ébène et cristal contient le corps momifié de la reine de Castille, Mathilde (1203-1252), fille du roi Sanche Ier.

Chœur inférieur (Coro baixo) – Il est décoré d'un buffet d'orgues doré (18e s.), de stalles au dossier richement sculpté et de gracieuses statues de religieuses sculptées par Jacinto Vieira.

Museu de Arte Sacra ⊘ – Au premier étage du cloître, il présente en particulier des **tableaux★** de primitifs portugais (fin 15e s.-début 16e s.) de l'école de Viseu, des toiles *(Ascension)* de Diogo Teixeira (17e s.) et une statue de saint Pierre (15e s.).

Serra da ARRÁBIDA★

District de Setúbal
Carte Michelin n° 940 Q 2 et Q 3

Ourlant au Sud la péninsule de Setúbal, la serra da Arrábida s'étend sur 35 km environ, du cap Espichel à Palmela. Elle est constituée par l'extrémité de couches calcaires d'époque secondaire, vigoureusement redressées et fracturées, qui s'enfoncent sous des terrains plus récents, pour réapparaître, au Nord du Tage, adossées au massif de Sintra. Le **parc naturel da Arrábida**, qui s'étend sur 10 800 ha entre Sesimbra et Setúbal, a été créé pour préserver les paysages et l'architecture de cette région.

CIRCUIT AU DÉPART DE SESIMBRA *77 km – environ 4 h*

L'itinéraire décrit ci-dessous permet de découvrir les deux versants si différents de cette serra large seulement de 6 km. Le **versant Sud** tombe sur l'Océan en un abrupt de 500 m. Son rivage échancré, la couleur blanche ou ocre de ses assises calcaires, le bleu de l'Atlantique, une végétation de maquis, où dominent les pins et les cyprès émergeant d'un taillis d'arbousiers, de myrtes et de lentisques, présentent tous les attraits du littoral méditerranéen. Plusieurs plages sont aménagées dans les criques aux eaux turquoise. Le **versant Nord**, aux reliefs adoucis, porte des vignes, des vergers et des oliviers et, sur ses mauvaises terres, des broussailles et des pins témoins du boisement primitif. Les villages y sont riches et les quintas *(voir Lexique)* nombreuses.

Sesimbra – *Voir ce nom.*

Après Santana, prendre à droite la N 379, qui sinue entre les collines qu'égaient orangers et moulins à vent.

2,5 km avant Vila Nogueira de Azeitão, tourner à droite dans la N 379-1 en direction d'Arrábida.

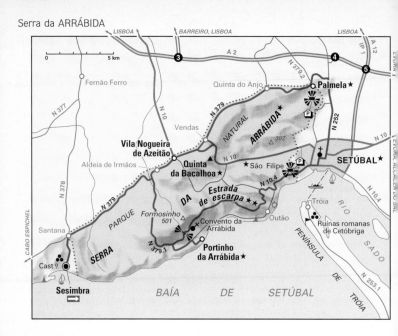

Après un parcours parmi les oliviers et les vignes, la route s'élève au milieu d'une végétation très dense. L'Océan apparaît en contrebas.

Suivre la signalisation pour Portinho.

★**Portinho da Arrábida** – Au pied de la serra, l'anse de Portinho forme une courbe harmonieuse que souligne une belle plage de sable blanc très fréquentée pendant les week-ends. De ses eaux transparentes émerge un majestueux rocher.

À l'entrée du village, le **fort de Santa Maria da Arrábida**, construit au 17ᵉ s. pour protéger la côte et le couvent proche des incursions des corsaires mauresques, abrite aujourd'hui un petit **Musée océanographique** (Museu Oceanográfico) ⊘ présentant de belles éponges et différentes espèces marines. Un escalier à gauche de l'entrée du fort mène à une grotte.

Reprendre la N 379-1 en laissant sur la droite la route de corniche inférieure.

★★**Estrada de escarpa** – Suivant en partie la crête de la serra, la **route de corniche** offre des vues sur les deux versants. D'emblée, on voit à gauche le mont Formosinho (499 m), point culminant de la serra, et sur la droite le site de Portinho et l'estuaire du Sado. En contrebas, juchés à flanc de pente entre les deux routes de corniche, se remarquent le **couvent d'Arrábida**, fondé par les franciscains en 1542, récemment restauré, et plusieurs chapelles rondes s'étageant dans la montagne. Un abaissement de la ligne de crête permet plusieurs échappées sur l'intérieur du pays, tandis que la presqu'île de Tróia se dessine sur l'Océan. La descente finale, dans le voisinage d'une cimenterie et de sa cité ouvrière, fait apparaître Setúbal au fond de son golfe.

★**Setúbal** – *Voir ce nom.*

Quitter Setúbal au Nord par la N 252 et prendre, avant l'autoroute, la N 379 à gauche.

★**Palmela** – *Voir ce nom.*

La N 379 fait passer à proximité du domaine de Bacalhoa (sur la N 10 en face de la gare routière) que l'on gagne à partir de Vendas à gauche.

★**Quinta da Bacalhoa** – *Voir Bacalhoa.*

La N 10 conduit à Vila Nogueira de Azeitão, dans un paysage de vergers et de vignobles.

Vila Nogueira de Azeitão – Ce riche bourg agricole, entouré de belles quintas, est célèbre pour son moscatel (muscat). La rue principale est bordée de jolies fontaines baroques et des élégants bâtiments et jardins de la **maison viticole José Maria de Fonseca** qui produit du moscatel depuis 1834.

Par la N 379 et Santana, regagner Sesimbra.

AVEIRO★

District d'Aveiro – 73 136 habitants
Carte Michelin n° 940 ou 441 K 4

Aveiro occupe le fond de la ria de Aveiro, dans un paysage de marais salants, de lagunes et de canaux.

Le passé – Autrefois, comme Ovar, Ílhavo et Vagos, aujourd'hui situés à 5 km du rivage, Aveiro était un port de mer. Il s'était remarquablement développé à partir du début du 16e s. grâce à la pêche à la morue pratiquée sur les bancs de Terre-Neuve. Mais, en 1575, une violente tempête ferme la lagune et c'est la catastrophe : le port s'envase et la ville, privée de ses activités, décline. L'effort de redressement tenté au 18e s. par le marquis de Pombal échoue, ainsi que les multiples plans d'aménagement de la barre. En 1808, enfin, entre les digues édifiées à l'aide des pierres provenant des murailles de la ville, on réussit à rouvrir la passe entre la ria et l'Océan ; le Rio Novo, au Nord de la ville, rectifie le tracé sinueux du Vouga. L'industrie de la céramique et de la porcelaine se développe. La prospérité s'accompagne d'un rayonnement artistique et Aveiro devient un foyer d'art baroque. Son école de sculpture est réputée : la ville se couvre de nombreux monuments.

Le présent – À l'heure actuelle, Aveiro continue certes à exploiter ses salines, ses prairies, ses rizières, ses champs amendés avec des algues récoltées au fond de la baie et transportées par bateau. La pêche est toujours fructueuse : anguille dans la lagune, sardine et raie sur la côte. Mais la région tire l'essentiel de ses ressources de l'industrie : fabrication traditionnelle de la porcelaine (Ílhavo, Vista Alegre), usine de cellulose, conserveries de poisson, chantiers navals, industries mécaniques (bicyclettes, tracteurs, montage d'automobiles) et sidérurgie (Ovar). C'est le troisième centre industriel du pays après Lisbonne et Porto.

Les gourmets dégusteront des *ovos moles*, sorte de confiture d'œufs, habituellement présentés en barillets de bois peint.

Chaque année, en mars-avril, a lieu une importante foire-exposition ; en juillet ou août, à l'occasion de la Fête de la ria, un concours de proues décorées provoque, sur le canal central, un pittoresque rassemblement de *moliceiros (voir plus loin)*.

N 109 FIGUEIRA DA FOZ / A 1 COIMBRA

Un cachet particulier – Des canaux sillonnent la ville, quelques petits ponts les enjambent ; les gracieux moliceiros et jusqu'à leurs pieux d'amarrage ne peuvent manquer de faire songer aux gondoles vénitiennes et à leurs *pali*... La proximité immédiate de la ria, avec son labyrinthe de « chemins d'eau », confère à Aveiro son originalité. Le centre urbain est, par ailleurs, pourvu de plusieurs beaux édifices Art nouveau. Mais le joyau de cette ville est sans doute son magnifique musée, qui concentre toute l'exubérance et la richesse de l'art baroque, de même qu'une précieuse collection d'art sacré. Il s'agit du deuxième musée du Portugal par son importance, après le musée d'Art ancien de Lisbonne.

> **Restaurant-bar Salpoente** – *Rua Canal São Roque, 83* – ☎ *234 38 26 74* – *fermé le dimanche*. Installé dans un ancien entrepôt de sel le long du canal, sa décoration sobre conserve quelques touches rappelant la fonction première de l'endroit. La cuisine est soignée et savoureuse. Spécialités de poissons (*caldeirada* aux anguilles, morue...). À partir de 23 h, le restaurant devient bar et accueille des concerts (*jeudi, vendredi et samedi*).

CURIOSITÉS

★★**Antigo Convento de Jesus** ⊘ – *Rua Santa Joana*. L'**ancien couvent de Jésus** a été érigé du 15ᵉ au 17ᵉ s. La princesse **Jeanne**, fille du roi Alphonse V et future sainte, s'y retira en 1472 et y vécut ses 18 dernières années. Au 18ᵉ s., une façade baroque fut plaquée devant les bâtiments plus anciens. Il a été converti en musée en 1911.

★★**Église** – Elle date du 15ᵉ s., ainsi qu'en témoigne sa porte d'entrée, mais la décoration intérieure n'en a été achevée qu'au début du 18ᵉ s. L'intérieur éblouit par la somptuosité de ses bois sculptés et dorés, surtout dans le **chœur**★★, chef-d'œuvre d'exubérance baroque avec ses colonnes, autels, plafond à caissons et à rosaces entremêlées prodigieusement travaillés ; sur quelques panneaux d'azulejos figurent des scènes de la vie de sainte Jeanne. Le **chœur inférieur**★ *(coro baixo)*, au plafond compartimenté en bois peint, renferme le **tombeau de sainte Jeanne**★★ (début 18ᵉ s.) : cette œuvre de l'architecte João Antunes en marqueterie de marbre polychrome est supportée par des anges assis, également en marbre. Les murs sont revêtus de marbre et de bois doré.

Cloître – De style Renaissance, il est entouré de chapelles ; l'une d'elles abrite le très beau **tombeau de João de Albuquerque** du 15ᵉ s. Le réfectoire est totalement revêtu d'azulejos aux motifs floraux, de la fin du 17ᵉ s.

★★**Musée** – Avec la visite du musée s'effectue celle du **coro alto** de l'église (tribune), orné de tableaux et d'un Christ en croix du 14ᵉ s. dont l'expression change selon l'angle sous lequel on le regarde.

Le musée proprement dit expose diverses collections : sculptures de l'école de Coimbra (16ᵉ s.) ; peintures sur bois de primitifs portugais (dont un noble **portrait de la princesse Jeanne**★ de la fin du 15ᵉ s., attribué à Nuno Gonçalves, étonnant par la dureté hiératique des traits de la jeune fille représentée en costume de cour), italiens (une *Vierge au chèvrefeuille*, anonyme du 15ᵉ s.) ; peintures sur cuivre du 18ᵉ s. ; céramiques ; ornements sacerdotaux, objets de culte et lutrins du 17ᵉ s. Dans les salles affectées à l'art baroque, on remarque les statues en bois polychrome des anges d'Aveiro, une curieuse sainte Famille en terre cuite due à l'atelier de Machado de Castro, un secrétaire en bois laqué. La chambre où mourut sainte Jeanne en 1490, transformée en oratoire, est décorée de retables et boiseries dorés.

Une galerie lapidaire complète la visite.

Sé – Cette église est le seul vestige de l'ancien couvent de São Domingos, fondé en 1423. Très remaniée depuis sa construction, la **cathédrale** arbore une façade baroque et, à l'intérieur, un curieux mélange de styles : azulejos polychromes des 17ᵉ et 18ᵉ s. sur les murs de la nef, orgue du 17ᵉ s. installé dans le croisillon gauche du transept. À gauche de l'entrée, *Mise au tombeau* (début Renaissance) dont tous les personnages, sauf le Christ, figurent en buste.

Cruzeiro de São Domingos – Devant la cathédrale, ce calvaire de style gothique manuélin est une reproduction fidèle de l'original qui est conservé dans l'église.

Église da Misericórdia – Elle s'ouvre par un portail du 17ᵉ s. très ouvragé. À l'intérieur, remarquer la hauteur de la nef et les azulejos (17ᵉ s.) ainsi que, face à la chaire, le banc d'œuvre à dosseret de bois doré.

Estação – *Accès par avenida Dr. Lourenço Peixinho*. Les panneaux d'azulejos décorant les façades extérieure et intérieure (côté quais) de la **gare** constituent une plaisante et intéressante illustration des curiosités monumentales d'Aveiro et de sa région ainsi que des métiers et costumes traditionnels de la ria (*voir illustration p. 72*).

★Quartier des canaux *2h*

Certains canaux de la ria ont leur prolongement en pleine ville : ils y sont endigués par des quais sur lesquels l'eau empiète quelque peu à marée haute.

Canal central – En partie longé de demeures patriciennes qui y reflètent leurs façades classiques, il offre le spectacle des barques, *moliceiros* ou vedettes qui y circulent ou stationnent. On en a la meilleure perspective du large pont-tunnel à balustres qui le scinde à mi-parcours et constitue le carrefour principal de la ville *(praça Humberto Delgado)*.

Canal de São Roque – Limitant l'agglomération au Nord, il est enjambé *(devant la rua Dr. António Cristo)* par une élégante passerelle de pierre en dos d'âne. Il marque la séparation entre les salines et les magasins à sel qui bordent son quai parmi les maisons basses du quartier des pêcheurs.

★RIA DE AVEIRO

Remarquable accident hydrographique de la côte Ouest du Portugal, à l'embouchure des rios Vouga et Antuã, la ria se présente comme une vaste zone lagunaire soumise à la marée, semée d'îles et quadrillée de chenaux, bordée de marais salants et de pinèdes. Engendré par la régression marine, un cordon littoral, long de quelque 45 km, large au maximum de 2,5 km, la protège de l'Océan. Il est percé d'un goulet à la passe de Barra. Cette lagune affecte la forme d'un triangle et couvre à haute mer environ 6 000 ha pour une profondeur moyenne de 2 m. Très poissonneuse, fertile dans ses parties émergées, elle est surtout célèbre pour ses algues *(moliço)* qui servent d'engrais. La récolte du goémon se fait traditionnellement avec des barques à fond plat appelées **moliceiros**, dont la proue recourbée en col de cygne est peinte de motifs naïfs aux couleurs vives ; on les manœuvre à la voile et à la perche. Les peignes des râteaux de raclage ou de ramassage des algues encadrent le bec de la proue. Ces bateaux sont malheureusement de moins en moins nombreux (on peut en voir quelques exemplaires devant l'Office de tourisme), mais on peut encore admirer quelques-unes de leurs décorations, à l'occasion du concours annuel, en juillet ou en août.

Des **promenades en bateau** ⊘ pendant l'été permettent de découvrir la vie de la ria : barques de sauniers, de pêcheurs, de paysans, *moliceiros* des ramasseurs d'algues.

Nord de la ria

Bico – Ce lieu-dit que l'on atteint après avoir traversé Murtosa est un petit port où se concentrent certains jours les *moliceiros*.

Torreira – Sur la ria, le petit port de pêche abrite encore quelques beaux *moliceiros* ; sur la mer, belle plage de sable qui a permis à ce village de se développer comme station balnéaire.

Moliceiros sur la ria

B. Barbier/PHOTONONSTOP

Entre Torreira et São Jacinto, de belles vues s'offrent sur la ria et l'on peut contempler tout à loisir les ramasseurs d'algues. La pousada da Ria a été construite pratiquement les pieds dans l'eau. 2 km avant São Jacinto se trouve la réserve.

Réserve naturelle des dunes de São Jacinto – Elle couvre 666 ha d'une des zones dunaires les mieux préservées d'Europe, très intéressante pour ses paysages, sa flore et sa faune. Un **centre d'interprétation** ⊘ présente des expositions sur cette réserve. Des promenades balisées permettent de découvrir ce milieu naturel de pinèdes et de végétation dunaire.

São Jacinto – Cette petite station dans les pins est aussi un camp et un port militaires au terminus du littoral Nord sur la passe de Barra.

Sud de la ria

Ílhavo – *3,5 km*. Dans cette ancienne bourgade de pêcheurs, aujourd'hui très développée, on peut voir quelques belles villas du début du siècle, comme la « Villa Africana », recouverte d'azulejos aux tons jaunes. Son intéressant **musée** (Museu Marítimo)★ ⊘ consacré à la pêche et à la mer est l'un des plus complets sur la pêche à la ligne de la morue. Un documentaire des années 1970 montre la dure réalité de ces campagnes qui duraient six mois sur les bancs de Terre-Neuve. Il est complété par l'exposition d'embarcations, d'instruments de navigation, de maquettes, mais aussi par l'une des plus vastes collections de coquillages au monde. Une salle abrite quelques porcelaines de Vista Alegre.

Vista Alegre – *6 km*. Depuis 1824, c'est le centre d'une industrie de porcelaine et de verrerie réputée. Un **musée** ⊘ aménagé dans la fabrique, devant une agréable place bordée de grands arbres, reconstitue l'évolution de cette production en exposant les machines, les ustensiles et une grande partie des pièces réalisées depuis la fondation. Deux boutiques *(fermées le dimanche)* vendent la célèbre porcelaine, ainsi que d'autres articles artisanaux de la région, notamment de belles nappes en lin brodées.

Praia da Barra – Cette station balnéaire très urbanisée est abritée par un cordon de dunes littorales derrière lequel commence une immense plage s'étendant vers le Sud au-delà de Costa Nova.

Costa Nova – Située entre les plages de l'Atlantique et la lagune, cette station balnéaire ancienne, fréquentée depuis la 2e moitié du 19e s., a connu une extension spectaculaire. Ses pimpantes maisons de bois *(palheiros)*, peintes de bandes colorées *(voir illustration p. 22)*, sont envahies par les constructions anarchiques qui défigurent le paysage.

AVIS

District de Portalegre – 1 953 habitants
Carte Michelin n° 940 O 6

Dans la traversée monotone de l'Alentejo, où prédominent les chênes-lièges et les oliviers, Avis, qui a gardé des vestiges de fortifications, domine le confluent des rivières de Seda et d'Avis, noyées par la retenue qui alimente la centrale hydroélectrique de Maranhão située 15 km en aval. La N 243, au Sud, offre la meilleure **vue**★ sur le site. Outre les remparts, quelques tours médiévales et l'église du couvent de São Bento, reconstruite au 17e s., témoignent du brillant passé de la cité.

L'ordre d'Avis – C'est en effet à Avis que s'installa, au début du 13e s., l'ordre militaire fondé en 1147 par Alphonse Henriques pour combattre les Maures. Cet ordre de chevalerie, le plus ancien d'Europe, reçut plusieurs désignations et obéit à plusieurs règles avant de devenir l'ordre de St-Benoît d'Avis. Il rayonna dans le bassin du Tage jusqu'en 1789.

Avis est aussi le berceau d'une dynastie qui régna sur le Portugal à partir de 1385, lorsque Jean, grand maître de l'ordre d'Avis, fut sacré roi sous le nom de **Jean Ier**. Cette dynastie s'éteignit à la mort de Henri Ier en 1580.

Quinta da BACALHOA★

Domaine de BACALHOA – District de Setúbal
Carte Michelin n° 940 Q 3

Le domaine de Bacalhoa se trouve sur la N 10 à la sortie de Vila Fresca de Azeitão en allant vers Setúbal, juste en face de la gare routière (Rodoviária Nacional).

Cette résidence seigneuriale, de la fin du 15e s., réaménagée au début du siècle suivant par le fils d'Afonso de Albuquerque, vice-roi des Indes, présente des éléments d'architecture à la fois Renaissance et mauresque et une riche décoration d'**azulejos**★.

VISITE

Dans le manoir, une élégante loggia donnant sur les jardins est ornée de panneaux d'azulejos polychromes représentant des allégories de grands fleuves : le Douro, le Nil, le Danube, l'Euphrate...

Les jardins ⏲ – Harmonieux et frais, l'un d'eux est inspiré des compositions françaises du 16ᵉ s., les buis taillés alternent avec les fontaines à figures mythologiques. Le jardin potager, où croissent mandariniers, noyers, cinéraires, bambous, se termine par un joli pavillon de repos se mirant dans l'eau d'un bassin : à l'intérieur, les murs sont revêtus d'azulejos espagnols à dessins géométriques, mais on remarquera surtout le panneau d'inspiration florentine représentant ***Suzanne et les Vieillards*** ★ (1565), connu comme le plus ancien panneau figuratif du Portugal. On achève la visite en longeant une galerie du 15ᵉ s. décorée de bustes.

BARCELOS

District de Braga – 5 177 habitants
Carte Michelin nº 940 ou 441 H 4

Barcelos est une petite ville riante du Nord du Portugal, agréablement située sur la rive droite du Cávado. La cité fut le siège du premier comté du Portugal et la résidence du premier duc de Bragance, qui était également comte de Barcelos *(voir Bragança)*.

C'est un actif marché agricole et un centre réputé de fabrication de céramique (vaisselle en terre cuite, santons et coqs décoratifs), de jougs sculptés.

À ne pas manquer : le marché du jeudi – Le marché de Barcelos, le jeudi matin, est l'un des plus grands et des plus anciens du Portugal. Il se tient sur le Campo da República, vaste esplanade située au centre de la ville. Très animé, il présente deux parties distinctes : d'un côté, les paysans vendant leurs produits (poules et coqs vivants, montagnes de choux et autres légumes, fleurs...), de l'autre, tout l'artisanat qui déborde largement des frontières régionales (céramique, vannerie, linge de maison en lin brodé à la main, articles en cuir, harnais et, évidemment, d'innombrables coqs peints, de toutes tailles).

Le coq de Barcelos – Un pèlerin, qui se rendait à St-Jacques-de-Compostelle, se voit accusé de vol au moment de quitter Barcelos. Incapable, malgré sa bonne foi, de se défendre en face de l'apparente évidence des faits, il est condamné à être pendu. Il tente alors une ultime démarche auprès du juge. Comme celui-ci refuse de se laisser convaincre, le pèlerin implore la protection de saint Jacques et, avisant le coq rôti destiné au repas du juge, déclare que, pour preuve de son innocence, le coq se lèvera et chantera. Le miracle a lieu. Le juge, reconnaissant l'innocence du pèlerin, le met en liberté. En souvenir, l'homme fait ériger un monument qui se trouve aujourd'hui au Musée archéologique de la ville.

Les coqs de Barcelos

P. Martins/MICHELIN

Façonné en terre cuite par les potiers de Barcelos, le coq, longtemps symbole de la région, est devenu l'emblème touristique du Portugal.

QUARTIER ANCIEN

Les principaux monuments sont regroupés près du **pont médiéval** sur le Cávado, au Sud de la ville.

Église paroissiale – Construite au 13ᵉ s., elle a été modifiée aux 16ᵉ et 18ᵉ s. La façade, très sobre, est flanquée à droite d'un clocher carré ; elle s'ouvre par un portail roman. L'**intérieur**★ est rutilant d'ors et bordé de chapelles baroques, les murs sont revêtus d'azulejos du 18ᵉ s. ; quelques chapiteaux sont historiés.

Pilori – Ce pilori gothique se compose d'une colonne hexagonale portant un gracieux lanternon de granit.

Solar dos Pinheiros – Ce joli manoir gothique construit en granit au 15ᵉ s. s'orne de tours d'angle à trois étages.

Ruines du palais des ducs de Bragance, comtes de Barcelos – Dans les vestiges de cet ancien palais du construit au 15ᵉ s. par un comte de Barcelos, premier duc de Bragance, a été aménagé un petit **Musée archéologique** ⊙ en plein air ; outre les stèles et les blasons de la maison de Bragance, on y voit le monument (14ᵉ s.) qui avait été dressé en l'honneur du coq de Barcelos.

Museu da Olaria ⊙ – Le musée de la Poterie abrite la plus grande collection de tout le pays. Les pièces figuratives de Barcelos, avec leur style naïf et coloré, y figurent en bonne place. Toute une section est consacrée à la vaisselle noire du village de Prado, avec des illustrations de cette technique ancestrale, aujourd'hui disparue. Ce musée est un bon endroit pour acquérir à juste prix les productions des céramistes encore en activité. Les plus connus sont Mistério (qui perpétue la tradition familiale), Júlia Ramalho (petite-fille de la déjà célèbre Rosa Ramalho).

AUTRES CURIOSITÉS

★**Église Nossa Senhora do Terço** – *Côté Nord du campo da República.*
Elle faisait partie d'un couvent de bénédictins, fondé en 1707. Les murs de la nef sont couverts de beaux **azulejos**★ (18ᵉ s.) figurant la vie de saint Benoît. La voûte est constituée de 40 caissons en bois peint représentant des scènes de la vie monastique. La chaire, en bois doré, est richement ornée.

Torre de Menagem – Vestige des remparts du 15ᵉ s., le **donjon** abrite aujourd'hui l'Office de tourisme, qui vend aussi des objets d'artisanat.

Église do Bom Jesus da Cruz – De style baroque du Nord, elle présente un intéressant plan en croix grecque. D'après la légende, le 20 décembre 1504, une croix apparut à cet endroit. L'église fut alors édifiée pour commémorer le miracle.

Mosteiro da BATALHA★★★

Monastère de BATALHA – District de Leiria
Carte Michelin nº 940 N 3

Au creux d'un vallon verdoyant, sur un site malheureusement défavorisé par le voisinage d'une grande route, le monastère de Batalha (de la Bataille) dresse, dans un jaillissement de gâbles, de pinacles, de contreforts, de clochetons et de colonnettes, la gerbe rose doré de son architecture qui compte au rang des chefs-d'œuvre des arts gothique et manuélin.

La bataille d'Aljubarrota – Le 14 août 1385, sur le plateau d'Aljubarrota, 15 km au Sud de Batalha, s'opposent deux prétendants au trône du Portugal : Jean Iᵉʳ de Castille, gendre du roi défunt, et le fils naturel de Pierre Iᵉʳ, Jean, grand maître de l'ordre d'Avis *(voir Avis)*, sacré roi sept jours plus tôt. Les forces en présence sont très inégales : à l'armée organisée et dotée de 16 canons des Castillans, le connétable **Nuno Álvares Pereira** ne peut opposer qu'un carré de chevaliers et de piétaille. En cas de défaite, le pays passe sous domination espagnole. Jean d'Avis fait vœu d'élever une superbe église en l'honneur de la Vierge si elle lui accorde la victoire. Après avoir résisté victorieusement à son ennemi, Nuno Álvares le poursuit en Castille même. Le Portugal a gagné son indépendance pour deux siècles.
Trois ans plus tard, le monastère Sainte-Marie-de-la-Victoire commence à s'élever ; il deviendra Batalha.

L'édification du monastère – Commencés par l'architecte portugais Afonso Domingues, les travaux sont repris par maître Huguet qui, de 1402 à 1438, érige dans le style gothique flamboyant la chapelle du fondateur où reposent Jean Iᵉʳ, sa femme Philippa de Lancastre et leurs fils. La mort l'empêche de terminer le panthéon octogonal du roi Édouard Iᵉʳ (les chapelles inachevées).
Pendant le règne du roi Alphonse V (1438-1481), l'architecte portugais Fernão de Évora édifie le cloître dit d'Alphonse V dans un style très sobre. C'est Mateus Fernandes le Vieux, l'un des maîtres de l'art manuélin, qui réalise ensuite les remplages des arcades du cloître royal, en collaboration avec le célèbre Boytac *(voir index)*, et poursuit l'édification des chapelles de l'octogone. Mais le roi Jean III (1521-1557) délaisse la construction de Batalha au profit du monastère des Jerónimos à Lisbonne et les chapelles de l'octogone restent inachevées.

VISITE ⊙ *1 h*

Extérieur

Dépourvu de clocher, ainsi que l'exigeait la règle des dominicains, le monastère présente une multitude de pinacles, d'arcs-boutants, de balustrades ajourées que soulignent des fenêtres gothiques et flamboyantes ; l'ensemble, construit en calcaire fin, a pris avec le temps une jolie teinte ocrée.

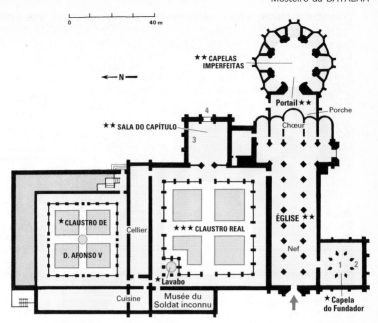

L'architecture compliquée du chevet de l'église résulte de l'adjonction, à l'abside primitive, d'une rotonde octogonale au-dessus de laquelle se dressent les piliers inachevés qui devaient supporter la voûte.

Attenante au collatéral droit, la chapelle du fondateur est surmontée d'une lanterne octogonale épaulée par des arcs-boutants.

La façade principale de l'église est divisée en trois par des pilastres et des contreforts. La partie centrale, que décore un réseau d'arcatures lancéolées, est percée dans sa partie supérieure d'une belle fenêtre flamboyante ; le portail est richement sculpté et porte des statues (refaites) représentant, au tympan, le Christ en majesté, entouré des Évangélistes ; sur les côtés, les douze apôtres ; sur les voussures, des anges, des prophètes, des rois et des saints. L'église se trouvait jadis en contrebas par rapport au terre-plein extérieur, ce qui conférait au portail des proportions plus harmonieuses.

Intérieur

★★ **Église** – Très vaste, elle frappe par sa sobriété et l'élan des voûtes. Le chœur est agrémenté de **vitraux**★ datant de l'époque manuéline (16ᵉ s.) et représentant des scènes de la vie de la Vierge et du Christ.

★ **Capela do Fundador** – Cette salle carrée, de 20 m de côté, éclairée de fenêtres flamboyantes, est surmontée d'une lanterne octogonale coiffée d'une coupole étoilée. Des arcs en tiers-point festonnés relient les puissants piliers qui soutiennent la lanterne. Au centre se trouvent les tombeaux du roi Jean Iᵉʳ et de sa femme Philippa de Lancastre dont les gisants s'abritent sous deux dais délicatement ciselés (**1**). Sur les côtés Sud et Ouest, des enfeus abritent les tombeaux des infants dont celui de Henri le Navigateur, rehaussé d'un dais (**2**).

★★★ **Claustro Real** – L'alliance des styles gothique et manuélin s'exprime dans le **cloître royal** de façon heureuse. La simplicité du gothique originel n'a pas été altérée par les apports manuélins ; la balustrade à fleurs de lys et les pinacles fleuris ont contribué à créer une certaine harmonie avec les remplages manuélins des arcades, sculptés dans le marbre et ajourés comme des broderies. Les colonnettes qui soutiennent les remplages sont ornées de torsades, de perles et d'écailles.

★★ **Sala do Capítulo** – La **salle capitulaire** abrite la tombe du Soldat inconnu (**3**), qui contient en fait les corps de deux soldats portugais, l'un mort en France, l'autre en Afrique, pendant la Grande Guerre.

La **voûte**★★★ est d'une hardiesse exceptionnelle ; après deux tentatives malheureuses, l'architecte maître Huguet réussit à lancer une voûte carrée de près de 20 m de côté sans appuis intermédiaires ; ce travail présentait de tels dangers qu'il fut achevé, raconte-t-on, par des condamnés à mort, et que Huguet, après que l'on eut retiré les derniers échafaudages, resta seul toute une nuit sous son audacieux ouvrage. La fenêtre qui éclaire la salle est décorée d'un joli **vitrail**★ (**4**) du début du 16ᵉ s. représentant des scènes de la Passion.

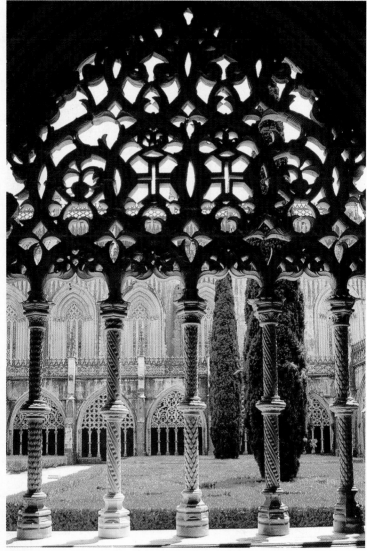

Broderies manuélines pour le cloître royal

★**Lavabo** – Situé à l'angle Nord-Ouest du cloître, il est constitué d'une fontaine avec un bassin à margelle festonnée que surmontent deux vasques. La lumière, filtrant à travers les dentelles de pierre des remplages, donne à l'ensemble une jolie teinte dorée. De là, la vue est très belle sur l'église dominée par le clocher du transept Nord. L'ancien réfectoire, couvert d'une jolie voûte gothique, abrite un musée du Soldat inconnu.

★**Claustro de D. Afonso V** – Belle construction gothique. Sur les clefs de voûte figurent les blasons d'Édouard Ier et d'Alphonse V.

Sortir du cloître par l'angle Sud-Est et contourner la salle capitulaire par l'extérieur.

★★**Capelas Imperfeitas** – Édouard Ier avait rêvé d'un vaste panthéon pour lui et ses descendants. Il est le seul à reposer aujourd'hui, à ciel ouvert, dans les **chapelles Inachevées**. Plus tard, le roi Manuel fit ajouter par Mateus Fernandes un vaste porche de transition gothique-Renaissance qui relie le chevet de l'église au portail de l'octogone ; ce **portail★★**, initialement gothique, a été orné au 16e s. de décorations manuélines d'une rare exubérance ; il s'ouvre sous un arc polylobé, renforcé, du côté de l'église, par un arc infléchi. Admirer la découpe des festons et la minutieuse décoration des voussures et des colonnes.

Donnant sur la rotonde octogonale, sept chapelles rayonnantes sont séparées par les fameux piliers restés inachevés ; ces piliers sont couverts de motifs ciselés dans la pierre, ce qui contraste avec la sobriété du balcon Renaissance ajouté à la partie supérieure par le roi Jean III en 1533.

BEJA★

Beja coiffe une éminence du vaste plateau de l'Alentejo, sur la ligne de partage des eaux entre les bassins du Sado à l'Ouest et du Guadiana à l'Est.

La ville fut une brillante colonie romaine (Pax Julia), le siège d'un évêché wisigoth, puis connut durant quatre siècles la présence musulmane.

De nos jours, la capitale du Bas-Alentejo, aux maisons blanches et aux rues rectilignes, se présente comme un grand marché agricole vivant surtout du commerce du blé, de l'huile d'olive, du vin, du chêne-liège et de la laine. Les beaux paysages bucoliques de cette région reflètent ses productions : oliveraies associées à la vigne et aux chênaies, où il n'est pas rare de voir des bergers avec leurs troupeaux.

« Il faut aimer comme la religieuse portugaise »
Stendhal, *La Vie de Rossini*.

Dans le monde des lettres, Beja est depuis trois siècles la ville de la religieuse portugaise, **Mariana Alcoforado**. Entrée au couvent des clarisses de la Conception sur décision de ses parents, elle s'éprit d'un jeune officier de la marine française, le comte de Chamilly, qui, parti en 1661 faire campagne en Alentejo contre les Espagnols, n'en revint qu'en 1668.

En 1669 est publiée en France la « traduction » des *Lettres de la religieuse portugaise* : les cinq messages d'amour où se mêlent la passion, le souvenir, le désespoir, la supplication, le reproche d'indifférence enflamment le public et connaissent rapidement un très grand succès.

L'authenticité des lettres fut presque aussitôt mise en doute. Jusqu'au milieu du 20e s., la légende, par le caractère si rare de ces sentiments, fit de cette œuvre littéraire le témoignage de l'aventure vécue par le comte de Chamilly. Le véritable auteur, le comte de **Guilleragues**, avait lui-même contribué à cette légende : secrétaire de Louis XIV, il occupait un rang trop élevé pour pouvoir publier ces écrits sous son nom.

En 1972 paraissaient *Les Nouvelles Lettres portugaises*. Œuvre conjointe de Maria Isabel Bareno, Maria Teresa Horta et Maria de Fátima Velho da Costa, cette anthologie réunissant poèmes, lettres fictives et correspondance personnelle fut interdite au Portugal pour aborder librement le sujet de la sexualité et critiquer ouvertement le régime en place. Les auteurs, devenues célèbres sous le nom des « Trois Marias », furent jugées et emprisonnées jusqu'à ce que la révolution des Œillets rende à l'expression artistique sa pleine et entière liberté.

CURIOSITÉS

★**Ancien couvent de la Conception** – Ce couvent de clarisses, où vécut la célèbre religieuse portugaise, fut fondé en 1459 par Ferdinand, duc de Viseu, père du roi Manuel. L'élégante balustrade gothique qui couronne l'église et le cloître rappelle celle du monastère de Batalha. Le couvent abrite aujourd'hui le musée régional.

Museu da Rainha D. Leonor ⊙ – L'**église** baroque fut décorée aux 17e et 18e s. de bois doré et sculpté à profusion. Sur la droite s'ouvre le cloître dont les murs sont recouverts d'azulejos. La **salle capitulaire** montre une décoration fort riche avec ses murs décorés de beaux azulejos hispano-mauresques sévillans (16e s.) et sa voûte ornée de motifs floraux du 18e s. Une collection de christs y est présentée. Dans les salles qui la prolongent sont exposés plusieurs tableaux dont un *Saint Jérôme* de Ribera (17e s.), et un *Ecce homo* du 15e s.

Au 1er étage a été réunie la collection archéologique Fernando Nunes Ribeiro, composée de dalles gravées de l'âge du bronze et de stèles épigraphiques de l'âge du fer. La fenêtre grillagée par laquelle sœur Mariana pouvait s'entretenir avec Chamilly a été reconstituée.

Par la rua dos Infantes en face du couvent, on rejoint la **praça da República** où se trouvent le pilori et l'hôtel de ville. De là, une rue à droite descend vers le château.

Château ⊙ – 13e s. Son enceinte crénelée (abritant un Musée militaire), flanquée de tours carrées, est dominée à un angle par un haut **donjon**★ que couronnent des merlons pyramidaux. Un escalier à vis conduit au premier étage dont la jolie voûte à nervures étoilées s'appuie sur des trompes d'angle alvéolées, de style musulman. Une galerie sur mâchicoulis court le long de la muraille, peu avant le sommet qui est un remarquable belvédère sur la plaine à blé de l'Alentejo.

Église Santo Amaro ⊙ – Cette petite église d'origine wisigothique – certaines parties datent du 6e s. – abrite la **section d'art wisigothique** du musée Rainha D. Leonor. Collection de chapiteaux, de colonnes à motifs géométriques ou végétaux. On admirera la colonne représentant des oiseaux attrapant un serpent.

EXCURSIONS

Villa romaine de São Cucufate ⊙ – *29 km au Nord. Sortir de Beja par l'IP 2 et à Vidigueira tourner à gauche dans la N 258 ; 2 km après Vila de Frades, prendre à droite (panneau).* Les fouilles ont mis au jour les ruines d'une importante villa romaine du 4ᵉ s., résidence d'un grand propriétaire terrien. L'intérêt de l'édifice réside dans sa construction à deux étages en brique et pierre. Le niveau supérieur est soutenu par une galerie voûtée, ce qui est rare dans la péninsule Ibérique. Au Sud, restes d'un temple. Au Moyen Âge, la partie Nord de la villa fut transformée en couvent : l'église conserve des fresques.

Serpa – *28 km à l'Est par la N 260.* Située dans le bas Alentejo sur la rive gauche du Guadiana, Serpa couronne une butte au-dessus des vastes étendues que forment les champs de blé piquetés d'oliviers en résille. La ville a conservé ses remparts qu'emprunte partiellement un *aqueduc*. On appréciera la vue en arrivant de Beja.

Le quartier intra-muros – À l'intérieur des remparts percés par la **porte fortifiée de Beja**, la ville toute blanche est un agréable lieu de promenade. Au-dessus de la grand-place, on parvient au **largo dos Santos Próculo e Hilarião**, planté d'oliviers et de cyprès, que domine la façade de l'église Santa Maria. En tournant ensuite à droite, on accède au **château** dont l'entrée évoque une gravure romantique du 19ᵉ s. avec sa tour à moitié écroulée formant porche. Du chemin de ronde, vue sur la ville.

Museu Etnográfico ⊙ – *Largo do Corro.* Ce petit musée, agréablement présenté, évoque les traditions et les activités artisanales de la région : outils agricoles et instruments destinés au travail de l'osier, à la fabrication de chaussures, à l'extraction de l'huile d'olive, métiers à tisser, etc.

Chapelle de Guadalupe – *1,5 km. Suivre la signalisation pour la pousada.* Blanche et nue, mauresque par ses coupoles, elle domine la vallée et offre de belles vues sur les paysages environnants.

SE LOGER DANS UN « MONTE » TYPIQUE DE L'ALENTEJO...

Herdade do Topo – *Monte do Topo, 7830 Serpa –* ☎ *284 59 51 36 – fax 284 59 52 60 – 4 chambres – piscine découverte – chevaux –* 40 € (GB)*. 12 km au Sud de Serpa, par la N 365, suivre l'indication « Agro-turismo ».*
Dans cette propriété de 400 ha où sont élevés des chevaux de la race lusitanienne et où l'on enseigne l'équitation traditionnelle portugaise, vous pourrez monter à cheval et faire des promenades en pleine nature. Le *monte*, composé de maisons basses disposées en U, blanchies à la chaux et décorées d'une barre bleue, offre des chambres décorées de meubles peints en bois, caractéristiques de la région.

Castro Verde – *46 km au Sud par l'IP 2.* Ce bourg agricole doit son nom à un ancien castro préhistorique. Castro Verde célèbre le 3ᵉ dimanche d'octobre une foire agricole et artisanale très connue datant du 17ᵉ s., qui attire des milliers de visiteurs.

Église Nossa Senhora da Conceição ⊙ – Les murs de cette basilique sont entièrement couverts de magnifiques azulejos. Les panneaux de la partie supérieure de la nef représentent des scènes de la bataille d'Ourique, localité à 14 km, où, en 1139, Alphonse Henriques mit les Maures en déroute et fut proclamé roi de Portugal.

BELMONTE★

District de Castelo Branco – 3 227 habitants
Carte Michelin n° 940 ou 441 K 7

Perchée à 600 m d'altitude sur l'échine d'une butte proche de la serra da Estrela, Belmonte se signale de loin par le donjon carré de son ancien château fort.
L'endroit a vu naître l'illustre navigateur **Pedro Álvares Cabral** qui découvrit le Brésil en l'an 1500. Sa statue s'élève dans la rue qui porte son nom. Le panthéon de la famille Cabral se trouve dans une chapelle, sur la colline du château. L'histoire de Belmonte est également liée au judaïsme au Portugal et la ville, qui abrite encore aujourd'hui la plus importante communauté juive du pays, possède une nouvelle synagogue. Sa situation géographique isolée a sans doute favorisé la venue des juifs qui s'y sont réfugiés après le décret d'expulsion du pays en 1497, et ont continué à y pratiquer en secret leur religion *(voir encadré ci-contre).*

CURIOSITÉS

Château ⊙ – Bâti aux 13ᵉ-14ᵉ s. par le roi Denis Iᵉʳ, il n'en reste que le donjon crêté de merlons et l'enceinte en partie démantelée, restaurés en 1940. La tour d'angle à droite du donjon arbore des balcons à consoles du 17ᵉ s., et le pan de muraille attenant à celui-ci, à gauche, une fenêtre manuéline géminée surmontée du blason des Cabral. Le château a fait l'objet d'un plan de réaménagement et abrite désormais un amphithéâtre où sont organisés des spectacles et des concerts. Par ailleurs, le donjon accueille un centre muséologique.

Longer l'enceinte pour profiter de la **vue**★ sur Belmonte et la campagne.

Église São Tiago ⊙ – Voisine du château et antérieure à ce dernier, mais remaniée au 16ᵉ s., elle conserve à l'intérieur des éléments intéressants : une cuve baptismale romane, des fresques du 16ᵉ s. sur le maître-autel et d'autres plus anciennes sur le mur de droite. La chapelle de Nossa Senhora da Piedade, construite au 14ᵉ s., abrite une curieuse chaire à abat-voix et une Pietà polychrome taillée dans un seul bloc de granit, ainsi que des chapiteaux historiés évoquant les hauts faits de Fernão Cabral, père de Pedro Álvares Cabral.

Panthéon des Cabral ⊙ – Attenante à l'église São Tiago, cette chapelle de la fin du 15ᵉ s. renferme les tombeaux de Pedro Álvares Cabral et de ses parents.

Capela de Santo António ⊙ – Faisant face au château, cette chapelle du 15ᵉ s. a été construite à l'initiative de la mère de Pedro Álvares Cabral.

Église paroissiale ⊙ – Édifiée en 1940, elle contient la statue de Notre-Dame-d'Espérance qui, selon la tradition, aurait accompagné Pedro Álvares Cabral dans son voyage de découverte officielle du Brésil, ainsi qu'une réplique de la croix qui présida à la célébration de la première messe au Brésil, l'originale se trouvant dans la cathédrale de Braga.

★**Tour romaine de Centum Cellas** – *4 km au Nord. Prendre la N 18 vers Guarda, puis, à droite, la route de Comeal, d'où se détache une route permettant d'accéder au pied de la tour.*

Cette ruine majestueuse, d'après des fouilles récentes, faisait partie d'une villa romaine du 1ᵉʳ s. liée au commerce de l'étain, proche de la voie de Mérida à Braga. Sa masse carrée, faite de blocs de granit rose posés à joints vifs, semble s'élever sur trois niveaux percés d'ouvertures rectangulaires.

P. Martins/MICHELIN

Tour romaine de Centum Cellas

Les juifs au Portugal

Les juifs arrivèrent dans la péninsule Ibérique dès l'Antiquité. Au Moyen Âge, ils eurent un rôle économique et culturel extrêmement important ; les rois portugais étaient entourés de banquiers et de médecins juifs auxquels ils faisaient totalement confiance. Aussi est-ce à contrecœur que le roi Manuel Iᵉʳ, pour épouser Isabelle, la fille des Rois Catholiques, dut chasser tous les juifs en 1497, ce qui se transforma en un véritable désastre pour l'économie du pays. Certains juifs émigrèrent (les **séfarades**, d'un mot hébreu désignant la péninsule Ibérique), beaucoup se convertirent au christianisme. La plupart des *cristãos novos* (nouveaux chrétiens) – bien qu'ils aient choisi des noms du style Cruz (croix), Trindade (trinité), Santos (saints) – continuèrent à pratiquer en secret la religion hébraïque (crypto-judaïsme). On les appela les marranes (*mahrán* veut dire interdit en arabe). Ils étaient très nombreux à Belmonte, Faro, Porto, Tomar, Amarante, Castelo de Vide.

Île de BERLENGA★★

District de Leiria

Carte Michelin n° 940 N 1

L'île de Berlenga dresse sa masse de granit rougeâtre à 12 km au large du cap Carvoeiro *(voir Peniche)*. C'est l'élément principal d'un archipel composé de plusieurs îlots : les Estelas, les Forcadas et les Farilhões. Longue de 1 500 m, l'île atteint 800 m dans sa plus grande largeur et s'élève à 85 m au-dessus de l'Océan. Ses nombreuses indentations, pointes et grottes marines lui donnent son attrait majeur.

C'est un centre réputé de pêche sous-marine, à l'hameçon et au lancer.

Accès ⊙ – Le bateau longe la presqu'île de Peniche puis passe près du cap Carvoeiro et du curieux « vaisseau des corbeaux » sur lequel s'ébattent les mouettes. L'accostage a lieu au pied d'une ancienne forteresse (1676), maintenant auberge.

★★★**Promenade en barque** ⊙ – Elle est très intéressante par la variété des îlots, des récifs, des arches, des grottes marines découpées dans la falaise rougeâtre. Les curiosités les plus impressionnantes sont, au Sud de l'auberge, le Furado Grande, tunnel marin de 70 m qui débouche sur une petite crique (Cova do Sonho) que surplombent de hautes murailles de granit rouge, et, sous la forteresse, une grotte marine (a Gruta Azul, la « grotte bleue ») dont l'étrange couleur émeraude est due à la réfraction de la lumière dans l'eau.

★★**Promenade à pied** – *Durée : 1 h 1/2.* Un escalier conduit de l'auberge au phare. Arrivé à mi-hauteur, on admire en arrière le **site**★ de l'ancienne forteresse ; sur le plateau, prendre à gauche un sentier qui conduit à l'Ouest vers la Côte Sauvage ; du haut des rochers, on jouit d'une jolie **vue**★ sur l'Océan écumant et sur les îlots de l'archipel. Revenir près du phare et descendre sur un chemin pavé vers une petite anse avec plage, au bord de laquelle sont édifiées quelques maisons de pêcheurs ; à mi-pente s'ouvre, à gauche, une sorte de fjord dans lequel la mer s'engouffre bruyamment par mauvais temps.

BRAGA★

District de Braga – 68 666 habitants

Carte Michelin n° 940 ou 441 H 4

Marquée par son histoire religieuse, Braga est hérissée d'églises et de couvents et conserve une réputation de ville tournée vers le passé.

Pourtant, aujourd'hui, la capitale du Minho est un centre actif qui vit de quelques industries (cuir, textiles, briqueterie, savonnerie, fonderie), même si sa foire aux jougs continue à se tenir tous les mardis sur le champ de foire *(largo da feira).*

Une ville très religieuse – De Bracara Augusta, importante place romaine, les Suèves firent, au 5e s., leur capitale. Conquise ensuite par les Wisigoths (à qui l'on doit l'église São Frutuoso) et les Maures, elle ne retrouva sa prospérité qu'après la Reconquête, lorsqu'elle devint le siège d'un archevêché. Elle fut marquée dès lors par l'influence prépondérante du clergé qui contribua à son enrichissement architectural : au 16e s., l'archevêque mécène Dom Diogo de Sousa dota la ville de palais, d'églises et de calvaires Renaissance ; au 18e s., deux prélats, Dom Rodrigo de Moura Teles et Dom Gaspar de Bragança, firent de la ville le foyer de l'art baroque au Portugal. Siège du primat des Espagnes, Braga est encore imprégné de fortes traditions religieuses. De spectaculaires processions s'y déroulent pendant la Semaine sainte, qui est célébrée avec une solennité exceptionnelle. La Saint-Jean, les 23 et 24 juin, attire des environs et même de Galice une foule considérable, venue assister aux défilés, cortèges, danses folkloriques et feux d'artifice dans la ville magnifiquement décorée et illuminée.

★SÉ (CATHÉDRALE) ⊙ *1 h 1/2*

De la construction romane d'origine, d'influence clunisienne, il ne subsiste guère que le portail Sud et les voussures du portail principal ornées de scènes du *Roman de Renart*. Le portique à arcs festonnés gothiques est l'œuvre d'artistes de Biscaye, attirés à Braga au 16e s. par Diogo de Sousa. Les encadrements moulurés des fenêtres sont du 17e s.

Ce même prélat fit édifier le chevet hérissé de pinacles et de balustres ; la gracieuse **statue**★ de Notre-Dame-du-Lait (Senhora do Leite) qui l'agrémente, protégée par un baldaquin flamboyant, serait due à Nicolas Chanterene.

★**Intérieur** – Il a été transformé au 18e s. et les boiseries dorées contrastent par leur exubérance baroque avec la sobriété architecturale de la nef. La cuve baptismale (1) est de style manuélin ; à droite, dans une chapelle fermée par une grille du 16e s., se trouve le tombeau en bronze (15e s.) de l'infant Dom Afonso, fils de Jean Ier. La chapelle du St-Sacrement (capela do Sacramento) possède un bel autel du 17e s. en bois polychrome représentant le Triomphe de l'Église, inspiré d'un tableau de Rubens (2).

SE LOGER À BRAGA

Hôtel Frankfurt – *Av. Central, 4710-228 Braga* – ☎ *253 26 26 48* – *25/30 €*.
En plein centre-ville, un hôtel économique, avec de grandes chambres bien entretenues.

Hôtel Residencial Dona Sofia – *Largo São João do Souto, 131, 4700-326 Braga* – ☎ *253 26 31 60* – *fax 253 61 12 45* – *34 chambres* – *49,88/64,85 €*.
Cet hôtel confortable, proche de la cathédrale, est installé dans une maison ancienne totalement rénovée.

SE RESTAURER À BRAGA

Inácio – *Campo das Hortas, 4* – ☎ *253 61 33 25* – *20,40 €* – *fermé le mardi*.
Bonne cuisine régionale dans un cadre « typique ».

Abade de Priscos – *Praça Mouzinho de Albuquerque, 7* – ☎ *253 27 66 50* – *15 €* – *fermé dimanche et lundi*.
Autre classique de la ville, qui présente un grand choix de plats.

À Real

São Frutuoso – *Rua Costa Gomes, 168* – *Real* – ☎ *253 62 33 72* – *15 €*.
Près de la chapelle de São Frutuoso, vous pourrez apprécier ses spécialités régionales (truite grillée, morue...) dans un décor rustique et soigné. Service rapide et efficace.

Le chœur, œuvre de João de Castilho, protégé par une **voûte**★ à nervures complexes de caractère flamboyant, abrite – *au-delà d'une barrière en interdisant l'approche* – un **autel**★ flamboyant en pierre d'Ança dont le devant est orné de scènes figurant l'Ascension ainsi que les Apôtres (3). Au-dessus de l'autel, statue de sainte Marie de Braga (14e s.). À gauche du chœur, une chapelle (4) est décorée d'azulejos (18e s.) d'António de Oliveira Bernardes, évoquant la vie de saint Pedro de Rates, premier prélat de Braga.

Les deux **buffets d'orgues**★ (18e s.), placés vis-à-vis de part et d'autre de la balustrade sculptée de la tribune, constituent un ensemble baroque fourmillant de statues.

★**Tesouro** – Le **trésor** de la cathédrale conserve une belle collection d'habits sacerdotaux du 16e au 18e s. ainsi que de remarquables pièces d'orfèvrerie : un calice manuélin, une croix en cristal de roche du 14e s., une croix-reliquaire en argent doré du 17e s., un coffret mozarabe du 10e s. en ivoire, un calice du 16e s. à clochettes de même qu'un ostensoir du 17e s., l'ostensoir de Dom Gaspar de Bragança du 18e s., en argent doré, orné de diamants, quelques statues dont un Christ du 13e s., celles des saints Crépin et Crépinien, patrons des cordonniers. On y remarquera aussi quelques azulejos du 16e s. La **tribune** est occupée par des stalles en bois doré du 18e s. et offre une belle vue sur l'intérieur de l'église.

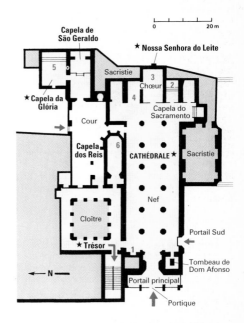

Avec la visite du trésor on verra la chapelle da Glória et celle de São Geraldo.

Capela de São Geraldo – Cette jolie chapelle gothique dont les murs sont plaqués d'azulejos (18e s.) évoque la vie de saint Gérard, premier archevêque de Braga.

★**Capela da Glória** – Le centre de cette construction, ornée de peintures murales de style mudéjar (14e s.), est occupé par le **tombeau**★ gothique (5) du fondateur, Dom Gonçalo Pereira ; en faisant le tour du tombeau, on reconnaît les sujets suivants : la Crucifixion, les Apôtres, la Vierge et l'Enfant Jésus, des clercs en prière.

BRAGA

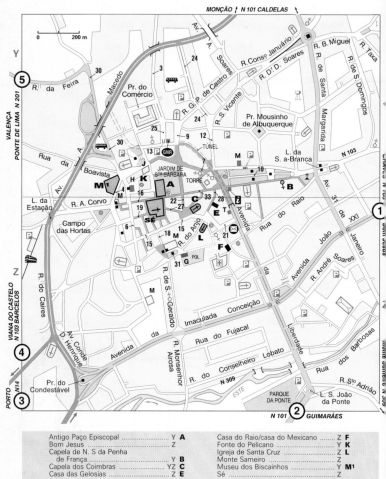

Capela dos Reis – La **chapelle des Rois**, dont la voûte gothique repose sur de jolies consoles à tête humaine, abrite les tombeaux (16ᵉ s.) de Henri de Bourgogne et de sa femme Thérèse, parents du premier roi du Portugal (6), ainsi que la momie d'un archevêque de Braga, Dom Lourenço Vicente (14ᵉ s.), qui combattit à Aljubarrota.

AUTRES CURIOSITÉS

Antigo Paço Episcopal – Constitué de trois édifices des 14ᵉ, 17ᵉ et 18ᵉ s., l'**ancien palais épiscopal** abrite une très riche bibliothèque (documents du 9ᵉ s.) : la salle de lecture possède un joli plafond à caissons dorés. L'aile Nord médiévale donne sur les agréables jardins de Santa Bárbara (fontaine de sainte Barbe, 17ᵉ s.).

Capela dos Coimbras ⊙ – Construite au 16ᵉ s., contiguë à une église du 18ᵉ s., sa tour crénelée, ornée de statues, est de style manuélin. À côté de la chapelle, la **Casa dos Coimbras**, de la même époque, présente un beau portail et des fenêtres de style manuélin.

Museu dos Biscaínhos ⊙ – Palais des 17ᵉ et 18ᵉ s., aux plafonds peints ornés de stucs et aux murs couverts de panneaux d'azulejos, la **Casa dos Biscaínhos** a été décorée d'un mobilier portugais ou étranger de la même époque, de tapis d'Arraiolos, d'argenterie portugaise, de porcelaines, de verres. L'élégante suite de salons donne sur de beaux jardins avec bassin et statues dans le goût du 18ᵉ s.

Fonte do Pelicano – *Devant l'hôtel de ville.* Belle fontaine baroque dont les jets d'eau sont soufflés par un pélican et des amours de bronze.

Casa das Gelosias – Curieuse maison du 17ᵉ s. qui doit son nom à ses grilles et **jalousies** d'aspect arabe.

Église Santa Cruz – Église de style baroque maniériste du 17ᵉ s. L'intérieur surprend par sa profusion de boiseries dorées.

Casa do Raio ou do Mexicano – Le **palais du Rayon ou du Mexicain**, est une résidence du 18ᵉ s. avec une façade baroque de style rocaille revêtue d'azulejos bleus. L'encadrement des fenêtres est en granit sculpté.

Capela da Nossa Senhora da Penha de França ⊙ – L'intérieur est agrémenté de beaux azulejos, dus à Policarpo de Oliveira Bernardes, et d'une chaire baroque en bois doré.

ENVIRONS

★★**Bom Jesus do Monte** – *6 km à l'Est par ① du plan.*
Le sanctuaire de Bom Jesus s'élève au sommet d'un escalier monumental qui est l'une des plus surprenantes réalisations de style baroque au Portugal. Taillé dans l'austère granit gris que rehausse la blancheur des murs crépis à la chaux, il est représentatif du baroque du Nord du pays (début du 18ᵉ s.). Le sanctuaire vers lequel conduit l'escalier est plus austère : il a été construit entre 1784 et 1811 dans le style néoclassique, par Carlos Amarante.

Sens symbolique de la voie sacrée – La voie sacrée, que le pèlerin gravissait à genoux, se compose d'un sentier, bordé de chapelles correspondant aux stations du chemin de croix, elle se poursuit par l'escalier des Cinq Sens et celui des Trois Vertus. Elle représente le parcours spirituel du croyant qui doit apprendre à maîtriser ses sens et acquérir les trois vertus que sont la foi, la charité et l'espérance pour obtenir le salut.

Accès ⊙ :
– *par le funiculaire qui en quelques minutes franchit 116 m d'altitude (voir ci-après) ;*
– *par la route qui monte en lacet dans la verdure ;*
– *par l'escalier, ou voie sacrée (compter 15 mn), emprunté par les pèlerins : ce dernier accès est le plus intéressant : il permet d'apprécier la magnificence de l'architecture baroque et la beauté du cadre naturel.*
Si l'on choisit de monter par l'escalier, laisser la voiture sur le parking près du départ du funiculaire.

Elevador do Bom Jesus do Monte – Inauguré en 1882, ce funiculaire fut le premier construit dans la péninsule Ibérique. Il est actuellement le plus ancien au monde utilisant la seule force de gravité de l'eau, grâce à deux réservoirs faisant contrepoids. Un élégant portique donne accès au sentier en lacet bordé de chapelles abritant chacune une scène de la Passion évoquée par des personnages en terre cuite, grandeur nature, d'un réalisme étonnant ; auprès de chaque chapelle se trouve une fontaine ornée de motifs mythologiques.

Escalier des Cinq Sens – Il est à double volée ; la base en est constituée par deux colonnes où s'enroule un serpent : l'eau sort de la gueule du serpent et s'écoule en tournoyant le long de son corps. Au-dessus de la fontaine des Cinq Plaies (l'eau jaillit par les cinq besants figurant dans les armes du Portugal), chaque palier est décoré de fontaines allégoriques se rapportant aux cinq sens : l'eau jaillit des yeux pour la vue, des oreilles pour l'ouïe, du nez pour l'odorat, de la bouche pour le goût. Le toucher est représenté par un personnage tenant des deux mains une cruche d'où s'écoule l'eau.

Escalier des Trois Vertus – Il est orné de fontaines évoquant la foi, l'espérance et la charité ; chaque balustrade est décorée d'obélisques et de statues évoquant des personnages de l'Ancien Testament.
Du parvis de l'église, la **perspective**★ se développe sur l'escalier baroque et sur la ville de Braga.
L'**église** renferme des reliquaires et des ex-voto. Le chœur est décoré d'un calvaire du même style que les chapelles du chemin de croix.

★**Chapelle São Frutuoso de Montélios** ⊙ – *3,5 km. Quitter Braga par ⑤ du plan en direction de Ponte de Lima ; à Real, prendre à droite vers São Frutuoso.*
Cette chapelle wisigothique a été englobée dans l'église São Francisco au 18ᵉ s. Édifiée au 7ᵉ s., elle aurait été en partie démolie par les Maures et reconstruite au 11ᵉ s. En forme de croix grecque, elle montre une influence byzantine. Elle se composait de quatre bras qui étaient surmontés de coupoles et d'arcs en fer à cheval que supportaient 22 colonnes. Les chapiteaux et les frises sont décorés de feuilles

L'escalier des Cinq Sens

d'acanthe. Une porte à droite donne accès à une petite exposition présentant quelques vestiges et retraçant l'histoire de cette chapelle, dont une maquette reconstitue l'aspect d'origine. Dans le prolongement, la sacristie abrite un retable en bois doré placé sur un grand meuble à tiroirs. Cette chapelle se trouve sur l'un des chemins portugais de Saint-Jacques-de-Compostelle.

L'**église São Francisco** abrite dans sa tribune les stalles Renaissance de la cathédrale de Braga.

EXCURSION

★**Circuit à l'Est de Braga par Bom Jesus do Monte** – *44 km – environ 3 h. Quitter Braga par ① du plan.*

★★**Bom Jesus do Monte** – *Voir ci-dessus.*

★**Monte Sameiro** – Lieu de pèlerinage très fréquenté, le mont est couronné par un sanctuaire marial (fin 19e s.-début 20e s.). Dans l'église, un escalier (devant une salle remplie d'ex-voto) de 265 marches mène à la lanterne de la coupole (alt. 613 m) qui offre un **panorama**★★ immense sur le Minho : on aperçoit au Nord-Ouest le mont de Santa Luzia qui domine Viana do Castelo, au Nord-Est la serra do Gerês, au Sud-Est la serra do Marão ; on distingue en contrebas les vestiges de la cité préhistorique de Briteiros et, à l'opposé, Braga.

Citânia de Briteiros – Sur une butte de 337 m d'altitude, ruines d'une cité datant de l'âge du fer (8e au 4e s. avant J.-C.). Protégée par trois ceintures de murailles, elle s'étendait sur 250 m de long et 150 m de large, et comprenait plus de 150 huttes dont deux ont été reconstituées par l'archéologue Martins Sarmento. Les objets découverts lors des fouilles sont exposés au musée Martins Sarmento à Guimarães *(voir ce nom)*.

Serra da Falperra – Sur une pente boisée de cette petite serra se dresse l'**église Santa Maria Madalena**. Due à un architecte auquel on attribue également la Casa do Raio à Braga *(voir plus haut)*, elle arbore une curieuse façade de style rocaille (18e s.) d'où toute ligne droite est bannie.

La N 309 ramène à Braga.

BRAGANÇA★

District de Bragança — 19 885 habitants
Carte Michelin n° 940 ou 441 G 9

Aux confins de l'austère province du Trás-os-Montes, Bragança occupe à 660 m d'altitude une haute combe de la serra de Nogueira.

Au-dessus de la ville nouvelle se dresse la cité médiévale à l'abri de ses remparts. Pour en avoir la meilleure **vue**★, se rendre à la pousada de São Bartolomeu *(2 km au Sud-Est)* ou au belvédère de la chapelle voisine.

Le fief de la maison de Bragance – La cité médiévale fut érigée en duché en 1442 pour Dom Afonso, comte de Barcelos et fils naturel du roi Jean Ier, devenant ainsi le fief de la famille de Bragance. Celle-ci, qui revendiqua la couronne à la mort du roi Sébastien en 1578, régna sur le Portugal de 1640 (date de la fin de l'occupation espagnole) à 1853. Pendant toute cette période, l'héritier du trône recevait le titre de duc de Bragance.

★VILLE MÉDIÉVALE

Entourée de sa longue enceinte fortifiée et de ses tours, elle couronne la colline. Il se dégage de la vieille ville aux ruelles pavées, tranquilles et fleuries, où l'on entend gazouiller les oiseaux, une atmosphère désuète.

Château ⊘ – Édifié en 1187, il comprend un donjon carré, haut de 33 m, flanqué d'échauguettes et de plusieurs tours, qui abrite un petit **Musée militaire** ⊘ ; deux salles sont éclairées par des fenêtres gothiques géminées. De la plate-forme du donjon, panorama sur la vieille ville, la ville basse et les collines proches.

Pilori – De style gothique, il repose sur un sanglier taillé dans le granit qui daterait de l'âge du fer.

Église Santa Maria – D'origine romane mais totalement remodelée au 18e s., elle présente une élégante façade percée d'un portail encadré par deux colonnes torses garnies de ceps. À l'intérieur, un beau plafond, peint en trompe-l'œil, représente l'Assomption.

Domus municipalis ⊘ – Cette construction à cinq pans, du 12e s., est le plus ancien hôtel de ville du Portugal. Elle est percée de petites ouvertures en plein cintre. Sous le toit court une frise à modillons sculptés. L'intérieur est une vaste salle dont le sous-sol est occupé par une citerne ancienne.

AUTRES CURIOSITÉS

Elles se trouvent dans la ville basse qui fut construite aux 17e et 18e s.

Place de la cathédrale – Elle est ornée d'un ancien pilori devenu calvaire baroque, édifié devant la cathédrale, dont l'intérieur, décoré d'azulejos, abrite des autels baroques en bois doré.

Église São Bento – Cette église du 16e s., d'une seule nef, est couverte par un plafond peint de style Renaissance. Le chœur, surmonté d'un beau **plafond mudéjar**, contient un riche retable en bois doré du 18e s.

Les remparts de Bragança

Église São Vicente – Cette église d'origine romane a été entièrement reconstruite au 18e s. L'intérieur présente une grande profusion de bois dorés du 17e s. et le chœur est orné d'une voûte peinte et dorée. Selon la légende, c'est là que le futur Pierre Ier et Inès de Castro se seraient secrètement mariés *(voir Alcobaça)*.

★**Museu do Abade de Baçal** ⊘ – Installé dans l'ancien palais épiscopal, cet agréable musée expose des collections régionales d'archéologie, de peinture, d'ethnologie, de numismatique et d'art sacré. À l'entrée, un film vidéo présente les coutumes de la région de Trás-os-Montes et une borne interactive fournit des informations sur le musée, la région et ses monuments. Au rez-de-chaussée, belle collection de stèles funéraires, de bornes milliaires et de sangliers en pierre *(berrões)*. Au 2e niveau, dans la chapelle de l'ancien palais, décorée d'un plafond peint, sont exposés des parements religieux des 15e au 18e s. et des images baroques polychromes de saints. Admirer, dans la salle no 7, une Vierge à l'Enfant en bois polychrome et doré du 15e s. Intéressante collection d'orfèvrerie religieuse.

EXCURSIONS

Parc naturel de Montesinho – Il s'étend sur 75 000 ha entre Bragança et la frontière espagnole, et englobe les serras de Montesinho et de Coroa.
La faune très riche (sangliers, renards, loups, rapaces) y est préservée.
La végétation dominante est constituée de chênes et de châtaigniers. Sur les hauteurs poussent la bruyère et le ciste.
Cette région écartée a conservé des traditions rurales particulières, encore visibles dans l'architecture et le mode de vie de ses habitants. À **Rio de Onor**, village à la fois portugais et espagnol, où la frontière est matérialisée par un petit pont, on peut encore voir les femmes laver le linge dans la rivière. Les coutumes communautaires y sont encore assez vivaces, de même qu'à **Guadramil**, autre hameau frontalier.

★**Église du monastère de Castro de Avelãs** – *3 km à l'Ouest. Prendre la route de Chaves. Passer à droite d'un viaduc et après le pont tourner immédiatement à gauche. Suivre les indications signalant « Mosteiro ».*
Cette église faisait partie d'un monastère bénédictin du 12e s. aujourd'hui disparu. Il n'en reste que le chevet roman, avec son abside et ses absidioles en hémicycle, et ses arcatures aveugles superposées. Unique au Portugal par sa forme et son appareil de brique, elle s'apparente à des églises espagnoles de l'ordre de Cluny et est associée au chemin de Saint-Jacques-de-Compostelle.

Mata do BUÇACO★★
Forêt de BUÇACO – District d'Aveiro
Carte Michelin no 940 ou 441 K 4

Au Nord de Coimbra, près de la station thermale de **Luso**, le parc forestier de Buçaco, enclos dans son mur de pierre percé de plusieurs portes, couronne l'extrémité Nord de la serra do Buçaco. Au centre de cette forêt, où se mêlent les essences les plus variées, se dresse dans une vaste clairière un palais-hôtel aux allures de château fantasmagorique, élevé vers 1900.

Une forêt bien protégée – Dès le 6e s., les bénédictins, établis à Lorvão, édifient un ermitage à Buçaco, parmi les chênes et les pins de la forêt primitive. Du 11e s. au début du 17e s., la forêt est jalousement entretenue par les prêtres de la cathédrale de Coimbra qui en ont hérité ; en 1622, le pape Grégoire XV interdit aux femmes de pénétrer dans la forêt sous peine d'excommunication.
En 1628, les carmes déchaux construisent un monastère et ferment leur domaine d'une muraille continue. Ils poursuivent l'aménagement de la forêt en procédant à de nouvelles plantations : érables, lauriers-tins, rouvres, cèdres (ou cyprès) du Mexique. En 1643, ils obtiennent du pape Urbain VIII une **bulle** d'excommunication contre quiconque dégraderait les arbres de leur domaine.
Mais les carmes doivent quitter Buçaco après l'abolition des ordres religieux au Portugal (28 mai 1834). La forêt échoit à l'administration royale puis à celle des Eaux et Forêts qui accentue le rythme des plantations.
Aujourd'hui, les 105 ha de la forêt de Buçaco comprennent plus de 400 essences indigènes (chênes, châtaigniers, lentisques, etc.) et environ 300 espèces exotiques (ginkgo, araucaria, cèdre, sapin de l'Himalaya, thuya, épicéa d'Orient, palmier, arbousier, séquoia, camphrier du Japon, etc.). Entre les arbres poussent des fougères arborescentes, des hortensias, des mimosas, des camélias, des magnolias, des philarias et même du muguet.

La bataille de Buçaco – En 1810, après deux tentatives d'invasion du Portugal, Napoléon organise une troisième expédition commandée par le général Masséna, qu'accompagnent Junot et Ney. Le 26 septembre, l'armée française arrive en vue des hauteurs de Buçaco sur lesquelles sont installées les troupes anglo-portugaises diri-

Un arbre vénérable

Planté en abondance par les premiers moines, dès le début du 16e s., ce magnifique conifère a été pendant longtemps objet de méprise. D'où le nom de son espèce, *Cupressus Lusitanica*, autrement dit, cyprès de Lusitanie, reçu d'un savant du 18e s. qui supposait qu'il avait été rapporté de Goa (Inde) par les Portugais. Depuis qu'en 1839, on en découvrit une variété au Mexique, le « cèdre de Goa » ou « cèdre du Buçaco » est souvent appelé cyprès du Mexique.

gées par Wellington. Le 27, Masséna, ignorant les positions et l'importance de ces troupes, donne à ses soldats, affamés et épuisés, l'ordre de monter à l'assaut. Dans un brouillard dense, l'une des divisions escalade les pentes, suivie par les autres, mais l'élan des Français est brisé par une décharge d'artillerie et par une contre-attaque à la baïonnette. L'armée française, qui a perdu 4 500 soldats en trois heures, réussit cependant à gagner Coimbra.

VISITE ⊘

★**Palace-Hotel** – Commandé par le roi Charles et exécuté par l'architecte italien Luigi Manini, ce pavillon de chasse, élevé entre 1888 et 1907, ressemble à un décor de théâtre. C'est un pastiche de l'art manuélin où l'on retrouve le profil de la tour de Belém et la décoration du cloître des Jerónimos de Lisbonne. Le tout est flanqué d'une petite tour surmontée par une sphère armillaire. À l'intérieur, la décoration est tout aussi exubérante et les dimensions de la cage d'escalier impressionnantes ; ses parois sont recouvertes d'immenses panneaux d'azulejos de Jorge Colaço représentant des épisodes des *Lusiades* de Camões et des scènes de bataille de l'histoire du Portugal.

Convento dos Carmelitas Descalços ⊘ – *En contrebas de l'hôtel*. Du **couvent des Carmes déchaux**, construit entre 1628 et 1630, subsistent la chapelle, le cloître et plusieurs cellules que les moines avaient tapissées de liège pour lutter contre le froid.

« UNE PETITE FOLIE ! »

Palace-Hotel do Buçaco – *Mata do Buçaco, 3050-261 Luso* – ☎ *231 93 01 01 – fax 231 93 05 09 – 64 chambres – 110/800 € (suite du roi Dom Carlos)* (GB) – *restaurant gastronomique – bar – parc de stationnement, garage privatif.*
Un séjour inoubliable, dans un palace exceptionnel. Les chambres sont décorées avec des meubles anciens de valeur.

Palace-Hotel de Buçaco

P. Martins/MICHELIN

LA FORÊT

Plusieurs promenades à pied permettent de découvrir la forêt de Buçaco, parsemée d'ermitages construits par les moines au 17e s. On peut aussi y voir un intéressant chemin de croix (Via Sacra – promenade **2**). *Les itinéraires décrits ci-dessous partent du parking des voitures et des bus près de l'hôtel.*

★★**1** Fonte Fria et Vale dos Fetos *Circuit de 1 h 1/4 à pied*

Ermida da Nossa Senhora de Assunção – C'est l'un des dix ermitages isolés dans la forêt où les moines se retiraient.

Fonte Fria – La **fontaine froide** sourd dans une grotte d'où ses eaux se déversent en cascade le long d'un escalier de 144 marches ; en bas, dans le bassin de réception entouré d'hortensias et de magnolias, se reflètent de majestueux conifères. Le sentier bordé de magnifiques fougères arborescentes, de rhododendrons et d'hortensias suit ensuite le cours d'un ruisseau et conduit à un lac au bord duquel se dressent plusieurs thuyas.

Vale dos Fetos – Agrémentée de pins et de séquoias gigantesques, l'**allée des Fougères** mène vers la porte das Lapas.

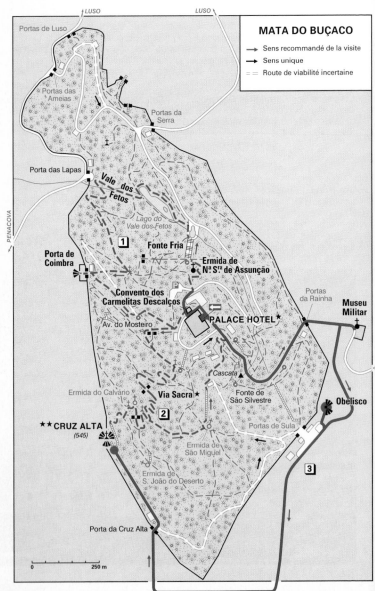

Porta de Coimbra – Élevée en même temps que le mur d'enceinte au 17ᵉ s., elle a reçu une décoration rocaille ; deux plaques de marbre apposées sur sa façade extérieure reproduisent le texte des deux bulles papales. Les arches s'ouvrent sur une jolie terrasse aménagée en belvédère : vue particulièrement agréable au coucher du soleil.

Revenir par l'avenida do Mosteiro bordée de superbes cèdres.

★★ ② La Via Sacra et la Cruz Alta *Circuit de 1 h à pied*

Partir par l'avenida do Mosteiro sous le couvent, puis tourner à gauche pour suivre la Via Sacra.

★**Via Sacra** – Le chemin de croix, construit à la fin du 17ᵉ s. dans le style baroque, se compose de chapelles s'égrenant le long du chemin. Dans ces chapelles, les différentes stations de la montée au calvaire sont représentées par des personnages en terre cuite grandeur nature.

★★**Cruz Alta** – Alt. 545 m. De là, le **panorama** est immense : à droite, la barrière de la serra do Caramulo ; en face, une multitude de villages blancs de la plaine côtière ; en contrebas, l'hôtel émergeant d'un flot de verdure ; à gauche, au loin, l'agglomération de Coimbra ; à l'extrême gauche, à l'horizon, par-delà la vallée du Mondego, les hauteurs des serras da Lousã et da Estrela.

Revenir par des sentiers en sous-bois qui passent à côté de différents ermitages.

③ La Cruz Alta par la route *6 km*

À quelques centaines de mètres de la place de l'hôtel, jeter un coup d'œil à la cascade qu'alimente la **fontaine de São Silvestre**, nichée dans les fougères et les hortensias.

Museu militar ⊘ – Situé à l'extérieur de l'enceinte, il évoque la bataille de Buçaco et les différents épisodes de la guerre de 1810 au Portugal.

Obelisco – Surmonté d'une étoile de verre, l'obélisque commémore la bataille ; de là, jolie **vue**★ sur la serra da Estrela et la serra do Caramulo.

La route s'élève ensuite parmi les pins jusqu'à la porte donnant accès à la Cruz Alta.

CALDAS DA RAINHA

District de Leiria – 24 497 habitants
Carte Michelin n° 940 N 2

Station thermale de réputation ancienne, Caldas da Rainha est un important centre agricole dont les marchés sont très fréquentés. La ville est célèbre pour sa **céramique** aux motifs variés : feuilles de vigne, escargots, figurines caricaturales *(illustration p. 69).*

Les bains de la reine – En 1484, la **reine Leonor**, femme de Jean II, en se rendant à Batalha à l'anniversaire des obsèques de son beau-père, Alphonse V, aperçoit au bord de la route des paysans qui se baignent dans des mares d'eau d'où se dégagent des vapeurs malodorantes. Intriguée, elle se renseigne et apprend que cette eau guérit les rhumatismes. Elle décide alors de s'y baigner, puis reprend la route vers Batalha. Elle n'a pas fait 6 km qu'elle commence à ressentir les effets bénéfiques de ces eaux sulfureuses et n'hésite pas à interrompre son voyage pour poursuivre sa cure. Le village où elle a fait demi-tour portera désormais le nom de Tornada (« retour de voyage »). En 1485, sa générosité de cœur la pousse à vendre ses bijoux et ses dentelles pour trouver les ressources permettant la fondation d'un hôpital dont elle prend la direction ; elle fait ensuite aménager un vaste parc et construire une église.

CURIOSITÉS

Les principales curiosités se trouvent toutes autour du beau parc Dom Carlos I.

★**Parque D. Carlos I** – Redessiné à la fin du 19ᵉ s. pour servir de lieu de promenade aux patients de l'hôpital thermal, ce parc est agrémenté de saules pleureurs, palmiers, fleurs, gazon, statues et pièces d'eau, qui lui confèrent charme et fraîcheur.

Museu José Malhoa ⊘ – Érigé dans le parc, le musée abrite une collection de peintures, de sculptures et de céramiques des 19ᵉ et 20ᵉ s. On remarquera les œuvres de José Malhoa (1855-1933), peintre de scènes populaires dont les plus connues sont *Les Promesses (As Promessas)* et *L'Ultime Interrogatoire du marquis de Pombal.* Son art est caractérisé par l'utilisation intense de la lumière et des couleurs et par le réalisme des thèmes. Un autre peintre, Columbano (1857-1929), surnommé le « mage de la pénombre », a laissé de bons portraits dont une *Tête de garçon (Cabeça de Rapaz).*

Église Nossa Senhora do Pópulo – Bâtie à la fin du 15ᵉ s. par Mateus Fernandes (l'architecte du monastère de Batalha) sur l'initiative de la reine Leonor, elle est couronnée par un élégant clocher dont les fenêtres gothiques portent une décoration manuéline.

À l'intérieur, les murs sont entièrement recouverts d'azulejos du 17ᵉ s. ; les devants d'autels sont tapissés de beaux azulejos mauresques en relief du 16ᵉ s. Au-dessus de l'arc triomphal, de style manuélin, joli **triptyque**★ de la Crucifixion attribué à Cristóvão de Figueiredo (début 16ᵉ s.).

Museu do Hospital e das Caldas ⊘ – Ce musée est installé dans l'ancien palais où résidait la famille royale lorsqu'elle se déplaçait dans cette ville. Il présente des collections de peinture, de sculpture, des azulejos, des éléments baroques en bois dorés du mobilier et des ornements sacerdotaux du 16ᵉ au 18ᵉ s. La salle des Rois expose les portraits de presque tous les rois du Portugal.

Museu da Cerâmica ⊘ – L'ancien palais romantique du vicomte de Sacavém, décoré d'azulejos de différentes époques et enchâssé dans un jardin agréablement fleuri, abrite une intéressante collection de céramiques, principalement de Caldas da Rainha. On y remarque en particulier les œuvres exubérantes de Rafael Bordalo Pinheiro (plats, brocs, pichets, vases...) peuplées de plantes, de fleurs, d'animaux et de caricatures.

Fábrica e Museu de Faianças Rafael Bordalo Pinheiro ⊘ – Cette fabrique fondée en 1884, encore en activité, abrite un musée consacré à la production du grand céramiste : vaisselle, pièces caricaturales et décoratives. Dans la boutique attenante, on pourra acheter quelques modèles de faïences anciennes encore fabriquées avec les moules d'origine, ou des articles plus récents, mais de la même inspiration.

CAMINHA

District de Viana do Castelo – 1 557 habitants
Carte Michelin n° 940 ou 441 G 3

Occupant une position stratégique au confluent du Coura et du Minho dont elle contrôlait l'estuaire que domine sur la rive espagnole le mont Santa Tecla, la ville fortifiée de Caminha défendait la frontière Nord du Portugal contre les ambitions galiciennes. C'est maintenant un petit port de pêche et un centre artisanal spécialisé dans la dinanderie.

Praça do Conselheiro Silva Torres – Autour d'une fontaine en granit du 16ᵉ s. s'ordonnent plusieurs constructions anciennes qui confèrent à cette place un cachet médiéval. Le **palais des Pitas** (15ᵉ s.), au Sud, est un édifice gothique dont la façade blasonnée présente d'élégantes fenêtres en accolade. L'**hôtel de ville**, à l'Est, montre, dans la salle des séances, un joli plafond à caissons. La **tour de l'Horloge** (Torre do Relógio), au Nord, est un vestige des fortifications (14ᵉ s.).

En franchissant cette porte, on débouche sur la rua Ricardo Joaquim de Sousa qui conduit à l'église paroissiale.

Église paroissiale ⊘ – C'est une église-forteresse bâtie en granit aux 15ᵉ-16ᵉ s. par des architectes venus de Galice et de Biscaye. En dehors de quelques éléments gothiques (pinacles), l'essentiel est de style Renaissance, en particulier les portails des façades ; le portail latéral Sud est encadré de pilastres sculptés qui supportent une galerie où l'on reconnaît les statues des saints Pierre, Paul, Marc et Luc ; le fronton abrite une Vierge entourée de deux anges. Le chevet est plus platéresque que manuélin. L'intérieur est couvert d'un magnifique **plafond**★ *artesoado* mudéjar en érable, dû à un sculpteur espagnol ; encadré de chaînes stylisées, chaque panneau central octogonal est occupé en son milieu par une rose.

À l'entrée, à droite, statue colossale de saint Christophe, patron des bateliers.

La chapelle du St-Sacrement, à droite du chœur, contient un tabernacle en bois doré, du 17ᵉ s., illustré de scènes de la Passion par Francisco Fernandes.

CANTANHEDE

District de Coimbra – 7 066 habitants
Carte Michelin n° 940 ou 441 K 4

Gros bourg agricole, Cantanhede est un centre de commerce du vin, des céréales et du bois. Entre Cantanhede et **Ançã** *(10 km au Sud-Est)*, on extrait le fameux calcaire blanc connu sous le nom de pierre d'Ançã. Aussi facile à travailler que le bois, ce calcaire fut très apprécié par les architectes et les sculpteurs de la région, principalement par ceux de l'école de Coimbra *(voir Coimbra)*. Avec le temps, il prend une teinte ocrée, mais a tendance à s'effriter.

Église paroissiale – Elle abrite plusieurs œuvres (16ᵉ s.) attribuées à Jean de Rouen, en particulier : dans la deuxième chapelle à droite, le retable de la Vierge auxiliatrice et, dans la chapelle du St-Sacrement, à droite du chœur, deux tombeaux surmontés de statues.

EXCURSIONS

Varziela – *4 km. Prendre la route de Mira et, à 2 km, tourner à gauche (panneau).* La chapelle renferme un **retable**★ en pierre d'Ançã attribué à Jean de Rouen. Très minutieusement travaillé, il représente la Vierge auxiliatrice, entourée de deux anges et de dignitaires de l'Église et de la Cour agenouillés.

Remontée des bateaux de pêche

Praia de Mira – *17 km au Nord-Ouest par les N 334 et N 234.*
La côte à cet endroit n'est qu'une vaste plage de sable s'étendant à l'infini, battue par les vagues et bordée de pinèdes dans les rares endroits qui ne sont pas construits.
Le week-end et en été, la plage est noire de monde. Ici, on peut encore assister sporadiquement à des scènes de la vie traditionnelle des pêcheurs telle qu'elle se déroulait autrefois à Nazaré.
En l'absence de port, les grosses barques de pêche très colorées sont installées sur la plage. Pour aller jeter leurs filets au large, les pêcheurs font glisser leur embarcation sur des rondins et s'arc-boutent contre la coque pour la faire avancer. Une fois la barque mise à l'eau, ils bondissent à l'intérieur et rament rapidement pour lui faire franchir le ressac. Au retour, la barque est ramenée sur la plage de nouveau à l'aide de rondins et d'un câble qu'enroule un tracteur ou un attelage de bœufs.

CARAMULO

District de Viseu – 1 546 habitants
Carte Michelin n° 940 ou 441 K 5

Agrémentée de parcs, Caramulo est une station thermale accrochée, à 800 m d'altitude, aux pentes de la serra de Caramulo, massif schisteux et granitique qui porte une végétation dense (pins, chênes, châtaigniers) et quelques cultures (maïs, vigne, oliviers). Le versant Ouest, qui descend doucement sur la plaine côtière d'Aveiro, s'oppose au versant Est dont le relief, plus accidenté, est découpé par des affluents du Mondego.

★**Musée** ⊙ – Appelé aussi Fondation Abel de Lacerda, du nom de son fondateur, il comprend deux parties.

Exposition d'art ancien et moderne – Elle abrite plusieurs statues de l'école portugaise du 15ᵉ s. dont une Vierge à l'Enfant, un ensemble de cinq tapisseries de Tournai figurant l'arrivée des Portugais aux Indes, et de nombreux tableaux de peintres du 20ᵉ s. : Picasso (nature morte), Fernand Léger, Dufy, Dali, Braque, etc.

★**Exposition d'automobiles** – Une cinquantaine d'automobiles, toutes en état de marche et merveilleusement entretenues, sont exposées dans un bâtiment moderne. Parmi les plus anciennes, on remarquera une Peugeot 1899 et une Darracq 1902 ; parmi les plus prestigieuses citons les Hispano-Suiza, les Lamborghini, les Ferrari. Cette collection est complétée par quelques cycles et motos.

EXCURSIONS

★ **Pinoucas** – *3 km. Quitter Caramulo au Nord par la N 230 ; à 2 km, prendre à gauche une route de terre qui, 1 km plus loin, aboutit à la tour de surveillance (alt. 1 062 m).* Impressionnant **panorama** sur les chaos rocheux de la serra do Caramulo.

Serra do Caramulo – *7,5 km. Quitter Caramulo à l'Ouest par l'avenue Abel de Lacerda puis la N 230-3 qui, à 3 km, laisse à gauche la route de Cabeço da Neve.*

★★ **Caramulinho** – *Une demi-heure à pied AR, par un sentier rocheux coupé de 130 marches.* Ce point culminant (1 075 m) de la serra de Caramulo constitue un excellent **belvédère** sur celles de Lapa au Nord-Est, d'Estrela au Sud-Est, de Lousã et de Buçaco au Sud, sur la plaine côtière à l'Ouest, et sur la serra de Gralheira au Nord. *Revenir au croisement de la route de Cabeço da Neve, que l'on suit jusqu'au belvédère.*

Cabeço da Neve – Alt. 995 m. Ce sommet-balcon offre des **vues** plongeantes au Sud et des vues, vers l'Est, sur la moyenne montagne boisée, toute piquetée de villages, le bassin du Mondego et la serra d'Estrela. Viseu est visible au Nord-Est.

CASCAIS★

District de Lisboa – 32 972 habitants
Carte Michelin n° 940 P 1 – Plan dans le Guide Rouge Portugal

Favorisée par la douceur d'un climat où se combinent la salubrité de l'air marin et la fraîcheur des vents provenant de la serra de Sintra, par une belle plage de sable ourlant une baie harmonieuse, toute radieuse de lumière, Cascais est à la fois un port de pêche traditionnel et une station animée devenue une banlieue élégante de Lisbonne. Son centre a été aménagé et les rues piétonnes sont bordées d'agréables boutiques et de restaurants.

Depuis la plus haute Antiquité, les hommes ont apprécié un tel site. Aux peuples préhistoriques ont succédé les Romains, les Wisigoths et les Maures. Devenue indépendante en même temps que Lisbonne, Cascais acquit dès le milieu du 14ᵉ s. le rang de ville, mais, en 1580, elle fut mise à sac par les troupes du duc d'Albe, puis, en 1597, par celles d'Élisabeth Iʳᵉ d'Angleterre ; le tremblement de terre de 1755 la détruisit alors qu'elle reprenait son essor. De cette époque subsistent les azulejos qui décorent l'**église Nossa Senhora da Assunção**.

La vocation touristique de Cascais s'est décidée en 1870 lorsque, pour la première fois, la Cour vint y passer l'été, entraînant à sa suite une tradition d'élégance et tout un monde d'architectes. Le palais royal (ou cidadela) édifié sur le promontoire qui protège la baie au Sud-Ouest est actuellement réservé au chef de l'État.

Museu e Biblioteca dos Condes de Castro Guimarães ⊘ – Sur la route du bord de mer, cette ancienne demeure comtale du 19ᵉ s., à patio central, rassemble de belles collections : meubles portugais, indo-portugais et azulejos du 17ᵉ s., orfèvrerie et céramique portugaises des 18ᵉ-19ᵉ s., bronzes, tapis, vases de Chine du 18ᵉ s., livres précieux (dont une *Crónica de D. Afonso Henriques* du 16ᵉ s.), un curieux orgue-armoire de 1753... Dans le parc, fontaine monumentale à azulejos.

On trouvera une sélection d'hôtels et de restaurants de Cascais au Carnet d'adresses de Lisbonne.

EXCURSIONS

★ **De Cascais à Praia do Guincho** – *8 km à l'Ouest par la route côtière – environ 1/2 h.*
En sortant de Cascais, on passe, à gauche, l'ancien palais royal, puis, à droite, le parc municipal.

★ **Boca do Inferno** – Dans un virage à droite, une maison, un café et quelques pins à gauche marquent l'emplacement de ce **gouffre★** d'effondrement marin dans lequel la mer se précipite en mugissant, surtout par gros temps.
La route se poursuit en bordure de l'Océan, ménageant de beaux aperçus sur cette côte sauvage. À partir du cap Raso (fortin), où la route bifurque en direction de la serra de Sintra, le sable fait son apparition parmi les pointes rocheuses, balayées par une mer houleuse.

★ **Praia do Guincho** – Des dunes et un fortin bordent l'immense plage, tandis qu'à l'horizon s'allonge l'imposant promontoire du Cabo da Roca. C'est un des lieux de prédilection des véliplanchistes et des surfeurs.

Monument à Ibne-Mucane – *5 km par la N 9 en direction d'Alcabideche.*
Une stèle a été érigée en l'honneur du poète arabe Ibne-Mucane qui, né à Alcabideche au 10ᵉ s., fut le premier en Europe à chanter les moulins à vent. Son témoignage est gravé sur la pierre : « Si tu es un homme décidé, il te faut un moulin qui travaille avec les nuages et qui ne soit pas soumis aux cours d'eau. »

CASTELO BRANCO

District de Castelo Branco – 31 464 habitants
Carte Michelin n° 940 M 7

Cette ancienne place forte dominée par les ruines d'un château des Templiers a subi maintes invasions en raison de la proximité de la frontière. Celle des troupes napoléoniennes, en 1807, ne fut pas la moins dévastatrice. La capitale de la Beira est aujourd'hui une paisible cité fleurie qui vit du commerce du liège, du fromage, du miel et de l'huile d'olive ; elle est surtout connue depuis le 17e s. pour ses couvre-lits *(colchas)* brodés aux coloris variés que les jeunes filles préparent pour leur trousseau.

CURIOSITÉS

Museu Francisco Tavares Proença Júnior ⊘ – Aménagé dans l'ancien palais épiscopal, il présente d'intéressantes collections : au rez-de-chaussée, vestiges archéologiques et lapidaires, monnaies, faïences et armes antiques, flacons et tessons de poteries romains ; dans l'escalier, tapisseries flamandes du 16e s. (Histoire de Loth) ; à l'étage, autres tapisseries flamandes du 16e s., tableaux de l'école portugaise du 16e s. (dont un *Saint Antoine* attribué à Francisco Henriques), documents et meubles portugais anciens (belle armoire sculptée du 17e s.), couvre-lits brodés de Castelo Branco. À l'étage encore, une salle expose un métier à tisser et de l'outillage rural, une autre est dévolue à l'art moderne.

★★ **Jardim do Antigo Paço Episcopal** ⊘ – Derrière le musée, les **jardins de l'ancien palais épiscopal** s'étagent sur plusieurs terrasses et forment un amusant ensemble, créé au 17e s., de buis taillés, de massifs de fleurs, de pièces d'eau et de statues baroques (signes du zodiaque, docteurs de l'Église, saisons, vertus, etc.).

Jardins de l'ancien palais épiscopal

Longeant le lac des Couronnes, une allée, terminée par deux escaliers, est bordée de balustres peuplés de statues : les Apôtres et les Évangélistes, à droite, font face aux rois du Portugal, à gauche ; remarquer avec quelle ironie le sculpteur a représenté les rois de la domination espagnole en leur donnant des dimensions réduites et des sobriquets vengeurs. Il se dégage de l'ensemble une atmosphère de merveilleux et l'impression d'être hors du temps, dans un espace ludique et magique.

Convento da Graça (Museu de Arte Sacra da Misericórdia) ⊘ – Situé devant le palais, le couvent da Graça garde de sa construction primitive du 16e s. un portail manuélin. À l'intérieur, où est installée la Santa Casa da Misericórdia, un petit musée d'art sacré présente notamment les statues de la reine sainte Isabelle et de saint Jean de Dieu avec un pauvre, une Vierge à l'Enfant et un Saint Matthieu du 16e s. ainsi que deux crucifix en ivoire.

Passer sous l'escalier à arcades qui enjambe la rua Frei Bartolomeu da Costa.

Cruzeiro de São João – La colonne torse, de style manuélin (16e s.), est surmontée d'une croix sculptée placée sur une couronne d'algues.

Reprendre la voiture et se garer près de l'église Santa Maria do Castelo. À gauche des vestiges du château des Templiers, un escalier descend sous une voûte de tamaris au belvédère de São Gens.

CASTELO BRANCO

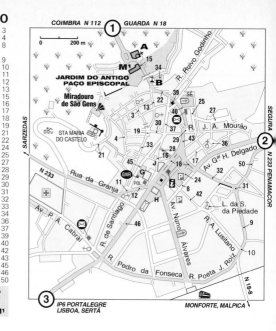

Miradouro de São Gens – Cette esplanade ombragée et fleurie offre une vue étendue sur la ville et ses environs piquetés d'oliviers.

En descendant, on pénètre dans la ville médiévale.

Ville médiévale – Ce quartier, aux ruelles étroites et pavées, avec du linge et des cages à oiseaux suspendus aux fenêtres, possède quelques édifices intéressants, dont l'ancien hôtel de ville situé praça Velha, datant du 17ᵉ s., mais remanié, et, sur la belle praça Camões, l'Arco do Bispo, du 17ᵉ s., ainsi que quelques beaux palais.

EXCURSION

Circuit par Monsanto – *150 km. Quitter Castelo Branco par ② du plan et emprunter la N 233 jusqu'à Penamacor.*

Penamacor – Perché à 600 m d'altitude, ce village d'origine romaine est couronné par son château. Construit en 1209 par Sanche Iᵉʳ, il en reste des pans de muraille et le donjon. Outre les vues panoramiques sur la plaine et les collines environnantes, le vieux Penamacor offre une agréable promenade.
L'**église da Misericórdia** ⊙ présente un beau portail manuélin et, à l'intérieur, au maître-hôtel, un retable en bois doré.
Fondé au 16ᵉ s., le **couvent de Santo António** ⊙ abrite une chapelle ornée d'une tribune et d'un plafond somptueux en bois doré.

Descendre vers le Sud par la N 332 jusqu'à Medelim où l'on prend la N 239 vers l'Est.

★★ **Monsanto** – *Voir ce nom.*

Revenir à Medelim et reprendre la N 332 vers le Sud.

★ **Idanha-a-Velha** – Ce village de 90 habitants fut autrefois une ville romaine prospère, située près de la voie reliant Mérida à Astorga. C'est une sorte de musée en plein air où de nombreuses fouilles nous entraînent vers le passé. En suivant le parcours archéologique signalisé, on passe devant une tour construite par les Templiers au 13ᵉ s. sur les fondations d'un temple romain, une cathédrale d'origine paléochrétienne mais reconstruite cinq fois et qui conserve des traces de tous ces remaniements, un pont romain rebâti au Moyen Âge et de nombreux autres vestiges.

Reprendre la N 332 vers le Sud jusqu'à Alcafozes, où l'on emprunte la N 354 vers Ladoeiro. De là, revenir à Castelo Branco par la N 240.

CASTELO DE VIDE★

District de Portalegre – 3 875 habitants
Carte Michelin n° 940 N 7 – Schéma : Serra de SÃO MAMEDE

Groupée au pied de son château sur une butte allongée de la serra de São Mamede, Castelo de Vide est attachante par ses ruelles tortueuses et fleuries bordées de vieilles maisons blanches étagées en gradins.
C'est une petite station thermale dont les eaux sont réputées pour soigner diabète, hypertension et hépatites.

CURIOSITÉS

Praça Dom Pedro V – Sur cette place s'élève l'église Santa Maria qui fait face au palais Torre (construction baroque du 17e s.) et à l'hôpital Santo Amaro, également du 17e s. À l'opposé, belle demeure du 18e s. et hôtel de ville de la fin du 17e s.
Derrière l'église Santa Maria, prendre une rue qui mène à la Fonte da Vila et à la Judiaria.

★**Quartier juif (Judiaria)** – On arrive d'abord sur une charmante place où se trouve la **Fonte da Vila**, belle fontaine Renaissance en granit. On parcourt ensuite, au pied du château, les ruelles escarpées du quartier juif bordées de maisons chaulées aux portes gothiques. Au croisement de la rue qui monte vers le château et d'une rue transversale, la **synagogue médiévale** évoque le passé de ce quartier.

Château ⓥ – *Franchir les fortifications.*
Un escalier au pied d'une tour ronde du 12e s. conduit au **donjon** : d'une salle à coupole gothique avec citerne, **vue**★ pittoresque sur la ville.

EXCURSION

Monte da Penha – *5 km. De la N 246-1, à 2 km au Sud, se détache une petite route goudronnée.*
Celle-ci grimpe parmi les pins et les rochers jusqu'à la chapelle Nossa Senhora da Penha (alt. 700 m) : de là s'offre un beau **coup d'œil**★ sur Castelo de Vide.

Haute vallée du CÁVADO★

Districts de Braga et Vila Real
Carte Michelin n° 940 ou 441 H 4, 5 et G 5, 6, 7

Le Cávado s'encaisse en amont de Braga entre la serra do Gerês au Nord et les serras da Cabreira et do Barroso au Sud. Dans une haute vallée rocheuse ainsi que dans celle de son affluent, le Rabagão, une succession de barrages retiennent les eaux d'un bleu profond, composant avec les versants boisés et les cimes pelées un paysage pittoresque.

Mise en valeur – Avec une longueur de 118 km, le rio Cávado prend sa source à 1 500 m d'altitude dans la serra do Larouco, très près de la frontière espagnole. Après la traversée du plateau de Montalegre, sa pente s'accentue brutalement (dénivellation de 400 m en 5 km) tandis que son cours prend une direction Nord-Est-Sud-Ouest imposée par une ligne de failles. L'équipement hydroélectrique de cette haute vallée, favorisé par l'imperméabilité des roches granitiques dans lesquelles la rivière a creusé son lit, a été entrepris en 1946 : barrages d'Alto Cávado, de Paradela, de Salamonde et de Caniçada sur le Cávado, d'Alto Rabagão et de Venda Nova sur le Rabagão, et de Vilarinho das Furnas sur le rio Homem. Ces ouvrages produisent annuellement environ 18 % de la production hydroélectrique portugaise.

DE BRAGA À CHAVES *235 km – environ une demi-journée*

Voir le schéma du parc national de PENEDA-GERÊS.

★**Braga** – *Voir ce nom.*
Quitter Braga par ① du plan en direction de Chaves.

Dès la sortie de Braga, la vallée du Cávado, à gauche, se fait profonde et sauvage ; la route en escalade le versant Sud, couvert de pins et d'eucalyptus. À 8 km, sur le bord gauche de la route, un belvédère offre une vue sur le dernier élargissement, verdoyant, de la vallée. On remarque ensuite, en avant puis à droite, une butte couronnée de rochers affectant l'allure d'une forteresse médiévale, et, 3 km plus loin, le château de Póvoa de Lanhoso dressant son donjon derrière Pinheiro. Après ce village, la vallée du Cávado se soustrait au regard tandis qu'apparaît, à droite, la vallée, parallèle, riante et parsemée de hameaux, du Rio Ave. Puis la route s'élève au milieu d'un paysage aux crêtes pelées et rocailleuses souvent hérissées de rocs ruiniformes ; sur les pentes se voient de beaux rochers « en boule », mais aussi des greniers à grains sur pilotis *(espigueiros)* et quelques bovins.

Peu avant Cerdeirinhas, la N 103 revient, en descente, vers le Cávado qu'elle va suivre et dominer désormais, en bordure du parc national de Peneda-Gerês.

La route devient ensuite sinueuse, offrant des **vues**★ plongeantes sur la **retenue de Caniçada**★, longue de 15 km, et sur celle de Salamonde, au pied des pentes pique-tées de pins de la serra do Gerês dont se succèdent les sommets grisâtres et ravinés.

Quitter la N 103 pour la route de Paradela, à gauche, passant sur la crête du barrage de Venda Nova ; au croisement suivant, prendre à droite.

La route tracée en corniche s'élève rapidement tandis que se développent de belles **vues**★★ sur l'enfilade de la vallée et sur la serra do Gerês. Peu avant Paradela, on remarque à gauche un village établi sur un replat rocheux au pied d'une butte schisteuse étrangement déchiquetée et creusée, au revers d'une carrière géante.

La route traverse Paradela et aboutit au barrage du même nom, dans les limites du parc national de Peneda-Gerês.

À Paradela, on pénètre dans la partie Est du **parc national de Peneda-Gerês** *(voir ce nom)*, appelée région de Barroso, où les traditions sont restées extrêmement vivaces : dans les villages, les habitants partagent toujours le four communal ainsi que le bœuf que chacun emprunte pour les travaux des champs.

★**Retenue de Paradela** – La retenue à 112 m au-dessus du lit du Cávado occupe un beau **site**★ de montagne.

À 15 km de Paradela, à **Pitões das Júnias**, on peut voir les ruines romanes d'un monastère bénédictin dont les fondations remontent à la période wisigothique (9e s.). Le granit taché de lichen s'orne, autour du portail, de frises de feuillage stylisé ; quelques arcades permettent d'évoquer le cloître.

Revenir à la N 103.

La route longe la **retenue de Venda Nova** festonnée de presqu'îles.

Vila da Ponte – Gros village sur le bord d'un éperon boisé.

Après Pisões, prendre à droite la route goudronnée qui conduit au barrage do Alto Rabagão.

★**Barragem do Alto Rabagão** – Cette imposante muraille de béton longue de 2 km, au tracé en baïonnette, est flanquée, côté amont, de trois porches cubiques com-mandant les vannes.

Gagner l'extrémité de la route de crête pour avoir la meilleure **vue** sur la retenue.

Revenir à la N 103, on suit la rive Nord du lac avant de tourner à gauche vers Montalegre.

Montalegre – À l'altitude de 966 m, les vieilles maisons à toit rouge de Montalegre entourent l'enceinte d'un château du 14e s., à demi ruiné, dans un joli **site**★. Du pied du donjon, on domine le plateau montagneux et sauvage traversé par le Cávado, et l'on aperçoit au Nord-Est la serra do Larouco où ce fleuve prend sa source.

Dans la haute vallée du Cávado

B. Brillion/MICHELIN

La N 308, route de plateau, bordée de pins et de landes, ramène à la N 103. Cette dernière parcourt aussi les landes rocheuses désolées, couvertes de bruyère et sillonnées de petits torrents, jusqu'à ce que le plateau s'effondre brusquement : la **vue**★★ embrasse alors un immense bassin cultivé et verdoyant au fond duquel sont tapis les vieux villages de **Sapiãos** et **Boticas**.

★**Serra do Barroso** – En prenant la N 311 à Sapiãos, on traverse **Carvalhelhos**, célèbre pour ses eaux *(voir encadré à Chaves)*. Sur une hauteur voisine, à laquelle on accède par un chemin de terre, se trouve le **castro de Carvalhelhos**, structure fortifiée datant de l'âge du fer dont les fondations, portes et murailles sont bien visibles. De Carvalhelhos, une route conduit à **Alturas do Barroso**, village traditionnel de cette montagne isolée et austère. De là, on atteint **Vilarinho Seco**★, le plus caractéristique de ces hameaux de montagne. Les constructions modernes en sont absentes et les maisons rustiques en pierres sèches sombres, à étage (le rez-de-chaussée est réservé à la paille et aux animaux), pourvues d'un balcon et d'un escalier extérieur en bois, couvertes d'un toit de chaume, semblent immuables. Les poules et les chèvres errent en liberté sous les *espigueiros* en granit et les rues sont surtout fréquentées par les attelages de bœufs de la belle race barrosã. Pour résister à la rudesse de ce milieu, l'homme y a perpétué des pratiques communautaires, avec des troupeaux et des prés communs, des fours et des moulins collectifs. La descente vers la N 311 se fait dans un paysage de blocs erratiques arrondis et polis par l'érosion.

On rejoint à Viveiro la N 311, que l'on emprunte à nouveau jusqu'à Sapiãos, où l'on reprend la N 103 vers Chaves.

Chaves – *Voir ce nom.*

CHAVES

District de Vila Real – 13 263 habitants
Carte Michelin n° 940 ou 441 ou Atlas Espagne Portugal p. 21 (G 7)

Dans l'aride province du Trás-os-Montes, Chaves occupe une position privilégiée sur les bords du Tâmega, au centre d'un bassin d'effondrement particulièrement fertile. Grâce au pont bâti sur le fleuve par Trajan, la petite cité d'Aquæ Flaviæ, déjà appréciée par les Romains pour ses eaux thermales, devint une importante étape sur la voie d'Astorga à Braga. Reprise aux Maures en 1160, Chaves fut fortifiée pour assurer le contrôle de la vallée face à la forteresse espagnole de Verín. Au 17e s., on y aménagea des remparts dans le style de Vauban. La ville garde un cachet ancien avec son donjon autour duquel se pressent de pittoresques maisons blanches avec balcons en encorbellement.
C'est aujourd'hui une paisible station thermale, également connue pour son excellent jambon fumé *(presunto)*.

CURIOSITÉS

Pont romain – Le beau jardin sur les rives du fleuve en offre une bonne vue d'ensemble. Dépourvu de ses bords de pierre et de quelques arches, ce pont confère cependant au site un certain charme. Les bornes milliaires qui l'encadrent au Sud portent encore des inscriptions romaines.

Praça de Camões – Au cœur du quartier ancien de Chaves, cette élégante place regroupe plusieurs monuments. Au centre se dresse la statue de Dom Afonso, 1er duc de Bragance.

★**Église da Misericórdia** – La façade de ce petit édifice baroque du 17e s. s'agrémente de balcons et de colonnes torsadées. L'intérieur est tapissé d'azulejos figurant des scènes de la vie du Christ et de la Bible, attribués à Oliveira Bernardes, et abrite un grand retable de bois doré ; le plafond est décoré de peintures du 18e s. dont, au centre, une Visitation.

Museu da Região Flaviense ⊘ – Installé dans l'ancien palais des ducs de Bragance, bel édifice du 17e s., ce musée abrite des collections archéologiques et ethnographiques. Il comprend une salle de vestiges lapidaires préhistoriques – dont la pièce maîtresse est une **figure à forme humaine** mégalithique (environ 2 000 ans avant J.-C.) – et romains (sculptures, bornes milliaires). À l'étage, on peut voir des monnaies et une planche à billets anciennes, une lanterne magique, des récepteurs de radio.

Hôtel de ville – Il présente sur la place une noble façade d'époque classique.

Église paroissiale – Certaines parties sont romanes, mais elle fut reconstruite à la Renaissance comme en témoigne son portail à pilastres sculptés. Sur un mur de l'abside polygonale, une niche abrite la statue en granit de Santa Maria Maior, considérée comme l'une des plus anciennes statues portugaises. Le chœur est surmonté d'une voûte à nervures. De l'autre côté de l'église, sur une autre place, se trouve un **pilori** de style manuélin.

Donjon – Unique vestige du château fort disparu, c'est une puissante tour carrée crénelée, à échauguettes, encore entourée de sa chemise, également quadrangulaire. Bâti par le roi Denis, le château servit de résidence au premier duc de Bragance, bâtard du roi Jean Ier.

Museu militar Ⓥ – Il occupe quatre étages du donjon, les deux premiers exposant des armes et armures anciennes, le troisième évoquant la guerre 1914-1918 (mitrailleuses, uniformes), le quatrième les guerres coloniales (armes portugaises et indigènes). De la plate-forme au sommet *(121 marches)*, panorama sur la ville, les remparts et le bassin cultivé de Chaves.

Eaux et stations thermales

La zone de Chaves est riche en sources thermales, nées de la ligne de fracture Nord/Sud de la région du Haut-Tâmega. Toutes ont des eaux minérales aux propriétés thérapeutiques et font partie d'un ensemble appelé « système thermal du Haut-Tâmega ».

Caldas de Chaves Ⓥ – Ces sources d'eau chaude (73 °C) étaient déjà un lieu de villégiature pour les Romains, qui donnèrent à la ville le nom d'Aquæ Flaviæ. Les eaux, alcalines, bicarbonatées et hyperthermales, sont indiquées dans le traitement des maladies de l'appareil digestif, des rhumatismes et de l'hypertension artérielle. Le moderne établissement thermal s'insère dans un parc bordant le Tâmega.

Termas de Vidago Ⓥ – *11 km au Sud-Ouest de Chaves*. Située dans un beau parc arboré, cette station thermale totalement rénovée est actuellement de celles qui proposent le plus grand nombre de services. Face à l'entrée, la majestueuse façade rose du **Vidago Palace-Hotel**, de style Art déco, nous transporte au début du siècle. L'atmosphère raffinée de la grande époque se retrouve à l'intérieur, superbement décoré, dans un cadre reposant. L'eau bicarbonatée de Vidago est vendue dans tout le pays et l'on y soigne les maladies des appareils digestif et respiratoire et du système nerveux.

Termas de Pedras Salgadas Ⓥ – *31 km au Sud-Ouest de Chaves*. Le magnifique parc de 40 ha où sont situés les thermes permet une agréable promenade. Dans cette station fondée en 1904, les marques du temps, progressivement réparées, produisent une atmosphère d'abandon et de nostalgie. Belles fontaines, établissements de bains et casino du début du siècle. Les eaux bicarbonatées de Pedras Salgadas sont indiquées dans le traitement des maladies des os et de l'appareil digestif.

Caldas Santas de Carvalhelhos Ⓥ – *30 km à l'Ouest de Chaves*. La station thermale de Carvalhelhos est installée dans un agréable parc traversé par de petits cours d'eau et entouré des belles montagnes de la serra do Barroso, à côté de l'usine de mise en bouteilles de cette eau célèbre au Portugal, bicarbonatée et sodique, réputée pour traiter les maladies des appareils digestif et circulatoire.

COIMBRA★★

District de Coimbra – 79 799 habitants
Carte Michelin n° 940 ou 441 L 4

Dominée par la haute tour de sa vieille université, Coimbra s'accroche au versant d'une colline baignée par le Mondego. Maints poètes, inspirés par ce **site★** romantique, ont immortalisé le charme de la ville qui fut la capitale du Portugal après Guimarães, contribuant à en faire la cité des arts et des lettres.

Il faut découvrir Coimbra depuis le pont de Santa Clara ou depuis le belvédère de Vale do Inferno *(voir en fin de chapitre)*. Bien que la ville se soit énormément étendue ces dernières décennies et entourée de quartiers modernes, on distingue bien dans le centre la partie haute (A Alta), qui est traditionnellement le quartier universitaire et épiscopal, et la ville basse (A Baixa) où se trouvent les commerces.

Aujourd'hui, Coimbra est riche de nombreuses activités industrielles et commerçantes qui en font un centre très animé. Les principales industries sont le textile (bonneterie et lainages), les industries alimentaires, les tanneries, les faïences, une usine de matériel photographique et une chaîne de montage de camions.

De nombreux magasins de maroquinerie et de textile, dans les pittoresques rues piétonnes du centre, autour de la **praça do Comércio** et de la rue Ferreira Borges, vendent les productions locales. On trouve la célèbre céramique de Coimbra, bleu et blanc ou polychrome, ainsi que l'artisanat de la région, le long des escaliers qui conduisent à la vieille cathédrale.

De l'Hélicon aux rives du Mondego : l'université – « Le premier [le roi Denis] mit en honneur à Coimbra le noble art de Minerve et convia les Muses à quitter l'Hélicon pour fouler les riantes prairies du Mondego. » C'est en ces termes que Camões décrit dans les *Lusiades* la création de l'université de Coimbra. En réalité c'est à Lisbonne, en 1290, que le roi Denis fonda l'université. Transférée à Coimbra en 1308, elle n'y fut définitivement fixée qu'en 1537 par le roi Jean III qui l'installa dans son propre palais. Faisant appel à des professeurs des universités de Paris, de Salamanque et d'Italie, il fit de la cité l'un des plus importants foyers d'humanisme de l'époque. L'université connut rapidement la concurrence des collèges jésuites et ne retrouva tout son éclat qu'après l'expulsion de la Compagnie de Jésus par Pombal en 1759.

L'école de sculpture de Coimbra – Au début du 16ᵉ s., plusieurs sculpteurs français appartenant au groupe d'artistes protégés par le cardinal-mécène Georges d'Amboise, promoteur en Normandie des « usages et modes d'Italie », viennent exercer leur art à Coimbra. Nicolas Chanterene, Jean de Rouen, Jacques Buxe et Philippe Houdard s'associent aux Portugais João et Diogo de Castilho pour créer, vers 1530, une école de sculpture : leur art, savant et raffiné, s'inspire de la décoration italienne ; les portails, les chaires, les retables et les bas-reliefs des autels sont délicatement ciselés dans la pierre d'Ançã, du calcaire blanc très fin. Ce nouveau style de décoration s'imposera progressivement dans tout le pays.

La vie estudiantine – Somnolente en été, la ville retrouve son animation pendant l'année universitaire avec ses 20 000 étudiants. Certains ont conservé des traditions vieilles de quatre siècles, codifiées en latin burlesque. Drapés dans leur vaste cape noire flottante frangée d'autant de coups de ciseaux qu'ils ont de déceptions sentimentales, ils portent un cartable garni de rubans dont la couleur symbolise leur faculté. Volontiers romantiques, ils jouent de la guitare et chantent des fados qui se distinguent de ceux de Lisbonne par le caractère intellectuel ou sentimental de leurs thèmes. Beaucoup d'entre eux vivent en communautés dites républiques.

Vue générale de Coimbra

Les républiques

Les républiques ont été créées à la fin du 18e s. par les étudiants, désireux de transposer dans leurs communautés les idéaux révolutionnaires français de l'époque. Foyers de contestation et de revendication, elles sont devenues au fil du temps un moyen pratique et économique de se loger. Elles sont généralement composées d'associations de 12 à 20 étudiants, généralement originaires de la même région, qui occupent de vastes appartements et gèrent leur budget commun à tour de rôle. Traditionnellement, ils louaient les services d'une bonne *(tricana)* pour préparer les repas, pris en commun. Au gré de vos déambulations, vous pourrez voir certaines de ces républiques, qui se distinguent par leurs drapeaux ou dessins sur les façades. Fondée en 1933, la **República dos Kágados** *(rua do Correio, 98)* est actuellement la plus ancienne. La **Real República Corsário das Ilhas** *(couraça dos Apóstolos, 112)* arbore le drapeau des corsaires. La plupart portent des noms humoristiques (jeux de mots).

SE LOGER À COIMBRA

Astória – *Av. Emídio Navarro, 21, 3000-150 Coimbra* – ☎ *239 85 30 20* – *fax 239 82 20 57 – 64 chambres – 80/95 €* **(GB)** *– restaurant – air conditionné*. Magnifiquement situé devant le Mondego dans un immeuble cossu, cet hôtel, fréquenté jadis par de nombreux artistes, a conservé un certain charme, en particulier sa salle à manger et son salon de lecture.

Quinta das Lágrimas – *Santa Clara, 3040-111 Coimbra* – ☎ *239 80 23 80* – *fax 239 44 16 95 – 35 chambres, 4 suites – 110/170 €* **(GB)** *– parking – restaurant – air conditionné*.
Cette célèbre quinta *(voir plus loin la description au paragraphe : Sur l'autre rive du Mondego)* a été transformée en luxueux hôtel de charme. Un cadre verdoyant et magique à proximité du centre historique.

SE RESTAURER À COIMBRA

D. Luís – *Dans l'hôtel D. Luís – Santa Clara* – ☎ *239 44 25 10 – 17,50 €* **(GB)**.
Cuisine portugaise et internationale dans un décor moderne. Belles vues sur Coimbra.

Real das Canas – *Vila Mendes, 7* – ☎ *239 81 48 77 – 12,50 €* **(GB)** *– fermé du 1er au 15 août et le mercredi et jours fériés*.
Restaurant à prix modérés proposant une cuisine portugaise typique. Particulièrement agréable le soir pour la belle vue sur la ville et le fleuve.

Dom Pedro – *Av. Emídio Navarro* – ☎ *239 82 91 08 – fax 239 82 46 11 – 12,50 €* **(GB)**.
Situé dans le centre-ville, près du fleuve, cet agréable restaurant décoré d'azulejos propose une cuisine traditionnelle.

Trovador – *Largo da Sé Velha* – ☎ *239 82 54 75 – 22,70 € – fermé du 15 au 28 décembre et le dimanche*.
Sur la place de la cathédrale, ce restaurant spacieux propose une cuisine régionale à des prix raisonnables.

Café Snack-Bar Sé Velha – *R. Joaquim António de Aguiar, 132-134*.
Situé en haut des escaliers devant la cathédrale, ce petit restaurant décoré de panneaux d'azulejos est très fréquenté par les étudiants qui peuvent y improviser leurs fados sur une minuscule scène.

SORTIR À COIMBRA

Très calme en été, la ville s'anime pendant l'année scolaire. Pour commencer la nuit, les étudiants se réunissent aux terrasses de la praça da República. Ensuite, ils peuvent se retrouver dans l'un des bars entourant la cathédrale **(Aqui há Rato, Boémia Bar, Piano Negro, Bigorna~Bar)**, dont certains proposent des concerts de musique, ou bien dans les discothèques **Via Latina** *(r. Almeida Garret, 1*, dotée d'une terrasse), ou **Scotch Club** *(Quinta da Insua – à Santa Clara*, celle qui ferme le plus tard). Les endroits situés de l'autre côté du fleuve sont appréciés. Devant l'un des portails latéraux du Portugal dos Pequeninos, on trouve la **Galeria de Santa Clara**, galerie d'art et bar, avec un agréable jardin, ou plus loin le **Bar de São Francisco**.

★VIEILLE VILLE ET UNIVERSITÉ *3 h*

Laisser la voiture dans un parking le long du Mondego et suivre à pied l'itinéraire sur le plan du centre.

La vieille ville est située sur la colline de l'Alcáçova ; on y accède par un enchevêtrement de ruelles étroites et pittoresques, parfois entrecoupées d'escaliers au nom significatif comme celui de Quebra-Costas (brise-côtes).

Porta de Almedina – Cette porte de la ville au nom arabe (*medina* en arabe signifie ville) est surmontée d'une tour et ornée d'une statue de Vierge à l'Enfant entre deux blasons. C'est l'un des derniers vestiges de l'enceinte médiévale.

Paço de Sub-Ripas – Cet hôtel particulier fut élevé au début du 16e s. dans le style manuélin. La rue passe sous une aile de la **Casa do Arco**.

Torre de Anto – Cette tour de l'enceinte médiévale abrite le centre d'artisanat de la région de Coimbra.

★★**Sé Velha** ⊘ – La construction de l'**ancienne cathédrale** fut décidée par le roi Alphonse Henriques, à l'époque où Coimbra se trouvait à la frontière du monde chrétien et du monde musulman, ce qui explique qu'elle soit fortifiée et couronnée de merlons pyramidaux. Cette cathédrale, la première du pays, fut érigée entre 1140 et 1175 par deux maîtres d'œuvre français, Bernard et Robert, et l'on y trouve des similitudes avec les églises romanes auvergnates et clunisiennes.

Extérieur – La façade principale, très sobre, contraste avec le portail Nord ajouté vers 1530. Celui-ci, attribué à Jean de Rouen, est malheureusement très endommagé : c'était l'une des premières manifestations de la Renaissance au Portugal. Du côté du **chevet**, remarquer, intégrée à la tour que défigure fâcheusement un lanternon baroque, une belle galerie à arcades dont les chapiteaux dénotent une influence orientale.

Intérieur – Au-dessus des collatéraux, une large tribune s'ouvre sur la nef par un élégant triforium aux chapiteaux byzantins d'inspiration orientale comme la lanterne à la croisée du transept.

Le **retable**★ gothique flamboyant du maître-autel, en bois doré, est dû aux maîtres flamands Olivier de Gand et Jean d'Ypres ; à la base, les quatre évangélistes sont disposés autour de la Nativité et de la Résurrection ; au-dessus, entouré de quatre saints, un bel ensemble célèbre l'Assomption de la Vierge dont on admirera le gracieux visage ; un calvaire reposant sur un joli baldaquin couronne le sommet du retable.

À droite du chœur, dans la **chapelle du St-Sacrement**★, belle composition Renaissance, de Tomé Velho, disciple de Jean de Rouen ; en dessous du Christ bénissant entouré de dix apôtres, les quatre évangélistes font face à la Vierge à l'Enfant et à saint Joseph, de part et d'autre du tabernacle. Devant la chapelle, cuve baptismale de style manuélin et Renaissance réalisée en 1520 par Jean de Rouen.

À gauche du chœur, dans la chapelle de St-Pierre ornée d'azulejos de style mudéjar, retable Renaissance (en mauvais état) de Jean de Rouen, évoquant la vie du saint.

Cloître – *Accès par la première porte du bas-côté droit.*

Construit à la fin du 13e s., c'est un ensemble de style de transition roman gothique, restauré au 18e s. : des baies rondes au fenestrage varié surmontent les arcatures. Au Sud du cloître, dans la salle du chapitre, tombeau de Dom Sesnando, premier gouverneur chrétien de Coimbra, mort en 1091.

★★**Museu Nacional Machado de Castro** ⊘ – *Ce musée faisant l'objet d'un important réaménagement, nous ne pouvons en donner une description très précise et nous nous contenterons de citer les principales œuvres.* Il occupe l'ancien palais épiscopal remanié au 16e s. et porte le nom du sculpteur Machado de Castro né à Coimbra en 1731. Le porche Renaissance ouvre sur une cour-patio. Sur le côté Ouest, une loggia réalisée par Philippe Terzi ménage une charmante vue sur le sommet de l'ancienne cathédrale et la ville basse jusqu'au Mondego.

Sculptures – Ce musée est particulièrement riche en sculptures. Près du hall d'entrée, on découvre les quelques arches et colonnes d'un cloître roman du 12e s. Dans les salles de l'aile gauche, les statues du Moyen Âge – petite statue équestre d'un **chevalier médiéval**★, *Vierge enceinte* (Nossa Senhora do Ó), due à maître Pero – introduisent à celles de l'école de Coimbra réalisées à la Renaissance par les sculpteurs Chanterene *(Vierge lisant)*, Houdart et Jean de Rouen *(Mise au tombeau à huit personnages)*, et par le maître des tombeaux royaux : *Vierge de l'Annonciation*. Nombre de statues du 17e s. *(Pietà* en bois polychrome par le frère Cipriano da Cruz)* et du 18e s. complètent cet ensemble.

Objets d'art, peintures – Dans les salles de l'étage, dont on remarquera quelques beaux plafonds en bois (plafond mudéjar du « salon arabe »), est exposée une riche collection de porcelaines et de céramiques portugaises.

La peinture religieuse flamande et portugaise, du 15e au 17e s., est représentée par des œuvres comme les panneaux du retable de Santa Clara, dû à Isembrand, une Assomption du 16e s. par le maître Vicente Gil, une Ascension et une Nativité par les maîtres Vicente Gil et Manuel Vicente (16e s.), trois tableaux de Josefa de Óbidos.

COIMBRA

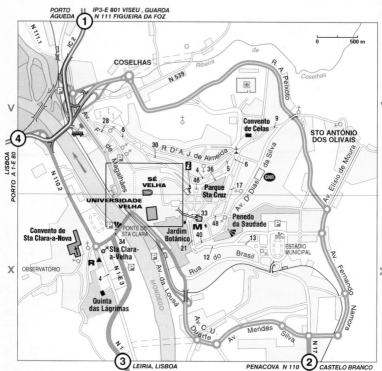

L'orfèvrerie compte des pièces remarquables comme le **calice de Gueda Mendes** (1152) et la **statue-reliquaire de la Vierge et l'Enfant** provenant du trésor de la reine sainte Isabelle.

Cryptoportique – Au sous-sol, une impressionnante enfilade de portes en plein cintre est la première vision de l'on a de ce cryptoportique, base du forum de la ville romaine d'Æminium, qui se trouvait à l'emplacement de Coimbra.

Sé Nova ⊘ – La « nouvelle cathédrale » a été installée en 1772 dans l'ancienne église du collège des jésuites des « Onze Mille Vierges ». Édifiée à partir de 1598, sa façade à deux corps superposés est couronnée de petits frontons à pinacles. Quatre niches dans la partie inférieure abritent des statues des saints de la Compagnie de Jésus. L'intérieur, très vaste, d'une seule nef, est couvert par une voûte en berceau surmontée d'une haute lanterne. Le style baroque prédomine dans les chapelles latérales et le maître-autel, d'où se détachent un imposant retable en bois doré et un magnifique trône d'argent. La cuve baptismale à gauche de l'entrée est de style manuélin et provient de la vieille cathédrale.

★★ **Universidade Velha** ⊘ – La **vieille université** occupe depuis 1540 les bâtiments de l'ancien palais *(paço)* royal, restaurés et aménagés pour devenir le « Paço dos Estudos ».

Porta Férrea – La porte qui donne accès à la cour de l'université fut élevée au 17e s.

La cour – Elle est dominée par une tour du 18e s. À gauche, la cour se termine par une terrasse d'où s'offre un beau panorama sur le Mondego et la plaine. En face se trouvent la bibliothèque et la chapelle et, sur la droite, l'élégant bâtiment du palais des Écoles.

Paços da Universidade – Le **palais des Écoles**, de style manuélin, a été enrichi à la fin du 18e s. d'une galerie à colonnade appelée Via Latina. Le corps central est surmonté d'un fronton triangulaire *(prendre les tickets d'entrée dans ce bâtiment)*. Un escalier mène au premier étage à la loge, jadis réservée aux dames, qui donne sur la **salle des Actes** (Sala dos Capelos), où se déroulent les grandes cérémonies comme l'intronisation du recteur, les soutenances de thèse ou la remise des diplômes. Elle

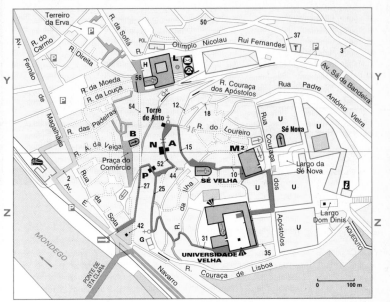

La triste destinée des rubans...

Les rubans qui ornent les capes noires des étudiants indiquent leur discipline : bleu pour les lettres, jaune pour la médecine, rouge pour le droit. Début mai, la place de la vieille cathédrale est le théâtre d'une grande fête qui marque la fin de l'année scolaire. Les rubans sont brûlés dans de grands chaudrons. Cette cérémonie est suivie d'une sérénade, de bals et, pour clore les festivités, d'un thé dansant !

doit son nom au bonnet *(capelo)* qui était remis au licencié. Cette vaste salle, autrefois grand salon du palais, est couverte d'un beau plafond peint du 17ᵉ s. et ornée de portraits des rois du Portugal. À côté se trouve la salle de l'Examen privé, remodelée en 1701 : plafond peint, portraits des anciens recteurs.
Du balcon qui longe à l'extérieur le bâtiment, belle **vue★** sur la ville, l'ancienne cathédrale et les quartiers plus modernes proches du Mondego.

★Chapelle – De style manuélin, cette chapelle au portail élégant est l'œuvre de Marcos Pires. Décorée d'azulejos du 17ᵉ s. et d'un plafond peint, elle abrite un beau **buffet d'orgue★★** du 18ᵉ s. Un petit **musée d'Art sacré** est attenant à la chapelle.

★★Bibliothèque – Édifiée par le roi Jean V en 1724, elle compte trois vastes salles dont le mobilier en bois précieux est rehaussé d'une somptueuse décoration baroque en bois doré.
Des motifs chinois dorés sont peints sur une laque de couleur différente selon la salle : vert, rouge et or. Les plafonds peints en trompe-l'œil sont dus à des artistes italianisants de Lisbonne. L'accès aux rayons supérieurs se fait par des échelles encastrées dans les rayonnages. 30 000 livres et 5 000 manuscrits y sont classés par matière.

Sortir de l'université et rejoindre la porte d'Almedina par la rua Dr Guilherme Moreira.

La bibliothèque de la vieille université

AUTRES CURIOSITÉS

Casa Museu Bissaya-Barreto ⊘ – L'ancienne résidence du professeur Bissaya-Barreto (1886-1974), chirurgien, député et ami de Salazar, conserve sa décoration originale. Construite en 1925 dans un style néobaroque, elle est entourée d'un petit jardin romantique décoré de statues et d'azulejos. L'intérieur révèle les goûts esthétiques de son ancien propriétaire : salon français du 19ᵉ s., azulejos de différentes époques, plafonds peints de fresques, porcelaines de la Compagnie des Indes, de Saxe, argenterie, marbres italiens, une intéressante bibliothèque possédant des livres des 16ᵉ et 17ᵉ s., une collection de peintures placée sous le thème de la mère et de l'enfant (*Vierge à l'Enfant* de Josefa de Óbidos), et plusieurs toiles de José Malhoa, Sousa Pinto, António Vitorino.

Jardim da Sereia ou Parque de Santa Cruz – On pénètre dans ce beau jardin romantique, créé au 18ᵉ s., entre deux tours surmontées d'arcs au décor végétal de mousse et de troncs d'arbres. Un escalier à plusieurs volées, agrémenté de bancs décorés d'azulejos anciens, conduit à une fontaine en forme de grotte, décorée de statues. Des tables de pique-nique, un lac entouré de massifs de buis taillés formant une sorte de labyrinthe, des arbres exotiques, offrent une halte de fraîcheur et de repos au milieu de l'agitation de la ville.

★**Mosteiro de Santa Cruz** ⊘ – Bâti au 16ᵉ s. sur les ruines d'un couvent du 12ᵉ s. qui avait été fondé par Alphonse Henriques, ce monastère est précédé d'un portail Renaissance, œuvre de Nicolas Chanterene et Diogo de Castilho (1520), qui a malheureusement beaucoup souffert des intempéries et a été défiguré au 18ᵉ s.

★**Église** – Son plafond manuélin est soutenu par des colonnes torsadées et des consoles (remarquer les clefs autour desquelles s'articule le rayonnement de la voûte), et ses murs sont ornés d'azulejos qui représentent la vie de saint Augustin. La **chaire**★ Renaissance exécutée par Nicolas Chanterene compte parmi les chefs-d'œuvre de la sculpture. De chaque côté du maître-autel, deux enfeus contiennent les tombeaux des deux premiers rois du Portugal, Alphonse Henriques et Sanche Iᵉʳ ; ils sont encadrés et surmontés d'une riche décoration de fleurs, de statues, de médaillons datant de la fin du gothique et du début de la Renaissance.
Par une porte au fond du chœur, on accède à la **sacristie** où sont conservés quatre tableaux portugais du début du 16ᵉ s. On traverse ensuite la **salle capitulaire** à la belle voûte manuéline et aux azulejos du 17ᵉ s.

★**Cloître du Silence** – Œuvre de Marcos Pires (1524), c'est un modèle de style manuélin pur et dépouillé ; ses galeries sont décorées d'azulejos illustrant les paraboles de l'Évangile ; sur trois bas-reliefs figurent des scènes de la Passion empruntées à des gravures de Dürer.

Tribune – *Accès par la sacristie.* Située à l'entrée de l'église, elle renferme de jolies **stalles**★ en bois sculpté et doré (16e s.), exécutées par des Flamands et le Français François Lorete ; leur couronnement est composé de sphères armillaires, de croix du Christ et de galions évoquant les voyages de Vasco de Gama.

Église São Tiago – Cette petite église romane donne sur la vaste **praça do Comércio**, centre du quartier commerçant de la ville basse. D'intéressants chapiteaux ornent ses portails.

Jardim botânico ⊘ – Créé au 18e s. dans le cadre des réformes de Pombal, le **jardin botanique** en terrasses présente une grande variété d'arbres rares.

Penedo da Saudade – Non loin du jardin botanique, ce parc fleuri et boisé est un très agréable lieu de promenade offrant des vues sur la vallée du Mondego.

Convento de Celas ⊘ – Cet ancien couvent de bernardines du 12e s. fut remanié au 16e s.
L'église est voûtée en étoile. La sacristie, à droite du chœur, conserve d'un **retable**★ de Jean de Rouen (16e s.) deux panneaux représentant l'un saint Jean l'Évangéliste, l'autre le partage du manteau de saint Martin. Le cloître, de style roman (13e s.), avec quelques éléments gothiques, a de jolis chapiteaux historiés.

SUR L'AUTRE RIVE DU MONDEGO

Convento de Santa Clara-a-Velha ⊘ – Les sables du Mondego ont peu à peu réduit à l'état de ruine cette belle église gothique qui reçut le corps d'Inês de Castro avant son transfert à Alcobaça *(voir ce nom).*

Convento de Santa Clara-a-Nova ⊘ – L'église baroque de ce vaste couvent abrite, dans le chœur, le tombeau en argent (17e s.) de la reine sainte Isabelle, dont on voit la statue en bois sculptée par Teixeira Lopes.
Derrière les grilles de clôture, dans le chœur intérieur, on peut voir le **tombeau**★ primitif de la reine (14e s.), en pierre d'Ança peinte, exécuté de son vivant. Le gisant, en habit de clarisse, garde les yeux ouverts. La frise qui parcourt le tombeau représente, d'un côté, des clarisses et leur évêque, de l'autre, le Christ et les apôtres ; au pied, sainte Claire et deux effigies de saintes couronnées ; au chevet, la Crucifixion.

La Fête de la reine sainte

Les années paires, au début du mois de juillet, la ville fête sa sainte patronne, la reine Isabelle. Le jeudi soir, la statue de la sainte sort du couvent de Santa-Clara-a-Nova. Transportée sur un brancard processionnel, elle traverse le pont et parcourt les rues de la ville jusqu'à l'église de la Graça, où elle reste jusqu'au dimanche suivant et retourne ensuite au couvent. Les rues sont envahies par une immense foule, et la statue met des heures pour parcourir quelques mètres. Certains font le chemin pieds nus ou agenouillés. Les plus jeunes sont déguisés en angelots, en roi Denis et reine Isabelle, pour remémorer le **miracle des roses** : la reine, qui portait dans son giron du pain destiné aux pauvres, interrogée par le roi sur ce qu'elle transportait lui aurait répondu : « Ce sont des roses, mon seigneur... », et, ouvrant les pans de sa jupe, elle laissa s'échapper quantité de pétales de rose. C'est pourquoi les habitants ont coutume de lancer sur la statue des pétales de rose de leurs fenêtres décorées de couvre-lits et de grands drapeaux colorés. À minuit, un grand feu d'artifice illumine le Mondego.

Portugal dos Pequeninos ⊘ – Ce « Portugal des tout-petits » a reproduit, à l'échelle des enfants, les monuments et les architectures traditionnelles du pays et des anciennes colonies d'outre-mer (Brésil, Angola, Mozambique, Goa, Macao, etc.). L'une des maisons est aménagée en **musée de l'Enfant** (Museu da Criança). Pour les adultes, c'est le voyage de Gulliver chez les Lilliputiens.

Portugal dos Pequeninos

B. Brillon/MICHELIN

Quinta das Lágrimas ⊘ – Ce nom qui signifie villa des larmes rappelle que, d'après une légende née de quelques vers de Camoens, c'est dans ce petit parc boisé et romantique qu'Inès de Castro aurait été assassinée. La quinta abrite désormais un hôtel de luxe *(voir carnet d'adresses)*.

Miradouro do Vale do Inferno – *4 km. Sortir par* ③ *du plan et prendre une petite route à droite en direction de Vale do Inferno (forte montée ; à une bifurcation, prendre à droite).*
De ce belvédère, beau **point de vue**★ sur le site de Coimbra.

EXCURSIONS

Circuit de 90 km – *Prévoir une journée. Quitter Coimbra par* ② *du plan, N 17, et, après 27 km, prendre à gauche vers Penacova. La route vallonnée offre de jolies vues sur la vallée du Mondego et le site perché de Penacova ; franchir le Mondego à la hauteur de Penacova et prendre la N 235.*

Luso – Agréable station thermale dont les eaux radioactives sont utilisées dans le traitement des affections rénales. L'eau minérale de Luso est l'une des plus connues et consommées au Portugal. Son confortable **Hôtel das Termas**, des années 1940, a été conçu par l'architecte Raúl Lino.

★★**Forêt de Buçaco** – *Voir ce nom.*

Mealhada – À proximité de la grande route (IC 2), Mealhada est réputée pour son porcelet rôti *(leitão assado)* que proposent les nombreux restaurants alignés le long de la route.

★**Conímbriga** – *Circuit de 60 km (nombreux virages) – environ 2 h 1/2.*

Quitter Coimbra par ③ *du plan, N 1. À 14 km, tourner à gauche vers Condeixa.*

★**Ruines de Conímbriga** – *Voir ce nom.*

Penela – Village commandé par un château fort des 11e et 12e s. ; du donjon, construit à même le rocher, **panorama**★ sur le château, le village et la serra da Lousã, à l'Est. Au Sud du château, dans l'église Santa Eufémia, retable Renaissance de l'école de sculpture de Coimbra (Assomption surmontée d'une Trinité).

Rentrer à Coimbra par la N 110, route serpentant dans un paysage verdoyant.

Cúria – Les Romains déjà exploitaient cette petite station (Aquæ Curiva), de nos jours exclusivement consacrée aux cures thermales. Ses eaux sont indiquées dans le traitement des maladies métaboliques et endocriniennes, musculaires et du squelette, dans l'hypertension et les rhumatismes. On y trouve de grands hôtels construits au début du 20e s.

Rentrer à Coimbra par la N 1, directe.

SE LOGER À CÚRIA

Palace-Hotel da Cúria – *3780-541 Tamengos* – ☎ *231 51 03 00 – fax 231 51 55 31 – 75/85 € – fermé de novembre à février.*
Ce grand hôtel du début du 20e s. semble figé dans le temps et nous transporte vers les fastes d'antan. De grands salons, une salle de bal et au rez-de-chaussée une suite de petites salles – barbier, manucure, pédicure, ping-pong, tabac, boutique de souvenirs, nurserie – évoquent vivement le passé. Les traces du temps ajoutent un charme mélancolique à ce magnifique hôtel. Il dispose d'une piscine très au goût des années 1930.

Hotel das Termas – *3780-541 Tamengos* – ☎ *231 51 21 85 – fax 231 51 58 38 – 75/90 €.*
Il s'élève dans un grand parc (dont l'entrée est payante) à la végétation dense, disposant d'un lac sur lequel on peut se promener en barque. Érigé dans les années 1930, il possède une belle piscine et offre une grande variété de traitements.

Grande Hotel da Cúria – *3780-541 Tamengos* – ☎ *231 51 57 20 – fax 231 51 53 17 – 90/106 €.*
Cet établissement des années 1920 a moins de charme que le premier, mais il offre tout le confort moderne, avec des chambres spacieuses et décorées de meubles Art déco. Traitements très complets, suivi médical, piscine couverte et découverte.

Ruines de CONÍMBRIGA★

District de Coimbra

Carte Michelin nº 940 ou 441 L 4

Sises sur un éperon triangulaire limité par deux vallées encaissées, les ruines romaines de Conímbriga comptent parmi les plus belles de la péninsule Ibérique.

Dès l'âge du fer s'élevait là une cité celte. Mais les ruines que l'on voit actuellement sont celles d'une ville romaine qui, fondée au 1er s. de part et d'autre d'une voie importante qui reliait Lisbonne à Braga, connut une longue période de prospérité. Au 3e s. cependant, devant la menace des invasions barbares, les habitants construisirent un rempart, laissant en dehors une partie de la ville (dont ils utilisèrent cependant les matériaux pour édifier leur muraille).

En dépit de ces mesures, Conímbriga tomba, en 468, aux mains des Suèves et la ville déclina au profit de l'actuelle Coimbra, dont le nom vient de Conímbriga.

VISITE ⊙ 1 h

Laisser la voiture devant le musée, prendre le chemin qui se dirige vers l'entrée des ruines et suivre l'itinéraire indiqué sur le plan.

Traverser la **maison au Svastika** (motif en forme de croix gammée) et la **maison des Squelettes**, pavées de belles mosaïques.

On visite ensuite un établissement thermal avec un intéressant exemple de *laconicum* (genre de sauna) (1).

★**Maison de Cantaber** – Cette demeure, l'une des plus grandes du monde occidental romain, aurait appartenu à un nommé Cantaber dont la femme et les enfants furent emmenés en captivité lors d'une attaque de la ville en 465 par les Suèves, envahisseurs germaniques.

On visite d'abord les thermes privés : le frigidarium (2) avec ses piscines pour bains froids, le tepidarium (bains tièdes) et le caldarium (bains chauds – 3), installés sur un hypocauste (salle de chauffe) dont on aperçoit l'emplacement des foyers et le système souterrain de circulation d'air chaud ; quelques tuyauteries en plomb sont encore visibles.

On arrive ensuite devant l'entrée de la maison orientée vers le Nord : une colonnade (4) précédait l'atrium (5) ; en passant de l'atrium au péristyle central (6), remarquer sur le sol une curieuse pierre (7) avec une rosace qui permet d'entrevoir l'égout. Autour de l'impluvium (8) qui se trouve à gauche du péristyle se distribuent des chambres à coucher. Du triclinium (9), qui était à la fois un salon et une salle à manger, on voit trois bassins ; le plus intéressant (10) est bordé de colonnes dont une a gardé son revêtement primitif peint en rouge. Prenant appui sur le rempart, un ensemble de trois pièces (11) retient l'attention par son joli bassin décoratif à plates-bandes en forme de croix.

Ville antique – Au Nord-Ouest de la maison de Cantaber, on a découvert le centre de la ville antique : le **forum**, une hôtellerie et des thermes, tandis qu'au Sud-Ouest les fouilles ont mis au jour un quartier d'artisans et des thermes monumentaux.

Aqueduc – Long de 3,5 km jusqu'à Alcabideque où l'eau était captée, il aboutissait à la tour de distribution près de l'arc (reconstitué) attenant à la muraille.

★★**Maison aux Jeux d'eau** – *Une passerelle a été aménagée au Nord pour en faciliter la visite.*

Cette villa, qui appartenait à un certain Rufus, date de la première moitié du 2e s., mais fut construite sur l'emplacement d'un édifice du 1er s. On en voit très clairement la disposition des pièces à partir des bases des colonnes et du pavement en grande partie constitué de

Mosaïque de la maison aux Jeux d'eau

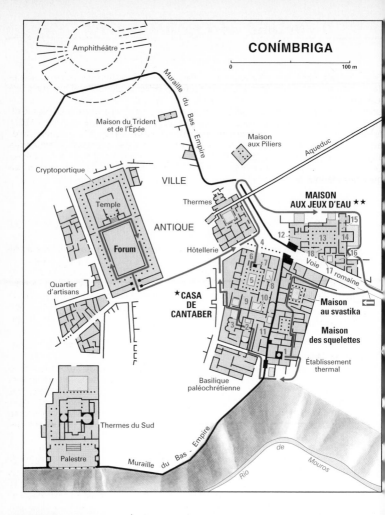

CONÍMBRIGA

magnifiques mosaïques. À l'intérieur, on reconnaît l'atrium (**12**) ou vestibule d'entrée, le péristyle (**13**) et le triclinium (**14**) ; celui-ci était bordé d'un bassin. Autour de ces pièces se répartissaient les locaux d'habitation et les communs. Leur sol est recouvert de **mosaïques★★** d'une extraordinaire variété.

Dans une pièce à gauche du triclinium, une belle composition polychrome (**15**) représente des scènes de chasse, les quatre saisons et un quadrige.

Une autre des pièces (**16**) donnant sur l'impluvium présente une scène de chasse au cerf dont on admirera l'élégance des attitudes.

Le pavement d'une chambre à coucher (cubiculum – **17**) comprend des motifs géométriques et végétaux qui encadrent Silène chevauchant un âne tiré par la longe. À côté, un salon (**18**) s'ouvrant sur le péristyle est décoré d'une remarquable mosaïque : au centre d'une décoration représentant des échassiers, des dauphins et des dragons de mer, un centaure marin entouré de dauphins brandit un étendard et un poisson. Enfin, dans l'angle Sud-Ouest du péristyle, on remarquera Persée tenant dans sa main droite la tête de Méduse qu'il semble offrir à un monstre marin.

La maison longe un tronçon de la voie romaine que l'on reprend pour rejoindre le musée.

Museu Monográfico ⊘ – Céramiques, sculptures, épigraphes, mosaïques et petits objets évoquent les conditions socio-économiques dans lesquelles vivaient les habitants de cette ville romaine du début de l'Empire romain à la fin du 6ᵉ s.

CRATO

District de Portalegre – 2 090 habitants
Carte Michelin n° 940 O 7

Crato fut dès 1350 le siège d'un prieuré de l'ordre des Hospitaliers de St-Jean-de-Jérusalem qui devint ensuite l'ordre de Malte. Le titre de prieur de Crato fut porté jusqu'au 16ᵉ s.

Le prieur le plus célèbre fut **Antoine de Portugal**, petit-fils du roi Manuel et bâtard de l'infant Louis, qui, prétendant à la couronne après la mort du roi Henri Iᵉʳ en 1580, fut finalement évincé par son cousin Philippe II d'Espagne. En 1356, le commandement et la résidence des chevaliers furent transférés dans la forteresse-monastère située dans le village voisin de Flor da Rosa, mais Crato conserva son rôle de prieuré. Le château fut incendié en 1662 par don Juan d'Autriche, mais l'on voit encore quelques maisons anciennes.

ENVIRONS

À 3 km, le village de **Flor da Rosa** est un centre de fabrication de poterie très ancien, dont la spécialité est la *caçoila*, jatte à fond rond destinée à la cuisson des aliments.

★**Monastère de Flor da Rosa** ⊙ – Ce monastère-forteresse de l'ordre de Malte fut édifié en 1356 par le prieur Álvaro Gonçalves Pereira, père de Nuno Álvares Pereira qui battit les Castillans à Aljubarrota. Il forme un ensemble compact et fortifié dont les murailles s'achèvent par des créneaux. Il abrite désormais une magnifique **pousada**. À droite, l'**église**★ a fait l'objet d'une remarquable restauration : elle frappe par la simplicité de ses lignes et la hauteur impressionnante de sa nef. Au centre, le petit cloître fleuri date d'une architecture robuste mais élégante, grâce à ses jolies voûtes en réseau de la fin du gothique.

Dans le réfectoire, une belle voûte s'appuie sur trois colonnes torses.

Alter do Chão – *12 km au Sud par la N 245.*

Alter do Chão se groupe autour d'un **château** (14ᵉ s.) qui dresse ses tours crénelées au-dessus de la place centrale pavée d'une mosaïque de pierres noires et blanches. Du sommet du donjon, haut de 44 m, **vue** sur la cité et les oliveraies des environs.

Au Nord du château, sur la place, une **fontaine** de marbre du 16ᵉ s. est encadrée d'élégantes colonnettes dont les chapiteaux classiques supportent un bel entablement.

Coudelaria de Alter Real ⊙ – *À 3 km environ de la localité, suivre les panneaux d'indication.* Le haras royal a été fondé en 1748, à la fin du règne de Dom João V, afin que l'on y élève des chevaux destinés au manège royal. De nos jours, le haras se consacre à l'élevage et à l'amélioration des races de pur-sang lusitanien et alter (croisement d'une jument lusitanienne et d'un étalon andalou) et à l'enseignement de l'art équestre portugais.

La visite *(il est conseillé de réserver)* nous plonge dans une autre époque, dans ce lieu singulier, hors du temps, au milieu des beaux paysages de l'Alentejo. On y visite les écuries, le manège et diverses dépendances, ainsi qu'un intéressant **musée du Cheval**, exposant des voitures d'attelage anciennes, des harnais et autres ustensiles liés au cheval, complétés par une présentation historique du haras.

Autre lieu surprenant, la **fauconnerie** abrite des faucons aux yeux couverts et expose un ensemble de chaperons (les coiffes de ces rapaces) dont les plus anciens datent du Moyen Âge.

Vallée du DOURO★★

Carte Michelin n° 940 ou 441 I 5, 6

Le Douro est l'un des fleuves les plus importants de la péninsule Ibérique ; seul son cours inférieur traverse le Portugal ; son nom se lie alors traditionnellement à celui du vin de Porto, récolté sur les versants de la vallée près de la frontière espagnole.

Traits physiques – Le Douro naît en Espagne, à 2 060 m d'altitude, dans la sierra de Urbión appartenant à la cordillère ibérique. Il serpente à travers la Meseta pendant près de 525 km. Puis, sur 112 km, il marque la frontière entre les deux pays dans une région accidentée, sa pente s'accentue et son lit se creuse entre de hautes parois granitiques.

En aval de Barca de Alva, il devient complètement portugais sur les 215 derniers kilomètres de son cours. Son profil s'adoucit alors, mais il reste prisonnier des granits et des schistes jusqu'à son estuaire que contrôle Porto. Le régime annuel du fleuve, tributaire des fortes pluies d'automne et d'hiver, est ici très irrégulier : aux étiages, surtout marqués en amont de Régua, s'opposent de fortes crues d'automne et d'hiver dans la région de Porto.

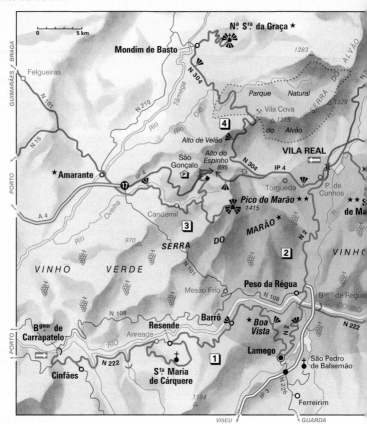

Mise en valeur – À partir du 18ᵉ s., le Douro a joué un rôle important dans le déve-loppement de la région. Portant les « **barcos rabelos** », typiques embarcations à fond plat et à haute voile carrée conçues pour franchir les rapides, il assurait le transport des fruits et surtout du vin de Porto. Mais la création de routes carrossables et d'une voie ferrée suivant la vallée, de la frontière espagnole à hauteur de Cinfães, a mis un terme à cette activité.

Dans les années 1960, on a tiré parti de la précieuse réserve d'énergie que représente pour le Portugal le bassin du Douro, favorisé, sous ce rapport, par l'imperméabilité des roches, le profil des cours d'eau et l'encaissement des vallées.

Au total, ce sont une dizaine de grands barrages qui ont été alors dressés en quelques années sur le Douro, aussi bien sur son cours portugais que sur son cours interna-tional *(voir Miranda do Douro)*. Avec la quinzaine de barrages édifiés également sur les affluents, le bassin du Douro contribue à fournir une grande partie de l'énergie électrique consommée dans le pays.

En outre, les lacs de retenue ainsi formés permettent d'assurer l'irrigation des terres cultivables. Le système d'écluses dont sont pourvus les barrages a permis la reprise de la navigation sur le Douro, favorisant ainsi l'exploitation des nombreuses ressources du sous-sol (gisements d'étain et de wolfram au Nord de Miranda, de fer dans la serra do Reboredo près de Torre de Moncorvo, et à Vila Cova, dans la serra do Marão). Des dispositions ont été prises pour faciliter le passage des poissons migrateurs.

★RÉGION DU « VINHO VERDE »

① Du barrage de Carrapatelo à Lamego
62 km – environ 2 h 1/2

La basse vallée du fleuve, au voisinage de Porto, n'est pas le domaine du grand vin de ce nom mais celui du célèbre « **vinho verde** » ou **vin vert**. Le porto proprement dit s'élabore beaucoup plus à l'Est, de Régua à la frontière espagnole.

Le Douro, élargi par ses barrages successifs, coule encaissé entre les pentes de col-lines qu'il contourne en d'amples méandres. Les versants schisteux ou granitiques, plus boisés rive droite, plus cultivés rive gauche où semblent suspendus de petits villages blancs au milieu des vignes, oliveraies ou champs de maïs disposés en ter-rasses, composent avec le fleuve un paysage des plus riants, malgré les rappels de la civilisation industrielle que constituent la voie ferrée, le barrage de Carrapatelo,

quelques usines, et les installations d'acheminement du charbon des mines de Pejão (rive gauche).

Deux routes sinueuses mais souvent pittoresques, parfois en corniche, parfois au ras de l'eau, épousent les rives du Douro entre Porto et Peso da Régua : la N 108 au Nord, la N 222 au Sud.

Barragem de Carrapatelo – Long de 170 m, c'est un barrage-poids qui comporte, rive gauche, une usine hydroélectrique et une écluse à poissons ; rive droite, l'écluse navigable longue de 90 m présente une dénivellation de 43 m.

Cinfães – Centre de commercialisation du *vinho verde*.

Continuer par la N 222 jusqu'à Anreade. Tourner à droite par la route d'Ovadas, au Sud. 5,5 km après, prendre à gauche.

Priorado de Santa Maria de Cárquere – Ne subsistent du **prieuré** que l'église et la chapelle funéraire des seigneurs de Resende, reliées par une arche monumentale. L'église, retouchée aux 13e, 14e, 16e et 17e s. (tour carrée à créneaux et chœur gothiques, façade et nef manuélines), a conservé un portail roman orné de colonnettes et de chapiteaux à entrelacs ; le chœur, sous croisée d'ogives, présente *(à gauche)* une porte à fronton aigu à double cordon de billettes. La chapelle, percée d'une remarquable fenêtre romane aux chapiteaux sculptés de pélicans, abrite quatre sarcophages de pierre sculptés d'animaux (chèvres) et d'inscriptions.

Revenir à la N 222 et tourner à droite.

Resende – Important centre viticole.

Barrô – Jolie vue sur les versants boisés de la vallée ; l'église romane du 12e s. *(prendre le chemin à gauche à la sortie Est du village)* possède un tympan sculpté et une jolie rosace.

Scène de vendanges

À 6 km, tourner à droite par la N 226.

★Miradouro da Boa Vista – Ce belvédère dispense une **vue** dominante sur le Dourc et le versant Nord de sa vallée, zébré de vignes sur échalas et d'oliviers en terrasses ; quelques villages et quintas (propriétés) se disséminent çà et là ; au bord du fleuve s'entassent les maisons blanches de Régua ; les sommets arides et grisâtres de la serra do Marão se découpent à l'horizon.

Lamego – *Voir ce nom.*

★★VIGNOBLE DU PORTO

② Circuit au départ de Lamego
112 km – environ 3 h

« Dieu créa la Terre et l'homme le Douro », dit-on ici. Il faut avoir vu les rives du Douro complètement sculptées en hauts gradins soutenant chacun quelques rangs de vigne pour comprendre l'immense travail réalisé par les hommes depuis plus de vingt siècles.
Ce spectacle est particulièrement fascinant de mi-septembre à mi-octobre quand ces gradins deviennent le domaine de milliers de vendangeurs. Sur près de 40 000 ha répartis dans la « région délimitée du Douro », des vignes sont ainsi cultivées. Près de la moitié de la production est dévolue à l'appellation d'origine « porto » et c'est des meilleurs raisins, qui mûrissent bien à l'abri dans cette vallée où en été la température atteint facilement 40 °C, que naît le précieux vin. Le reste est utilisé principalement pour la production des vins d'appellation « douro ».

Lamego – *Voir ce nom.*
Par la N 2 qui franchit le Douro, puis s'élève au-dessus de la vallée du Rio Corgo, gagner Vila Real.

Vila Real – *Voir ce nom.*
Quitter Vila Real par la N 322 à l'Est, en direction de Sabrosa.

★★Solar de Mateus – *Voir Vila Real.*

Sabrosa – C'est la ville natale de Magellan.

★★Route de Sabrosa à Pinhão – Quittant Sabrosa, la N 323 dégringole vers le Dourc en dominant la vallée encaissée du rio Pinhão, à gauche. Les pentes se strient de terrasses couvertes de vignes parmi lesquelles surgissent les propriétés (quintas). 7 km avant Pinhão se révèle une belle **vue★** d'ensemble sur le méandre du Douro et le confluent de ce dernier avec le rio Pinhão.

Pinhão – Important centre viticole, Pinhão est situé au confluent du rio Pinhão et du Douro. D'ici, le vin partait en bateau ou en train depuis la **gare** ornée d'azulejos illustrant les sites et les costumes traditionnels de la vallée. Aujourd'hui, le vin est acheminé par camion. Près de la rivière s'alignent des cuves blanches.
Pour ceux qui ont le temps, une excursion jusqu'à **São João da Pesqueira** *(18 km de route en lacet par la N 222 à l'Est)* permet de découvrir d'autres paysages de vignobles en terrasses dans la vallée du rio Torto, ainsi que la bourgade de plateau de São João da Pesqueira dont la place principale s'orne d'une chapelle, d'arcades et de maisons blanches à balcon.
À partir de Pinhão, la route *(N 222)* suit le fond de la vallée entre des versants schisteux aménagés en terrasses que soutiennent des murettes de pierres sèches : la vigne revêt ici l'aspect d'une véritable monoculture.

Peso da Régua – Au confluent du Corgo et du Douro, cette ville organise l'expédition par train des vins du « Haut-Douro » à destination de Porto. Porte du vignoble, elle est le siège des deux puissants organismes qui réglementent le porto : la « Casa do Douro » et l'Institut du vin de Porto, où l'on peut obtenir des renseignements sur la **« route du Vin de Porto »**.
Peso da Régua est le point de départ pour des promenades en bateau sur le fleuve, le long des célèbres vignes et des beaux paysages du Douro. S'informer auprès de l'Office de tourisme.
De Peso da Régua, pour rejoindre Lamego, prendre la N 2 vers le Sud, direction Lamego. La route s'élève dans un paysage d'une agréable fraîcheur ; de l'un des tournants s'offre une belle **échappée** sur le site étagé de Peso da Régua.

★SERRA DO MARÃO *Voir ce nom.*

③ De Vila Real à Amarante

④ De Vila Real à Mondim de Basto

ELVAS★

District de Portalegre – 10 026 habitants
Carte Michelin n° 940 P 8

À quelques kilomètres de la citadelle espagnole de Badajoz, Elvas est une importante place forte encore entourée de ses remparts. Occupée par les Maures jusqu'en 1226, elle résista par la suite victorieusement à maintes attaques espagnoles ; mais elle fut investie en 1580 par les troupes de Philippe II.

La ville est un gros marché agricole ; ses prunes confites sont appréciées des gourmets. Son commerce de produits textiles (coton) attire de nombreux visiteurs du pays voisin.

La guerre des Oranges – En février 1801, l'Espagne, sous la pression du consul Bonaparte, envoie un ultimatum au Portugal, le sommant de mettre un terme à l'alliance avec l'Angleterre et de fermer ses ports à tout navire anglais. Devant le refus du Portugal, l'Espagne lui déclare la guerre et ses troupes dirigées par Godoy, le favori de la reine, envahissent l'Alentejo. Olivença se rend sans offrir aucune résistance. À l'annonce de cette nouvelle, Godoy, qui vient d'entreprendre le siège d'Elvas, envoie comme trophée à Marie-Louise d'Espagne deux rameaux d'oranger cueillis par ses soldats au pied des remparts de la ville. Le fait amuse les Madrilènes à qui la guerre devra son surnom. Malgré la résistance d'Elvas et de Campo Major, la paix, signée en septembre à Badajoz, retire au Portugal Olivença et son territoire et l'oblige à interdire ses ports aux Anglais.

CURIOSITÉS

★★**Remparts** – Exemple le plus accompli de l'architecture militaire portugaise au 17ᵉ s., les fortifications d'Elvas, dont les sombres merlons bien appareillés contrastent avec les façades blanches des maisons qu'elles protègent, ont été édifiées selon les techniques de Vauban. Avec leurs portes fortifiées, leurs fossés, leurs courtines, leurs bastions, leurs glacis, elles forment un ensemble défensif remarquable, que complètent, au Sud, le fort de Santa Luzia (17ᵉ s.) et, au Nord, celui de Graça (18ᵉ s.), perchés sur deux collines.
Pour bien sentir la puissance du système, on fera le tour *(5 km)* de la cité.

★**Aqueduc de Amoreira** – Bâti de 1498 à 1622, sur les plans de Francisco de Arruda, il s'étend sur 7,5 km au Sud-Ouest de la ville, qu'il alimente encore en eau.

Pénétrer à l'intérieur des remparts par le Sud jusqu'à la rua da Cidadela ; passer à gauche sous l'Arco do Relógio (16ᵉ s.) qui donne accès à la praça da República.

Praça da República – Limitée au Sud par l'ancien hôtel de ville et au Nord par l'ancienne cathédrale, elle forme une mosaïque de pavés de basalte, de marbre et de grès géométriquement ordonnés.

Sé – D'origine gothique, la **cathédrale** a été réédifiée au 16ᵉ s. dans le style manuélin par Francisco de Arruda, ainsi qu'en témoignent le clocher et les deux portails latéraux.
L'intérieur, dont les piliers ont été décorés à l'époque manuéline, abrite un chœur (18ᵉ s.) entièrement plaqué de marbre.

Prendre à droite de la cathédrale la rue qui mène au largo de Santa Clara.

★**Largo de Santa Clara** – C'est une pittoresque placette triangulaire bordée de maisons à grilles en fer forgé et façades écussonnées ; une porte arabe flanquée de deux tours et surmontée d'une loggia constitue un vestige de l'enceinte primitive (10ᵉ s.). Au centre de la place, le pittoresque **pilori**★ (16ᵉ s.) en marbre a conservé ses quatre crochets de fer fixés au chapiteau.

Le pilori

G. Biollay/PHOTONONSTOP

143

★**Église Nossa Senhora da Consolação** – Située au Sud du largo de Santa Clara, elle a été construite au 16ᵉ s. dans le style Renaissance. C'est un édifice octogonal dont l'intérieur, surmonté d'une coupole s'appuyant sur huit colonnes peintes, est complètement revêtu de beaux **azulejos**★ polychromes du 17ᵉ s. La chaire, soutenue par une colonne de marbre, présente un appui en fer forgé du 16ᵉ s.

Passer sous l'arc arabe et remonter la rue qui conduit au largo da Alcáçova où prendre à gauche, puis à droite une ruelle étroite et fleurie qui aboutit au château.

Château ⊘ – Il a été construit par les Maures et consolidé aux 14ᵉ et 16ᵉ s. Le donjon (15ᵉ s.) en occupe l'angle Nord-Ouest. Du haut des remparts, panorama sur la ville entourée de fortifications et sur les alentours piquetés d'oliviers.

Cabo ESPICHEL★

Cap ESPICHEL – District de Setúbal
Carte Michelin n° 940 Q 2

Pointe Sud de la serra da Arrábida *(voir Arrábida)*, le cap Espichel est un véritable finistère violemment balayé par le vent. Au large de ce cap, **Dom Fuas Roupinho**, qui s'était déjà distingué auprès du roi Alphonse Iᵉʳ dans la lutte contre les Maures, remporta sur ceux-ci, en 1180, une brillante victoire navale : les marins portugais, malgré leur inexpérience dans ce genre de combat, réussirent à capturer plusieurs navires ennemis. Dans ce **site**★ désolé se dresse le sanctuaire de Nossa Senhora do Cabo (N.-D.-du-Cap). Ce fut, dès le 13ᵉ s., un lieu de pèlerinage fréquenté. Les bâtiments latéraux à arcades, formant une immense **place**, ont été érigés au 18ᵉ s. par les pèlerins.

Sanctuaire Nossa Senhora do Cabo ⊘ – L'église (17ᵉ s.), de style classique, présente un intérieur baroque décoré de nombreux bois dorés.

Contourner le sanctuaire et s'avancer jusqu'au parapet sur le bord de la falaise.

La falaise domine l'Océan en un à-pic de plus de 100 m. À 50 m vers l'Ouest, en contrebas d'une chapelle ornée d'azulejos, se tapit une petite crique.

ESTORIL★

District de Lisboa – 23 575 habitants
Carte Michelin n° 940 P 1 – Plan dans Le Guide Rouge Portugal

Sur la route de corniche reliant Lisbonne et Cascais, Estoril est une station balnéaire et hivernale de la Costa do Estoril, favorisée par la luminosité de son ciel et la douceur de son climat (12 ℃ de moyenne en hiver).

Naguère modeste village tout juste connu pour les vertus curatives de ses eaux thermales, Estoril attire maintenant une élégante clientèle internationale par la qualité de ses distractions (golf, casino, pêche sur une côte poissonneuse) et des compétitions sportives qui s'y déroulent (courses automobiles, régates, concours hippiques), par sa situation très agréable en vue de la baie de Cascais, par son parc aux essences tropicales et exotiques, par ses avenues bien tracées et bordées de palmiers, par ses plages de sable fin et par le succès de ses fêtes (Fêtes de la mer en juillet).

On trouvera une sélection d'hôtels et de restaurants d'Estoril au Carnet d'adresses de Lisbonne.

Serra da ESTRELA★

Carte Michelin n° 940 K 6 et 7, L 6 et 7

La serra da Estrela, massif le plus élevé du pays (point culminant au Torre : 1 993 m), se présente comme une barrière montagneuse longue de 60 km et large de 30 km. Au-dessus de ses versants cultivés et boisés, les sommets apparaissent arides et hérissés de blocs rocheux.

Le tourisme se développe dans cette région autrefois isolée ; Penhas da Saúde est devenue une station de sports d'hiver. Covilhã, Seia, Gouveia et Manteigas, bourgades situées au contact de la plaine, des centres d'excursions en montagne.

Un peu de géographie – La serra d'Estrela est un bloc granitique qui prolonge, vers le Sud-Ouest, la cordillère centrale espagnole. Elle est limitée au Nord et au Sud par deux escarpements de failles qui dominent de plusieurs centaines de mètres les vallées du Mondego et du Zêzere ; vers l'Ouest, elle se termine en abrupt au-dessus des croupes schisteuses de la serra da Lousã. Si l'on excepte la profonde entaille de la haute vallée glaciaire du Zêzere, le relief est assez uniforme, la plupart des sommets atteignant 1 500 m. Le boisement (pins, chênes) disparaît vers 1 300 m d'altitude pour laisser la place à une herbe rase, à quelques fleurs et aux rochers ; seuls les fonds de vallées sont cultivés (maïs, seigle). Sur les sommets, qui reçoivent plus de 2 m de pluie et de neige par an, les gelées durent neuf mois, les étés sont en général chauds et très secs.

Autrefois, seuls quelques bergers pratiquant la transhumance hantaient ces lieux. De nos jours, des troupeaux de moutons et de chèvres venus de la vallée du Mondego estivent encore dans la montagne, ce qui permet le développement de l'industrie lainière à Covilhã et Fundão et la fabrication, en hiver, d'un délicieux fromage, le *queijo da serra* (fromage de la montagne), préparé avec un mélange de lait de brebis et de chèvre.

★★ROUTE DU MONT TORRE

① De Covilhã à Seia *49 km – environ 2 h*

Cet itinéraire emprunte la route la plus élevée du Portugal *(souvent interdite à la circulation jusqu'à fin avril en raison de l'enneigement)*.

Covilhã – (déplacement depuis la promenade 2) Étalée sur les premières pentes boisées du flanc Sud de la serra, au contact de la riche vallée du Zêzere, appelée Cova da Beira, Covilhã est une station climatique, un centre d'excursions qui dessert la station de sports d'hiver de **Penhas da Saúde** et une localité animée grâce à la présence des étudiants de son université. Elle est également connue pour son fameux fromage, le *queijo da serra* ; enfin, cette petite ville industrielle produit les deux tiers des lainages du Portugal, dont on pourra voir certaines fabriques en ville, près de la rivière.

Museu de Lanifícios ⊙ – Intégré dans les bâtiments de l'université de la Beira Interior, cet intéressant musée a été aménagé dans l'ancienne fabrique royale des étoffes, construite à la demande du marquis de Pombal en 1763. Sa restauration a permis de mettre à découvert ses structures primitives. La visite permet de suivre dans une succession de salles tout le processus de fabrication des étoffes. Des objets, des machines et des ustensiles liés à cette activité (rouets, cannetières, métiers à tisser manuels, machines à vapeur) y sont exposés.

À la sortie de Covilhã, la route s'élève rapidement parmi les pins et les chênes qui disparaissent bientôt tandis que les vues prennent de l'ampleur.

Penhas da Saúde – Station de sports d'hiver et villégiature d'été.

Le paysage devient plus accidenté ; quelques lacs de barrage, ou d'origine glaciaire, se disséminent çà et là dans les anfractuosités.

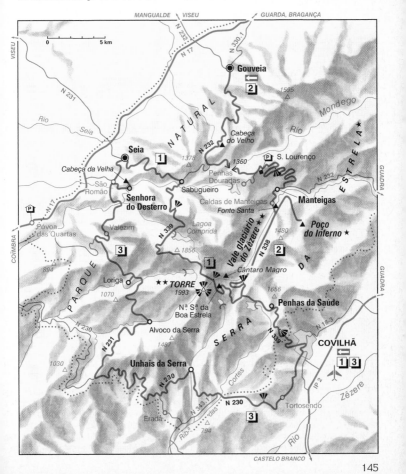

Laisser à droite la route de Manteigas, décrite ci-dessous.

Après un replat correspondant à la haute vallée d'un affluent du Zêzere, de nombreux blocs de granit tailladés par l'érosion donnent au **paysage**★ un aspect ruiniforme ; dans un abri creusé dans la roche, à droite de la route *(on peut stationner)*, se dresse la statue de Nossa Senhora da Boa Estrela, sculptée dans les années 1940 ; une fête religieuse s'y déroule chaque année le deuxième dimanche d'août.

Peu avant le sommet, d'un belvédère aménagé dans un virage à gauche, on a une **vue**★ intéressante sur un lac de barrage et la haute vallée glaciaire du Zêzere dont la source est cachée par un cône de granit de 300 m de hauteur, appelé « la cruche fine » (Cântaro Magro) et débité par le gel en blocs réguliers.

Tourner à gauche dans la route d'accès au sommet du Torre.

★★**Torre** – Point culminant (1 993 m) du Portugal, à sommet plat d'entablement glaciaire se dressant dans un paysage dénudé, à l'herbe rare. Des constructions diverses (dont des radars) y sont installées. Du centre, marqué par un socle portant une croix, immense **panorama** sur le moutonnement de reliefs des serras da Estrela et da Lousã, les vallées du Zêzere et du Mondego.

La route serpente ensuite sur la crête parmi les rochers, les mousses et les lacs. Retenu par un barrage qui borde la route, le « lac long » (**Lagoa Comprida**), aux eaux d'un bleu profond, est le plus vaste de la serra. La descente sur la vallée du Mondego, où se mêlent cultures et villages, est très rapide ; les **vues**★★ sont magnifiques. Après **Sabugueiro**, village aux maisons de granit où l'on peut acheter des articles en pure laine (couvertures, pulls) et en cuir, ainsi que du fromage de la montagne, l'altitude décroît très vite : les arbres réapparaissent.

Seia – Bourgade agréablement située au pied de la serra, pouvant constituer un point de départ pour les randonnées dans la montagne.

Le chien serra da Estrela

Cette race autochtone, parmi les plus anciennes de la péninsule Ibérique, a partagé pendant des siècles la vie des bergers de la montagne, en leur tenant compagnie et en protégeant leurs troupeaux. Ce sont des animaux assez corpulents mais agiles, affectueux et courageux. Leur poil aux tons jaunes est ras (variété plus rare) ou plus souvent long, avec deux couches qui le protègent du froid. Sa mâchoire puissante et ses dents acérées lui permettaient de vaincre les loups.

★★HAUTE VALLÉE DU ZÊZERE

② De Gouveia à Covilhã par Manteigas *77 km – environ 2 h 1/2*

Cet itinéraire traverse le massif en empruntant la vallée du haut Zêzere.

Gouveia – Petite ville bâtie à mi-pente en bordure de la vallée du Mondego.

Les hauts plateaux parsemés de rochers sont atteints très rapidement ; quelques boules de granit façonnées par l'érosion prennent parfois des formes étonnantes, comme la **Cabeça do Velho** (Tête de Vieillard) qui se dresse sur un amas rocheux à gauche de la route. Le Mondego, le plus long des fleuves entièrement portugais, prend sa source *(signalée)* à 1 360 m d'altitude. La route passe le long de la pousada de São Lourenço d'où s'offre un beau point de vue sur Manteigas et la vallée du Zêzere en face. C'est ensuite la descente brutale en lacet sur la haute vallée du Zêzere ; un belvédère aménagé offre bientôt une **vue**★ d'enfilade sur l'amont de la vallée que contrôle Manteigas.

Manteigas – Village de montagne aux maisons du 17ᵉ s. avec balcons de bois.

À Manteigas, laisser la N 232 et tourner à droite.

Peu après la petite station thermale de **Caldas de Manteigas**, remarquer, en bordure de la route, le **vivier** *(posto aquícola)* de **Fonte Santa** ⊙. On trouve encore quelques bergeries, puis la solitude montagnarde s'installe ; des cultures en terrasses s'étagent cependant sur les pentes inférieures.

Passé le pont sur le Zêzere, la route remonte le cours du torrent et vient buter contre la paroi de sa vallée glaciaire *(ci-dessous)*, qu'elle escalade ensuite.

Prendre à gauche une petite route non revêtue vers « Poço do Inferno » (6 km).

★**Poço do Inferno** – La route offre de belles échappées sur le site de Manteigas ; le **Puits de l'Enfer** est un défilé sauvage mais boisé qu'agrémente une belle **cascade**★.

★★**Vallée glaciaire du Zêzere** – Parfait spécimen du relief glaciaire, la vallée du Zêzere en présente toutes les caractéristiques : profil en auge – et donc versants abrupts –, vallées affluentes « suspendues » et gorges de raccordement, cirque à l'extrémité amont ; cascades, énormes blocs erratiques, végétation rabougrie.

À mi-parcours de cette section rectiligne apparaissent les dentelures qui en face et à droite cernent le cirque glaciaire : la dent du Cântaro Magro et la pyramide du Torre.

Blocs erratiques dans la vallée du Zêzere

La route s'infléchit à l'Ouest et passe à proximité de la source du Zêzere – signalée « Cântaros » – *(invisible de la route mais que l'on peut gagner à pied parmi de gigantesques rochers)*. Un peu plus loin, à hauteur d'une fontaine, belle **vue**★ sur la vallée glaciaire. Au col terminal, ensellement de cuvette glaciaire, on atteint la bifurcation de la N 339.

Prendre, à gauche, la N 339 vers Covilhã.

Covilhã – *Voir ci-dessus.*

★LE VERSANT OUEST

③ De Covilhã à Seia par Unhais da Serra *81 km – environ 2 h*

Cet itinéraire contourne la serra par l'Ouest en empruntant un tracé qui évolue à une altitude pratiquement constante (600-700 m) ; la route offre continuellement des vues intéressantes à gauche, d'abord sur la vallée du Zêzere et la serra da Gardunha, ensuite sur les moutonnements schisteux de la serra da Lousã, enfin sur la vallée du Mondego.

Covilhã – *Voir ci-dessus.*

Quitter Covilhã au Sud par la N 230.

Après Tortosendo, les sommets de la serra da Estrela se profilent à droite.

Unhais da Serra – Petite station thermale et climatique occupant un très joli **site**★ au sortir d'une vallée torrentielle.

Les villages sont accrochés à mi-hauteur sur les versants, comme **Alvoco da Serra**, ou bien perchés sur un éperon dans la vallée même comme **Loriga** ; chaque fond de vallée est mis en valeur par des cultures en terrasses (maïs) aux courbes régulières.

À São Romão, tourner à droite vers Senhora do Desterro.

Le « queijo da Serra »

Le fromage de la montagne est le plus réputé du Portugal. Il est fabriqué pendant les mois froids, à partir de lait filtré avec une infusion de chardon, qui favorise le caillage lorsqu'il est chauffé. Il est ensuite déposé sur des faisselles qui lui donnent sa forme et pressé délicatement plusieurs fois afin d'acquérir une certaine consistance. Après quarante jours, sa pâte est devenue semi-molle et il est prêt à être consommé. Chaque fromage pèse de un à deux kilos. D'un goût très fin, il peut être mangé à la cuiller ou en tranches, accompagné du pain de maïs de la région ou de *marmelada* (pâte de coing). On peut l'acheter dans les villages ou les nombreuses fromageries de la serra (Arcozelo da Serra, Folgozinho, São Romão, Celorico da Beira, Linhares). À Celorico da Beira, des foires au fromage de la montagne ont lieu un vendredi sur deux.

La route remonte la vallée de l'Alva jusqu'à Senhora do Desterro.

Senhora do Desterro – Laisser la voiture et prendre à gauche le chemin, taillé dans le roc, qui conduit *(1/4 h à pied AR)* à la Cabeça da Velha (Tête de la Vieille), rocher granitique sculpté par l'érosion.

Revenir à la route qui mène à Seia.

Seia – *Voir plus haut.*

ESTREMOZ★

District d'Évora – 9 000 habitants
Carte Michelin n° 940 P 7

En arrivant par le Sud, le voyageur découvre la vieille ville perchée sur la colline au-dessus de la ville moderne toute blanche.

Dans une région où abondent les carrières de marbre, Estremoz est une plaisante cité encore entourée de remparts à la Vauban et dominée par un château médiéval. C'est un important centre potier dont la notoriété remonte au 16e s. Sur la place centrale (Rossio) se disposent, le samedi matin, de pittoresques étalages de poteries qui exposent et vendent la vaisselle régionale.

Les poteries d'Estremoz – Outre les *bilhas*, cruches à col large, et les *barris*, à col étroit, on fabrique ici des poteries particulièrement décoratives, destinées à garder l'eau fraîche ou à la servir à table. Les *moringues*, pourvues d'une anse et de deux becs, les *púcaros dos reis* (vases des rois), dont le nom rappelle la faveur dont ils jouissaient à la Cour, sont des poteries mates, ornées de motifs géométriques ou de feuillages stylisés, polis ou gravés et incrustés d'éclats de marbre blanc. On y colle parfois des rameaux de chêne, selon un procédé plus récent, mais moins élégant. Les *fidalgos* sont de grands vases pansus, vernis, agrémentés de petits bouquets.

Estremoz est également célèbre pour ses figurines naïves en terre et de couleurs vives : les personnages religieux (santons, saints) ou profanes (paysans accomplissant leurs tâches familières, personnages satiriques), les animaux sont reproduits d'après des modèles anciens dont le réalisme et le pittoresque ont gardé toute leur saveur.

★LA VILLE HAUTE *1 h*

Prendre, sur le Rossio, une ruelle en montée à droite du pilori ; une porte du 14e s. marque l'entrée de la vieille ville aux maisons gothiques et manuélines.

Donjon – Il abrite aujourd'hui la pousada Rainha Santa Isabel, l'une des plus fameuses du Portugal. Bâti au 13e s., il est couronné de petits merlons pyramidaux et flanqué dans sa partie haute de balcons et de consoles *(pour y monter, pénétrer dans la pousada)*. Au 2e étage, une belle salle octogonale est éclairée par des fenêtres trilobées. Du sommet, vue circulaire sur la ville et l'Alentejo où pointent au Sud les hauteurs de la serra de Ossa.

Capela da Rainha Santa Isabel ⊘ – *Contourner sur la gauche le donjon et le palais du roi Denis et franchir une très belle grille ancienne.* Les murs sont recouverts de beaux azulejos représentant des scènes de la **vie de la reine sainte Isabelle d'Aragon**, épouse du roi Denis. Remarquer la scène du Miracle des roses : surprise par le roi alors qu'elle portait du pain aux pauvres, la reine, pour dissiper les soupçons de son mari, dut ouvrir les plis de sa robe où n'apparurent que des roses.

Église Santa Maria – 16e s. De plan carré, cette église, qui faisait partie de l'ancienne citadelle, abrite quelques tableaux de primitifs portugais, notamment dans la sacristie qu'agrémente un joli lavabo en marbre.

Salle d'audience du roi Denis – Une belle **colonnade gothique★** en marbre caractérise cet ensemble aux voûtes en étoile, refaites à l'époque manuéline. La reine sainte Isabelle y mourut en 1336 et le roi Pierre Ier en 1367.

Musée municipal ⊘ – Dans une belle maison en face du donjon, ce musée rassemble des poteries et des santons d'Estremoz, de l'art religieux, des reconstitutions d'intérieurs traditionnels, etc. Dans la petite cour du musée, on peut voir des artisans à l'œuvre et acquérir certaines de ces pièces typiques.

LA VILLE BASSE *1 h 1/2*

Une porte dans les remparts du 17e s. donne accès à la ville moderne.

Musée rural ⊘ – *Au n° 62b de la place principale.*
Cet intéressant petit musée retrace, sous forme de maquettes de produits de l'artisanat et de costumes régionaux, les scènes de la vie alentejane.

Église Nossa Senhora dos Mártires – *2 km au Sud (route de Bencatel).*
Église datée de 1744 et présentant un monumental chevet gothique. Dans la nef, dont l'entrée se signale par un arc triomphal manuélin, beaux azulejos (Fuite en Égypte, Cène, Annonciation), ainsi que dans le chœur (Nativité, Présentation au Temple).

ÉVORA★★★

District d'Évora – 41 054 habitants
Carte Michelin n° 940 Q 6

Entourée de murailles depuis l'époque romaine, Évora, ville déclarée Patrimoine mondial par l'Unesco, séduit par le caractère mauresque de ses ruelles, coupées d'arcs, et de ses maisons d'une blancheur éclatante aux terrasses fleuries, aux balcons ajourés et aux patios dallés.

De son riche passé, Évora conserve de nombreux palais médiévaux et Renaissance qui en font un musée de l'architecture portugaise. Il faut les découvrir de nuit *(en saison, ils sont éclairés de 21 h à minuit)* se détachant sur un ciel étoilé.

Capitale de l'Alentejo, Évora est un important marché agricole, le siège de quelques industries et d'artisanats dérivés de l'agriculture (liège, tapis de laine, peaux, meubles peints).

UN PEU D'HISTOIRE

Florissante à l'époque romaine et tombée en décadence sous le règne des Wisigoths, Évora est occupée en 715 par les musulmans. Sous leur longue domination, la cité devient une importante place agricole et commerciale groupée autour de son château et de sa mosquée.

Geraldo Sempavor – Au 12e s., les luttes qui opposent les musulmans entre eux favorisent l'action des chrétiens dirigés par Alphonse Henriques. L'un d'eux, Geraldo Sempavor (Gérard sans Peur), réussit à gagner la confiance du roi musulman d'Évora, ce qui lui permet de réaliser un audacieux coup de main : une nuit de septembre 1165, il prend par surprise une tour de guet au Nord-Ouest de la ville, il alerte la garnison musulmane qui se précipite en direction de la tour, puis, ayant rejoint ses compagnons d'armes, s'empare de la ville qui passe alors sous le sceptre du roi Alphonse Henriques.

Un foyer d'humanisme – Dès la fin du 12e s., Évora devient la capitale d'élection des souverains portugais ; elle connaît un éclat exceptionnel aux 15e et 16e s. Un cortège d'artistes et de savants accompagne la Cour : les humanistes Garcia et André de Resende, le chroniqueur Duarte Galvão, le créateur du théâtre portugais Gil Vicente *(voir p. 64)*, le sculpteur Nicolas Chanterene *(voir p. 59)*, les peintres Cristóvão de Figueiredo et Gregório Lopes. Partout se dressent des palais et des couvents de style manuélin ou Renaissance ; l'art décoratif musulman est remis à l'honneur par quelques architectes et contribue à la création d'un style hybride, le luso-mauresque. Une université jésuite est fondée en 1559 sur l'initiative du cardinal mécène Dom Henrique, futur roi Henri Ier. Mais, en 1580, le Portugal est annexé par l'Espagne ; Évora décline. Malgré la révolte de 1637 qui aboutit à la restauration de l'indépendance portugaise, la ville ne retrouve pas son éclat passé. En 1759, le marquis de Pombal chasse les jésuites et supprime l'université, portant ainsi un coup décisif à Évora, qui plonge pour des siècles dans une profonde léthargie.

Le temple romain et la tour de la cathédrale

SE LOGER À ÉVORA

HÔTEL « BUDGET »

Pousada de Juventude (Auberge de jeunesse) – *R. Miguel Bombarda, 40, 7000 Évora* – ☎ *266 74 48 48* – *réservations : Movijovem* ☎ *213 13 88 20* – *14 chambres à plusieurs lits, 14 chambres doubles, 1 chambre pour handicapés* – *35 €.*
L'auberge de jeunesse d'Évora occupe le bel édifice d'un hôtel du début du 20e s., avec sa façade jaune classique, à deux pas de la place do Giraldo. Une bonne adresse à un prix très attractif.

« NOTRE SÉLECTION »

Albergaria Solar de Monfalim – *Largo da Misericórdia, 1, 7000-646 Évora* – ☎ *266 75 00 00* – *fax 266 74 23 67* – *www.monfalimtur.pt* – *25 chambres* – *60/75 € (GB)* – *restaurant* – *parking (7 places)* – *air conditionné.*
Dans le centre historique d'Évora, ce beau manoir du 16e s. offre tout le confort d'un hôtel moderne allié au charme d'un bâtiment historique.

Casa de São Tiago – *Largo Alexandre Herculano, 2, 7000-501 Évora* – ☎ *266 70 26 86* – *5 chambres, 1 suite* – *80 €* – *garage.*
Vous apprécierez dans cette superbe maison du 16e s., avec son petit verger et son jardin intérieur, les chambres décorées de meubles anciens, les petits-déjeuners composés de confitures et de produits maison, et sa situation en plein centre historique de la ville.

Estalagem Monte das Flores – *Estrada de Alcáçovas, Monte das Flores, 7000-171 Évora* – ☎ *266 74 96 80* – *fax 266 74 96 88* – *17 chambres* – *75 € (GB)* – *air conditionné* – *restaurant* – *piscine* – *tennis* – *chevaux* – *parking.*
Située à 6 km au Sud-Ouest d'Évora dans la belle campagne de l'Alentejo, cette charmante auberge est installée dans un ensemble de bâtiments traditionnels offrant un cadre paisible et reposant.

Hotel da Cartuxa – *Travessa da Palmeira, 4, 7000-546 Évora* – ☎ *266 73 93 00* – *fax 266 73 93 05* – *85 chambres, 6 suites* – *87.50/126 € (GB)* – *restaurant* – *parking* – *air conditionné.*
Hôtel moderne près des murailles de la ville.

« UNE PETITE FOLIE ! »

Pousada dos Lóios – *Largo Conde de Vila Flor, 7000-804 Évora* – ☎ *266 70 40 51* – *fax 266 70 72 48* – *30 chambres, 2 suites* – *160/176 € (GB)* – *restaurant* – *parking* – *air conditionné.*
Cette élégante et luxueuse pousada est située dans les bâtiments conventuels du couvent des Lóios *(voir description ci-dessous).*

SE RESTAURER À ÉVORA

O Antão – *R. João de Deus, 5* – ☎ *266 70 64 59* – *17,45 € (GB)* – *fermé le mercredi et du 15 au 30 juin.*
Cuisine typique à prix modérés.

Fialho – *Travessa das Mascarenhas, 14* – ☎ *266 70 30 79* – *28,55 € (GB)* – *fermé le lundi et du 4 au 25 décembre.*
Bonne cuisine locale dans un décor régional. Un classique à Évora.

VIEILLE VILLE *3 h*

Laisser la voiture à l'extérieur de la ville ou, hors saison, sur le largo Conde de Vila Flor près de la pousada. Partir de l'Office de tourisme sur la praça do Giraldo.

Praça do Giraldo – Centre animé de la ville, cette vaste place partiellement bordée d'arcades est ornée d'une fontaine en marbre du 18e s. d'Afonso Álvares qui a pris la place d'un ancien arc de triomphe romain.

Rua 5 de Outubro – Cette rue étroite qui monte vers la cathédrale est bordée de maisons avec des balcons en fer forgé et de boutiques d'artisanat. Au n° 28, remarquer une niche décorée d'azulejos.

★★**Sé** ⊘ – Bâtie à la fin du 12e s. et au 13e s. dans le style gothique de transition, la **cathédrale** présente des éléments romans, mais fut terminée sous l'influence des formes gothiques.

Extérieur – Sa sévère façade en granit rose est flanquée de deux puissantes tours couronnées de flèches coniques érigées au 16e s. ; la flèche de droite est constituée de plusieurs clochetons semblables à ceux de la tour-lanterne romane de style saintongeais. Cette dernière surmonte la croisée du transept. Les murs de la nef et des bas-côtés sont découpés en créneaux.

Le portail occidental s'orne d'une représentation des apôtres placés sur des consoles ; ils furent probablement réalisés à la fin du 13ᵉ s. par des artistes formés en France.

★ **Intérieur** – La nef centrale, voûtée en berceau brisé, est dotée d'un élégant triforium ; elle surprend par son ampleur. À gauche, un autel baroque abrite une Vierge enceinte du 15ᵉ s. en pierre polychrome ; en face, une statue en bois doré (16ᵉ s.), attribuée à Olivier de Gand, représente l'ange Gabriel.

Une très belle **coupole**★ octogonale sur trompes, d'où descend un luminaire, couvre la croisée du transept dont les bras sont éclairés par deux roses gothiques : à gauche, l'étoile du matin, à droite, la rose mystique. Dans le bras gauche du transept, le portail Renaissance d'une chapelle est décoré d'un marbre sculpté par Nicolas Chanterene. Dans le bras droit se trouve le tombeau de l'humaniste André de Resende (16ᵉ s.).

Le chœur a été refait au 18ᵉ s. par Friedrich Ludwig, architecte du monastère de Mafra.

★ **Stalles** – Situées dans la tribune, le *coro alto*, les stalles en chêne furent sculptées à la Renaissance par des artistes d'Anvers. Elles sont ornées de motifs sacrés et profanes. Remarquer sur les panneaux du bas les scènes de la vie quotidienne des paysans (vendange, tuerie du cochon, tonte des moutons, etc.).

Le grand orgue Renaissance est considéré comme le plus ancien d'Europe.

★ **Musée** – Il comprend des ornements sacerdotaux et une importante collection d'orfèvrerie religieuse dont une très belle **Vierge ouvrante**★★ en ivoire, œuvre française du 13ᵉ s., et le reliquaire de la Vraie Croix *(Santo Lenho)*, du 17ᵉ s., en argent doré et émaux polychromes, décorée de 1 426 pierres précieuses.

★ **Cloître** – Construit de 1322 à 1340, ce cloître gothique garde une allure massive, accentuée par l'emploi du granit, malgré les baies rondes à fenestrage rayonnant qui lui confèrent une certaine élégance. Chaque angle est orné d'une statue d'évangéliste ; de l'angle Sud-ouest, belle vue sur le clocher roman. Une chapelle annexe contient le tombeau (14ᵉ s.) de l'évêque fondateur ainsi que les statues (14ᵉ s.) de l'ange Gabriel et d'une Vierge polychrome dont le déhanchement révèle une influence française. De la terrasse du cloître, accessible par des escaliers dans les angles, **vues** sur Évora.

★ **Musée régional** ⊘ – Il est installé dans l'ancien palais archiépiscopal (16ᵉ et 17ᵉ s.). Le rez-de-chaussée est consacré à la sculpture romaine, médiévale, manuéline et luso-mauresque ; remarquer en particulier un fragment d'un **bas-relief**★ en marbre figurant le corps d'une vestale dont le visage a disparu, ainsi qu'une **Annonciation**★ (14ᵉ s.) également en marbre et une Sainte-Trinité (16ᵉ s.) en pierre d'Ança *(voir p. 120)*. Parmi les éléments d'architecture, on admirera les fenêtres à meneaux de l'ancien hôtel de ville et les sculptures de Nicolas Chanterene, dont le cénotaphe de l'évêque Afonso de Portugal. Le premier étage est occupé par du mobilier portugais et d'intéressantes collections de peintures de primitifs, notamment un polyptyque (début 16ᵉ s.) de l'école flamande représentant la vie de la Vierge en 13 grandes toiles ; six tableaux composant la prédelle d'un retable de l'école flamande et illustrant la vie du Christ ; un triptyque de la Passion en émail de Limoges (16ᵉ s.), plusieurs tableaux (16ᵉ s.) des Portugais Frei Carlos et Gregório Lopes.

Paço de Vasco da Gama – *R. Vasco da Gama, nᵒ 15*. Cette maison construite au 15ᵉ s. aurait appartenu au célèbre navigateur, qui y aurait vécu de 1507 à 1519, après son retour des Indes. Elle fut vendue en 1597 par le 4ᵉ comte de Vidigueira, petit-fils de Vasco de Gama, à l'Inquisition, qui y installa son tribunal. Aujourd'hui, cette résidence en partie privée héberge des prêtres jésuites. Il reste de la construction primitive une fenêtre géminée à arcs outrepassés, un cloître avec des arcades en plein cintre et des voûtes en ogive fermées par des écussons héraldiques, reposant sur des consoles de style manuélin, ainsi qu'une petite chapelle. La principale curiosité réside dans les remarquables **fresques**★ qui envahissent les murs et les plafonds de la salle donnant sur le cloître et de l'oratoire. Ces peintures évoquent les Grandes Découvertes et l'on peut y voir une profusion d'êtres fantastiques, de monstres, de sirènes, d'animaux exotiques et d'oiseaux formant un bestiaire allégorique extraordinaire.

★ **Templo romano** – Probablement consacré à Diane, ce temple de type corinthien a été édifié au 2ᵉ s. : les chapiteaux et les bases sont en marbre d'Estremoz, les fûts des colonnes en granit. Il doit sa relative conservation au fait d'avoir été transformé en forteresse au Moyen Âge et dégagé seulement au siècle dernier.

★ **Convento dos Lóios** – Le couvent des Lóios (ou de St-Éloi), consacré à saint Jean l'Évangéliste, a été fondé au 15ᵉ s. Il abrite aujourd'hui une pousada.

★ **Église** ⊘ – La façade a été modifiée après le tremblement de terre de 1755, à l'exception du porche qui abrite un portail gothique flamboyant : sous un dais se trouve le blason des Melo, comtes d'Olivença, pour lesquels l'église servit de nécropole. La nef, recouverte d'une voûte à liernes et tiercerons, est tapissée de beaux azulejos (1711), œuvre d'António de Oliveira Bernardes, figurant la vie de saint Laurent Justinien, patriarche de Venise, dont les écrits influencèrent la congrégation des Lóios. Deux trappes dans le dallage permettent de découvrir à gauche la citerne de l'ancien château, à droite un ossuaire.

ÉVORA

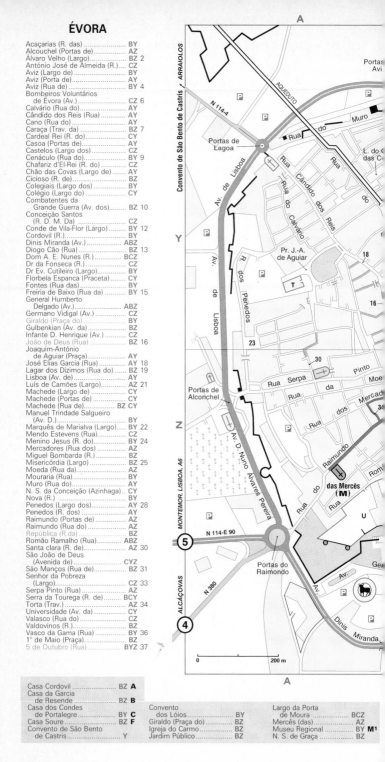

Bâtiments conventuels – Ils sont occupés par la pousada et ne peuvent être visités librement. Le cloître, de style gothique tardif, a été surhaussé au 16ᵉ s. d'une galerie Renaissance. La salle du chapitre s'ouvre par une remarquable **porte★** d'une élégante architecture ; c'est un exemple type du style composite luso-mauresque ; l'accolade qui coiffe l'ensemble et les piédroits surmontés de pinacles qui constituent l'encadrement sont d'inspiration gothique ; les colonnes torses, de style manuélin ; les baies géminées à arcs outrepassés, ainsi que les chapiteaux, sont des réminiscences de l'art musulman.

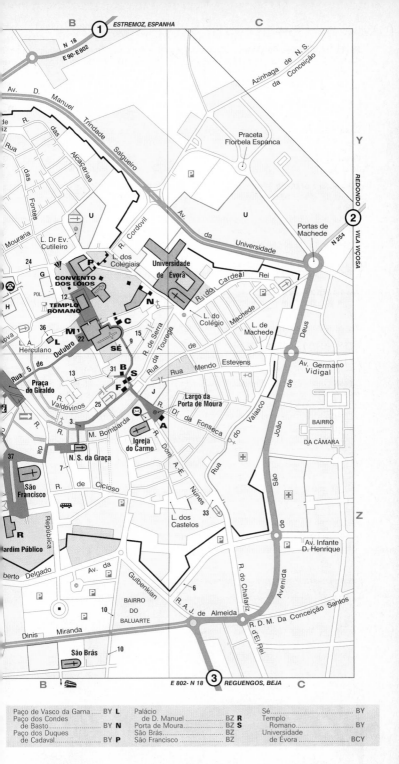

Paço dos Duques de Cadaval – Le **palais des ducs de Cadaval** est occupé actuellement par la Direction des Routes d'Évora. Protégé par deux tours couronnées de créneaux, cet édifice dont la façade a été refaite au 17e s., fut donné en 1390 par le roi Jean Ier à son conseiller Martim Afonso de Melo, alcade d'Évora. Les rois Jean III et Jean V y résidèrent. La tour Nord faisait partie des murailles médiévales de la cité.

Revenir sur ses pas, prendre la rue entre le couvent des Lóios et le Museu de Arte Antiga, qui donne sur le chevet baroque de la cathédrale. Tourner ensuite à gauche dans la rue perpendiculaire au chevet.

Paço dos Condes de Basto – Construit sur les murailles romaines incluant la tour do Sertório, ce palais gothique présente une façade percée de fenêtres géminées de style mudéjar.

Revenir au chevet de la cathédrale et le longer.

Casa dos Condes de Portalegre – Charmante demeure gothique et manuéline (16e s.) agrémentée d'un patio qu'entourent un jardin suspendu et un balcon ajouré.

Casa da Garcia de Resende – Maison du 16e s. où aurait vécu l'humaniste Garcia de Resende ; remarquer, à l'étage, trois fenêtres géminées à décoration manuéline.

Porta de Moura – Elle faisait partie de l'enceinte médiévale. Au pied de l'une des deux tours, celle de gauche, remarquer dans une niche un crucifix.

Largo da Porta de Moura – Cette pittoresque place se compose de deux parties. Le centre de la plus vaste est occupé par une belle **fontaine**★ Renaissance, constituée d'une colonne surmontée d'une sphère de marbre blanc.
La place est bordée par quelques jolies demeures ; au Sud, la **maison Cordovil**, du 16e s., présente une élégante loggia avec arcades géminées, arcs outrepassés à festons et chapiteaux de style musulman ; un toit crénelé surmonté d'une flèche conique couronne l'ensemble. À l'Ouest, en contrebas, admirer le **portail** baroque de l'église de l'ancien couvent do Carmo.
L'Est de la place est occupé par le bâtiment moderne du palais de justice.

Casa Soure – Cette demeure du 15e s. faisait partie du palais de l'infant Dom Luís. La façade de style manuélin montre une galerie à arcades que domine une flèche conique.

Par la travessa da Caraça, on atteint le largo da Graça.

Église Nossa Senhora da Graça – Bâtie au 16e s. dans le style de la Renaissance italienne, cette église possède une façade en granit avec portique à colonnes toscanes, pilastres classiques et décoration de macarons et d'atlas.

Église São Francisco – Précédée d'un portique percé d'arcades en plein cintre, en arc brisé et en fer à cheval, cette église du début du 16e s. est couronnée de créneaux et de flèches coniques dont certaines torses.
Le portail, de style manuélin, est surmonté du pélican, emblème du roi Jean II, et de la sphère armillaire du roi Manuel.
L'**intérieur**★, voûté d'ogives, surprend par la largeur du vaisseau. Dans le chœur se dressent deux tribunes, l'une Renaissance à droite, l'autre baroque à gauche.

Pour visiter l'ancienne salle du chapitre et la chapelle des Os, sortir de l'église et entrer par la première porte à gauche.

On traverse le cloître, décoré d'une belle colonnade.
L'ancienne salle du chapitre abrite une balustrade à colonnes de marbre, cannelées, et d'ébène, torsadées ; des azulejos, représentant des scènes de la Passion, recouvrent les murs.

★**Capela dos Ossos** ⊙ – La chapelle des Os fut construite au 16e s. par un frère franciscain pour inciter ses confrères à la méditation ; les ossements et les crânes de 5 000 personnes – certains marqués d'inscriptions – couvrent les murs et les piliers.

La chapelle des Os

À l'entrée de la chapelle, une inscription met en garde : « Nous, os qui sommes ici, attendons les vôtres ».

Jardin public – Il est situé juste en contrebas de l'église São Francisco. Une partie du **palais du roi Manuel** (16ᵉ s.), malheureusement très remanié, ainsi que les vestiges d'un autre palais du 16ᵉ s. s'y dressent encore. Remarquer les fenêtres géminées à arcs outrepassés, de style luso-mauresque.

On passe devant le marché, très animé le matin (vente de poteries traditionnelles).

Église das Mercês (musée des Arts décoratifs) ⊘ – L'intérieur de cette église (1670), revêtu d'azulejos polychromes, abrite la **section d'art sacré** du Musée régional. On y voit notamment une Pietà et d'autres statues, dont une petite Vierge à l'Enfant *(chapelle de gauche)*, deux retables dorés, un oratoire indo-portugais, des ornements sacerdotaux.

Revenir à la praça do Giraldo par la rua dos Mercadores.

AUTRES CURIOSITÉS

Caixa de água da Rua Nova – Attenante à la Casa de São Tiago *(voir carnet d'adresses)*, cette « boîte à eau » a été construite en 1536 dans le style Renaissance par l'architecte de l'aqueduc, Francisco de Arruda. Décorée de colonnes toscanes, elle servait à distribuer l'eau de l'aqueduc qui s'y terminait.

★ **Fortifications** – Des trois enceintes qui protégèrent successivement la ville, il reste d'importants vestiges. Quelques traces de la muraille romaine (1ᵉʳ s.), renforcée par les Wisigoths (7ᵉ s.), sont encore visibles entre les palais des ducs de Cadaval et des comtes de Basto *(largo dos Colegiais)*. La muraille médiévale (14ᵉ s.) limite la ville au Nord et à l'Ouest ; pour en avoir une vue intéressante, suivre les avenues qui les longent par le Nord, entre les places Portas de Raimundo et Portas de Machede.

Les fortifications érigées au 17ᵉ s. dans le style de Vauban délimitent le jardin public au Sud de la ville.

Universidade de Évora ⊘ – L'actuelle université occupe l'**ancienne université jésuite** dont on visitera au moins la cour intérieure, de style Renaissance italienne (16ᵉ s.) : les bâtiments s'ordonnent autour du **cloître★** général des Études, gracieuse cour qu'entoure une galerie à arcades ; face à l'entrée, le fronton du portique de la salle des Actes est décoré de statues figurant l'Université royale et l'Université pontificale.

Les salles de classe qui s'ouvrent sur la galerie sont ornées d'azulejos (18ᵉ s.) représentant des sujets en rapport avec la discipline enseignée (physique, histoire, philosophie).

Ermida de São Brás – Curieuse église fortifiée du 15ᵉ s., à contreforts cylindriques coiffés de toits en poivrière ; le chœur, de plan polygonal, est surmonté d'une coupole sur trompes et revêtu d'azulejos verts et blancs de style sévillan.

Convento de São Bento de Cástris ⊘ – *3 km au Nord-Ouest par la N 114-4.*

Passer l'aqueduc et prendre à gauche vers l'ancien couvent de St-Benoît-de-Castris. L'**église**, de style manuélin, est voûtée en réseau ; les murs sont revêtus d'azulejos du 18ᵉ s. illustrant la vie de saint Bernard ; la salle capitulaire, gothique, est décorée de quelques éléments Renaissance.

Le **cloître★** de style luso-mauresque (16ᵉ s.) a conservé toute sa fraîcheur et son élégance ; au-dessus d'une galerie à arcades géminées en fer à cheval, remarquer les arcs surbaissés de la galerie supérieure.

EXCURSIONS

Circuit des Mégalithes – *75 km – compter 3 h 1/2.*
La région d'Évora est riche en mégalithes élevés entre 4000 et 2000 avant J.-C. et en grottes. Cette promenade, empruntant de petites routes, est aussi l'occasion de découvrir les beaux paysages de l'Alentejo piquetés de chênes-lièges.

Sortir d'Évora par ⑤ du plan, N 114 vers Montemor-o-Novo. À 10 km, tourner à gauche vers Guadalupe et suivre la signalisation « Cromeleque e menir dos Almendres ». Après Guadalupe, prendre une route non goudronnée pendant 3 km.

Cromeleque dos Almendres – Dans une clairière parmi les chênes-lièges, 95 monolithes en granit sont disposés selon un plan ovale de 60 m sur 30 m.

Revenir à Guadalupe. En chemin, près de la coopérative de Água de Lupe, on peut voir un menhir haut de 2,50 m. À Guadalupe, prendre une route de terre vers Valverde, puis suivre la signalisation « Anta de Zambujeiro » sur la route d'Alcáçovas.

Anta de Zambujeiro – Précédé d'un tumulus (galerie d'accès), le dolmen proprement dit forme une vaste chambre funéraire de 6 m de haut. De nombreux objets y furent découverts, aujourd'hui au musée d'Évora.

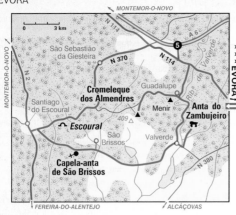

Revenir à Valverde et poursuivre vers São Brissos. Ne
pas tourner vers São Brissos, mais poursuivre la
route sur 2 km.

Capela-anta de São Brissos – Le
narthex de la chapelle est
formé par un dolmen.

*Avant d'arriver à Santiago
do Escoural, tourner à
droite.*

Grota do Escoural ⊘ – Dans
cette grotte ont été découvertes des peintures et des
gravures rupestres, que
l'on a datées de 18 000 à
13 000 avant J.-C. (paléolithique supérieur). Elles
représentent des bœufs, des chevaux ou des figures énigmatiques.

Poursuivre la N 370 jusqu'à la N 114 et là tourner à droite pour rejoindre Évora.

Arraiolos – *22 km au Nord-Ouest. Quitter Évora par la N 114-4, puis prendre à droite la N 370.*

Ce beau village, perché sur une colline dans la grande plaine de l'Alentejo, est connu pour ses tapis. Au pied du château du 14ᵉ s., les rues sont bordées de maisons aux façades blanches rehaussées par le bleu des encadrements de portes et de fenêtres.

Les tapis d'Arraiolos – À partir de la seconde moitié du 17ᵉ s. se développa dans la région d'Arraiolos une petite industrie de tapis en laine brodée au point de croix sur une toile de lin ou de chanvre. Ces tapis étaient utilisés à l'origine comme cou-vertures de coffre ou tapisseries murales. Imités d'abord des modèles indo-perses (nombreuses figurations animales et motifs végétaux), ces tapis s'en différencient bientôt, abandonnant les thèmes orientaux et la polychromie pour un dessin plus populaire où prédominent le bleu et le jaune.

On peut acquérir ces tapis dans les magasins de la ville ou à la coopérative.

Château – Du château, dont l'enceinte a été restaurée, belle vue sur le village et au-delà sur les oliveraies, la retenue du Divor et le **couvent dos Lóios** (du 16ᵉ s.), maintenant aménagé en pousada (Nossa Senhora da Assunção).

Montemor-o-Novo – *30 km à l'Ouest par ⑤ et la N 114.* Petite ville calme de l'Alentejo et marché agricole, Montemor-o-Novo s'étale au pied d'une colline que couronnent les ruines d'une cité médiévale fortifiée ; les **remparts**, dont l'édification remonte à l'époque romaine, constituent un belvédère sur la campagne piquetée d'oliviers.

Elle est la ville natale de **saint Jean de Dieu** (1495-1550), moine franciscain d'une charité exemplaire, fondateur de l'ordre des Frères hospitaliers. La statue qui se dresse sur la place de l'église paroissiale le représente portant à l'hôpital un men-diant recueilli au cours d'une nuit d'orage. L'hôpital, fondé au 17ᵉ s., porte son nom.

Viana do Alentejo – *31 km au Sud. Quitter Évora par ③ et prendre à la sortie de la ville la N 254 à droite.* À l'écart des grandes routes, cette cité agricole de la vaste plaine de l'Alentejo cache derrière les murailles de son château une église intéressante.

Château ⊘ – Bâtis sur un plan pentagonal, les **remparts** présentent des murailles for-tifiées que flanque à chaque angle une tour avec toit en poivrière. Le porche s'orne de frustes chapiteaux décorés d'animaux (tortue, lion, etc.) ; la cour du château, plantée de néfliers, d'orangers et de palmiers, s'étend à gauche de l'église.

Église – La façade, que surmontent des clochetons coniques et des merlons, s'ouvre par un beau **portail**★ manuélin ; une colonnette torse sert de trumeau aux arcs géminés qu'encadrent deux pilastres en forme de chandeliers ; elle soutient le tympan décoré de fleurs stylisées et de la croix du Christ disposée dans un médaillon que surmonte le blason du Portugal. Le gâble, formé par une cordelière torse, se termine par un pinacle flanqué de deux sphères armillaires.

L'intérieur, roman transformé à l'époque manuéline, se distingue par l'ampleur de son vaisseau ; il est décoré d'azulejos du 17ᵉ s. à la base des murs. Le chœur est orné d'un joli Christ.

ÉVORAMONTE★

District d'Évora – 722 habitants
Carte Michelin n° 940 P 6

Ce petit bourg fortifié occupe un **site**★ remarquable au sommet d'une haute colline de l'Alentejo.

À Évoramonte fut signée, le 26 mai 1834, la **Convention** qui marqua la fin de la guerre civile *(voir Introduction : Histoire)* ; par celle-ci, Pierre Iᵉʳ, empereur du Brésil et fils de Jean VI, de tendance libérale, obligeait son frère Miguel, absolutiste, vaincu à la bataille d'Asseiceira, à abdiquer en faveur de sa nièce Marie et à s'exiler.

Accès – *1,5 km au départ du village moderne en suivant les panneaux « Castelo d'Evoramonte ». Après avoir longé le pied des remparts (14ᵉ-17ᵉ s.), franchir la porte d'entrée.*

On est aussitôt frappé par le calme des lieux et le charme qui se dégage des coquettes maisons basses, blanches et fleuries qui entourent la curieuse forteresse.

Paquet cadeau laissé par les ducs de Bragance, le château

★**Château** ⊘ – Romain puis arabe, cet édifice profondément modifié au 14ᵉ s. est resté une bâtisse de style gothique militaire, malgré des remaniements au 16ᵉ s. Sa silhouette de donjon médiéval est ceinturée de cordages formant des nœuds au centre des façades. La maison de Bragance, dont la devise était « Depois de vós, nós » (Après vous, nous), avait adopté les nœuds pour symbole en raison du double sens du mot nós (nous et nœuds).

À l'intérieur, le corps central présente trois étages de salles dont chacune est couverte de neuf voûtes gothiques qui s'appuient sur de robustes piliers centraux, ceux du rez-de-chaussée étant énormes et torsadés.

Du sommet, **panorama**★ sur la campagne tachetée d'oliviers et de villages blancs et, au Nord-Est, sur le site d'Estremoz.

Maison de la Convention – La maison où fut signée la Convention d'Évoramonte porte une plaque commémorative.

Église paroissiale – Située à l'extrémité de la pittoresque rue principale, elle se distingue par son clocher-peigne transversal primitif.

FARO★

District de Faro – 40 355 habitants
Carte Michelin n° 940 U 6 – Schéma : ALGARVE

La capitale de l'Algarve occupe le promontoire le plus méridional du Portugal, à l'extrémité d'une plaine dont les vallonnements s'adossent à la serra do Caldeirão. Faro vivait traditionnellement de l'exploitation du sel recueilli dans les marais salants de sa ria, de la pêche (thon, sardine), du travail du liège et du marbre et d'industries alimentaires (conserveries, traitement des caroubes), du plastique et du bâtiment.

Le tourisme est devenu une activité prépondérante et grâce à son aéroport international, Faro est la porte de l'Algarve, dont elle dessert les stations balnéaires fréquentées toute l'année. La longue plage de Faro, formant une langue de sable entre l'Océan et la lagune, est elle-même très fréquentée. Elle fait partie du parc naturel de la ria Formosa.

Le passé – Faro était déjà une cité importante au moment où sa reconquête sur les Maures par Alphonse III, en 1249, marquait la fin de la mainmise arabe sur le Portugal. Aussi le souverain lui accorda-t-il rapidement une charte municipale. Son développement est tel que, dès le 15ᵉ s., de l'une de ses officines de typographie appartenant à la communauté juive sortent les premiers livres imprimés au Portugal : des incunables hébraïques.

Malheureusement, au mois de juillet 1596, alors que le pays vit sous la domination espagnole, le comte d'Essex, qui fait campagne contre Cadix, met la ville à sac et l'incendie. Elle se relève de ses ruines lorsque deux tremblements de terre, en 1722 et en 1755 surtout, provoquent son anéantissement. Il faut l'énergie de l'évêque Dom Francisco Gomes, le citoyen le plus célèbre de la cité, pour entreprendre une nouvelle fois son relèvement. En 1756, elle est choisie comme capitale de l'Algarve.

Les amandiers de l'Algarve – Si l'Algarve est célèbre pour la beauté de ses plages, sa campagne ne manque pas de charme avec ses vergers peuplés de figuiers, d'orangers et d'amandiers. La légende raconte qu'un émir maure avait épousé une princesse scandinave. Celle-ci se languissait loin des neiges nordiques, et c'est pour rendre le sourire à sa jeune épouse que l'émir ordonna la plantation d'un immense champ d'amandiers dans son domaine. Un matin de janvier, la princesse eut la surprise de voir le paysage couvert de myriades de fleurs d'amandiers dont l'éblouissante blancheur, n'ayant rien à envier à celle des flocons de neige, lui causa une grande joie.

★VIEILLE VILLE

Au Sud du jardin Manuel Bivar, la vieille ville forme un quartier calme, à l'abri du cercle de ses maisons disposées en remparts.

SE LOGER À FARO

Residencial York – *R. de Berlim, 39, 8000-278 Faro* – ☎ *289 82 39 73* – *fax 289 80 49 74* – *24 chambres* – *55/60 €*.
Ce petit hôtel familial est situé sur la partie haute de la ville, un peu éloignée du centre, dans une zone calme et aérée, ayant vue sur un grand parc et la ria.

Monte do Casal – *À 14 km au Nord de Faro, près d'Estói* – *Estrada de Moncarapacho, 8000-661 Estói* – ☎ *289 99 01 40* – *fax 289 99 13 41* – *8 chambres, 5 suites* – *137,50/212,50 €* (**GB**) – *restaurant* – *parking* – *air conditionné*.
Située dans un cadre reposant et fleuri, cette maison de campagne offre des chambres confortables.

SE RESTAURER À FARO

Snack-Bar « Sol e Jardim » – *Praça Ferreira de Almeida (largo da Palmeira), 22-23* – ☎ *289 82 00 30* – *12,50 €* (**GB**).
Dans un patio décoré de bric-à-brac sous la verdure, vous pourrez déguster l'une des meilleures cataplanas de la ville. Spécialités de poisson grillé et de fruits de mer.

A Taska – *R. do Alportel, 36-38* – ☎ *289 82 47 39* – *11 €* (**GB**).
Au menu de ce restaurant, des plats typiques et traditionnels de l'Algarve, que l'on voit rarement ailleurs, tels que les *papas de milho com sardinhas* (sorte de polenta aux sardines) ou la *caldeirada de marisco* (sorte de bouillabaisse aux fruits de mer).

Camané – *Praia de Faro, 9 km à l'Ouest de Faro* – *av. Nascente* – ☎ *289 81 75 39* – *45 €* (**GB** *Visa seulement*) – *fermé le lundi*.
Restaurant avec une agréable terrasse donnant sur la ria Formosa. Spécialités de fruits de mer.

SORTIR À FARO

Pâtisseries – Pour goûter aux délicieuses pâtisseries de l'Algarve (les *Dom Rodrigos*, les petits gâteaux en pâte d'amande ou de figue, etc.), deux institutions de Faro dans la rue de Santo António (piétonne) méritent une visite : la première est la **Pastelaria Aliança**, au début de la rue, dont l'intérieur est décoré d'une frise de photos anciennes de la région. La deuxième s'appelle **Gardy** et se trouve un peu plus loin, face au cinéma.

Bars – La rua Conselheiro Bivar et les ruelles adjacentes concentrent un grand nombre de bars où affluent les étudiants de l'université de l'Algarve.

Discothèques – Bien qu'il existe deux discothèques rua do Prior, derrière la rue Conselheiro Bivar, les noctambules préfèrent les établissements de Vilamoura *(voir ce nom)* à 20 km, ou d'Albufeira *(voir ce nom)* à 30 km.

FARO

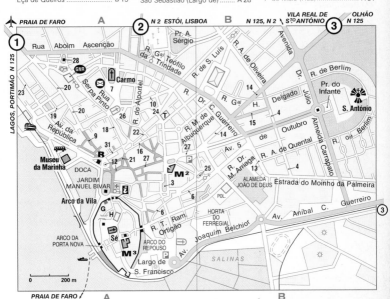

Arco da Vila – C'est la plus belle des portes de la muraille alphonsine. Remarquer ses pilastres à l'italienne et, dans une niche, une statue de saint Thomas d'Aquin, en marbre blanc. L'arc est surmonté d'un clocher dont le sommet est occupé depuis toujours par un nid de cigognes.

Sé ⊘ – De l'église primitive, construite sur une ancienne mosquée en 1251 après la Reconquête, il ne reste que l'imposante tour-portique de l'entrée. Incendiée par les troupes anglaises, elle fut reconstruite au 18ᵉ s. Elle présente aujourd'hui un mélange de styles : chapelle gothique sous un plafond lambrissé, revêtue d'azulejos du 17ᵉ s., retable Renaissance dans le chœur. Du sommet de sa tour médiévale s'offrent de belles vues sur la ville et la côte.

À proximité, la **Galeria do Trem** (rua do Trem) ⊘ et la **Galeria do Arco** (beco do Arco) ⊘ exposent les œuvres d'artistes contemporains portugais et étrangers.

L'ancienne brasserie, **Fábrica da Cerveja**, adossée aux remparts du côté Sud, a été restaurée et accueille des expositions temporaires.

Musée municipal ⊘ – Ce musée occupe l'ancien couvent de Nossa Senhora de Assunção, construit au 16ᵉ s.

La **collection archéologique** (Museu Arqueológico Lapidar do Infante Dom Henrique) est répartie dans les galeries du cloître construit par Afonso Pires et comprend notamment divers vestiges recueillis à Milreu *(voir Algarve)* – chapiteaux, mosaïques, une sépulture romaine du 1ᵉʳ s. –, un sarcophage du 15ᵉ s., une cathèdre du 16ᵉ s., des armes et monnaies anciennes. Des jarres mauresques et des azulejos mudéjars évoquent les périodes musulmane et postmusulmane de l'art local.

La **collection Ferreira d'Almeida**, au 1ᵉʳ étage, comprend des sculptures, des peintures du 18ᵉ s., des meubles espagnols et chinois.

Les soirs d'été, des concerts (musique classique, jazz, fado...) sont organisés dans la chapelle. On peut en obtenir le programme à l'Office de tourisme.

AUTRES CURIOSITÉS

Front de mer – Autour du **port** se concentre la vie touristique. L'**obélisque** haut de 15 m, érigé au centre de la praça Dom Francisco Gomes, la largeur des avenues, les palmiers de l'avenida da República et surtout ceux du jardin Manuel Bivar font le cachet de ce quartier aux perspectives modernes.

Centro da Ciência Viva ⊘ – Installé près du port de plaisance, ce centre consacré à la science et à la technologie présente des expositions interactives qui permettent au visiteur d'observer les planètes ou de naviguer dans un monde virtuel. L'exposition permanente a pour thème le Soleil et son influence sur notre planète.

Museu da Marinha ⊙ – Le musée de la Marine est installé dans la capitainerie du port. On y voit en particulier des maquettes de bateaux et d'intéressantes reproductions des différents types de pêche (thon, sardine, poulpe, etc.).

Église do Carmo ⊙ – Cette majestueuse église baroque du début du 18e s. cache, accolée au bras gauche de son transept et près des tombes d'un ancien cimetière, une **chapelle des Os** revêtue d'ossements et de crânes.

Église São Pedro – L'intérieur de cette église érigée au 16e s. est décoré d'une frise d'azulejos polychromes du 18e s. L'une des chapelles est entièrement revêtue de panneaux d'azulejos bleu et blanc, tandis que la chapelle du Très-Saint-Sacrement (Santíssimo Sacramento) est couverte de boiseries dorées.

Museu de Etnografia Regional ⊙ – Ce musée évoque la vie traditionnelle en Algarve sous forme de photographies, peintures, objets usuels, maquettes (dont celle d'une madrague, gigantesque filet naguère utilisé pour la capture des thons), reconstitutions (épicerie, intérieur paysan avec cuisine, écurie, four à pain), mannequins costumés...

Miradouro de Santo António – Dans la cour, petit **musée** ⊙ consacré à saint Antoine. Un escalier abrupt mène au belvédère du clocher : **panorama**★ sur la ville et la lagune (à voir l'après-midi, lorsque le soleil accentue le relief des cordons littoraux).

Praia de Faro – 9 km. Accès par ① du plan en suivant la direction de l'aéroport, ou par bateau (embarcadère en face de l'Arco da Porta Nova).
La plage est un cordon de sable qu'un pont relie au continent, entre l'Océan et la ria Formosa ; de la pointe orientale, jolie **vue**★ sur Faro dont la blancheur se reflète dans la lagune.

FÁTIMA

District de Santarém – 10 337 habitants
Carte Michelin n° 940 N 4

Le sanctuaire marial, l'un des plus connus du monde, se dresse au lieu-dit **Cova da Iria** (alt. 346 m) dans un paysage de collines verdoyantes. De grands pèlerinages y rassemblent des milliers de fidèles le 13 de chaque mois, en particulier du 13 mai au 13 octobre, dates des première et dernière apparitions. Celui du 13 mai est le plus important. Beaucoup s'y rendent à pied : on voit alors s'étirer le long des routes qui parcourent le plateau d'impressionnants défilés de pèlerins. Malgré les boutiques de souvenirs qui prospèrent autour du sanctuaire, il y règne une atmosphère de spiritualité. C'est également un lieu très cosmopolite, où se croisent des religieux et des visiteurs du monde entier. Il convient de le visiter avec une certaine réserve dans le comportement et l'habillement.

Les apparitions – Le 13 mai 1917, trois jeunes bergers, **Francisco, Jacinta** (frère et sœur) et **Lúcia** (leur cousine), gardent leur troupeau sur le penchant d'une colline, à Cova da Iria, lorsque soudain le ciel s'illumine ; la Vierge leur apparaît dans les branches d'un chêne et leur parle. Son message, répété avec insistance et gravité lors des apparitions suivantes, le 13 de chaque mois, est un appel à la paix ; il prend à ce moment-là une résonance particulière : l'Europe est en guerre depuis près de trois ans et le Portugal combat dans les rangs alliés. Le 13 octobre 1917, près de 70 000 personnes attendant le moment de la dernière apparition voient soudain la pluie cesser et le soleil briller et tournoyer dans le ciel comme une boule de feu. En 1930, après une longue enquête, l'évêque de Leiria donne l'autorisation de célébrer le culte de Notre-Dame-de-Fátima. Le 13 mai 2000, année du jubilé, le pape Jean-Paul II, très lié à Fátima, a béatifié les deux enfants, Francisco et Jacinta.

LE PÈLERINAGE

Basilique – Fermant l'immense esplanade (540 m x 160 m) qui peut rassembler plus de 300 000 pèlerins, la basilique néoclassique est prolongée de part et d'autre par un péristyle en arc de cercle (abritant un chemin de croix en mosaïque) et dominée par une tour de 65 m. L'intérieur abrite les tombeaux de Francisco, mort en 1919, et de Jacinta, morte en 1920 ; l'aînée, Lúcia, est religieuse au carmel de Coimbra.

Chapelle des Apparitions – Sur l'esplanade, un chêne vert, entouré d'une grille, remplace celui près duquel la Vierge apparut. Une chapelle abrite la statue de Notre-Dame-de-Fátima, pour qui s'amoncelle la cire des cierges brûlés.

Les grands pèlerinages – Ils comprennent une procession aux flambeaux, une vigile nocturne, la messe solennelle sur l'esplanade, la bénédiction des malades, et, pour clore le pèlerinage, la procession des « adieux » à la Vierge.

Le pèlerinage de Fátima

La ferveur qui anime la foule des pèlerins en prière, venus du monde entier, parcourant souvent à genoux l'esplanade jusqu'à la chapelle des Apparitions, ne laisse personne indifférent.

Museu de Cera ⊙ – L'histoire des apparitions est racontée au **musée de Cire** à travers 28 « tableaux » dans lesquels l'atmosphère est très bien rendue.

★ PARC NATUREL DES SERRAS DE AIRE ET CANDEEIROS

Entre Batalha, Rio Maior et Fátima, ce parc naturel recouvre 35 000 ha des serras de Aire et de Candeeiros. Formées de hauteurs calcaires, truffées de grottes, ces serras présentent des paysages forts où l'aridité n'exclut pas un certain charme. Les routes y serpentent, bordées de rares eucalyptus, au flanc de croupes blanches piquetées d'oliviers et toutes zébrées de murets de pierres sèches.
Les localités les plus importantes en sont : **Porto de Mós**, que signale de loin son château, à la toiture verte, juché sur une butte, et **Mira de Aire**, connue pour ses produits d'artisanat.

★**Grottes de Mira de Aire** ⊙ – *Dans le bourg, à droite de la N 243 vers Porto de Mós.*
Ces grottes, les plus grandes du Portugal, dites **des Vieux Moulins** (grutas dos Moinhos Velhos), découvertes en 1947, puis reliées par des tunnels artificiels, totalisent une longueur de plus de 4 km *(dont 600 m se visitent)*, pour une dénivellation de 110 m. Leur parcours, en spirale descendante, compte 683 marches.
De salle en galerie, le coup d'œil est impressionnant, surtout dans les deux plus vastes cavités : le « Grand Salon » (60 m de haut, 45 m de largeur praticable) et la « salle Rouge ». La teinte rougeâtre des parois, due à l'oxyde de fer, l'opalescence des concrétions aux contours évocateurs (« joyaux » de la chapelle des Perles, la Méduse, le Martien, l'Orgue...), le ruissellement des eaux souterraines exercent leur fascination. Dans l'immense galerie terminale, on admire le « Grand Lac », qui collecte les eaux des ruisseaux et de la « rivière Noire » dont la crue, plusieurs jours par an, inonde la partie inférieure des grottes.
Le retour à l'air libre s'effectue par un ascenseur.

Grottes de São Mamede ⊙ – *De Cova da Iria (Fátima), 7,5 km par la N 356 vers Batalha. Prendre à gauche la route de Mira de Aire, puis, à la sortie du village de São Mamede, se diriger à gauche.*
Ce sont les plus récemment prospectées, en 1971. Une légende, voulant que des bandits y aient précipité le corps d'un voyageur et sa bourse avec lui, dans leur hâte excessive, les a fait baptiser **« grottes de la Monnaie »** (grutas da Moeda). On y dénombre neuf « salles » dont la variété des teintes et des draperies, une cascade, les étonnantes concrétions calcaires multicolores de la « salle du Berger » sollicitent le regard.

Grottes d'Alvados ⊙ – *Accès par la N 361, entre Alvados et Serra de Santo António.*
Découvertes en 1964, au flanc Nord-Ouest de la colline de Pedra do Altar. Elles offrent aux visiteurs un parcours de 450 m à travers une dizaine de salles – reliées artificiellement par de longs tunnels –, chacune avec sa vasque d'eau limpide et ses concrétions. Un attrait supplémentaire leur est conféré par la teinte dorée de leurs parois, le nombre de leurs stalactites et stalagmites réunies en piliers, les fissures zigzagantes de leur sol.

Dans la plus grande salle, haute de 42 m, chutaient les animaux égarés (ossements visibles).

Grottes de Santo António ⊘ – *Accès par la N 361, au Nord de Serra de Santo António.*

Détectées en 1955, près du sommet (583 m) de la colline de Pedra do Altar, les grottes de Santo António ont nécessité d'importants aménagements, dont un tunnel d'accès de 40 m.

Leurs trois salles – la principale, d'une surface de 4 000 m², atteint 43 m de haut – et une courte galerie sont agrémentées de délicates concrétions roses, et, pour l'une des salles secondaires, d'un petit lac. Leur intérêt majeur réside dans la véritable forêt de stalagmites qui s'y trouve, et dans les scènes figées que semblent jouer certaines d'entre elles, à silhouettes de statues.

FIGUEIRA DA FOZ★

District de Coimbra – 13 466 habitants
Carte Michelin n° 940 ou 441 L 3
Plan dans le Guide Rouge Portugal

Adossée à la serra da Boa Viagem qui la protège des vents du Nord, Figueira da Foz s'étale à l'embouchure du Mondego. Elle apparaît sous son jour le plus curieux de la route de Galã, au Sud, tracée dans un paysage de marais salants.

La ville, bâtie au siècle dernier, vit surtout de son port de pêche (sardine et morue) et de l'activité de ses chantiers navals. Un quartier moderne, édifié à l'Ouest, concentre son animation touristique. Dans la courbe très ouverte de sa baie, une immense plage de sable fin et un élégant « front de mer » attirent chaque année de nombreux estivants et font de Figueira une des stations balnéaires les plus fréquentées du Portugal. Les distractions y sont autant mondaines (casino, concerts, théâtres) que sportives (natation, tennis, régates, etc.) ou folkloriques (fêtes de la Saint-Jean les 23 et 24 juin).

Museu Municipal Dr. Santos Rocha ⊘ – *Rua Calouste Gulbenkian.*

Installé dans un édifice moderne qu'il partage avec la bibliothèque, ce musée présente d'intéressantes collections archéologiques (remarquer une stèle gravée d'inscriptions ibériques) et artistiques : peintures, sculptures, arts décoratifs (faïences, mobilier).

EXCURSIONS

Serra da Boa Viagem – *Circuit de 20 km – environ 3/4 h. Quitter Figueira da Foz vers le Nord-Ouest par la route côtière.*

On aperçoit **Buarcos**, petit village de pêcheurs et station balnéaire. Après avoir laissé à gauche une importante cimenterie, la route longe l'Océan et atteint le phare du cap Mondego.

La route se poursuit à travers la forêt de pins, d'acacias et d'eucalyptus qui couvre la serra. *Tourner à droite en direction du village de Boa Viagem et après à gauche vers Figueira da Foz.* La route passe sous une véritable voûte de verdure (cèdres, eucalyptus) puis, peu avant Boa Viagem, l'horizon se dégage pour offrir de jolies vues sur la baie de Figueira da Foz et l'embouchure du Mondego.

Montemor-o-Velho – *16 km à l'Est par la A 14.* Dans la vallée du Mondego, Montemor-o-Velho est dominé par les ruines d'une citadelle bâtie au 11ᵉ s. pour interdire aux Maures occupant l'Estrémadure l'accès de Coimbra.

★**Château** ⊘ – *À l'entrée du bourg en venant de Figueira da Foz. Franchir la première enceinte et pénétrer dans la cour du château.* Du château initial, il reste une double enceinte ovale crénelée, flanquée de nombreuses tours ; l'angle Nord est occupé par l'église et le donjon. Du haut des remparts, **panorama★** sur la vallée du Mondego où s'étendent d'immenses rizières, quelques champs de maïs et des peupleraies ; la serra da Lousã se profile à l'horizon, au Sud-Est.

GUARDA

District de Guarda – 18 807 habitants
Carte Michelin n° 940 ou 441 K 8

Située à 1 000 m d'altitude sur un contrefort oriental de la serra da Estrela, Guarda, ville la plus haute du Portugal, est une station climatique. Son nom de « gardienne » rappelle son rôle de principale place forte de la province de la Beira Alta à proximité de l'Espagne. Elle est entourée de citadelles médiévales et de forteresses réparties le long de la frontière.

Ces dernières années, la ville s'est développée ; les quartiers modernes ceinturent le centre médiéval délimité par les vestiges des anciennes fortifications.

R. Mattes/EXPLORER

Les vestiges des fortifications

Un site apprécié – Occupé dès la préhistoire, le site de Guarda aurait servi de base militaire à Jules César avant de supporter, croit-on, la ville romaine de Lancia Oppidana, puis une forteresse wisigothique bientôt submergée par la conquête arabe. La ville, reprise aux Maures par Alphonse Henriques, fut agrandie et fortifiée à la fin du 12e s., sous Sanche Ier. Le roi Denis Ier y séjourna.

Après avoir repoussé les Espagnols, Guarda devait néanmoins faillir à son rôle de « gardienne » lors de l'invasion française de 1808.

CURIOSITÉS

Anciennes fortifications – Comme toutes les enceintes élevées avant le règne du roi Denis, les murailles se caractérisent par l'absence de créneaux, qui vinrent parfois couronner ultérieurement certains des ouvrages. Les vestiges les mieux conservés sont la tour dos Ferreiros (forgerons), le donjon des 12e et 13e s., ainsi que les portes d'El-Rei et da Estrela.

★**Sé** – Commencée en 1390 dans le style gothique, la **cathédrale** ne fut terminée qu'en 1540, ce qui explique la présence d'éléments Renaissance et manuélins dans sa décoration. L'édifice, en granit, est couronné de pinacles et de trèfles qui lui confèrent une certaine ressemblance avec le monastère de Batalha *(voir ce nom)*.

Extérieur – La façade Nord, la plus intéressante, est ornée d'un portail de style gothique fleuri que surmonte une fenêtre manuéline. La façade principale, plus dépouillée, présente un portail manuélin encadré par deux tours octogonales : les blasons fixés au pied des tours crénelées sont ceux de l'évêque Dom Pedro Vaz Gavião qui joua un rôle important dans l'achèvement de la cathédrale au 16e s.

★**Intérieur** – Remarquer la voûte à liernes et tiercerons de la croisée du transept dont la clef est une croix de l'ordre du Christ. Le chœur abrite un retable Renaissance (16e s.) en pierre d'Ançã, dorée au 18e s. Attribué à Jean de Rouen *(voir index)*, cet ensemble en haut-relief de plus de cent personnages se développe sur quatre étages et représente, de bas en haut, des scènes de la vie de la Vierge et du Christ. Dans l'absidiole de droite, un retable (16e s.), également attribué à Jean de Rouen, figure la Cène.

La chapelle des Pinas s'ouvre sur le collatéral gauche par une belle porte Renaissance ; elle renferme un joli tombeau gothique avec gisant.

À l'angle du bras droit du transept, un escalier érigé autour d'une colonne torse permet d'accéder aux toits de la cathédrale, d'où la vue s'étend sur la ville et la serra da Estrela.

Maisons anciennes – Sur la place Luís de Camões ou largo da Sé devant la cathédrale et dans les rues Francisco de Passos et Dom Miguel de Alarcão (n° 25) se dressent de nombreuses maisons armoriées des 16e et 18e s. Sur la place derrière la cathédrale, on découvre le *solar de Alarcão*, beau manoir en granit, qui fait partie du réseau du « tourisme d'habitation » *(voir carnet d'adresses)*.

SE LOGER À GUARDA

Residencial Santos – *R. Tenente Valadim, 14 – 6300-764 Guarda –* ☎ *271 21 99 31 – fax 271 21 99 31 – 21 chambres – 40/45 €.*
Située dans le bâtiment historique de l'ancien hôtel de ville et contenant une porte de l'ancienne muraille, cette agréable pension est située en plein centre historique, près de la cathédrale.

Residencial Filipe – *R. Vasco da Gama, 9 – 6300-072 Guarda –* ☎ *271 22 36 59/9 – fax 271 22 14 02 – 30 chambres 35/45 €.*
Pension moderne et bien tenue, proche de l'église da Misericórdia.

Solar de Alarcão – *R. D. Miguel de Alarcão, 25-27 – 6300 Guarda –* ☎ *271 21 43 92 – 6 chambres – 70 €.*
Ce manoir de la fin du 17e s., jouxtant la cathédrale, accueille des hôtes dans son cadre historique.

Musée régional ⊙ – Il est installé dans l'ancien palais épiscopal au pied des remparts. Du début du 17e s., ce palais a conservé son cloître Renaissance. Collections régionales d'archéologie, d'ethnologie, peintures et sculptures, dont une statue du 13e s. de Notre-Dame-de-la-Consolation, en granit polychrome.

LES PLACES FORTES DE L'EST

Distances indiquées au départ de Guarda.

Citadelles médiévales ou places fortes érigées aux 17e-18e s. pour protéger la frontière, de nombreux bourgs ou villages fortifiés semblent encore monter la garde au sommet d'une butte ou d'un promontoire escarpé, au cœur de la Beira Alta.

★Almeida – *49 km au Nord-Est.*
À moins de 10 km de la frontière, la paisible petite cité d'Almeida couronne de ses remparts une butte haute de 763 m. Prise par les Espagnols en 1762, puis par les Français de Masséna en 1810, elle conserve intact son double **système fortifié★** en étoile à six branches de pur style Vauban achevé au 18e s. Trois portes voûtées disposées en chicane *(klaxonner en s'y engageant)*, à porches monumentaux précédés de ponts, donnent accès à l'intérieur de la place où l'on peut voir les anciens casernements *(près de la porte Nord)* qui servirent de prison de 1828 à 1833, et quelques beaux hôtels particuliers, certains revêtus d'azulejos.

Castelo Bom – *39 km à l'Est.*
Forteresse médiévale du temps du roi Denis Ier, ce village groupé sur une colline ne possède plus qu'une tour ruinée, contiguë à une porte gothique, et une belle maison du 16e s.

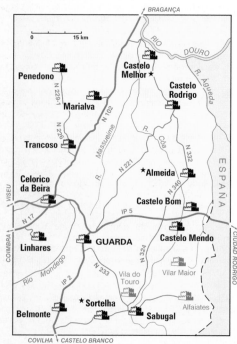

★Castelo Melhor – *77 km au Nord-Est.*
Visible de la N 222, le village s'accroche au flanc d'un piton rocheux piqueté d'oliviers. Une **enceinte★** médiévale renforcée de tours rondes ceinture le sommet herbeux et nu.
Un centre de réception y est installé pour la visite des gravures rupestres du parc archéologique du Vale do Côa *(voir ce nom).*

Castelo Mendo – *35 km à l'Est.*
Entrelaçant ses ruelles pavées sur une butte rocheuse parmi les restes d'une enceinte gothique dont la porte principale est cantonnée de deux tours, le village conserve les marques d'un passé florissant : quelques édifices Renaissance ou datant de la domination espagnole, une église du 17e s. avec, devant elle, le plus haut pilori de la province

(7 m), du 16ᵉ s., au fût octogonal surmonté d'une cage à colonnettes. Les maisons paysannes en granit se bordent d'un double balcon formant porche. Du sommet, qui porte les vestiges du réduit de défense et d'une chapelle à clocher-porche, vue dominante au Sud sur la vallée encaissée du rio Côa que barre un viaduc ferroviaire.

Celorico da Beira – *28 km au Nord-Ouest.*
Ce bourg actif occupe l'extrémité Nord d'une échine boisée terminale de la serra da Estrela. Le vaste donjon carré de son ancien château fort y culmine, entouré d'une petite enceinte. Dans les ruelles du quartier ancien on peut voir des maisons aux portes gothiques et aux fenêtres manuélines. Vues étendues.

Linhares – *49 km à l'Ouest (les 6 derniers, depuis Carrapichana, par une route sinueuse).*
La très belle enceinte d'un château du temps de Denis Iᵉʳ, à deux tours carrées cré-nelées, sur la chape granitique d'un promontoire dominant la haute vallée du Mondego, protège le vieux village où se voient encore quelques constructions du 16ᵉ s. dont un pilori à sphère armillaire.

Marialva – *69 km au Nord.*
Au-dessus du village actuel, les vestiges d'un château construit en 1200 couvrent une échine rocheuse offrant des vues étendues sur la plaine. Entre les ruines de l'enceinte, du donjon crénelé et d'une autre tour encore sertie dans sa chemise quadrangulaire, se disséminent celles des maisons abandonnées de l'ancien village, ainsi qu'un pilori du 15ᵉ s. à chapeau conique et l'église paroissiale à portail manuélin.

Penedono – *74 km au Nord.*
Perché à 947 m d'altitude sur une crête rocheuse de la Beira Alta, le bourg de Penedono est dominé au Nord par un gracieux **château fort** ⊘ triangulaire couronné de merlons pyramidaux. Un **pilori** du 16ᵉ s. précède les marches qui y mènent. Franchir les remparts et prendre à gauche vers l'unique porte d'entrée flanquée de deux tourelles à mâchicoulis.
Du chemin de ronde, la vue est étendue au Sud sur le village et, au loin, sur la serra da Estrela ; au Nord, le plateau montagneux annonce le Trás-os-Montes.

Sabugal – *33 km au Sud-Est.*
Groupée sur une butte autour de son château fort, la petite cité domine la vallée du Côa, affluent du Douro. Fondée au début du 13ᵉ s. par Alphonse X de León, la ville devint portugaise en 1282, lorsque Isabelle d'Aragon épousa le roi Denis du Portugal. L'aspect actuel du **château fort** ⊘ date de la fin du 13ᵉ s. ; une double enceinte crénelée, flanquée de tours carrées à merlons pyramidaux, enserre un imposant donjon pentagonal avec balcons à mâchicoulis.

★Sortelha – *45 km au Sud.*
Cette puissante **forteresse**★ du 12ᵉ s., enserrant l'ancien village aux pittoresques maisons de granit – ainsi qu'un beau pilori manuélin à sphère armillaire –, se dresse à l'extrémité d'un promontoire dominant la haute vallée du Zêzere. On y pénètre par l'une des majestueuses portes gothiques de l'enceinte fortifiée, presque com-plète, dont les deux tours carrées subsistantes ont leur propre enceinte, aux entrées surmontées de mâchicoulis.
Du chemin de ronde (attention au vent), **vues**★ impressionnantes sur la vallée.

Trancoso – *47 km au Nord.*
Sur le haut du plateau qui prolonge au Nord la serra da Estrela se dresse, intacte, l'enceinte fortifiée médiévale de Trancoso. On en a la meilleure vue d'ensemble depuis un monticule rocheux, à l'entrée Nord de la localité, voisin d'un calvaire et bordant la route de Mêda.
La petite cité connut ses jours de gloire aux 13ᵉ et 14ᵉ s., en particulier lorsque fut célébré le mariage du roi Denis et d'Isabelle d'Aragon, le 24 juin 1282.

★**Fortifications** – *En faire le tour en voiture pour apprécier leur puissance.* La muraille, plusieurs fois relevée depuis le 9ᵉ s., est crêtée de merlons pyramidaux et renforcée par de massifs bastions carrés. Deux de ses portes sont décorées et cantonnées de tours.

Château ⊘ – Dominé par son donjon carré, il occupe l'angle Nord-Est de l'enceinte ; du haut de ses remparts, la vue s'étend sur le relief accidenté de la Beira Alta.

Pilori – Devant l'église, au centre de l'agglomération, il est fait d'une colonne octo-gonale que surmonte un lanternon portant la sphère armillaire et la croix du Christ.

Maisons anciennes – Elles se reconnaissent à la patine de leurs murs de granit, à leurs blasons et balcons ouvragés. L'une d'elles, sur une placette proche de l'église, montre une façade 16ᵉ s. aux fenêtres soulignées de consoles et de sculptures.

D'autres forteresses de la région de Guarda sont décrites dans le présent guide : **Belmonte** *(22 km au Sud)* et **Castelo Rodrigo** *(54 km au Nord-Est). Voir index.*

GUIMARÃES★★

District de Braga – 9 242 habitants
Carte Michelin nº 940 ou 441 H 5

Une tour de défense assurant la protection d'un monastère et de quelques maisons alentour, telle est, au 10ᵉ s., la configuration du bourg de Guimarães, fondé peu de temps auparavant par la comtesse Nuña Mumadona, originaire du Léon. Au Sud de ce bourg se sont développés les quartiers médiévaux et modernes.

De nos jours, Guimarães connaît une intense activité économique : filature et tissage du coton et du lin, coutellerie, tannerie, quincaillerie ; l'artisanat (orfèvrerie, faïencerie, broderies, fabriques de linge damassé et de jougs de bois sculptés) y est également prospère.

Le berceau du Portugal – En 1095, Alphonse VI, souverain de León et de Castille, lègue le comté de Portucale *(voir Introduction : Histoire)* à son gendre Henri de Bourgogne. Celui-ci fait aménager en château la tour de Guimarães, capitale du comté, et s'y installe avec sa femme, la princesse Thérèse. De cette union naît, vers 1110, **Alphonse Henriques** qui succède à son père en 1112 (ou 1114). Arguant de l'inconduite notoire de sa mère, qui assure la régence, le jeune prince se révolte et s'empare du pouvoir le 24 juin 1128, à l'issue de la bataille de São Mamede. Puis il engage la lutte contre les Maures qui se montrent menaçants et les vainc le 25 juillet 1139 à Ourique ; au cours de l'engagement, il est proclamé roi du Portugal par ses troupes ; ce choix est confirmé en 1143 par les Cortes de Lamego *(voir ce nom)* et par son cousin Alphonse VII, roi de León et de Castille (traité de Zamora).

Gil Vicente – Né à Guimarães vers 1470, Gil Vicente est un bourgeois qui vit à la cour des rois Manuel Iᵉʳ et Jean II ; il écrit des divertissements pour le roi et sa suite (farces, tragi-comédies) ou des drames religieux *(autos)*. Son œuvre, composée de 44 pièces, constitue une peinture satirique de la société portugaise au début du 16ᵉ s. La variété de son inspiration, alliée à la légèreté et à la finesse de son style, fait de ce dramaturge le créateur du théâtre portugais.

COLLINE DU CHÂTEAU

★**Castelo** ⊘ – Le donjon, haut de 28 m, fut construit au 10ᵉ s. par la comtesse Mumadona pour protéger le monastère et la bourgade qui l'entourait. Le château fut ensuite érigé par Henri de Bourgogne et renforcé au 15ᵉ s. Sept tours carrées, bâties sur des affleurements rocheux, entourent le donjon.
Du haut des remparts crénelés, **vue** étendue sur Guimarães que domine au Sud le sommet de Penha.

Église São Miguel do Castelo ⊘ – Cette petite église romane du 12ᵉ s. abrite les fonts baptismaux sur lesquels aurait été baptisé Alphonse Henriques. Nombreuses dalles funéraires.

★**Paço dos Duques de Bragança** ⊘ – Le **palais des ducs de Bragance** fut construit au début du 15ᵉ s. par le premier duc de Bragance, Afonso, fils naturel du roi Jean Iᵉʳ. Son architecture montre une forte influence bourguignonne, surtout dans les

SE LOGER À GUIMARÃES

Casa dos Pombais – *Av. de Londres, 4800-100 Guimarães* – ☎ *253 41 29 17 – fax 253 51 19 00 – 3 chambres – 60/75 €.*
Cette belle résidence du début du 18ᵉ s., dans la même famille depuis sa fondation, vous offre sa fraîcheur et sa tranquillité au milieu d'un quartier hérissé d'immeubles modernes.

Pousada de Nossa Senhora da Oliveira – *R. de Santa Maria, 4810-248 Guimarães –* ☎ *253 41 41 57 – fax 253 51 42 04 – 10 chambres et 6 suites – 117,50/ 125,50 €* (**GB**).
Dans le cœur historique de la ville, cette pousada accueillante dispose d'un bon restaurant pour goûter les spécialités de la région.

SE RESTAURER À GUIMARÃES

Solar do Arco – *R. de Santa Maria, 48B* – ☎ *253 51 30 72 – 17,25 €* (**GB**) *– fermé le dimanche soir.*
Au menu de ce restaurant du centre historique, les spécialités de poisson ont une place de choix.

Carreira – *À Silvares. Prendre la N 206 en direction de Famalicão ; à 4 km du centre, au rond-point, tourner à gauche, juste avant le pont, en direction de Pevidem –* ☎ *253 41 84 48 – 12,50 €.*
Cette auberge rustique mérite une visite pour ses plats régionaux authentiques et savoureux : chevreau rôti dans un four à bois, riz à la morue et, en dessert, une très bonne *aletria* (petites pâtes au lait).

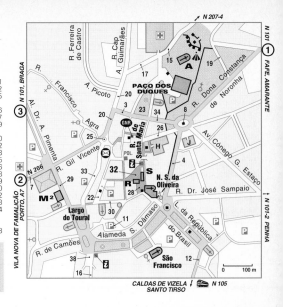

toitures et l'aspect insolite des 39 hautes cheminées de brique. Il fut l'une des plus somptueuses demeures de la péninsule Ibérique, mais à partir du 16ᵉ s., la Cour s'étant déplacée à Vila Viçosa, il ne fut plus occupé que par intermittence.

En 1933, il a fait l'objet d'une très importante restauration qui lui a rendu son aspect d'origine. Devant sa façade s'élève la statue en bronze d'Alphonse Henriques réalisée par Soares dos Reis (fin 19ᵉ s.).

Quatre corps de bâtiment à tours d'angle massives le composent, ordonnés autour d'une cour. Ils sont couronnés de créneaux à mâchicoulis.

Intérieur – Les salles immenses étaient chauffées par de vastes cheminées. Au premier étage, l'attention se porte sur les **plafonds**★ de chêne et de châtaignier des salles des Banquets et des Fêtes et sur les **tapisseries**★ des 16ᵉ et 18ᵉ s. (d'Aubusson, des Flandres et des Gobelins). On remarquera les tapisseries de Tournai, représentant la prise d'Asilah et de Tanger, qui sont les copies de celles exécutées d'après les cartons de Nuno Gonçalves (les originaux font partie du trésor de l'église de Pastrana en Espagne). Des tapis persans, des meubles portugais (du 17ᵉ s.), des porcelaines de Chine, des armes et armures, des tableaux hollandais et italiens complètent cette décoration.

★★CENTRE HISTORIQUE

Ce quartier circonscrit par de larges avenues se prête à une agréable flânerie dans son dédale de rues reliant des places bordées de maisons anciennes en granit, formant un ensemble harmonieux et bien conservé.

Convento de Nossa Senhora da Oliveira – Le couvent avait été fondé au 10ᵉ s. par la comtesse Mumadona. Plusieurs constructions se sont succédé sur cet emplacement dont il ne subsiste que la collégiale gothique qui a conservé un cloître et une salle capitulaire d'époque romane *(occupés par le musée)*.

Collégiale – Le portail principal est surmonté d'un fronton gothique du 14ᵉ s.
À l'intérieur, remarquer l'autel en argent de la chapelle du St-Sacrement.
Devant la collégiale, un **édicule** gothique *(illustration p. 371)* contient un *padrão* (*voir index*) qui commémore la victoire des Portugais et des Espagnols sur les Maures à la bataille du Salado, en 1340. La légende raconte que lors de l'achèvement de ce porche, en 1342, le tronc d'olivier qui se trouvait devant l'église se couvrit de feuilles : de cet épisode proviendrait le nom de l'église.

★**Museu Alberto Sampaio** ⊙ – Le musée est installé dans les bâtiments conventuels. Le cloître roman du 13ᵉ s. possède d'intéressants chapiteaux historiés. Dans l'angle Est se trouve la porte de l'ancien monastère fondé par la comtesse Mumadona (10ᵉ s.). Dans une chapelle gothique à droite de l'entrée, beau **gisant**★ en granit de Dona Constança de Noronha, épouse de Dom Afonso, premier duc de Bragance.
Remarquer dans le cloître une curieuse statue (14ᵉ s.) de sainte Marguerite, d'exécution française. Les salles attenantes au cloître abritent des peintures de l'école portugaise, en particulier d'António Vaz, artiste né à Guimarães, et des retables baroques. Un beau plafond à caissons (16ᵉ s.) orne la salle capitulaire. Dans les pièces suivantes est exposée une intéressante collection de céramiques, de porcelaines et d'azulejos.
Au 1ᵉʳ étage, on admire plusieurs statues dont celle de Notre-Dame-de-la-Pitié, du 15ᵉ s., en albâtre, et un grand retable en bois (16ᵉ s.).

Les salles suivantes sont consacrées à l'orfèvrerie★. Le trésor de la collégiale provient en grande partie des dons de Jean Ier. Dans la salle Aljubarrota, remarquer, outre la tunique portée par Jean Ier à la bataille d'Aljubarrota (1385), le triptyque★ en argent doré que le roi aurait pris aux Castillans lors de la bataille : il représente au centre la Nativité, à gauche l'Annonciation, la Purification et la Présentation au Temple, à droite l'Adoration des bergers et des Mages.

Parmi d'autres pièces d'orfèvrerie, citons : un calice gothique en argent doré rehaussé d'émaux ; un ostensoir manuélin attribué à Gil Vicente, poète mais également orfèvre, et une croix★ manuéline en argent finement ciselé (16e s.) où figurent des scènes de la Passion.

Antigos Paços do Concelho – Face à la collégiale, l'ancien hôtel de ville est un édifice manuélin du 16e s. dont le rez-de-chaussée se compose d'une galerie à arcades ogivales du 14e s. Il abrite un petit musée d'art naïf. À côté se trouvent les bâtiments de la pousada de Nossa Senhora da Oliveira *(voir carnet d'adresses)*.

★**Praça de São Tiago** – Bordée de maisons anciennes à encorbellement surmonté du large auvent des toits, cette place a conservé un cachet médiéval.

Rua de Santa Maria – Elle suit le tracé du chemin qui reliait le couvent fondé par la comtesse Mumadona au château. Il faut la parcourir à pied pour découvrir les maisons des 14e et 15e s. à grilles de fer forgé et corniches de granit ouvragées.

AUTRES CURIOSITÉS

Largo do Toural – Cette place pittoresque, au curieux pavage ondé, forme un bel ensemble urbain classique. Elle est bordée de maisons anciennes aux toitures mansardées, aux immenses fenêtres occupant toute la façade, aux belles grilles de fer forgé.

Museu Martins Sarmento ⊘ – Installé en partie dans le cloître gothique de São Domingos, il comprend de nombreuses pièces archéologiques trouvées dans les cités préromaines de Sabrosa et Briteiros *(voir Braga – Excursion)*.

Église São Francisco – Construite au début du 15e s., elle a été modifiée au 17e s. : seuls le portail et le chevet ont conservé leur caractère gothique d'origine. Les chapiteaux du portail principal évoquent la légende de saint François. L'intérieur a subi de malheureuses transformations aux 17e et 18e s.

Le chœur, qui abrite un autel baroque en bois doré, est décoré d'azulejos★ du 18e s. figurant la vie de saint Antoine.

La sacristie★ ⊘ *(accès par le bras droit du transept)* possède un joli plafond à caissons orné de grotesques ; une table en marbre d'Arrábida s'appuie sur une élégante colonne en marbre de Carrare. La salle capitulaire, qui donne sur un cloître Renaissance (16e s.), est fermée par une belle grille gothique.

Remarquer, à droite de l'église, une façade ornée d'azulejos.

C. Pinheira/PHOTONONSTOP

Détail du retable de l'église São Francisco

EXCURSIONS

Penha – *On peut y accéder directement par téléphérique, ou s'y rendre en voiture.* Le mont de Penha, couronné par la basilique Nossa Senhora da Penha, se trouve au sommet (617 m) de la serra de Santa Catarina.

Téléphérique ⊙ – *10 mn.* Les cabines passent au-dessus d'une forêt de pins, d'eucalyptus et de mimosas, puis à mesure que l'on s'élève, la végétation fait place à d'énormes blocs de granit polis par l'érosion. La descente offre une vue étendue sur la ville et la campagne environnante.

Accès en automobile – *Circuit de 17 km. Quitter Guimarães par la N 101, direction Felgueiras. Après Mesão Frio, prendre à droite vers Penha.* La route s'élève aussitôt en serpentant parmi les pins et les eucalyptus.

Traverser l'esplanade de la basilique Nossa Senhora da Penha et poursuivre jusqu'à la statue de sainte Catherine où laisser la voiture.

De là, **panorama**★ sur la serra do Marão au Sud, sur Guimarães et la serra do Gerês au Nord.

Pour revenir à Guimarães, prendre, après l'esplanade, une route étroite qui descend en lacet parmi les rochers et les arbres.

★**Trofa** – *13 km. Quitter Guimarães par la N 101, en direction d'Amarante.* Trofa est un petit village où les femmes travaillent le filet et la dentelle ; lorsque le temps le permet, elles dressent leurs métiers en bordure de la route et exposent leurs travaux (nappes et napperons).

Roriz – *17 km. Quitter Guimarães par la N 105. À 3 km de Lordelo, prendre à gauche une route en direction de Roriz.*
Auprès d'un ancien monastère se dresse une intéressante **église** ⊙ romane en granit du 11ᵉ s., rappelant extérieurement celle de Paço de Sousa *(voir ce nom)*. La façade, simple mais harmonieuse, est percée d'un portail aux chapiteaux ornés de feuillages et d'animaux et aux colonnes agrémentées de coquilles en relief. Comme à Paço de Sousa, des demi-sphères décorent les voussures du portail et la bordure de la gracieuse rosace qui le surmonte. Deux têtes de taureau stylisées servent de linteau. L'avant-toit est bordé d'une frise d'arcatures lombardes.
L'intérieur, sobre, à nef unique, ne manque pas d'élégance.

LAGOS★

District de Faro – 17 365 habitants
Carte Michelin nº 940 U 3 – Schéma : ALGARVE

Bien que très touristique, Lagos, qui fut de 1576 à 1756 la capitale de l'Algarve, a conservé caractère et charme avec son fort, ses murailles et son quartier ancien. L'arrivée à Lagos en venant du Nord *(N 120)* ou de l'Ouest de Vila do Bispo *(N 125)* offre une belle **vue**★ sur le site qui se développe à la faveur de l'ensablement de la baie dont la serra de Monchique ferme l'horizon au Nord. Cette station balnéaire, avec sa grande marina à côté de la baie, est aussi un important centre de pratique de la voile ; des compétitions internationales s'y déroulent. Le port de pêche est abrité par le promontoire de Ponta da Piedade.

Histoire d'un port – Lagos était déjà un port important à l'époque des Grandes Découvertes et c'est d'ici que partirent la plupart des **expéditions africaines**. Il servit de base navale principale à l'infant Henri le Navigateur et de port d'attache à Gil Eanes qui, le premier, en 1434, doubla à l'Ouest du Sahara le cap Bojador, considéré alors comme la limite du monde habitable. Sous les ordres de l'infant, les expéditions se succédèrent le long des côtes de l'Afrique, permettant de perfectionner la connaissance des courants marins et d'améliorer les techniques de navigation *(voir Sagres et, en Introduction, la rubrique consacrée aux Grandes Découvertes)*. En 1578, le jeune roi Dom Sebastião y embarqua avec toute son armada vers El-Ksar-el-Kébir *(voir p. 38)*. En 1693, au large de la baie de Lagos, Tourville réussit à envoyer par le fond 80 bâtiments d'un convoi anglo-hollandais escorté par l'amiral anglais Rooke, son vainqueur de la Hougue l'année précédente sur le littoral du Cotentin.

CURIOSITÉS

Il est conseillé de se garer sur le port.

Murailles – Les remparts furent édifiés entre le 14ᵉ et le 16ᵉ s. au-dessus de murailles plus anciennes.

Praça Infante D. Henrique – Au centre se dresse la **statue d'Henri le Navigateur**, inaugurée en 1960 pour le 500ᵉ anniversaire de sa mort. À droite, la maison à arcades est l'**ancien marché aux esclaves** (Mercado de Escravos) : à la suite des expéditions africaines, au 15ᵉ s., fut instauré ici le premier marché aux esclaves d'Europe. Le bâtiment actuel a été reconstruit après le tremblement de terre de 1755. Aujourd'hui, des expositions temporaires y sont présentées.

LAGOS

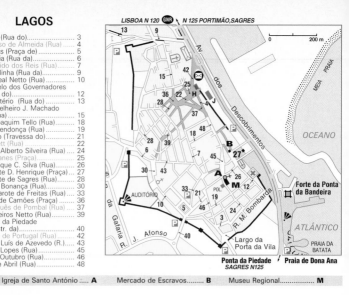

Igreja de Santo António ..... **A**   Mercado de Escravos......... **B**   Museu Regional................. **M**

À un angle de la place, prendre la rua Henrique Correia da Silva.

★**Église Santo António** ⊘ – La façade très simple ne laisse pas soupçonner l'exubérance et la virtuosité de la **décoration baroque**★ qui règne à l'intérieur : admirer le plafond en trompe-l'œil, les symboles eucharistiques et les statues en bois doré du chœur, les murs et le plafond de la tribune, les azulejos blanc et bleu.

Museu de Lagos ⊘ – Attenant à l'église Santo António, il présente une intéressante collection archéologique (monnaies, fragments de mosaïques) et une section ethnographique consacrée à l'Algarve (remarquer les cadres en liège) et, en souvenir de son passé, à l'Afrique.

Forte da Ponta da Bandeira ⊘ – Construit au 17e s., le fort s'avance dans la mer et protège un petit port d'où partent les bateaux d'excursion pour Ponta da Piedade. Il faut franchir le pont-levis pour parvenir à l'intérieur de la cour. Dans les salles sont présentées des expositions sur les Grandes Découvertes. La chapelle est décorée d'azulejos du 17e s. De la terrasse, **vues** sur la ville et le littoral.

EXCURSIONS

★★**Ponta da Piedade** – *(voir illustration p. 30) 3 km. Sur le port, prendre la direction de Sagres et, au lieu-dit Trindade, la première route à gauche jusqu'au phare (parking).*

Pacifiques abordages au fort de la Ponta da Bandeira

Le **site★★** de Ponta da Piedade confère à cette pointe un charme tout particulier : la roche rougeâtre des falaises, débitée par l'Océan en blocs aux formes tourmentées où se nichent des **grottes marines**, contraste spectaculairement avec le vert d'une eau limpide *(possibilité de voir les grottes en bateau ⊙)*.

De derrière le phare, la **vue★** s'étend du cap St-Vincent à l'Ouest au cap Carvoeiro à l'Est. Gagner, par une petite route à gauche du phare, un belvédère qui offre une vue plongeante sur les rochers et le site ravissant de la station balnéaire de **Praia de Dona Ana★**.

★**Barrage de Bravura** – *14 km. Quitter Lagos par la N 125, au Nord-Est, en direction de Portimão.* D'Odiáxere au barrage, la route très étroite serpente dans la vallée irriguée où croissent melons, tomates, maïs et figuiers, avant de grimper sur les contreforts de la serra de Monchique en offrant des **vues** étendues sur la chaîne littorale.

Le barrage, de type voûte, ferme la vallée de l'Odiáxere. À l'Ouest du barrage, une conduite forcée recueille l'eau qui alimente la centrale électrique installée en aval, avant d'être utilisée pour l'irrigation de 1 800 ha de champs situés entre Lagos et Portimão.

LAMEGO

District de Viseu – 10 863 habitants
Carte Michelin n° 940 ou 441 I 6 – Schéma : Vallée du DOURO

À proximité de la vallée du Douro *(voir ce nom)*, dans un paysage de collines verdoyantes couvertes de vignes et de champs de maïs, Lamego est une jolie petite cité épiscopale et commerçante connue pour son vin mousseux et son jambon fumé.

Riche en maisons bourgeoises des 16ᵉ et 18ᵉ s., elle est dominée par deux hauteurs qui sont occupées, l'une par les vestiges d'un château fort du 12ᵉ s., l'autre par le sanctuaire baroque de Nossa Senhora dos Remédios, réputé pour son pèlerinage annuel *(fin août-début septembre)*.

Les Cortes de Lamego – La première assemblée territoriale des représentants des nobles, des clercs et des villes se réunit à Lamego en 1143 pour reconnaître Alphonse Henriques comme premier roi du Portugal et pour proclamer la loi successorale interdisant à tout étranger l'accès au trône.

CURIOSITÉS

★**Musée** ⊙ – Il est installé dans un noble édifice du 18ᵉ s., ancien palais épiscopal. La partie droite du rez-de-chaussée abrite essentiellement la section lapidaire : sculpture religieuse du Moyen Âge à l'époque baroque et belle collection de blasons qui ornaient les façades des maisons nobles.

Au premier étage, deux séries d'œuvres méritent une attention particulière. Les **cinq peintures sur bois★** (début 16ᵉ s.) de Vasco Fernandes (« Grão Vasco » – *voir Viseu*) faisaient partie d'un polyptyque ornant le retable de la cathédrale de Lamego. De gauche à droite, on reconnaît la Création, l'Annonciation, la Visitation (scène la plus remarquable), la Présentation au Temple et la Circoncision. Les **six tapisseries de Bruxelles** du 16ᵉ s. représentent des scènes puisées dans la mythologie (histoire d'Œdipe et le *Temple de Latone* dont on notera la richesse de composition). À cet étage, on trouve aussi deux chapelles baroques en bois sculpté et doré, dont celle de Saint-Jean-l'Évangéliste provenant du couvent des Chagas avec niches et statues, un salon chinois, des pièces d'orfèvrerie et des céramiques.

Dans la deuxième partie du rez-de-chaussée, on admire une autre chapelle baroque et quelques beaux azulejos du 16ᵉ au 18ᵉ s. (remarquer ceux polychromes du Palacio Valmor à Lisbonne).

Sé – De la **cathédrale** romane primitive (12ᵉ s.), il ne subsiste que le clocher carré dont le couronnement date du 16ᵉ s. L'intérieur a été refait au 18ᵉ s.

Capela do Desterro ⊙ – Bâtie en 1640, elle est décorée, à l'intérieur, de bois sculptés et dorés (18ᵉ s.) et d'azulejos (17ᵉ s.) ; le **plafond★** à caissons peints, illustrant des scènes de la vie du Christ, est remarquable.

Sanctuaire de Nossa Senhora dos Remédios – Du pied de l'escalier de 686 marches qui conduit au sanctuaire, jolie perspective sur cet ensemble baroque. La façade de l'église (18ᵉ s.), dont le crépi blanc fait ressortir les élégantes courbes de granit, domine l'**escalier** à double volée, interrompu par des paliers, orné d'azulejos : il est hérissé d'une multitude de pinacles et rappelle celui de Bom Jesus de Braga.

Du parvis de l'église *(accès possible en voiture : 4 km)*, la vue s'étend sur Lamego, dominé à l'horizon par les hauteurs qui bordent la vallée du Douro.

ENVIRONS

Capela de São Pedro de Balsemão ⊘ – *3 km de Lamego. Suivre la signalisation à partir de la rue qui descend en face de la chapelle do Desterro.*
La façade du 17ᵉ s. masque le sanctuaire que l'on pense être le plus ancien du Portugal : elle serait d'origine wisigothique et remonterait au 7ᵉ s. Le petit vaisseau trapu témoigne sur ses murs – où courent des frises en « arête de poisson » – du réemploi de matériaux romains. Il est divisé en trois nefs par deux rangées d'arcades retombant sur des colonnes basses couronnées de chapiteaux corinthiens stylisés (l'un d'eux à l'entrée du chœur, à gauche, repose sur un coussinet à rouleau caractéristique de l'art préroman). Remarquer le sarcophage d'Afonso Pires, évêque de Porto mort en 1362, sculpté de bas-reliefs (Cène, Crucifixion, un couple royal) ; le gisant est soulevé par deux anges. Plafond peint et retables baroques du 17ᵉ s.

EXCURSION

São João de Tarouca – *16 km – 3/4 h environ. Quitter Lamego au Sud par la N 226 en direction de Trancoso.*

La route passe à proximité de **Ferreirim** *(2 km à gauche)* où, de 1532 à 1536, Cristóvão de Figueiredo travailla, avec Gregório Lopes et Garcia Fernandes *(voir index)*, à la confection du retable que l'on peut voir dans l'église du monastère.

2 km après avoir laissé à droite la route de Tarouca, tourner à droite.

Tapi au creux de la vallée fertile du Barosa que dominent les hauteurs de la serra de Leomil, l'ancien monastère São João de Tarouca est entouré par quelques maisons.

Église ⊘ – Érigée au 12ᵉ s., elle a subi d'importantes modifications au 17ᵉ s. L'intérieur a reçu une décoration baroque ; les chapelles abritent plusieurs tableaux attribués au peintre Gaspar Vaz, dont un remarquable **Saint Pierre**★ *(3ᵉ chapelle de droite)*.

Dans le croisillon gauche, les murs sont tapissés d'azulejos (18ᵉ s.) figurant des scènes de la vie de saint Jean Baptiste et le Baptême du Christ. Le monumental tombeau (14ᵉ s.) en granit, décoré de bas-reliefs représentant une chasse au sanglier, renferme la dépouille de Dom Pedro, comte de Barcelos, bâtard du roi Denis, auteur de la *Chronique générale de 1344*. Dans le chœur, des azulejos illustrent la vie de saint Bernard.

LEÇA DO BALIO

District de Porto – 15 624 habitants
Carte Michelin nᵒ 940 ou 441 I 4 – 8 km au Nord de Porto

Après la première croisade, le domaine de Leça do Balio aurait été concédé aux hospitaliers de St-Jean-de-Jérusalem, venus de Palestine probablement en compagnie du comte Henri de Bourgogne. Leça fut la maison mère de cet ordre (actuel ordre de Malte) jusqu'en 1312, date à laquelle le siège fut transféré à Flor da Rosa *(voir Crato)*.

★**Église du monastère** – C'est une église-forteresse d'époque gothique. Bâtie en granit, elle se signale extérieurement par les merlons pyramidaux qui soulignent l'entablement marquant l'arête des nefs, par sa haute tour crénelée cantonnée de balcons et d'échauguettes à mâchicoulis, par sa façade principale très simple ornée de chapiteaux sculptés au portail et d'une rose à l'étage.
L'intérieur, dépouillé, a des proportions harmonieuses. Les piliers portent des chapiteaux historiés où figurent des scènes de la Genèse et des Évangiles ; remarquer notamment Adam et Ève avec le serpent et l'ange.
Plusieurs hospitaliers ont été enterrés ici. Dans le chœur, voûté en étoile, on remarque le tombeau du bailli Frei Cristóvão de Cernache, surmonté d'une statue orante peinte (16ᵉ s.), et, dans l'abside de gauche, celui du prieur Frei João Cœlho, avec gisant dû à Diogo Pires le Jeune (1515).
Les **fonts baptismaux**★, de style manuélin, ont été sculptés dans la pierre d'Ança *(voir p. 120)* par le même artiste ; de forme octogonale, la cuve repose sur un pied orné de feuilles d'acanthe et d'animaux fantastiques.

LEIRIA

District de Leiria — 13 908 habitants
Carte Michelin n° 940 M 3

Dominée par une colline que couronne un château médiéval, Leiria est agréablement située au confluent de deux rivières, la Liz et la Lena.
Son rôle de carrefour routier à proximité de plages renommées – notamment celle de Nazaré –, du sanctuaire de Fátima et des magnifiques ensembles architecturaux de Batalha et d'Alcobaça en fait un lieu de passage ou de séjour privilégié pour l'estivant, le pèlerin, le touriste amateur d'art.

Artisanat et folklore – La région de Leiria a conservé ses vieilles traditions d'art populaire et de folklore. Les poteries vernissées et multicolores de Cruz da Légua et de Milagres, les verres décorés de Marinha Grande, les ornements d'osier et les couvertures tissées de Mira de Aire comptent parmi les produits de l'artisanat les plus connus du district de Leiria.
Les manifestations folkloriques ont gardé toute leur spontanéité. Le folklore de la région de Leiria se rattache à celui du Ribatejo, province voisine ; le costume féminin, discret, se compose d'un petit chapeau de velours noir avec quelques plumes, d'un fichu de couleur, d'une petite blouse claire ornée de dentelles, d'une jupe assez courte et de souliers à talons larges et bas ; seuls quelques colliers d'or et boucles d'oreilles le différencient du costume ribatéjan.
Des spectacles de danse folklorique accompagnent chaque année la foire-exposition de Leiria *(2e quinzaine de mai)*, tout particulièrement le 22 mai (fête de la ville).

La pinède de Leiria – Cette immense forêt de pins qui s'étend à l'Ouest de la ville a permis l'essor d'une activité prospère liée au travail du bois et du papier. Certains des premiers incunables portugais ont été publiés à Leiria au 15e s.

★LE CHÂTEAU ⊘

Dans un **site★** remarquable, déjà habité à l'époque romaine, le premier roi du Portugal, Alphonse Henriques, fit édifier en 1135 un château fort destiné à défendre la frontière Sud de son royaume ; Santarém et Lisbonne étaient alors sous la domination maure. Après la ruine de ces deux villes en 1147, le château perdit de son importance et tomba en ruine. Au 14e s., le roi Denis, qui entreprend l'aménagement puis l'extension de la pinède de Leiria, fait rebâtir le château pour y résider avec sa femme, la reine sainte Isabelle.

Visite – *Compter 1/2 h.*
Les bâtiments actuels, modifiés au 16e s., ont été restaurés.
Après avoir franchi la première enceinte du château par une porte flanquée de deux tours carrées crénelées, on pénètre dans une agréable cour fleurie et ombragée. Un escalier à gauche conduit au cœur du château : le palais royal se trouvant à gauche, le donjon en face et les vestiges de la chapelle Nossa Senhora da Pena à droite ; celle-ci, du 15e s., conserve un élégant chœur gothique lancéolé et une arcade décorée de motifs manuélins.

Palais royal – Un escalier mène à la vaste salle rectangulaire avec galerie d'arcades en tiers-point reposant sur des colonnettes doubles ; de cette galerie, autrefois balcon royal, **vue** plongeante sur Leiria.
Le quartier populaire qui s'étend au-dessous du château offre une promenade agréable dans ses ruelles.

Vue générale du château

Vue sur l'Alfama

LISBOA ★★★

LISBONNE
District de Lisbonne –
556 797 habitants
Carte Michelin n° 940 P 2 –
Plan Michelin n° 39

B. Wojtek/HOA QUI

SE LOGER À LISBONNE

Le Guide Rouge Michelin Portugal, offre une grande sélection d'hôtels classés par quartiers. Les adresses que nous vous présentons ci-après ont été sélectionnées pour leur cadre, leur caractère, leur emplacement exceptionnel ou leur rapport qualité/prix. Pour plus de précisions sur les différentes catégories d'établissements hôteliers au Portugal *(pensão, residencial, turismo de habitação, etc.)*, consulter le chapitre Vie pratique, en début de volume.

Les prix indiqués incluent généralement les taxes et le petit déjeuner. La mention (**GB**) indique que l'établissement accepte les cartes bancaires (Visa/Carte bleue, Eurocard/Mastercard, American Express et Diners Club). Dans la plupart des hôtels, les prix varient selon la saison (la saison haute se situe entre le printemps et l'automne). Une mention spéciale est donnée pour les établissements offrant des possibilités de parking, un restaurant servant déjeuner et/ou dîner, et l'air conditionné dans les chambres (fort conseillé en été pour ceux qui craignent la chaleur). D'une manière générale, il est toujours conseillé de réserver sa chambre bien à l'avance, surtout dans les petits établissements.

Les établissements choisis ont été classés en **trois catégories** afin de proposer un éventail d'établissements accessibles à toutes les bourses.

La catégorie « BUDGET » propose des hôtels dont le prix des chambres est inférieur à 80 €. Ce sont généralement de petits établissements simples offrant un confort de base.

« NOTRE SÉLECTION » concerne des hôtels particulièrement agréables dont le prix des chambres s'échelonne entre 80 et 150 €.

Dans la rubrique « UNE PETITE FOLIE ! », vous trouverez quelques établissements de charme assurant un grand confort et un séjour mémorable. Bien évidemment, ces hôtels pratiquent des prix à la hauteur de ces agréments.

HÔTELS « BUDGET »

Residencial Sória – *R. Castillo, 57, 2° esq., 1250-068 Lisboa* – ☎ *213 86 24 63* – *fax 213 87 84 45* – *10 chambres* – *35/40 €* (**GB**).
Situé au deuxième étage d'un grand immeuble près de la praça Marquês de Pombal, cet établissement offre des chambres simples et propres, dans une atmosphère familiale. Noter que certaines chambres n'ont pas de salle de bains.

Pensão São João da Praça – *R. São João da Praça, 97, 2°, 1100-519 Lisboa* – ☎ *218 86 25 91* – *fax 218 88 13 78* – *16 chambres (dont 4 sans salle de bains)* – *37,50/52,50 €*.
L'un des rares endroits où se loger dans le pittoresque quartier de l'Alfama, cette pension familiale dispose de chambres agréables meublées simplement, avec des parquets en bois. Elle occupe les deuxième et troisième étages d'un bel immeuble en pierre, proche de la cathédrale. De là, on peut gagner rapidement à pied la Baixa. Les hôtes de certaines chambres du troisième étage auront de magnifiques vues sur les immenses navires qui glissent doucement sur le Tage.

Residência Roma – *Travessa da Glória, 22-A, 1250-118 Lisboa* – ☎ *213 46 05 57* – *fax 213 46 05 57* – *24 chambres* – *50/60 €* (**GB**).
Tout près de la praça dos Restauradores, cet hôtel simple est une bonne adresse pour le centre de Lisbonne. L'intérieur accuse les marques du temps, mais les chambres sont spacieuses et propres, bien qu'un peu sombres.

Sé Guest House – *R. São João da Praça, 97, 1°, 1100-519 Lisboa* – ☎ *218 86 44 00* – *6 chambres (dont 4 sans salle de bains)* – *80 €*.
À l'étage immédiatement en dessous de la Pensão S. João da Praça *(voir ci-dessus)*, cette petite pension de famille offre des chambres simples, propres et spacieuses. Les hôtes doivent partager les salles de bains.

Hotel Borges – *R. Garrett, 108, 1200-205 Lisboa* – ☎ *213 46 19 51* – *fax 213 42 66 17* – *100 chambres* – *47,50/52,50 €* (**GB**).
Disposant d'une situation exceptionnelle, dans l'élégante rue commerçante du Chiado, à quelques minutes des bars et restaurants du Bairro Alto, le Borges était très fréquenté par les écrivains du début du 20e s. L'imposante salle du petit-déjeuner est d'un style étonnamment classique. Ces dernières décennies, une série de rénovations malheureuses lui ont donné son aspect éclectique actuel alors qu'un rafraîchissement général aurait été bienvenu. Néanmoins, ses chambres spacieuses, sa localisation exceptionnelle et ses prix raisonnables méritent qu'on le prenne en compte.

Pensão Londres – *R. Dom Pedro V., 53, 1250-092 Lisboa* – ☎ *213 46 22 03* – *fax 213 46 56 82* – *39 chambres* – *60 €* (**GB**, *sauf American Express*).
Cette *pensão* occupe trois étages d'un bel immeuble à la lisière du Bairro Alto, le quartier d'élection des noctambules de Lisbonne. Certaines chambres ont des plafonds d'origine et de belles vues sur le château São Jorge. Un établissement bien situé, soigné et bien entretenu, qui offre des prix raisonnables.

et pour les tout petits budgets...

Pousada de Juventude (Auberge de jeunesse) – *R. Andrade Corvo, 46, 1050-006 Lisboa – (Métro : Picoas) – Saldanha –* ☎ *213 53 26 96 ou 213 53 75 41 – 10/32,50 €.*

« NOTRE SÉLECTION »

Hotel da Torre – *R. dos Jerónimos, 8, 1400-211 Lisboa (Belém) –* ☎ *213 61 69 40 – fax 213 61 69 46 – 50 chambres – 70/83,50 € (GB) – restaurant – air conditionné.*
Pour les visiteurs qui préfèrent résider dans le quartier calme et élégant de Belém, un peu en dehors de l'agitation du centre-ville, cet hôtel situé face au célèbre monastère dos Jerónimos est une bonne solution. Il occupe un immeuble traditionnel en pierre, avec un toit en tuiles rouges, qui contraste avec le style années 1950 et 1960 de l'intérieur. Les chambres sont spacieuses mais certaines sont bruyantes. Possibilité de se garer dans la rue.

Hotel Lisboa Tejo – *Poço do Borratém, 4, 1100-408 Lisboa –* ☎ *218 86 61 82/84 – fax 218 86 51 63 – 51 chambres – 86/97,50 € (GB) – parking à 400 m – air conditionné.*
Cet hôtel entièrement rénové, situé à quelques pas de la praça da Figueira, dans le quartier Baixa, offre des chambres propres et confortables, à des prix raisonnables. Malgré le double vitrage, les chambres ayant vue sur la rue sont un peu bruyantes, tandis que celles donnant sur la cour sont un peu sombres.

Hotel Britânia – *R. Rodrigues Sampaio 17, 1150-218 Lisboa –* ☎ *213 15 50 16 – fax 213 15 50 21 – 30 chambres – 148/164 € (GB) – parking – air conditionné.*
Grâce à une restauration réussie qui lui a rendu son élégante physionomie des années 1940, cet hôtel de renom, conçu par Cassiano Branco (architecte de l'Éden Teatro, praça dos Restauradores), est à la fois charmant et confortable. Ses chambres spacieuses et calmes, décorées avec goût, sa localisation pratique et son atmosphère « rétro » font du Britânia une heureuse trouvaille.

Albergaria Senhora do Monte – *Calçada do Monte, 39, 1170-250 Lisboa –* ☎ *218 86 60 02 – fax 218 87 77 83 – 28 chambres – 100/150 € (GB) – air conditionné.*
Le principal attrait de cet hôtel moderne situé hors des sentiers battus des touristes, dans le quartier résidentiel de Graça, réside dans ses vues imprenables sur Lisbonne depuis presque toutes les chambres. Si vous voulez vous offrir le grand jeu, demandez l'une des trois chambres avec terrasse (prix plus élevé). Si vous n'y résidez pas, vous pourrez toutefois apprécier la vue depuis le bar du dernier étage. L'accès à pied n'étant pas très pratique, prévoir de prendre le tramway n° 28 ou un taxi.

Hotel Metrópole – *Praça do Rossio, 30, 1100-200 Lisboa –* ☎ *213 46 91 64 – fax 213 46 91 66 – 36 chambres – 123/142 € (GB) – air conditionné.*
Très bien situé sur la place très animée du Rossio, le Metrópole offre des chambres classiques et confortables, dans un bel immeuble du début du siècle. L'intérieur est agréable et spacieux. Vues splendides sur le château São Jorge depuis le salon et les chambres qui donnent sur la place du Rossio.

Quinta Nova da Conceição – *R. da Cidade de Rabat, 5, 1500-158 Lisboa (Métro : Alto dos Moinhos) –* ☎ *217 78 00 91 – fax 217 78 00 91 – 2 chambres (une troisième disponible sur demande) – 130/137,50 € (GB) – parking – fermé en août.*
Havre de paix au milieu d'une forêt de tours modernes, cette résidence du 18ᵉ s. est le seul Turismo de Habitação de Lisbonne. L'intérieur 19ᵉ s., parfois un peu sombre, est décoré d'objets et de meubles de famille. Particulièrement agréables, la salle du petit-déjeuner, avec ses azulejos originaux, et l'extérieur, extrêmement bien entretenu, avec un beau jardin, une piscine et un court de tennis. Sa capacité limitée nécessite absolument de réserver à l'avance. Accès par bus ou métro.

« UNE PETITE FOLIE ! »

Hotel Lisboa Regency Chiado – *R. Nova do Almada, 114, 1200-290 Lisboa –* ☎ *213 25 62 00 – fax 213 25 61 61 – 40 chambres – 140/164 € (GB) – restaurant, bar – air conditionné.*
En plein quartier du Chiado, à deux pas du Bairro Alto, cet hôtel conçu par le célèbre architecte Siza Vieira et décoré avec goût dans un style oriental-portugais, offre tout le confort moderne et des chambres avec des vues magnifiques sur le Tage, le château et la ville.

Hotel Lisboa Plaza – *Travessa do Salitre, 7, 1269-066 Lisboa –* ☎ *213 46 39 22 – fax 213 47 16 30 – 94 chambres, 12 suites – 148/164 € (GB) – restaurant – air conditionné.*
Derrière sa disgracieuse façade des années 1950, ce vaste hôtel dégage une certaine intimité non dénuée de charme. Décoré dans un style classique contemporain, avec des sols en marbre, des copies de mobilier ancien, des gravures aux murs et des fleurs fraîches, cet hôtel impeccablement tenu offre une situation pratique, tout près de l'avenida da Liberdade. Chambres confortables mais plutôt petites.

York House

As Janelas Verdes – *R. das Janelas Verdes, 47, 1200-690 Lisboa* – ☎ *213 96 81 43* – *fax 213 96 81 44* – *29 chambres* – *160/175 €* (**GB**) – *air conditionné.* Située à quelques pas de York House *(voir ci-dessous)*, cette belle maison du 18ᵉ s. a été transformée en hôtel accueillant et confortable, décoré avec des touches personnelles. Les chambres sont un peu étroites et celles donnant sur la très fréquentée rua das Janelas Verdes sont à éviter si l'on craint le bruit du trafic. À l'arrière, petit jardin dans un frais patio où l'on prend le petit-déjeuner en été.

York House – *R. das Janelas Verdes, 32, 1200-691 Lisboa* – ☎ *213 96 25 44* – *fax 213 97 27 93* – *34 chambres* – *176,50/199,50 €* (**GB**) – *restaurant.* L'hôtel de charme le plus réputé de Lisbonne, d'un confort moderne et d'une indéniable élégance, est installé dans la sérénité d'un couvent du 17ᵉ s. Les chambres, aménagées dans les anciennes cellules des moines, sont décorées chacune avec goût, mais gardent un certain caractère monacal (éviter toutefois celles qui donnent sur la rue si vous n'appréciez pas un certain mode de vie nocturne...). La belle salle à manger ouvre sur un patio dallé, frais et verdoyant. Situé dans le quartier de Lapa, près du musée d'Art ancien, l'hôtel semblera peut-être un peu éloigné du centre si l'on opte pour la marche...

... ET AUTOUR DE LISBONNE

Les villes de la côte permettent de se loger agréablement. Faciles d'accès par le train, elles offrent leurs plages et leur fraîcheur en été. Aux visiteurs préférant se loger hors de la ville, nous proposons quelques adresses à Cascais, Estoril et Sintra, tout près de Lisbonne.

« NOTRE SÉLECTION »

Hotel Inglaterra – *R. do Porto, 1, 2765-271 Estoril* – ☎ *214 68 44 61* – *fax 214 68 21 08* – *50 chambres* – *73/135 €* (**GB**) – *restaurant* – *air conditionné* – *piscine.* Malgré la modernisation de son intérieur, ce grand hôtel a conservé son ambiance début de siècle.

Casa da Pérgola – *Av. Valbom, 13, 2750-508 Cascais* – ☎ *214 84 00 40* – *fax 214 83 47 91* – *10 chambres* – *90/102 €* – *parking* – *air conditionné* – *fermé du 15 décembre au 1ᵉʳ février.* Cette pimpante maison agrémentée d'un petit jardin fait partie du réseau Turismo de Habitação. Son intérieur est résolument « cosy » et son emplacement se révèle bien pratique.

Quinta da Capela – *Voir carnet d'adresses de Sintra.*

« UNE PETITE FOLIE ! »

Estalagem Senhora da Guia – *Estrada do Guincho, 2750-642 Cascais (3,5 km de Cascais par l'av. 25 de Abril)* – ☎ *214 86 92 39* – *fax 214 86 92 27* – *43 chambres* – *200/224,50 €* (**GB**) – *restaurant* – *parking* – *air conditionné* – *piscine.* Cette belle villa entourée d'un jardin avec une piscine d'eau de mer occupe un joli site face à l'Océan. Bon accueil, belle décoration intérieure et quelques chambres ayant vue sur mer.

Palácio de Seteais – *Voir carnet d'adresses de Sintra.*

SE RESTAURER À LISBONNE

Les restaurants proposés ici sont choisis pour leur cadre, leur ambiance, leur gastronomie typique *(voir en Introduction : Gastronomie)* ou leur caractère insolite... Pour une sélection plus importante, selon des critères surtout gastronomiques, consulter Le Guide Rouge Portugal. Les établissements sont présentés par quartiers et par catégorie de prix pour un repas complet : « BUDGET » (repas à moins de 15 €), « NOTRE SÉLECTION » (entre 15 € et 30 €), et « UNE PETITE FOLIE ! » (au-delà de 30 €). Il convient toutefois de souligner que ce classement est sujet à bien des interprétations en fonction du nombre de plats commandés et des boissons qui accompagnent les repas. Une bouteille de bon vin augmente notablement le prix d'un repas...

Généralement, le déjeuner est servi de 12 h à 15 h et le dîner de 19 h à 22 h, bien que de nombreux établissements servent après 22 h.

Baixa

RESTAURANT « BUDGET »

Self-service Celeiro – *R. 1° de Dezembro, 65* – ☎ *213 42 24 63* – *13 €* – *de 8 h30 à 18 h* – *fermé le dimanche.*
Situé au sous-sol du supermarché de produits naturels « o Celeiro », ce restaurant propose des repas sains à des prix très raisonnables, dans un cadre simple, de type cantine. Une bonne adresse pour un déjeuner rapide au cours de vos déambulations dans la Baixa.

« NOTRE SÉLECTION »

Casa do Alentejo – *R. das Portas de Santo Antão, 58* – ☎ *213 46 92 31* – *20 €* (**GB**).
Palais ancien à l'architecture arabisante et aux salles immenses. On peut y goûter une bonne cuisine régionale. Une association d'Alentejanos (habitants de la région de l'Alentejo) gère cet endroit surprenant, y faisant vivre les coutumes au travers de la gastronomie et des animations proposées en fin de semaine : le samedi, danses folkloriques et musique de chorale, le dimanche, matinées dansantes. Un des incontournables de Lisbonne.

Martinho da Arcada – *Praça do Comércio, 3* – ☎ *218 86 62 13* – *27,50 €* (**GB**, *sauf American Express*) – *fermé le dimanche.*
On raconte que le célèbre poète Fernando Pessoa écrivit la plupart de ses œuvres dans cet établissement. Agréable terrasse sous les arcades de la praça do Comércio.

Bairro Alto

RESTAURANTS « BUDGET »

Bota Alta – *Travessa da Queimada, 35* – ☎ *213 42 79 59* – *15 €* (**GB**) – *fermé le samedi midi et le dimanche.*
Agréable restaurant populaire. Cuisine typique.

Cervejaria Trindade – *R. Nova da Trindade, 20* – ☎ *213 42 35 06* – *10 €* (**GB**) – *fermé les jours fériés.*
Un classique de Lisbonne. Les azulejos 18ᵉ s. aux représentations maçonniques de cet ancien couvent forment un bel ensemble pictural. Le patio intérieur est très fréquenté les jours de grande chaleur.

A Primavera – *Travessa da Espera, 34* – ☎ *213 42 04 77* – *17,50 €* – *fermé le dimanche.*
L'un des plus vieux restaurants du quartier. Bonne cuisine traditionnelle à prix doux dans cette minuscule salle pleine d'ambiance.

« NOTRE SÉLECTION »

Pap'Açorda – *R. da Atalaia, 57* – ☎ *213 46 48 11* – *21 €* (**GB**) – *fermé le dimanche et le lundi midi.*

Marinade au vin blanc

F. Vasseur/VISA

Un must du Bairro Alto. Bonne cuisine dans un décor design théâtral et animé par les célébrités de Lisbonne.

Antigo Farta Brutos – *Travessa da Espera, 20 –* ☎ *213 42 67 56 – 25 €* (**GB**) *– fermé le dimanche.*
Bonne cuisine traditionnelle et originale dans une atmosphère tranquille. Service accueillant.

Sinal Vermelho – *R. das Gáveas, 89 –* ☎ *213 43 12 81 – 21 €* (**GB**) *– fermé le dimanche.*
Dans un décor frais et accueillant, fréquenté par des artistes et des journalistes, bonne cuisine classique mais inventive.

« UNE PETITE FOLIE ! »

Tavares – *R. da Misericórdia, 37 –* ☎ *213 42 11 12 – 45,30 €* (**GB**).
Ce grand classique propose une cuisine internationale traditionnelle servie avec style dans un richissime décor fin de siècle.

Alfama/Graça

« NOTRE SÉLECTION »

Mestre André – *Calçada de Santo Estêvão, 6 –* ☎ *218 87 14 87 – 20 €* *(American Express uniquement) – fermé le dimanche.*
Une adresse sympathique dans l'Alfama. Ambiance chaleureuse et cuisine créative à prix modérés.

Lautasco – *Beco do Azinhal, 7-7A –* ☎ *218 86 01 73 – 15 €* (**GB**) *– fermé le dimanche.*
Les quelques tables de ce restaurant traditionnel de l'Alfama sont disposées dans une cour, sous un grand arbre, dans une atmosphère de village. Plats typiques.

Via Graça – *R. Damasceno Monteiro, 9B –* ☎ *218 87 08 30 – 28,50 €* (**GB**) *– fermé le samedi midi et le dimanche.*
Situé en contrebas du belvédère de Nossa Senhora do Monte, ce restaurant raffiné au décor contemporain offre de magnifiques vues sur le château São Jorge et le centre-ville. Une bonne adresse pour une soirée intime.

Casa do Leão – *Castelo de São Jorge –* ☎ *218 87 59 62 – 30 €* (**GB**).
Ce restaurant installé dans l'enceinte du château est apprécié des touristes pour sa vue panoramique sur la ville.

Docas/Alcântara/Belém

« NOTRE SÉLECTION »

Bica do Sapato – *Avenida Infante D. Henrique – Armazém B – cais da Pedra –* ☎ *218 81 03 20 – 25 €* (**GB**).
Un espace multiple très à la mode, créé par le propriétaire du Lux, à côté, à l'atmosphère « rétro-futuriste ». Bar-cafétéria-terrasse ouvert de 9 h à 1 h du matin. Le restaurant du rez-de-chaussée propose une cuisine savoureuse fondée sur les traditions culinaires portugaises. Sushi-bar au premier étage. Ouverts de 12 h 30 à 14 h 30 et de 20 h à 23 h 30.

Alcântara Café – *R. Maria Luisa Holstein, 15 –* ☎ *213 63 71 76 – 30 €* (**GB**).
Café-restaurant situé dans une ancienne fabrique, au décor industriel baroque étonnant, communiquant avec la discothèque Alcântara-Mar. Ambiance jeune, élégante, très à la mode. L'accès est un peu caché, dans une petite rue sombre d'une zone portuaire.

Caseiro – *R. de Belém, 35 –* ☎ *213 63 88 03 – 23 €* (**GB**) *– fermé le dimanche.*
Décor hétéroclite dans lequel sont suspendus oignons et gousses d'ail et accrochés des billets de banque de toutes nationalités. Cuisine portugaise typique.

Clube Naval de Lisboa – *Doca de Belém –* ☎ *213 62 21 52 – 15 €* (**GB**) *– fermé le lundi midi.*
Ambiance maritime, terrasse très agréable avec vue sur le Tage. Très fréquenté au déjeuner.

Autres quartiers

« NOTRE SÉLECTION »

O Acontecimento, Restaurante do Clube dos Jornalistas – *Rua das Trinas, 127 –* ☎ *213 97 71 38 – 15 €* (**GB**) *– fermé le dimanche et les jours fériés.*
Dans cet agréable restaurant proche du musée national d'Art ancien, décoré comme un appartement de plusieurs pièces, vous pourrez dîner au coin du feu et apprécier sa cuisine portugaise soignée. Spécialités de poisson grillé.

Os Tibetanos – *R. do Salitre, 117 –* ☎ *213 14 20 38 – 11 €* (**GB**) *– fermé le samedi, le dimanche et les jours fériés.*

Ce petit restaurant un peu caché, au premier étage d'un immeuble ayant vue sur le jardin botanique, propose une cuisine végétarienne fraîche et savoureuse à des prix très raisonnables.

Cervejaria Portugália – *Av. Almirante Reis, 117* – ☎ *213 14 00 02* – *11,50 €* (**GB**) – *fermé les jours fériés.*
L'une des meilleures brasseries de Lisbonne. Décoration d'azulejos dans des salles très claires et spacieuses. Ambiance populaire et familiale.

Adega da Tia Matilde – *R. da Beneficiência, 77* – ☎ *217 97 21 72* – *24 €* (**GB**) – *fermé le samedi soir et le dimanche.*
Beau restaurant décoré d'azulejos récents. Spécialités portugaises.

O Madeirense – *Amoreiras Shopping Center* – ☎ *213 83 08 27* – *25 €* (**GB**).
Dans un lieu moderne et très fréquenté, au 1er étage du célèbre centre commercial de Lisbonne, cet établissement, prisé de nombreux Lisboètes, propose une authentique cuisine de Madère.

O Funil – *Av. Elias Garcia, 82A* – ☎ *217 96 60 07* – *22 €* (*American Express*) – *fermé le dimanche soir.*
La morue façon « Funil » est l'une des spécialités de la maison. Bonne carte des vins.

« UNE PETITE FOLIE ! »

Casa da Comida – *Travessa das Amoreiras, 1* – ☎ *213 88 53 76* – *66 €* (**GB**) – *fermé le samedi midi et le dimanche.*
Ce restaurant soigné et élégamment aménagé dans une cour verdoyante avec une fontaine en azulejos offre une cuisine raffinée et inventive.

Se restaurer dans les musées

De nombreux musées disposent de cafétérias ou de restaurants qui constituent une halte particulièrement agréable, dans un cadre plaisant (patios, jardins, décor design). La cuisine y est traditionnelle, presque familiale, à prix raisonnable. Pour leur localisation, voir leur description dans *Visiter Lisbonne.*

Museu Nacional do Chiado – Terrasse donnant sur le jardin épuré, décoré de statues en bronze.

Museu de Artes Decorativas – Patio décoré d'azulejos et salle couverte.

Museu Nacional do Azulejo – Agréable café-restaurant décoré d'azulejos « appétissants » jouxtant un grand patio couvert.

Museu Nacional de Arte Antiga – Tables dispersées sur une terrasse, dans un jardin.

Centro Cultural de Belém – Cafétéria sur une terrasse avec vue sur le Tage.

Fundação Gulbenkian – Cafétéria fonctionnelle donnant sur le jardin.

Fundação Arpad Szenes – **Vieira da Silva** – Cafétéria claire et agréable à l'intérieur du musée.

VIVRE À LISBONNE

Les quartiers

Occupant un beau site vallonné, Lisbonne, avec ses nombreux centres d'intérêt, se découvre depuis le Tage. Au premier plan se trouve le Lisbonne du 18e s. : la praça do Comércio et le quadrillage de la **Baixa** (la ville basse) qui se prolonge par le Rossio, la praça dos Restauradores et l'**avenida da Liberdade,** grand axe bordé d'allées ombragées. Sur la colline de droite se dresse le château São Jorge entouré des quartiers médiévaux : **Alfama** et **Mouraria** ; sur la colline de gauche le centre commerçant du **Chiado,** les quartiers populaires de **Bairro Alto** et de Madragoa et, au-delà, les quartiers résidentiels élégants de **Lapa, Alcântara** et **Belém**. Le long du Tage, sur l'avenida 24 de Julho, fleurissent les bars et les discothèques. Les quartiers modernes autour du parc Eduardo VII et en deçà sont quadrillés par un réseau de grandes avenues : Fontes Pereira de Melo, da República, de Roma, de Berna, etc. L'agglomération se développe sans cesse, rattrapant et englobant des quartiers comme **Restelo** ou **Benfica**. Les cités-dortoirs occupent les collines environnantes, séparées par des paysages agrestes de cultures maraîchères.

Si, comparativement à d'autres capitales, la ville est relativement sûre, il convient cependant, comme dans toute grande agglomération, de prendre certaines précautions (ne pas laisser de sacs dans les voitures, ne pas tenter les pickpockets, etc.).

Baixa – C'est le quartier traditionnellement commerçant et le point névralgique de Lisbonne. Très animé pendant la journée, on y croise des touristes, des employés de banque, nombreux dans cette zone, des acheteurs, des marins, des vendeurs de billets de loterie, des cireurs de chaussures, des badauds, tandis que le soir, déserté par la foule, il n'est plus qu'un point de passage pour les automobilistes. Sa situation centrale en fait un bon point de départ pour les promenades dans la ville et, de ce fait, un quartier pratique pour s'héberger.

Chiado et Bairro Alto – Le Chiado, en particulier les rues do Carmo et Garrett, était le quartier des grands magasins avant l'incendie de 1988. Depuis sa rénovation, les marques internationales s'y sont implantées, mais il a conservé ses librairies et certaines boutiques anciennes. Le Bairro Alto, l'un des quartiers les plus populaires de Lisbonne, a accueilli depuis les années 1980 une nouvelle population : des bars, des discothèques, des restaurants et des boutiques de stylistes et de design en ont fait l'endroit à la mode et le centre le plus connu de la vie nocturne à Lisbonne.

Príncipe Real – Ce petit quartier élégant situé autour de l'agréable jardin du même nom et la rua da Escola Politécnica abrite des galeries d'art et des antiquaires. C'est également un centre de la vie nocturne gay à Lisbonne.

Alfama/Graça – Avec son dédale de ruelles et d'escaliers, de cours et d'impasses, l'Alfama, populaire et intime, ne dévoile ses charmes qu'à ceux qui le visitent à pied, en prenant leur temps. Pendant la journée, le quartier est animé par les marchés (dans les rues São Pedro et dos Remédios, et les puces du Campo de Santa Clara) ; le soir, comme dans une médina nord-africaine, ses habitants se retirent dans les cours et les maisons (sauf les jours de fête) et la promenade dans l'entrelacs de ruelles peu éclairées peut être une expérience agréable pour les plus hardis. Graça, située sur une colline au-dessus de l'Alfama, est un quartier essentiellement résidentiel, qui offre d'excellents points de vue sur la ville.

Cais do Sodré – Cette zone portuaire, entre la praça Duque de Terceira et la praça Dom Luís I, se distingue par un mélange hétéroclite de bars de marins, de tavernes typiques et d'épiceries où les morues sont suspendues au-dessus des portes.

Belém – Le Lisbonne monumental et manuélin tourné vers le Tage accueille désormais le Centre culturel de Belém, où ont lieu les grands événements culturels de la ville. Ce quartier tranquille et aéré est occupé par des villas et des jardins, sur la colline surplombant le fleuve.

Alcântara et Santo Amaro – Les Lisboètes ont redécouvert le fleuve et ont fait des anciens entrepôts sur les quais le nouveau centre de la vie nocturne et des loisirs. Le long des docks, dont la présence a incité à désigner le secteur sous le nom de **Docas**, les restaurants, les bars et les discothèques se succèdent. Pour s'y rendre, il convient de disposer d'une voiture ou de prendre un taxi.

Avenida 24 de Julho – Autre grand pôle d'attraction pour les noctambules, les bars et les discothèques s'y cachent parfois derrière des portails anonymes. Néanmoins, la foule agglutinée devant l'entrée des établissements permet de les découvrir facilement. Ici, un véhicule motorisé est également indispensable.

Autres quartiers – D'autres centres d'activité sont dispersés vers le Nord : **Amoreiras**, avec son célèbre centre commercial, l'**avenida da Liberdade**, bordée de cinémas, le parc Eduardo VII et ses serres, l'**avenida de Roma**, aux boutiques élégantes et nombreux cafés, **Campo Pequeno** et son arène...

Plan Michelin n° 39 Lisboa

Ce plan détaillé à l'échelle 1/10 000 vous aide à circuler en voiture ou à pied dans la capitale portugaise. Vous y trouverez :
* *un répertoire alphabétique des rues*
* *les grands axes de circulation et les sens uniques*
* *les principaux parkings*
* *les bâtiments publics (bureaux de poste, police...)*
* *les points d'intérêt touristique*
* *la localisation des stations de métro*
* *un plan du métro*

Se déplacer à Lisbonne

Dans cette ville compacte, aux rues étroites, la densité de circulation et la difficulté de stationnement font qu'en règle générale il est préférable de se déplacer à pied ou d'utiliser les transports en commun aussi souvent que possible.

L'**aéroport** se trouve à environ 4 km du centre (Rossio). Des navettes (Aéro-bus) relient l'aéroport à la praça do Comércio et aux cais do Sodré et fonctionnent de 7 h à 21 h, avec des départs toutes les 20 mn, tous les jours de la semaine.

En taxi, la course de l'aéroport au centre-ville coûte environ 6 €, avec une surtaxe pour les bagages (1,50 €).

Lisbonne à pied – La meilleure façon de découvrir le centre historique de Lisbonne – Baixa, av. da Liberdade, Chiado/Bairro Alto et Alfama – est de le parcourir à pied. La montée depuis la Baixa jusqu'à la colline du Bairro Alto peut se faire en ascenseur en empruntant ceux de Glória ou de Santa Justa. Les vieux quartiers du Bairro Alto et de l'Alfama, avec leurs ruelles étroites et en escaliers, se révèlent pleinement aux seuls piétons flâneurs.

Lisbonne en voiture – Le visiteur constatera que, souvent, à Lisbonne, la voiture est plus encombrante que pratique. Durant la journée, le trafic peut être très dense et les petites rues des quartiers du centre sont souvent congestion-nées ; trouver une place où se garer devient un véritable casse-tête. Les parcmètres n'ayant pas encore envahi les rues de Lisbonne, les voitures sta-tionnent parfois toute la journée au même endroit et trouver la place voulue relève le plus souvent de la chasse au trésor ! La Baixa dispose de parkings sou-terrains récents (praça dos Restauradores, Rossio, praça do Comércio), de même certains quartiers Nord, mais le stationnement est pratiquement impos-sible dans le dense maillage de ruelles de l'Alfama et du Bairro Alto. L'excellent réseau de transports en commun et le caractère compact du centre-ville inci-teraient à laisser la voiture au garage de l'hôtel, mais seuls les grands hôtels modernes disposent d'un parking.

Taxis – Nombreux et moins onéreux que dans la plupart des autres villes d'Europe, ils constituent un bon moyen de déplacement dans Lisbonne. On les reconnaît à leur couleur noire et leur toit vert, mais les plus récents sont beiges. Pour les courses en ville, le prix est celui affiché au compteur. Hors du péri-mètre urbain, le prix est calculé selon un barème kilométrique.

Transports en commun – Dans une ville au relief accidenté comme Lisbonne, les transports en commun se révèlent un moyen de locomotion pratique et parfois ludique (tramways, funi-culaires et ascenseurs, ces deux derniers appelés *elevadores*).
Le métro d'une part et les bus, tramways et funiculaires d'autre part sont gérés par des compa-gnies différentes. Aussi les billets ne peuvent-ils être indifférem-ment utilisés sur l'un ou l'autre réseau.

Horaires et titres de transport – Bus et tramways fonctionnent en règle générale de 7 h à 1 h du matin avec une fréquence de 11 à 15 mn jusqu'à 21 h 30. Le der-nier départ du bus n° 45 (Cais do Sodré, Baixa, Av. da Liber-dade...) s'effectue à 1 h 55. Les funiculaires s'arrêtent vers 23 h. Les billets peuvent être achetés à l'unité dans les bus et les tram-ways. Pour un séjour de quelques jours à Lisbonne,

Tramway lisboète

l'achat d'un *Passe turístico* valable 4 jours (5,75 €) ou 7 jours (10,95 €) per-met d'utiliser le bus, le train et le funiculaire. En outre, il existe des tickets de bus à 0,75 € utilisables pour deux trajets. Ces titres de transport sont en vente dans les stations de métro et dans les kiosques portant la mention *Venda de Passes*. On peut acheter le plan des lignes d'autobus et de tramways (5 €) dans ces mêmes kiosques. Informations et brochures gratuites sont disponibles à l'Of-fice de tourisme de la praça dos Restauradores.
Un guide urbain de la capitale, le *Guia Urbano*, comprend des plans des trans-ports urbains et des cartes détaillées par quartiers (en vente dans les principales librairies et points de vente touristiques). Des renseignements concernant les bus, les tramways et les funiculaires peuvent être obtenus au ☎ 213 63 20 21. Bus et tramways ne sont pas aménagés pour les handicapés, mais un service de porte à porte est assuré en minibus pour le prix des transports en commun. Il faut réserver cependant au moins 2 jours à l'avance au ☎ 217 58 56 76 (tous les jours, de 7 h à minuit).

Elevadores (funiculaires) – Elevador da Bica : R. de S. Paulo/Largo do Calhariz ; Elevador da Glória : Restauradores/São Pedro de Alcântara ; Elevador do Lavra : Largo da Anunciação/R. da Câmara Pestana.

Autocarro (autobus) – Principales lignes : Aero-bus (Aeroporto/Cais do Sodré) ; n° 45 (Prior Velho/Cais do Sodré) ; n° 83 (Portela/Cais do Sodré) ; n° 46 (Est. Sta. Apolónia/Damaia) ; n° 15 (Cais do Sodré/Sete Rios) ; n° 43 (Praça Figueira/Buraca).

Métro – *Les stations de métro sont identifiées sur les plans de ce guide.* Le réseau comprend quatre lignes : Gaivota (Pontinha/Terreiro do Paço), Girassol (Campo Grande/Rato), Caravela (Cais do Sodré/Campo Grande) et Oriente (Oriente/Alameda). Ces lignes seront prolongées dans les années à venir. Le métro fonctionne de 6 h 30 à 1 h du matin.
Certaines stations ont été décorées d'azulejos d'artistes portugais connus, notamment Cidade Universitária (Vieira da Silva), Alto dos Moinhos (Júlio Pomar), Campo Grande (Eduardo Nery), Marquès de Pombal (Menez) et Baixa-Chiado (Álvaro Sizo Vieira).

Eléctricos (tramways) – Les vieux tramways sont un des charmes de Lisbonne et une manière agréable de découvrir la ville à travers ses collines. Ils sont peu à peu remplacés par d'autres, plus modernes. Certains trajets sont particulièrement recommandés, comme celui du 28, qui passe par Graça, Alfama, Chiado, Estrela, jusqu'à Belém.
Deux lignes desservent des curiosités :
n° 15 (Praça da Figueira/Algés) : praça do Comércio – musée des Carrosses – monastère des Hiéronymites (Jéronimos) – musée national d'Archéologie – musée de la Marine – monument des Découvertes – tour de Belém.
n° 28 (Martim Moniz/Prazeres) : église São Vicente de Fora – musée des Arts décoratifs – château São Jorge – cathédrale – Baixa – musée du Chiado – largo do Chiado – basilique d'Estrela.
Il existe en outre un tramway touristique, qui circule de mai à septembre. Informations auprès de Lisboa Card *(voir plus loin – Informations touristiques)* et au ☎ 213 63 20 21.

Les gares ferroviaires de Lisbonne

Estação de Santa Apolónia – lignes internationales et Nord du pays.

Estação do Cais do Sodré – Estoril, Cascais. Service environ toutes les 20 mn. Dernier train à 2 h 30. Durée du trajet : environ 30 mn.

Estação do Rossio – banlieue Nord-Ouest dont Sintra. Trains pour Sintra toutes les 20 mn en moyenne. Dernier train à 2 h 30. Durée du trajet : environ 30 mn.

Estação Sul e Sueste – Alentejo et Algarve, via le bac qui donne accès à la gare de chemin de fer de Barreiro.

Estação do Oriente – gare multimodale (autobus, métro, train) qui dessert le Nord, reliée au chemin de fer de Santa Apolónia et Sintra.

Gares fluviales (bacs et ferries) – les *cacilheiros*, qui desservent les villes industrielles de la rive opposée du Tage, peuvent être l'occasion d'une agréable promenade sur le fleuve. Pendant la journée, les départs ont lieu environ toutes les 15 mn. Les billets sont en vente dans les guichets de ces gares.

Devant Praça do Comércio :

Estação do Sul e Sueste – liaisons avec Barreiro et les trains en direction de l'Alentejo et l'Algarve.

Estação Fluvial do Terreiro do Paço – dessert Seixal et Montijo. Départ des croisières sur le Tage.

Cais da Alfândega – dessert Cacilhas.

Estação do Cais do Sodré – dessert Cacilhas et Almada.

Estação de Belém – dessert Porto Brandão et Trafaria.

Informations touristiques

Office de tourisme – Palácio Foz, praça dos Restauradores.
☎ 213 46 36 58 ou 213 46 33 14.
Comptoir également à l'aéroport de Lisbonne : ☎ 218 49 43 23 ou 218 49 36 89.

Lisboa Welcome Center – Situé dans un édifice pombalin des arcades de la praça do Comércio *(entrée par la rua do Arsenal – à gauche, lorsqu'on tourne le dos au Tage)*. Ouvert tous les jours de 9 h à 21 h, ce nouvel espace dépendant de la mairie de Lisbonne se veut une vitrine de ce que l'on fait de meilleur et de plus novateur à Lisbonne et au Portugal. On y trouve un bureau d'informations touristiques, une boutique de design et de mode, un auditorium, une galerie d'art, un café, un restaurant, une boutique de produits gastronomiques portugais. Internet : www.atl-turismolisboa.pt/welcomecenter

Publications – L'**Agenda Cultural** est une publication mensuelle contenant le calendrier de tous les événements culturels à Lisbonne. Distribution gratuite dans les principaux bureaux de tourisme, hôtels et kiosques de la capitale. Internet : www.agendacultural.pt

Autre publication mensuelle bilingue (portugais/anglais), **Lisboa em** comprend, outre le calendrier culturel, beaucoup d'informations pratiques. Distribution gratuite dans les lieux touristiques et certains bars.

Un certain nombre de publications, vendues en kiosque, rendent compte assez largement des événements culturels à Lisbonne et dans le reste du pays, par exemple : **Público** (journal quotidien) et **Expresso** (journal hebdomadaire).

Lisboa Card – Cette carte touristique donne aux visiteurs des avantages tels que :
– Circulation gratuite et illimitée dans les transports publics (bus, métro, tramways) sauf les tramways n°s 15 et 28 (qui desservent de nombreuses curiosités).
– Accès gratuit ou à prix réduit dans la plupart des musées et sites culturels.
Prix : 11 € (24 h) ; 18 € (48 h) ; 28 € (72 h) ; tarif réduit pour les enfants. La carte peut être achetée dans certains endroits et musées. Pour d'autres informations : ☎ 213 61 03 50 ou 210 31 28 10.

Horaires et fermeture des musées et monuments – D'une manière générale, ils ferment le lundi et les jours fériés. Pour plus de précisions, consulter les Conditions de visite à la fin de ce guide.

Croisières sur le Tage – *Estação Fluvial do Terreiro do Paço (Estação do Sul e Sueste – en face de la praça do Comércio)* – ☎ *218 82 03 48/9.* Croisières de deux heures sur le Tage. Tous les jours à 11 h et à 17 h. 15 €, enfants de 6 à 12 ans : 7,50 €.

Change – On peut changer l'argent dans les banques, ouvertes du lundi au vendredi, de 8 h 30 à 15 h (commission de 5 € environ), dans certains hôtels, où les taux sont généralement moins favorables, et dans les bureaux de change. Il existe également des machines de change automatiques situées à l'extérieur de certaines banques. Les distributeurs automatiques de billets (appelés *Multibanco*) sont nombreux et permettent de retirer de l'argent avec les principales cartes bancaires. La monnaie officielle du Portugal est l'euro depuis janvier 2002.

Spectacles

BILLETS

Les billets de spectacle peuvent être achetés aux adresses suivantes :

ABEP – *Praça dos Restauradores* – ☎ *213 42 53 60* – Ce kiosque assure la vente des billets pour différents spectacles : théâtre, sports, concerts...

Quiosque Cultural de S. Mamede – *R. de São Mamede* – *Príncipe Real.* Ce type de kiosque est une initiative de la mairie de Lisbonne pour informer sur les activités culturelles de la ville.

Numéros utiles

Pour téléphoner au Portugal à partir de l'étranger, composez le 00 351 suivi du numéro de votre correspondant.

Urgences – 112

Pharmacie de service – 118

Police – 213 46 61 41 ou 213 47 47 30

Ligne d'assistance aux touristes – 800 296 296

Renseignements téléphoniques – 118

Chemins de fer – 218 88 40 25 – Trains Intercidades : 217 90 10 04

Taxis – Rádio Táxis de Lisboa 218 11 90 00 – Teletáxi 218 15 20 76

Réveil téléphonique – 161

Télégrammes internationaux – 182

Bureau de poste de l'aéroport – Ouvert 24 h/24 – 218 49 02 45

Bureau de poste de Restauradores – *Praça dos Restauradores* – Ouvert de 8 h à 22 h – 213 21 14 50 ou 213 23 89 71

Aéroport de Lisbonne – 218 41 37 00

Tap-Air Portugal – *Aéroport de Lisbonne* – 218 41 50 00 ou Réservations 808 205 700

Portugália – *Aéroport de Lisbonne* – Réservations 218 42 55 59/60/61

Informations touristiques sur Internet – www.cm-lisboa.pt
www.atl-turismolisboa.pt
www.setecolinas.net

LIEUX DE SPECTACLES

Centro Cultural de Belém – *Praça do Império* – ☏ *213 61 24 00* – *www.ccb.pt*. Ce centre culturel présente les meilleurs spectacles, concerts et expositions temporaires du pays. Le programme mensuel est disponible un peu partout.

Culturgest – **Caixa Geral de Depósitos** – *R. Arco do Cego* – ☏ *217 90 51 55* – *www.cgd.pt/culturgest/index.htm*. Cet énorme édifice de style néoclassique, siège de la Caisse des dépôts, abrite un espace culturel doté de deux auditoriums et de deux galeries d'exposition. Programmation musicale de grande qualité, expositions d'artistes contemporains internationaux. Informations dans l'*Agenda Cultural*.

Coliseu dos Recreios – *R. das Portas de Santo Antão, 92-104* – *Baixa* – ☏ *213 24 05 80*. Cette immense salle de spectacles, restaurée en 1994, accueille des opéras, concerts et spectacles en tout genre.

Escola Portuguesa d'Arte Equestre – *Palais national de Queluz (voir p. 265)* – ☏ *214 35 89 15* – *www.cavalonet.com*. *Représentation chaque mercredi à 11 h de fin avril à fin octobre sauf en août.* Cette école qui perpétue la grande tradition de l'art équestre portugais, avec en particulier des pur-sang de race lusitanienne, a été fondée au 18e s. par le roi Jean V.

Praça de Touros do Campo Pequeno – *Av. da Republica, Campo Pequeno* – ☏ *217 93 24 42 ou 217 93 20 93*. Tourada tous les jeudis à 22 h de mai à septembre dans ce remarquable édifice néomauresque en brique rouge. *Voir aussi la rubrique consacrée aux touradas, p. 73.*

Espaço Oikos – *R. Augusto Rosa, 40* – *Alfama* – ☏ *218 88 00 12* – *www.oikos.pt*. Ce centre organise des concerts, expositions, conférences et débats. Vente d'artisanat en provenance de 30 pays d'Afrique, d'Amérique latine et d'Asie.

CINÉMAS

ABC – **Ciné Clube de Lisboa** – *R. Conde Redondo, 2* – *Marquês Pombal* – ☏ *213 84 27 90*.

Cine Alcântara – *Centre commercial Pingo Doce* – *Alcântara* – ☏ *213 63 01 55*.

Cinema Amoreiras – *Amoreiras Shopping Center, 2052* – ☏ *213 83 12 75*. Complexe de 20 salles.

Cinemas Colombo – *Centre commercial Colombo* – ☏ *217 11 32 00*. Complexe ultramoderne de 10 salles.

Cinema Fonte Nova – *Estrada de Benfica, 503* – ☏ *217 14 50 88*.

Cinema King Triplex – *Av. Frei Miguel Contreiras, 52A* – ☏ *218 48 08 08*.

Cinemateca Portuguesa – *Av. Barata Salgueiro, 39* – *av. da Liberdade* – ☏ *213 54 65 29*. Cinéma convivial diffusant des films anciens dans toutes les langues. Films portugais d'avant-garde, pour cinéphiles avertis. Possibilité de grignoter quelques plats rapides (quiches et gâteaux de toutes sortes) dans le salon d'attente. Séances tous les jours à 18 h 30 et 21 h 30 sauf le dimanche. Musée du Cinéma avec documents et matériel en exposition.

Cinema Londres – *Av. de Roma, 7A* – ☏ *218 40 13 13*.

Cinemas Monumental Saldanha – *Av. Praia da Vitória, 71* – ☏ *213 15 18 21*. 8 salles.

Cinema Mundial – *R. Martens Ferrão, 12A* – *Picoas* – ☏ *213 53 87 43*.

Lusomundo-Werner Olivais Shopping – *Centre commercial dos Olivais* – ☏ *218 51 46 78*. 5 salles.

Cinema Quarteto – *R. Flores de Lima, 16* – *Entrecampos* – ☏ *217 97 12 44*.

Cinemas Vasco da Gama – *Centre commercial Vasco da Gama* – *Parque das Nações* – ☏ *218 92 22 80*. 10 salles.

THÉÂTRES

Teatro Nacional D. Maria II – *Praça D. Pedro IV* – *Baixa* – ☏ *213 25 08 00*. Programmation variée et classique.

Teatro Municipal São Luís – *R. António Maria Cardoso, 38* – *Bairro Alto* – ☏ *213 42 71 72*. Programmation traditionnelle.

Teatro Maria Vitória – *Parque Mayer* – *av. da Liberdade* – ☏ *213 46 17 40* – *relâche le lundi*. Pièces d'auteurs portugais et étrangers.

Teatro da Trindade – *Largo da Trindade, 7* – *Chiado* – ☏ *213 42 32 00*. Pièces de théâtre populaire.

Comuna – *Praça de Espanha* – ☏ *217 27 18 18*. Outre les programmations de théâtre traditionnel, un café-théâtre très spacieux, style bistrot, accueille chaque samedi à 22 h des concerts de musique actuelle (rock, jazz, musiques du monde...).

Teatro Municipal Maria Matos – *R. Frei Miguel Contreiras, 52* – *Alvalade* – ☏ *218 49 70 07*. Pièces comiques et théâtre pour enfants.

The Lisbon Players – *R. da Estrela, 10 – Estrela* – ☎ *213 97 45 31*. Auteurs-interprètes amateurs qui jouent des pièces de théâtre, des opéras, etc. en anglais et invitent les spectateurs à y participer.

MUSIQUE

Voir aussi lieux de spectacles ci-dessus.

Teatro Nacional de S. Carlos – *R. Serpa Pinto, 9 – Bairro Alto* – ☎ *213 46 84 08*. Opéras, ballets et concerts de musique classique.

Grande Auditório Gulbenkian – *Av. de Berna, 45A* – ☎ *217 93 51 31*.

Achats

Normalement, les commerces sont ouverts de 9 h à 13 h et de 15 h à 19 h du lundi au vendredi. Le samedi, ils ferment à 13 h. Les centres commerciaux sont habituellement ouverts de 10 h à minuit.

ARTISANAT

Albuquerque e Sousa Lda – *R. Dom Pedro V, 70 – Bairro Alto*. Belles collections d'azulejos anciens.

Artesanato – *R. Castilho, 61B – Liberdade*. Souvenirs, dentelles, étains, porcelaines, poteries.

Atlantis – *R. Ivens, 48 – Chiado*. Articles en cristal de l'une des plus grandes fabriques portugaises.

Constância – *R. de São Domingos, 8, – Lapa*. Très beaux azulejos contemporains.

Fábrica Viúva Lamego – *Largo do Intendente Pina Manique, 25 (métro : Intendente)*. Fabrique d'azulejos.

Loja dos Descobrimentos – *R. dos Bacalhoeiros, 12A – à côté de la Casa dos Bicos*. Grande variété de pièces d'artisanat régional et d'azulejos peints à la main sur place.

Madeira House – *R. Augusta, 133 – Baixa*. La maison de Madère propose de très belles broderies faites à la main.

Príncipe Real Enxovais – *R. da Escola Politécnica, 12-14 – Príncipe Real*. Très belles broderies. Ce brodeur propose des services de table reproduisant les motifs de la vaisselle de « Vista Alegre ».

Ratton – *R. da Academia das Ciências, 2C – Príncipe Real*. Azulejos dessinés par des artistes contemporains.

Santos Ofícios – *R. da Madalena, 87 – Baixa*. Artisanat de tout le pays dans une maison pombaline restaurée.

Trevo – *Av. Óscar Monteiro Torres, 33A, praça de Touros*. Spécialiste des tapis d'Arraiolos.

Vista Alegre – *Largo Barão Quintela, 3 – Chiado*. Cette boutique propose de magnifiques articles en porcelaine de Vista Alegre.

Apprécier les fumets du Portugal...

J.N. de Soye/RAPHO

187

La « Foire de la voleuse »

PRODUITS RÉGIONAUX

Cantinho Regional – *Amoreiras Shopping Center – av. Eng. Duarte Pacheco.* Produits du terroir portugais.

Casa Macário – *R. Augusta, 272-276 – Baixa.* Portos, dont des crus datant du début du siècle.

Manteigaria Londrina – *R. das Portas de Santo Antão, 53-55 – Baixa.* Spécialités portugaises : vins, jambons, fruits secs, morue...

Manuel Tavares, Lda – *R. da Betesga, 1A-1B.* Produits régionaux portugais.

MARCHÉS

Les marchés sont des lieux rêvés pour faire des affaires. Ils regorgent de produits bon marché de toutes sortes : vêtements à la mode, couvertures en coton piqué, vaisselle en terre cuite, vannerie, artisanat, antiquités. L'animation des marchés locaux est un vrai spectacle. Allez-y de bonne heure si vous voulez éviter la foule et prenez garde aux pickpockets.

Feira da Ladra – *Campo de Santa Clara – Alfama – le mardi de 7 h à 13 h et le samedi de 7 h à 18 h.* Marché aux puces de Lisbonne. « Feira da Ladra » signifie littéralement « Foire de la voleuse ». Pourtant, la plupart des vendeurs y vendent leurs propres affaires. Vous pourrez y trouver un bric-à-brac de vêtements, d'argenterie, de meubles, de livres anciens, etc.

Mercado da Ribeira Nova – *Av. 24 de Julho – du lundi au samedi de 6 h à 14 h.* L'ancien marché d'alimentation vend dorénavant des fleurs et des produits d'artisanat.

Marchés autour de Lisbonne

Feira de Carcavelos – *Dans le centre-ville de Carcavelos, à 21 km à l'Ouest du centre de Lisbonne sur la route d'Estoril. Tous les jeudis matin.* Sur ce marché-foire, on trouve des vêtements très bon marché, fabriqués par les usines de confection et généralement destinés à l'exportation, mais présentant un léger défaut, souvent minime. Nombreuses marques françaises et anglaises de confection, surtout en coton.

Feira de Sintra – *Largo de São Pedro, à Sintra – le deuxième et le quatrième dimanche du mois, toute la journée.* Ce grand marché, qui se tient sur une très belle place, vend les mêmes articles qu'ailleurs, ainsi que de nombreuses plantes et des animaux. Autour de la place, vous trouverez également de petites échoppes d'artisanat et des antiquaires.

Feira de Cascais – *Près des arènes de Cascais – le premier et le troisième dimanche du mois, toute la journée.* Parmi tous les articles habituels (chaussures, sacs en cuir, vaisselle, etc.), vous trouverez également les habituels stocks de vêtements en coton de marques connues.

GALERIES D'ART

Les galeries d'art ferment habituellement le dimanche.

Associação José Afonso – *Largo da Graça, 79/80 – Graça.* Un magasin traditionnel abrite également une galerie d'art où exposent en priorité de jeunes artistes.

Galeria 111 – *Campo Grande, 113 – Campo Grande.*

Galeria Arte Periférica – *Centro Cultural de Bélem lojas 5 e 6.*

Galeria Graça Fonseca – *R. da Emenda, 26C/V – Chiado.* Galerie présentant souvent des expositions de photographies.

Galeria Luís Serpa – *R. Tenente Raul Cascais, 1B – Príncipe Real.* Expositions de peintures et de sculptures d'artistes contemporains.

Galeria Módulo – *Calçada dos Mestres, 34A/B – Campolide.* Artistes contemporains.

Galeria Palmira Suso – *R. das Flores, 109 – Bairro Alto.* Artistes portugais contemporains.

Galeria de São Francisco – *R. Ivens, 40 – Chiado.* Peinture moderne.

Novo Século – *R. do Século, 23A/B – Bairro Alto.* Art contemporain.

Quadrum – *R. Alberto Oliveira, 52 – Roma/Alvalade.* Située en annexe du Palácio de Coruchéus et accessible par le jardin, elle est l'une des plus avant-gardistes de Lisbonne.

Zé dos Bois – *R. da Barroca, 59 – Bairro Alto.* L'une des galeries les plus novatrices dans le domaine de l'art contemporain.

LIBRAIRIES

Livraria Antiquário – *R. do Alecrim, 40-42 – Chiado/cais do Sodré.* Livres anciens et grand choix de lithographies, de gravures et de dessins.

Livraria Assírio & Alvim – *Av. Frei Miguel Contreiras, 52.* Grande sélection de livres sur le cinéma. Organise des expositions temporaires d'artistes contemporains.

Livraria Barata – *Av. de Roma, 11A et D – Roma.* Librairie généraliste avec une bonne section de livres étrangers.

Livraria Barateira – *R. Nova da Trindade, 16A – Baixa.* Vieille librairie à la façade décorée d'azulejos, spécialisée dans les ouvrages d'art.

Livraria Bertrand – *R. Garrett, 73 – Chiado.* Cette grande librairie très complète est une enfilade de salles organisées par thèmes. Livres étrangers et presse internationale.

Livraria Buchholz – *R. Duque de Palmela, 4.* Grand choix de livres neufs et anciens.

Livraria Olissipo – *Largo Trindade Coelho, 7 – Bairro Alto.* Livres anciens, vieux imprimés, lithographies.

Livraria Portugal – *R. do Carmo, 70-74 – Chiado.* Beaucoup de « beaux livres » et livres spécialisés.

ANTIQUITÉS

Les antiquaires sont installés principalement dans les rues da **Escola Politécnica, Dom Pedro V, São Bento** et **rua Augusto Rosa** (Alfama).

Antiguidades Cabral Moncada – *R. D. Pedro V, 34 – Bairro Alto.* L'un des plus célèbres antiquaires de Lisbonne. Organise également des ventes aux enchères.

Antiguidades Jorge Mourão – *Praça do Príncipe Real, 33.* Peintures, statues, œuvres d'art anciennes.

MODE

Ana Salazar – *R. do Carmo, 87 – Chiado/av. de Roma, 16^E – Roma.* Créations de la célèbre créatrice de mode portugaise.

José António Tenente – *Travessa do Carmo, 8 – Bairro Alto.* Vêtements du talentueux créateur portugais qui a signé les tenues de l'exposition mondiale de Lisbonne et habille les personnalités du spectacle (chanteuse du groupe Madredeus).

Espaço Fátima Lopes – *R. da Rosa, 36 – Bairro Alto.* Un espace conçu par cette styliste au style sexy, où l'on peut acheter ses créations ou prendre un verre au café, fréquenté par le monde de la mode.

Manuel Alves e José Manuel Gonçalves – *Hotel D. Pedro – av. Eng. Duarte Pacheco, 24 – Amoreiras.* Vêtements pour homme et femme, par ces deux créateurs reconnus.

José Carlos – *Travessa do Monte Carmo, 2 – Príncipe Real.* L'un des principaux représentants de la haute couture portugaise.

Bazar Paraíso – *R. do Norte, 42 – Bairro Alto.* Boutique de jeunes stylistes portugais.

Fashion Clinic – *Av. da Liberdade, 249.* Marques et jeunes créateurs internationaux.

Rosa e Teixeira – *Av. da Liberdade, 204.* Boutique classique qui vend de grandes marques dans une ambiance raffinée. Vêtements sur mesure pour homme, d'excellente qualité.

Loja das Meias – *Praça Dom Pedro IV – Rossio.* La première grande boutique multimarques au Portugal. Prêt-à-porter et haute couture, accessoires.

Les tours Amoreiras

Ourivesaria Aliança – *R. Garrett, 50 – Chiado*. Magnifique bijouterie à la décoration luxueuse.

Chapelaria Azevedo – *Praça Dom Pedro IV, 69-72-76 – Rossio*. Très ancienne chapellerie au charme désuet, fondée en 1886, où l'on trouve toutes sortes de couvre-chefs.

Luvaria Ulisses – *R. do Carmo, 87A – Chiado*. Minuscule boutique de gants, mais énorme choix et grande qualité.

CENTRES COMMERCIAUX

Il en existe plusieurs, en dehors du centre historique de la ville. Les trois plus grands, également les plus intéressants pour le visiteur, sont :

Amoreiras Shopping Center – *Av. Eng. Duarte Pacheco – métro : Amoreiras*. 400 boutiques, un supermarché, 55 restaurants et 10 salles de cinéma.

Colombo – *Avenida do Colégio Militar – métro : Colégio Militar*. L'un des plus grands centres commerciaux d'Europe. 421 boutiques, aire de loisirs, 10 salles de cinéma, 55 restaurants.

Vasco da Gama – *Parque das Nações – métro : Oriente*. Un centre commercial différent des autres, ludique, avec une décoration autour du thème de l'eau. 164 boutiques, restaurants, aires de loisirs, 10 salles de cinéma.

Sortir

Sélection des meilleurs cafés, salons de thé, bars et discothèques de la capitale. Les Lisboètes, et les Portugais en général, aiment sortir pour prendre leur délicieuse *bica* (petit café) après le déjeuner et le dîner. On trouve d'excellents cafés-pâtisseries partout dans la ville, car ils sont une composante importante du mode de vie portugais. C'est souvent dans les cafés que débute une bonne soirée. Les Lisboètes aiment prendre leur temps lorsqu'ils sortent et les lieux sont fréquentés généralement tard dans la nuit. Les discothèques ne se remplissent pas avant minuit. Habituellement, on visite plusieurs lieux, voire plusieurs quartiers dans la même soirée.

Dans le Bairro Alto, on commence par les bars, on jette un œil ici et là pour juger de l'ambiance, on s'arrête dans une discothèque-bar et on poursuit la nuit dans les docks ou av. 24 de Julho.

Sélectionnés par quartiers, voici les meilleurs cafés, salons de thé, bars, boîtes, discothèques de la capitale.

BAIXA

Pastelaria Suiça – *Praça Dom Pedro IV – Rossio*. L'un des endroits les plus fréquentés de la Baixa et un bon point de rencontre. Terrasses côté Rossio et côté praça da Figueira, d'où l'on peut admirer le château São Jorge. Petits en-cas et excellents jus de fruits et pâtisseries.

Café Nicola – *R. 1° Dezembro, 20*. C'est ici que la première femme portugaise osa mettre fin à l'exclusivité masculine dans la fréquentation des cafés. Historiquement lié à bien d'autres événements, ce café est un haut lieu de Lisbonne.

Confeitaria Nacional – *Praça da Figueira, 18B*. Cette pâtisserie ancienne est l'une des meilleures de Lisbonne. Énorme choix de confiseries et gâteaux traditionnels.

Ginginha do Rossio – *Largo de São Domingos, 8.* Après vos pérégrinations dans la Baixa, allez boire un verre de cette fameuse *ginginha* (eau-de-vie de cerise). Endroit et atmosphère uniques !

BAIRRO ALTO/PRINCIPE REAL

A Brasileira – *R. Garrett, 120 – ouvert tous les jours de 8 h à 2 h.* Café historique de tradition littéraire. Lieu de rencontre des artistes, stylistes de mode, touristes et résidents dans une atmosphère légendaire.

Pastelaria Benard – *R. Garrett, 104 – ouvert de 8 h à minuit, fermé le dimanche.* Restaurant-pâtisserie. On y sert le thé, le déjeuner et le dîner. Les pâtisseries sont succulentes. Institution du quartier à l'atmosphère empreinte de calme et de raffinement.

Café Rosso – *R. Ivens, 53 – ouvert tous les jours de 8 h à 1 h du matin.* Très agréable café-terrasse dans une cour intérieure à l'entrée du quartier du Chiado.

Café No Chiado – *Largo do Picadeiro, 11/12 – ouvert de 10 h (le dimanche, de 18 h) à 2 h ; animation du lundi au samedi de 22 h jusque tard dans la nuit.* Appartenant au Centre national de culture, c'est le premier cybercafé installé à Lisbonne. Les ordinateurs au 1er étage côtoient une bibliothèque dans un cadre très rétro, mais aussi très studieux. Bar-restaurant au design moderne et chaleureux.

O Chá do Carmo – *Largo do Carmo, 21 – ouvert tous les jours sauf le dimanche, de 8 h à 20 h.* Situé sur la petite place devant les ruines do Carmo et proche de la boutique du styliste José António Tenente, cet agréable salon de thé sert des repas légers au déjeuner et des thés raffinés, accompagnés de délicieuses pâtisseries maison, de scones, de toasts, etc.

Solar do Vinho do Porto – *R. São Pedro de Alcântara, 45 – ouvert de 10 h à 23 h, fermé le dimanche.* Cet institut permet de goûter à plus de 300 variétés de portos et « vintage » dans ses salons aux fauteuils de velours et tables basses. Verres de vin de Porto de 0,60 € à 10,50 €.

Frágil – *R. da Atalaia, 126-8 – ouvert de 23 h à 4 h, fermé le dimanche.* Véritable institution de la nuit lisboète. L'esthétique du décor de ce bar-discothèque est toujours unique et change environ tous les trois mois. Clientèle « branchée » d'habitués de la nuit.

Três Pastorinhos – *R. da Barroca, 111/11 – ouvert de 11 h à 2 h.* Un autre bar-discothèque du Bairro Alto où se retrouvent les Lisboètes « branchés ».

Pavilhão Chinês – *R. D. Pedro V, 89 – Ouvert jusqu'à 2 h.* Épicerie à l'origine, mais, depuis 1986, bar dont les murs sont couverts de vitrines exposant une abondante collection d'objets en tout genre : soldats de plomb, gravures contemporaines, céramiques humoristiques, maquettes d'avions de guerre. Vous pourrez également faire une partie de billard dans la salle du fond.

Trump's – *R. da Imprensa Nacional, 104B – Príncipe Real.* La plus célèbre discothèque gay de Lisbonne, toujours animée, est une valeur sûre pour s'amuser.

Bric a Bar – *R. Cecilio de Sousa, 82 – Príncipe Real.* Bar plus exclusif que le précédent, au décor design, sur deux niveaux, fréquenté par tous les milieux gay.

Targus – *R. do Diário de Notícias, 40B – ouvert de 11 h à 2 h.* Dans un décor design, la soul music et la Motown donnent le ton. Le propriétaire de ce bar est un des animateurs de la vie nocturne du Bairro Alto.

Chez Nicola, entre deux « révolutions »

Artis – *R. do Diário de Notícias, 95-97 – ouvert de 20 h à 2 h.* Une des reliques du Bairro Alto, fameuse pour son jazz, son moscatel de Favaios et sa clientèle de cinématographes, musiciens et autres intellectuels. Très belle collection de vieux instruments à vent suspendus aux murs.

Café Diário – *R. do Diário de Notícias, 3 – ouvert de 16 h à 2 h.* Bar-restaurant où l'on peut assister à des expositions, des spectacles de danse et des concerts.

Captain Kirk – *R. do Norte, 121 – ouvert de 18 h à 4 h.* Un des endroits à la mode dans le Bairro Alto. Bar-discothèque à la décoration très métallique, ambiance et clientèle assez jeunes.

Keops – *R. da Rosa, 157-159 – ouvert de 23 h à 3 h 30.* Encore un bar à la mode.

Ma Jong – *R. da Atalaia, 3 – ouvert de 19 h 30 à 2 h.* La Babylone des artistes et des cinéphiles.

Ópera – *Travessa das Mónicas, 65 – ouvert du mardi au vendredi de 20 h à 2 h et le samedi et dimanche de 20 h à 3 h 30, fermé le lundi.* Ambiance jeune et moderne. Expositions d'art.

Snob Bar – *R. do Século, 178 – ouvert jusqu'à 3 h.* Bar élégant fréquenté par des journalistes et des publicitaires. Petite restauration servie jusqu'à la fermeture.

Mássima – *R. Dom Pedro V, 8 – ouvert de 16 h à 19 h, fermé le dimanche et les jours fériés.* Un endroit idéal pour une pause. Y goûter le meilleur chocolat chaud de la ville, accompagné de pains au lait, de toasts ou de pâtisseries.

ALFAMA/GRAÇA

Cerca Moura – *Largo das Portas do Sol, 4 – ouvert de 9 h à 2 h.* À deux pas du musée des Arts décoratifs, ce bar en terrasse offre une vue magnifique sur le fleuve et l'Alfama. Très animé pendant les beaux jours.

Chapitô – *R. Costa do Castelo, 1/7 – ouvert de 9 h à 22 h, fermé le dimanche.* École de cirque sur une des terrasses les plus agréables de Lisbonne. Un endroit où l'on peut boire un verre à partir de 20 h ou encore écouter des concerts, assister à des spectacles de théâtre et autres événements culturels durant l'été.

Bruxa Bar – *R. de São Mamede ao Caldas, 35A/B – ouvert de 20 h à 2 h.* Musique brésilienne. Fréquenté majoritairement par les plus de 40 ans.

Pé Sujo – *Lg. de São Martinho, 6-7 – ouvert de 22 h à 2 h, fermé le lundi.* Bar brésilien très animé, où l'on danse au son des *berimbaus* et *cuícas*. Musique en direct tous les jours.

O Salvador – *R. Salvador, 53 – ouvert de 21 h à 2 h.* Bonne musique d'ambiance calme et variée dans un décor bleu et blanc. Très bonne carte de cocktails.

Bar Anos 60 – *Largo Terreirinho, 21 – ouvert de 21 h 30 à 4 h, fermé le dimanche.* Musique portugaise des années 1960 et 1970 le mercredi. Concerts de musique brésilienne le reste de la semaine.

Bar da Graça – *Travessa Pereira, 43 – ouvert de 21 h à 4 h, fermé le dimanche.* Un des bars de Lisbonne où l'on peut boire de la bière belge. Spectacles de musique en direct, théâtre, expositions de peintres portugais.

Graça Esplananda – *Largo da Graça (Escadinhas do Caracol à Graça) – ouvert de 14 h à 3 h.* De la terrasse, très belle vue sur Lisbonne, très agréable par beau temps.

LIBERDADE

Hot Clube – *Praça da Alegria, 39 – ouvert du mardi au samedi de 22 h à 4 h.* La plus ancienne cave de jazz de Lisbonne. Des groupes, souvent de renommée internationale, s'y produisent le vendredi et le samedi.

CAIS DO SODRÉ

Bar do Rio – *Cais do Sodré, Armazém 7 – ouvert de 22 h à 3 h.* Cet entrepôt transformé en bar est toujours à la mode. Ambiance et clientèle assez jeunes.

British Bar – *R. Bernardino Costa, 52 – ouvert du lundi au vendredi de 7 h 30 à 23 h et le samedi de 8 h à 2 h, fermé le dimanche.* Résiste au temps depuis 1918. Quelques raretés comme la « ginger beer » en pression. Bon choix de bières et très belle carte de whiskies pour les amateurs de ce breuvage.

Ó Gillins Irish Pub – *R. dos Remolares, 8/10 – ouvert tous les jours de 11 h à 2 h.* Ambiance très irlandaise. Fréquenté par les marins et les banquiers, les jeunes et les vieux. Concerts jeudi, vendredi et samedi soir.

Hennessy's Irish Pub – *R do Cais do Sodré, 32/38 – ouvert tous les jours de 11 h 30 à 2 h (4 h le samedi).* Pub très spacieux et cossu dans le pur style irlandais, contrastant avec les établissements environnants. Pour les amateurs d'irish coffees et de Guinness.

AV. 24 DE JULHO

B.leza – *Largo do Conde Barão, 50 – 2º – ouvert du mardi au samedi de 22 h 30 à 7 h.* Situé dans un palais du 16ᵉ s., décoré de superbes plafonds. Rythmes africains et latino-américains. Un des endroits les plus en vue de la musique afro-antillaise.

Xafarix – *Av. Dom Carlos, I 69 – ouvert de 23 h à 3 h.* Dans ce bar, des concerts ont lieu tous les jours à partir de 1 h. Agréable terrasse très animée pendant les nuits d'été.

A Paulinha – *Av. 24 de Julho, 82 – ouvert de 22 h à 4 h.* Fréquenté par des gens de tout style et tout âge, ce bar est un endroit idéal pour commencer ou finir la nuit. Bonne musique, boissons et repas.

Plateau – *Escadinhas da Praia, 7 – ouvert de 22 h 30 à 6 h, fermé les dimanches et lundis.* Dans un décor asiatique-oriental, le plateau est toujours très animé jusqu'au matin. Ambiance jeune, musique techno.

Kremlin – *Escadinhas da Praia, 5 – ouvert jusqu'à 9 h du matin, fermé les lundis, mercredis et dimanches.* Grande discothèque. Temple de la musique techno, où les noctambules finissent généralement la nuit.

Kapital – *Av. 24 de Julho, 68 – ouvert de 22 h 30 à 4 h, fermé les lundis et mercredis.* Cette boîte de nuit est très appréciée de nombreux Lisboètes. Décor élégant et lumineux sur trois étages. Terrasse à l'étage supérieur.

LE FADO

Émanation profonde de l'âme populaire de Lisbonne, le fado plonge ses auditeurs dans une douce tristesse empreinte d'émotion. Cette mélopée nostalgique est l'expression même de la *saudade*, cet état d'âme chargé d'une mélancolie « aigre-douce » si difficilement traduisible. Si la fadiste la plus connue est incontestablement **Amália Rodrigues**, artiste récemment disparue qui a contribué à divulguer le fado dans le monde entier.

Nous indiquons ci-dessous quelques établissements réputés pour le fado (la plupart appliquent un tarif minimum de 15 € environ afin de rémunérer les artistes) :

BAIRRO ALTO

Adega do Machado – *R. do Norte, 91 – ☎ 213 22 46 40 – ouvert du mardi au dimanche de 20 h à 3 h.* Bon spectacle folklorique en début de soirée, suivi de fado de Lisbonne ou de Coimbra.

Adega do Ribatejo – *R. do Diário de Notícias, 23 – ☎ 213 46 83 43 – ouvert de 12 h à 15 h et de 19 h à minuit, fermé le dimanche.* Une ambiance familiale et animée pour l'une des maisons de fado les plus authentiques.

Arcadas do Faia – *R. da Barroca, 54/56 – ☎ 213 42 19 23 – ouvert de 20 h à 2 h, fermé le dimanche.* Authentique fado de Lisbonne. Dans le Bairro Alto, le fado est une expression populaire.

Café Luso – *Travessa da Queimada, 10 – ☎ 213 42 22 81 – ouvert de 20 h à 2 h, fermé le dimanche.* Établissement très fréquenté par les touristes. Les soirées commencent par un spectacle folklorique et se poursuivent par du fado.

Mascote da Atalaia – *R. da Atalaia, 13 – ☎ 213 47 04 08 – ouvert de 20 h à 23 h, fermé le dimanche.* Peu de touristes franchissent le seuil de cet endroit anodin. Les Portugais du quartier s'y retrouvent entre eux.

ALFAMA

O Cabacinha – *Largo do Limoeiro, 9/10 – ☎ 218 88 46 70 – fado le mardi et le dimanche de 21 h à 2 h.* Maison de fado pour habitués et amoureux de fado.

Parreirinha de Alfama – *Beco do Espírito Santo, 1 – ☎ 218 86 82 09 – ouvert de 20 h à 2 h, fermé le dimanche.* Maison de fado traditionnelle très fréquentée par les touristes.

Taverna del Rei – *Largo do Chafariz de Dentro, 15 (angle r. São Pedro) – ☎ 218 87 67 54 – ouvert de 20 h à 3 h 30, fermé le dimanche.* On peut y manger de la cuisine portugaise en écoutant du fado authentique.

AUTRES QUARTIERS

Timpanas – *R. Gilberto Rola, 24 – Alcântara – ☎ 213 90 66 55 – ouvert de 20 h 30 à 2 h, fermé le mardi.* On peut y entendre chanter de l'excellent fado.

Senhor Vinho – *R. Meio Lapa, 18 – Lapa – ☎ 213 97 26 81 – ouvert tous les jours de 20 h 30 à 2 h, fermé le dimanche – fado à 21 h 30.* Fado raffiné et traditionnel qui compte avec la participation de fadistes célèbres. Cuisine portugaise traditionnelle et remarquable carte de vins.

DOCAS/ALCÂNTARA/SANTO AMARO

Lux – *Av. Infante D. Henrique, Armazém A – cais da Pedra – Santa Apolónia – ouvert à partir de 16 h.*
Créé par l'ancien propriétaire du légendaire Frágil, c'est actuellement l'un des endroits les plus branchés de Lisbonne. Installé dans un ancien entrepôt *(armazém)* face à la gare de Santa Apolónia, il offre une terrasse sur le Tage. L'espace du premier étage ouvre à partir de 16 h pour le thé. Ambiance « cocktail lounge » le soir, avec des sièges et des tables années 1960 (que l'on peut acheter). Accès à la discothèque située au-dessous, ouverte du jeudi au samedi, à partir de minuit.

Alcântara Mar – *R. Cozinha Económica, 11 – ouvert du mercredi au dimanche de 23 h à 6 h.* Velours rouges, boiseries dorées et portraits ancestraux décorent les murs de cet endroit qui est le premier à s'être installé dans le quartier et haut lieu « branché » de Lisbonne.

Salsa Latina – *R. do Cais de Alcântara – ouvert tous les jours de 20 h à 6 h, fermé le dimanche et le lundi.* Situé dans l'ancienne gare maritime d'Alcântara, cet immense bar-restaurant au décor design et chaleureux offre des concerts de musique latino-américaine tous les jours et de jazz le mercredi. Possibilité de dîner sur la terrasse.

Ultramar – *Cais das Oficinas, Armazém 115, Doca Rocha Conde d'Óbidos.* Superbe bar-discothèque très spacieux au design futuriste. À l'intérieur, on a l'illusion de participer à un voyage dans l'espace. Très agréable terrasse donnant directement au bord de l'eau.

Speakeasy – *Cais das Oficinas, Armazém 115, Doca Rocha Conde d'Óbidos – ouvert tous les jours de 18 h à 4 h, fermé le dimanche.* Ambiance sympathique dans les anciens locaux de l'administration des docks. Un des meilleurs endroits pour écouter du jazz (groupes de renommée internationale) ou de la musique populaire (brésilienne, portugaise...), où l'on peut manger en attendant le concert qui a lieu tous les jours à partir de 23 h (samedi à 23 h 30).

BiStyle – *R. Prior do Crato, 6.* Au fond d'une minuscule courette, 2 styles, 2 espaces. À partir de 18 h, au premier étage, règne une ambiance rétro pendant que l'on déguste fromages et vins au verre. De 22 h à 4 h du matin, la place est aux jeunes qui dansent sur du rock des années 1980.

Rock City – *R. da Cintura do Porto de Lisboa, Armazém 225 – ouvert tous les jours de 12 h 30 à 4 h.* Un nouveau site à la mode à Lisbonne. Ambiance rock'n roll.

Docks' Club – *R. da Cintura do Porto de Lisboa, 226, Armazém H, Doca Rocha Conde de Óbidos – ouvert de 8 h 30 à 6 h, fermé le dimanche.* Restaurant-bar-discothèque dans un entrepôt du port, très fréquenté surtout en fin de semaine.

Blues Café – *R. da Cintura do Porto de Lisboa, Armazém H, Doca Rocha Conde de Óbidos – ouvert tous les jours de 12 h 30 à 4 h, fermé le dimanche.* Bar-restaurant jusqu'à minuit. Rock et blues animent le reste de la nuit.

5 ao Rio – *Doca de Santo Amaro, Armazém 5 – ouvert de 17 h à 3 h, fermé le lundi.* Un des nombreux bars du dock de Santo Amaro. Décor maritime et musique animée.

7 Mares – *Doca de Santo Amaro, Armazém 3 – ouvert tous les jours de 12 h à 4 h.* En terrasse où à l'intérieur d'un bel espace, vous pouvez boire un verre ou goûter à une grande variété de plats rapides.

On vient toujours y suer : les anciens docks de Santo Amaro

Cais S – *Doca de Santo Amaro, Armazém 1 – ouvert tous les jours de 11 h à 4 h (20 h le dimanche).* De grands insectes en métal décorent ce bar. Mur vidéo présentant du sport.

Doca de Santo – *Doca de Santo Amaro – ouvert de 12 h à 4 h.* Le premier bar à ouvrir sur le Doca Santo Amaro. Salades, jus de fruits frais et petite restauration à toute heure du jour et de la nuit. Bonne musique et terrasse agréable en été.

Santo Amaro Café – *Doca de Santo Amaro, Pavilhão 9 e 10 – ouvert de 14 h à 2 h.* L'architecture et le style originaux de ce bar-café exotique en font la renommée. Musique tropicale.

BELÉM

Bar do Terraço – *Centro Cultural de Belém – praça do Império.* En été, presque tous les jours, à la terrasse du Centre culturel de Belém, des concerts ont lieu à 19 h. Magnifique vue sur le Tage et la rive opposée.

Antiga Confeitaria de Belém - Fábrica dos Pastéis de Belém – *R. de Belém, 84/8 – ouvert tous les jours de 8 h à 23 h 30.* Les petits gâteaux de Belém, appelés *pastéis de nata*, attirent en masse tous les Lisboètes et les touristes gourmands. C'est ici que ces petits flans sont fabriqués (la recette originale est jalousement gardée) dans les anciens fours qui leur donnent ce goût tant apprécié. Vous pouvez en emporter par boîtes de 6 ou bien les déguster chauds sur place dans une des salles décorées d'azulejos. Une institution à Lisbonne.

Jardins

Un aspect surprenant de Lisbonne : la multitude de petits jardins plantés d'essences exotiques. Au printemps, les jacarandas donnent une teinte mauve à la ville, alors que l'été, le rouge violacé des bougainvilliers explose partout. Ces couleurs s'accompagnent du parfum des citronniers. La plupart des jardins sont cachés derrière de hauts murs qui laissent parfois dépasser quelques branches fleuries.

Jardim Botânico – *Voir description p. 223.*

Jardim da Estrela – Ce grand jardin aménagé en 1852 est planté d'essences exotiques (palmiers, dragonniers...) et agrémenté d'un kiosque à musique, de lacs et de buvettes.

Jardin de la Fondation Gulbenkian – Il dispose d'un amphithéâtre en plein air où ont lieu des concerts en été.

Jardim do Príncipe Real – Agréable jardin, avec un restaurant en terrasse. À noter, un cèdre du Buçaco, très bas, mais au feuillage d'un diamètre exceptionnel.

Jardim das Amoreiras – Petit jardin tranquille au milieu de la jolie place des Amoreiras, sous l'aqueduc das Águas Livres, où se trouve la fondation Vieira da Silva.

Parque Eduardo VII – *Voir description p. 223.*

Jardim Botânico da Ajuda et Jardim das Damas – À quelques pas du palais da Ajuda, le jardin botanique, aménagé par le marquis de Pombal en 1768, abrite de nombreuses espèces exotiques. À côté, le romantique Jardim das Damas est constellé de lacs et de cascades. *Voir description p. 222.*

Jardin du palais Fronteira – Merveilleux jardin décoré d'azulejos d'un style unique. *Voir description p. 225.*

Parque Florestal de Monsanto – *Voir description p. 226.*

Plages

Pour passer leurs vacances, leurs week-ends ou même quelques moments après le travail, les Lisboètes ont à leur disposition un vaste choix de plages, toutes proches de la capitale. *Voir carte p. 12.*

AU NORD-OUEST DE LISBONNE

Bien que très proches de la capitale, les plages situées le long de la voie rapide entre Lisbonne et Cascais sont moins agréables que celles que nous vous indiquons ci-dessous.

Praia do Guincho – *Voir description à Cascais.*

Praia das Maçãs – Proche de Azenhas do Mar, belle plage de sable fin.

Azenhas do Mar – Au pied du village blanc perché sur la falaise, cette petite plage recouverte à marée haute abrite une piscine naturelle.

Ericeira – Plage familiale à côté de la petite ville du même nom.

DE L'AUTRE CÔTÉ DU TAGE

Pour se rendre à ces plages, il faut emprunter le pont du 25-Avril, soit par le train jusqu'à la gare de Fogueteiro, soit en voiture (en évitant les week-ends en raison des embouteillages), ou éventuellement prendre un bateau.

Costa da Caparica – *Accès en voiture par le pont 25 de Abril, en autocar (départ praça de Espanha), en train (départ des stations Entrecampos, Sete Rios ou Campolide jusqu'à Pragal + bus n° 124 ou 194) ou en bateau (départ de la gare maritime Terriero do Paço à destination de Cacilhas, puis autobus jusqu'à Costa da Caparica). Voir description p. 228.*

Sesimbra – Belle plage proche de la route, bordée de restaurants spécialisés dans le poisson grillé et les fruits de mer.

Portinho da Arrábida – Magnifique petite plage de sable fin abritée dans une baie.

Lisbonne des enfants

Jardim Zoológico – *Estr. de Benfica, 158, métro : Jardim Zoológico* – ☎ *217 23 29 00* – *voir description p. 225.* Jardin zoologique, parc pour enfants, spectacles de dauphins et de perroquets.

Planetário Calouste Gulbenkian *(voir plan de Belém p. 221)* – *Praça do Império, Belém* – ☎ *213 62 00 02* – *matinées pour enfants le samedi à 15 h 30 et 17 h, le dimanche à 11 h, 15 h 30 et 17 h.* Vision du ciel étoilé du Portugal, voyage imaginaire à travers les planètes, visite de la Lune, passage par la région polaire avec projections diverses, éclipses de Lune et de Soleil sont parmi les documents audiovisuels proposés par le planétarium.

Alvito – Parque de Monsanto – *Parque de Monsanto* – ☎ *213 63 59 40* – *ouvert en avril et mai de 9 h à 19 h, d'octobre à mars de 9 h à 17 h, en été de 9 h à 20 h.* Espaces ludiques aménagés pour les enfants. Deux piscines, dont une ouverte au public de juillet à septembre, pour enfants de 3 à 14 ans.

Parque dos Índios – *Alto da Serafina, Monsanto* – ☎ *217 74 30 21* – *ouvert de 9 h à 18 h (de 9 h à 20 h d'avril à août).* Un des meilleurs parcs pour enfants à Lisbonne.

Aquário Vasco da Gama – *À Dáfundo, au Nord de Lisbonne. Voir description p. 228.* Aquarium présentant des espèces aquatiques, atlantiques, tropicales et d'eau douce.

Oceanário de Lisboa – *Dans le Parc des Nations. Voir description p. 214.*

Museu das Crianças – *Praça do Império – Belém* – ☎ *213 86 21 63* – *ouvert le samedi et le dimanche de 10 h à 17 h.* Au 1er étage du musée de la Marine, jeux pédagogiques interactifs pour enfants de 4 à 13 ans.

Museu das Marionetas – *Largo Rodrigues Freitas, 19 – Alfama* – ☎ *218 86 57 94* – *ouvert du mardi au vendredi de 10 h (11 h les samedis et dimanches) à 19 h.* Exposition de marionnettes traditionnelles réalisées par la compagnie de São Lourenço et quelques modèles anciens.

Marionetas de Lisboa – *Av. da República, 103B* – ☎ *217 96 57 80* – *fermé en août.* Spectacle d'animation et ateliers pour enfants de 3 à 12 ans. Fabrication et manipulation de marionnettes.

Associação Cultural da Lanterna Mágica – *Bairro do Alvito, 155* – ☎ *213 62 46 60.* Théâtre de marionnettes pour enfants à partir de 3 ans.

Teatro de Animação « Os Papa Léguas » – *R. Prof. Santos Lucas, 36A – Benfica* – ☎ *217 14 18 23* – *spectacles du mardi au vendredi à 11 h et 14 h, le samedi à 16 h et le dimanche à 11 h.* Programme par voie de presse et renseignements téléphoniques.

Apprendre à mener sa barque au delphinarium du Jardin zoologique...

P. Martins/MICHELIN

Teatro do Calvário - Teatro Infantil de Lisboa – *R. Leão Oliveira, 1 – Alcântara –* ☎ *218 46 31 68*. Programme théâtral pour enfants.

Teatro Infantil - Teatro Maria Matos – *Av. Frei Miguel Contreiras, 52, av. de Roma – ☎ 213 63 99 74 – séances le samedi à 14 h et 20 h et le dimanche à 14 h.* Programme théâtral pour enfants.

Feira Popular – *Av. da República – métro : Entrecampos – d'avril à octobre.* La grande foire de Lisbonne, avec manèges, barbe à papa et restaurants populaires...

Points de vue sur Lisbonne

Sise sur sept collines surplombant le Tage, Lisbonne est une ville hautement pittoresque qui révèle quantité de points de vue. De nombreux miradors aménagés, souvent avec café ou buvette en plein air, offrent une halte agréable pour admirer le paysage urbain. Nous vous présentons ici les belvédères les plus connus. Vous en découvrirez sans doute d'autres au cours de vos flâneries...

DANS LA VILLE...

Castelo de São Jorge – Vues sur Baixa et le Tage depuis les belles et vastes terrasses autour du château. Restaurant panoramique (Casa do Leão) et café.

Miradouro da Senhora do Monte – Vues panoramiques sur tout le centre. Café.

Largo das Portas do Sol – Cette belle place plantée de palmiers offre des vues plongeantes sur l'Alfama. Café.

Miradouro de Santa Luzia – Longue terrasse agrémentée de bougainvilliers située juste à côté de largo das Portas do Sol. Vues sur l'Alfama et surtout sur le Tage. Café.

Miradouro de São Pedro de Alcântara – Beau jardin ombragé offrant une vue classique de Baixa et du château São Jorge. Le jardin en contrebas, véritable symphonie de bougainvilliers, se repère depuis plusieurs endroits de la ville.

Miradouro do Alto de Santa Catarina – Vues sur le Tage. Café.

Miradouro da Graça – Vues sur le côté Nord du château. Café.

Elevador de Santa Justa – Vues sur Rossio et Baixa depuis la plate-forme supérieure.

Parque Eduardo VII – Belle perspective sur l'axe av. da Liberdade, depuis les terrasses en haut du parc.

Miradouro de Monsanto – *Dans le parque Florestal de Monsanto. Accès en voiture.* Un peu éloigné du centre, ce belvédère offre de vastes panoramas sur la ville. On remarque surtout les tours des Amoreiras et le pont 25 de Abril. Restaurant panoramique.

ET CÔTÉ FLEUVE...

Les *cacilheiros* traversant le Tage offrent des vues inoubliables sur le beau site de la ville. L'approche de la praça do Comércio est particulièrement majestueuse.

Cristo Rei – Beau panorama depuis le piédestal de la statue *(accès par ascenseur plus 74 marches)*.

Ponte 25 de Abril – Vue magnifique sur la longue façade fluviale de Lisbonne et Belém.

NOS COUPS DE CŒUR

Quelques suggestions pour mieux apprécier les charmes de Lisbonne...

- Promenade en bateau sur le Tage : l'approche de la praça do Comércio.
- Le tramway n° 28 : dans un vieux tramway, on emprunte un beau parcours de Graça à Estrela, en passant par l'Alfama, la Baixa et le Chiado.
- Les jardins du Palácio dos Marqueses de Fronteira.
- Dégustation d'un *pastel de nata* et d'un café à la Fábrica dos Pastéis de Belém *(voir Sortir – Belém)*.
- Chiner à la Feira da Ladra *(voir Achats – Marchés)*.
- La vue de l'Alfama depuis le Largo das Portas do Sol.
- Déjeuner suivi d'une matinée dansante à la Casa do Alentejo *(voir Se restaurer à Lisbonne – Baixa)*.
- Paresser à la terrasse du café Brasileira l'après-midi.
- Déambuler dans le Bairro Alto nocturne.
- La collection de bijoux Lalique au musée Gulbenkian *(voir p. 224)*.
- Le marché aux poissons de la rua de S. Pedro dans l'Alfama.
- Prendre le train à Cais do Sodré et aller jusqu'à Cascais, en longeant le Tage, puis l'Océan.

Visiter Lisbonne

La capitale du Portugal, à mi-chemin entre le Nord et le Sud, règne sur le pays avec son agglomération qui compte près de 2 millions d'habitants.

Au siècle des Grandes Découvertes, elle fut, selon Camões, la « princesse incontestée des autres cités du Monde... devant qui cède la mer profonde ».

Le vieux Lisbonne est construit sur la rive droite de la « mer de Paille », surnom donné, pour ses reflets dorés, à ce renflement du Tage qui pénètre ensuite dans un large chenal aboutissant sur l'Atlantique. C'est une ville chaotique, s'égrenant sur sept collines, où de nombreux belvédères offrent des points de vue variés ; une ville dont la lumière éblouissante rehausse la couleur des édifices – rose, ocre, jaune, bleu, vert – aux rues et places revêtues d'une mosaïque de petits pavés de calcaire blanc et de basalte noir (les *empedrados*) ; une ville qui a conservé le pittoresque des siècles passés sans se laisser envahir par des constructions modernes, si on excepte les insolites tours des Amoreiras ou certaines banques. Dédale de ruelles étroites des quartiers anciens, belles perspectives des larges avenues, animation du port et des quais, jardins exotiques disséminés dans la ville, c'est un patchwork de charme que l'on prendra plaisir à découvrir à pied ou dans les vétustes tramways qui font partie du décor.

Ville du fado, Lisboa (Lijboa, si on le prononce à la portugaise) est la principale héroïne de ce chant plein de nostalgie (la fameuse *saudade*). Elle est en liesse lorsqu'elle fête, en juin, ses saints populaires. La nuit de la St-Antoine, le saint patron de Lisbonne, des groupes de jeunes gens costumés, dits *marchas populares*, descendent en musique l'avenida da Liberdade.

Le centre a gardé son cachet, avec ses palais aux façades couleur pastel et ses immeubles couverts d'azulejos ; cependant, on peut s'étonner du délabrement de certains bâtiments, qui s'explique en partie par les loyers bloqués qui ne permettent pas aux propriétaires de se lancer dans des travaux onéreux. C'est ainsi que beaucoup d'immeubles sont tombés en ruine, notamment dans les avenues da Liberdade et da República, pour faire place à des constructions récentes.

Lisbonne est aussi un port et une grande ville industrielle. Les principaux quartiers industriels sont situés sur la rive Sud du Tage du côté de Barreiro.

Cette ville empreinte de son passé se tourne résolument vers l'avenir depuis l'entrée du Portugal dans l'Union européenne en 1986. Les quartiers d'affaires se développent surtout autour du **Campo Pequeno** et du **Campo Grande**, et le centre culturel de Belém, inauguré en 1992, a renforcé la vocation monumentale de ce quartier.

Les fameuses tours postmodernes des **Amoreiras**, rose, bleu et gris, élevées par l'architecte Tomás Taveira, ont fait scandale par leur audace. D'autres tours poussent dans le quartier autour du Campo Pequeno, et les sièges des banques BNU (également conçu par Tomás Taveira) et Caixa Geral de Depósitos sont devenus des repères dans la ville.

La ville se tourne à nouveau vers le Tage grâce à la réhabilitation de certaines zones portuaires, transformées en aires de loisirs, notamment le Parc des Nations, le site de l'Exposition mondiale de Lisbonne, à Doca dos Olivais, ainsi que les nouveaux pôles de divertissement que sont, avec leurs bars, restaurants et discothèques, les docks de Santo Amaro, Santos et Alcântara.

Lisbonne avant le tremblement de terre de 1755, musée de l'Azulejo

UN PEU D'HISTOIRE

Selon la légende, la ville devrait son origine à Ulysse. Les historiens attribuent sa fondation, en 1200 avant J.-C., aux Phéniciens qui la surnommèrent « rade sereine ». Très vite, la ville devint une escale pour les peuples de la Méditerranée qui commerçaient avec le Nord de l'Europe. Elle fut conquise par les Grecs et les Carthaginois avant de devenir romaine en 138 avant J.-C. Après les invasions barbares, elle tomba, pour quatre siècles, aux mains des Arabes en 714 et fut renommée Lissabona. Cette situation prit fin le 25 octobre 1147 lorsque le roi Alphonse Henriques s'empara de la cité à l'aide d'une flotte de la deuxième croisade.
En 1255, Alphonse III la choisit comme capitale en remplacement de Coimbra.

L'ère des découvertes – Lisbonne a bénéficié des richesses qui se sont amassées après le voyage de Vasco de Gama aux Indes et la découverte du Brésil par Pedro Álvares Cabral. De nouveaux courants commerciaux se créent au détriment de Venise et de Gênes ; les marchands affluent à Lisbonne qui fourmille de petits commerces où se vendent l'or, les épices, l'argent, l'ivoire, les étoffes, les bijoux et les bois précieux. La ville se couvre de monuments (monastère des Hiéronymites et tour de Belém), dont le style de décoration, inspirée par des thèmes marins, prend le nom du roi Manuel : c'est l'art manuélin. Le port, où viennent mouiller les caravelles, connaît une activité incessante.

Le tremblement de terre – Le 1er novembre 1755, jour de la Toussaint, à l'heure de la grand-messe, la ville est secouée par un tremblement de terre d'une rare violence : les églises, les palais et les maisons s'écroulent ; le feu des cierges se communique à tout ce qui est tissu ou bois ; les survivants se ruent vers le Tage pour échapper au feu ; mais voilà qu'une vague immense déferle et ravage la ville basse. Les richesses de Lisbonne sont englouties. Voltaire affirme qu'il y a 40 000 victimes.
Le roi Joseph Ier est indemne ainsi que son ministre Sebastião de Carvalho e Melo, le futur **marquis de Pombal** ; ce dernier réorganise aussitôt la vie dans la cité : il porte secours aux blessés, enterre les morts, emprisonne les pillards, fait raser les ruines de la ville basse. Aidé par l'ingénieur Manuel da Maia et l'architecte Eugénio dos Santos, Pombal entreprend de reconstruire Lisbonne selon un plan révolutionnaire pour l'époque : de larges avenues perpendiculaires, des immeubles sobres et semblables ; c'est la Baixa actuelle.

La révolution des Œillets – Le 25 avril 1974, à 4 h 30 du matin, les Portugais peuvent entendre sur les ondes un appel du commandement du mouvement des Forces armées qui les exhorte au calme et leur demande de ne pas sortir de chez eux. C'est le début du coup d'État conduit par le général de Spínola contre le régime de Salazar et de son successeur Caetano. Il prend le pouvoir sans aucune violence et ses hommes, qui ont planté un œillet rouge dans le canon de leur fusil, sont acclamés par la population qui, faisant fi des conseils, a déferlé sur la praça do Comércio.

Les Lisboètes – L'un des grands charmes de Lisbonne réside dans sa population qui a conservé un caractère familier et populaire. Les vendeurs ambulants vous interpellent dans la rue pour vous vendre des billets de loterie ou des marrons chauds, les cireurs de chaussures proposent leurs services, les ménagères font encore sécher leur linge aux fenêtres dans certains quartiers, et, à chaque match de football, la ville ne vit plus que suspendue à l'annonce d'un but (deux des trois principaux clubs portugais sont lisboètes : Benfica et Sporting). L'été, c'est le grand exode vers les plages de Costa da Caparica et de Cascais, ou celles plus éloignées de la serra da Arrábida.

Museu Nacional do Azulejo – C. Monteiro/ANF-IPM

RÉPERTOIRE DES RUES DE LISBONNE

CURIOSITÉS DE LISBONNE

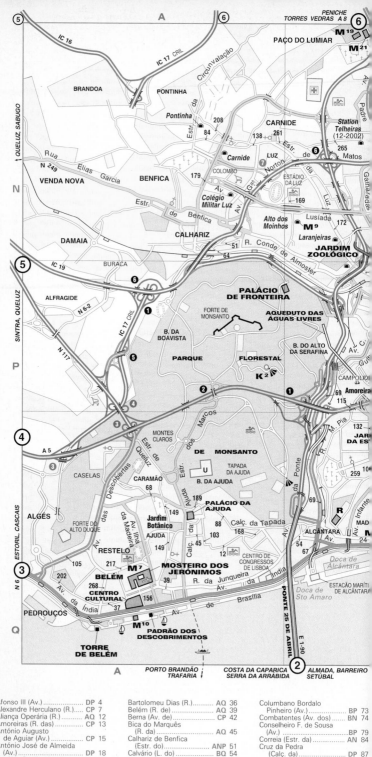

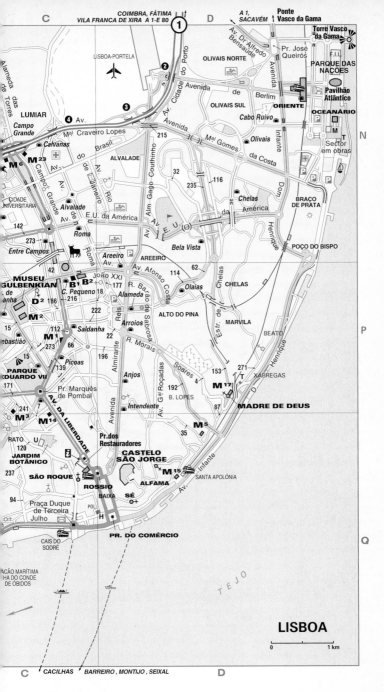

LISBOA

0   1 km

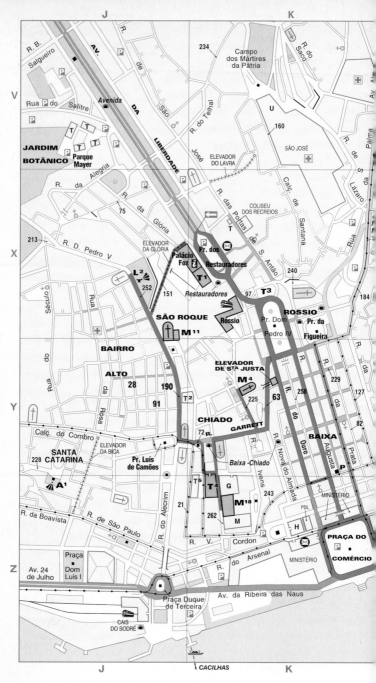

LISBOA

0   300 m

↙ CACILHAS   L   \ BARREIRO, MONTIJO, SEIXAL   M

★★LE CENTRE POMBALIN : LA BAIXA 2 h

Suivre l'itinéraire recommandé sur le plan.

Cette partie de la ville complètement dévastée par le tremblement de terre et le raz de marée fut reconstruite selon les plans de Pombal.

Praça dos Restauradores – Cette place doit son nom aux hommes qui, en 1640, se révoltèrent contre la domination espagnole et proclamèrent l'indépendance du Portugal. Au centre, un obélisque commémore l'événement. L'Ouest de la place est occupé par la belle façade au crépi rouge du **palais Foz** construit au début du 19e s. par un architecte italien. Ce bâtiment abrite l'Office du tourisme de Lisbonne.
La place s'ouvre sur l'avenida da Liberdade qui mène au parc Eduardo VII.
À côté du palais Foz, l'**Éden Teatro**, conçu par l'architecte Cassiano Branco et inauguré en 1937, conserve une partie de sa façade Art déco et son escalier monumental. Il abrite le magasin de disques Virgin Megastore.
À proximité se trouve la **rua das Portas de Santo Antão**, pittoresque rue piétonne avec ses grands cinémas (le Coliseu dos Recreios au n° 100), ses cafés et ses commerces traditionnels. Les curieux, en pénétrant dans la **Casa do Alentejo** au n° 58 *(voir aussi p. 179)*, découvriront un insolite patio mauresque et des salles de restaurant couvertes d'azulejos.

Estação do Rossio – La **façade**★ néomanuéline (19e s.) de la **gare du Rossio** qui dessert Sintra présente de grandes ouvertures en fer à cheval.

★**Rossio** – La praça Dom Pedro IV ou Rossio, grand-place animée de la Baixa, existe depuis le 13e s. et fut le témoin de nombreux autodafés. Sa configuration actuelle est l'œuvre de Pombal ; elle est bordée sur trois côtés d'immeubles des 18e et 19e s., dont l'étage inférieur est occupé par des cafés, dont le fameux « Nicola » à la façade Art déco *(illustration p. 191)*, et des petits commerces ayant gardé leur décoration du début du siècle (voir le débit de tabac près de Nicola, décoré d'azulejos signés Rafael Bordalo Pinheiro, et la boutique où l'on boit la fameuse *ginginha*, liqueur de cerise, au coin du largo de S. Domingos à côté d'une chapellerie fondée au 19e s.). Le **théâtre national Dona Maria II** limite la place au Nord ; bâti vers 1840 sur l'emplacement de l'ancien palais de l'Inquisition, il présente une façade à péristyle et fronton surmontée de la statue de Gil Vicente, créateur du théâtre portugais. Au centre de la place, une colonne porte la statue en bronze (1870) du roi Pierre IV qui fut également le premier souverain du Brésil sous le nom d'empereur Pierre Ier ; autour des fontaines baroques, marché aux fleurs.
À l'Est de la praça do Rossio, parallèle à celle-ci, la **praça da Figueira**, de plan carré, bordée d'immeubles classiques et portant au centre une statue équestre de Jean Ier, est un bon endroit pour admirer le château et l'animation de la Baixa, depuis la terrasse arrière du célèbre café-pâtisserie Suíça *(voir p. 190)*, dont la façade principale donne sur le Rossio.

Rue Augusta

On accède ensuite au qua-
drillage de la Baixa qui est
le principal quartier commerçant de Lisbonne. Ses
rues en partie piétonnes
sont bordées de magasins.
Toutes celles reliant le Rossio à la praça do Comércio
portent des noms de corpo-
rations comme rua dos Correeiros (selliers) ou dos Sa-
pateiros (cordonniers). Les
trois principales sont rua do
Ouro (de l'or), **rua Augusta**,
large et élégante rue piétonne, et rua da Prata (de l'argent).

Pierre IV ou Maximilien d'Autriche ?

La colonne au centre de la place du Rossio supporterait en fait une statue représentant Maximilien d'Autriche, empereur du Mexique. Le bateau transportant cette statue vers le Mexique faisait escale à Lisbonne lorsque l'on apprit l'exécution de Maximilien. Ne sachant que faire de son charge-ment, le commandant le laissa à Lisbonne et il fut finalement décidé d'utiliser cette statue pour remplacer celle, assez gros-sière, qui représentait Pierre IV.

Rua do Ouro (ou Áurea) – La rue de l'Or était aux 15e et 16e s. le centre du com-merce de l'or ; elle est aujourd'hui la rue des banquiers, des bijoutiers et des orfèvres.

Núcleo Arqueológico da Rua dos Correeiros ⊙ – Cet important site de vestiges romains se trouve au sous-sol de la banque Banco Comercial Português, qui l'a découvert en 1991 lors de ses travaux d'aménagement. L'agréable espace muséo-logique créé autour du site archéologique permet de comprendre l'histoire de la Baixa depuis le début de son occupation au 7e s. À l'entrée, une salle d'exposition présente des objets de différentes époques trouvés lors des fouilles. Le dallage en verre permet de voir la superposition de structures, depuis les immeubles pomba-lins jusqu'au niveau phréatique. Le site fut occupé par une fabrique de poteries (du 5e au 3e s. avant J.-C.), une nécropole (2e s. avant J.-C.) et, du 1er au 5e s., par un important complexe lié à l'activité portuaire et à la pêche dans cette zone, dont témoignent les 25 bacs de salaison trouvés sur place. Remarquer une mosaïque du 3e s. et un four de céramique de la période islamique. On peut observer également une partie de l'intéressante structure antisismique pombaline, constituée de pieux en pin vert fixés au sol, dans l'eau, sur lesquels reposent les fondations de l'immeuble.

★★**Praça do Comércio (ou Terreiro do Paço)** – À cet endroit, face à la « mer de Paille », se dressait le palais royal démoli par le tremblement de terre. En souvenir, les Lisboètes appellent toujours cette place, la plus belle de la ville, Terreiro do Paço (terrasse du Palais). Longue de 192 m et large de 177 m, elle est bordée sur trois côtés de corps de bâtiments classiques qui abritent plusieurs ministères ; les étages à façade de crépi jaune reposent sur des galeries à arcades. L'ensemble constitue un excellent exemple de style pombalin.
Un arc de triomphe de style baroque (19e s.) forme un fond à la statue équestre du roi Joseph Ier, œuvre de Machado de Castro.
C'est sur cette place que furent assassinés, le 1er février 1908, le roi Charles Ier et le prince héritier Louis Philippe.
À proximité se trouve la **gare** (estação fluvial) **do Sul e Sueste**, décorée de panneaux d'azulejos représentant les villes de l'Alentejo et de l'Algarve. Curieuse gare sans train où les passagers embarquent pour traverser le Tage afin de rejoindre sur l'autre rive les quais du chemin de fer.

★**Elevador de Santa Justa** ⊙ – Cet **ascenseur** a été construit en 1902 par Raúl Mesnier de Ponsard, ingénieur portugais d'origine française, influencé par Gustave Eiffel. De la plate-forme supérieure, belle **vue**★ sur le Rossio et la Baixa.
Il permettait d'accéder directement à la partie haute du Chiado, mais ce passage est actuellement fermé.

★LE CHIADO ET LE BAIRRO ALTO *2h*

Le Chiado ne désigne pas seulement le largo do Chiado, mais tout un quartier dont les rues principales sont les rues do Carmo et Garrett qui relient le Rossio à la praça Luís de Camões.
En prenant l'ascenseur (elevador de Santa Justa), on voit les quatre pâtés de maisons qui ont été incendiés le 25 août 1988. Ils comprenaient surtout des grands magasins et des boutiques anciennes (le magasin Grandella, le magasin O Chiado, le salon de thé Ferrari...). Plus de 2 000 personnes furent alors privées de travail. La mairie a nommé, aussitôt après le drame, le célèbre architecte portugais Álvaro Siza pour la reconstruction du quartier. Celui-ci a proposé un projet résolument classique, avec sauvegarde et reconstitution des bâtiments, en ouvrant d'agréables patios entre les immeubles qui sont occupés par des boutiques élégantes et des terrasses de cafés.

P. Ancenay/PIX

Ruines de l'église des Carmes

★**Église do Carmo (Museu Arqueológico)** ⊘ – L'église do Carmo donne sur l'une des plus charmantes places de Lisbonne. En franchissant son portail, la première vision évoque ces gravures romantiques où les ruines sont empreintes de nostalgie. Les piliers s'élancent vers la voûte céleste, le silence règne. Ici la vie s'est arrêtée le 1er novembre 1755 lors du tremblement de terre.

Les ruines de l'église gothique bâtie à la fin du 14e s. par le connétable Nuno Álvares Pereira servent aujourd'hui de cadre aux collections du musée d'Archéologie qui comprennent des poteries de l'âge du bronze, des bas-reliefs en marbre, des azulejos hispano-arabes et des tombeaux romans et gothiques (gisant de Fernão Sanches, fils illégitime du roi Denis Ier).

★**Rua do Carmo et Rua Garrett** – Ces rues commerçantes et élégantes rassemblent des boutiques aux devantures anciennes, des librairies renommées, des pâtisseries et des cafés dont le fameux « **A Brasileira** » *(voir p. 191)* que fréquentait régulièrement le poète Fernando Pessoa. Depuis le centenaire de sa naissance en 1988, Pessoa est revenu s'installer à l'une des tables de la terrasse, pensif dans son habit de bronze *(illustration p. 227)*.

★**Museu Nacional do Chiado** ⊘ – Le bâtiment, à l'origine un couvent du 13e s., a été transformé en musée d'Art contemporain en 1911. Après l'incendie de 1988, il a été élégamment restructuré par l'architecte français Jean-Michel Wilmotte, qui en a fait un espace ouvert, relié par des passerelles qui laissent voir les structures anciennes du bâtiment. Le musée réunit des peintures, sculptures et dessins d'artistes portugais (sauf rares exceptions), réalisés entre 1850 et 1950. Dans le hall d'entrée, le premier niveau est consacré en partie à la sculpture française, d'où se détache *L'Âge de bronze* de Rodin, ainsi que l'œuvre de Canto da Maia, *Adão e Eva*. Au deuxième niveau, on remarque la sculpture de Soares dos Reis, *O Desterrado*. Sont représentées les périodes romantique, **naturaliste** (*A Charneca de Belas*, de Silva Porto, *Concerto de Amadores*, de Columbano, *À Beira-Mar*, de José Malhoa), **moderniste** (*Tristezas*, de Amadeo de Souza Cardoso, *O Bailarico no Bairro*, de Mário Eloy, *Nú*, de Eduardo Viana, et *A Sesta*, dessin de Almada Negreiros), ainsi qu'un petit ensemble de toiles symbolistes et néoréalistes.

Le musée abrite également une galerie d'expositions temporaires. Bonne cafétéria donnant sur l'agréable jardin, et terrasse ayant vue sur les toits de Lisbonne.

Théâtre national São Carlos – Situé dans une zone calme et agréable, ce théâtre construit en 1793 dans un style néoclassique, présente une façade inspirée de la Scala de Milan. Il propose une programmation classique de musique et de ballet.

Praça Luís de Camões – Cette place, dont le centre est occupé par la statue du grand poète, fut l'un des théâtres de la révolution des Œillets du 25 avril 1974. Après avoir pris la caserne située largo do Carmo, où se trouvait le président du Conseil, Marcelo Caetano, la population escorta les militaires dans leurs voitures blindées qui montaient le Chiado et s'arrêta sur la place pour fêter la liberté recouvrée. Cette place marque également la limite entre le quartier du Chiado et le Bairro Alto. Au Sud, à l'extrémité de la rua do Alecrim en forte pente, on voit le Tage.

Rua da Misericórdia – Elle part de la praça Luis de Camões et conduit au Bairro Alto qui s'étend de l'autre côté.

★**Bairro Alto** – Ce quartier populaire datant du 16e s. a conservé tout son caractère et son pittoresque, bien qu'il soit devenu ces dernières années le quartier à la mode où s'installent les stylistes, les boutiques de design, les restaurants « branchés », les maisons folkloriques de fado. Les rues les plus commerçantes sont la **rua do Diário de Notícias** et la **rua da Atalaia**.

En fin d'après-midi, il faut se rendre dans le quartier limitrophe de Santa Catarina pour découvrir le coucher de soleil sur le Tage depuis le belvédère du **Alto de Santa Catarina**★ où se dresse la statue d'Adamastor, le géant qui d'après la légende fut changé en cap des Tempêtes (cap de Bonne-Espérance).

★**Église São Roque** – Elle fut bâtie à la fin du 16e s. par l'architecte italien Philippe Terzi à qui l'on doit également l'église São Vicente da Fora *(voir plus loin)* ; la façade d'origine s'est écroulée lors du tremblement de terre.

L'**intérieur**★ frappe par l'élégance de sa décoration. Le plafond de la nef, en bois peint, est l'œuvre d'artistes italianisants ; les sujets représentent des scènes de l'Apocalypse. La 3e chapelle de droite est intéressante par ses **azulejos** du 16e s. et une peinture sur bois de Gaspar Vaz (16e s.) figurant la vision de saint Roch.

La **chapelle São João Baptista**★★ *(4e à gauche)*, chef-d'œuvre d'art baroque italien, a été édifiée sur les plans de Salvi et Vanvitelli en 1742 à Rome, où elle reçut la bénédiction du pape ; 130 artistes participèrent à sa construction ; démontée, transportée à Lisbonne par trois caravelles sur l'ordre du roi Jean V, elle fut rebâtie vers 1750 dans l'église São Roque. Tout y est d'une grande richesse : colonnes en lapis-lazuli, devant d'autel en améthyste, marches en porphyre, anges en marbre blanc de Carrare et en ivoire, pilastres en albâtre ; le revêtement du sol et les tableaux des murs sont constitués de mosaïques de couleur ; les frises, les chapiteaux et le plafond sont rehaussés d'or, d'argent et de bronze.

On peut encore voir la 1re chapelle de gauche, décorée de tableaux attribués à l'école de Zurbarán (Nativité et Adoration des Mages), ainsi que la **sacristie** *(accès par le bras gauche du transept)* avec plafond à caissons (17e s.) et des tableaux représentant des scènes de la vie de saint François, par Vieira Lusitano et André Gonçalves.

★**Museu de Arte Sacra de São Roque** ⊙ – Il est attenant à l'église *(accès par la dernière porte à gauche en sortant)*. Dans ce musée, aménagé de façon moderne, sont exposés quelques tableaux portugais du 16e s. et une partie du trésor de la chapelle São João Baptista, dont on peut voir une maquette en bois. Mobilier et pièces d'orfèvrerie d'artistes italiens du 18e s. sont remarquables par la richesse de leur décoration baroque.

Le musée abrite également une collection d'**ornements sacerdotaux**★ en soie et en tissu lamé brodé d'or. Dans la 1re salle, on verra un bel autel à baldaquin en argent ciselé et deux torchères en argent.

★**Miradouro de São Pedro de Alcântara** – De cet agréable jardin aménagé formant balcon au-dessus de la ville basse s'offre une **vue**★★ très étendue sur la Baixa, le Tage et la colline du château São Jorge en face *(table d'orientation)*.

De là on peut redescendre à la praça dos Restauradores par la calçada da Glória où se trouve le funiculaire.

★★ALFAMA *3 h*

La meilleure façon de découvrir l'Alfama, c'est de flâner au hasard, à travers le dédale de ruelles et de préférence le matin, pendant le marché au poisson de la rua de São Pedro. Vous pouvez aussi suivre l'itinéraire indiqué sur le plan.

Délimité au Nord par le château, au Nord-Ouest par les quartiers de Graça et Mouraria et au Sud par le Tage, l'Alfama, avec son labyrinthe de ruelles tortueuses, de venelles *(becos)* coupées d'escaliers et d'arcs, a gardé sa physionomie d'avant le tremblement de terre. C'est « la ville blanche » immortalisée par le film de Tanner, un quartier déjà nord-africain qui porte un nom arabe (*al-hama* signifie eaux chaudes et évoque les fontaines thermales situées largo das Alcaçarias). Le quartier était déjà peuplé à l'époque des Wisigoths. La présence romaine est attestée par les ruines du **théâtre romain** (1er s. avant J.-C.), situées rua da Saudade, ou encore par les fouilles à l'intérieur de la cathédrale. Les Arabes y construisirent des demeures nobles, les chrétiens des églises, malheureusement la plupart furent démolies lors du tremblement de terre. L'Alfama devint alors un quartier de marins et de pêcheurs. Les maisons souvent délabrées sont décorées de balcons en fer forgé et de panneaux d'azulejos représentent le plus souvent la Vierge entre saint Antoine et saint Martial. Bien qu'ayant fait l'objet de nombreuses rénovations, l'Alfama garde en grande partie son aspect traditionnel. Ces dernières années, des projets de réhabilitation ont modernisé les infrastructures existantes (notamment autour du château) sans modifier pour autant la physionomie du quartier.

★★**Sé** – Comme celles de Porto, de Coimbra, d'Évora, la **cathédrale** de Lisbonne a joué le rôle de forteresse : ses deux tours de façade et ses créneaux en témoignent. Elle fut construite dans le style roman à la fin du 12e s., peu après la prise de la ville par Alphonse Henriques aidé des croisés. Les architectes seraient les maîtres français Robert et Bernard, auteurs de la cathédrale de Coimbra. Mais elle fut de nombreuses fois remaniée, surtout à la suite des tremblements de terre (celui de 1755 provoqua l'effondrement du chœur et de la lanterne qui surmontait la croisée du transept). Une habile restauration a rendu son allure romane à la façade et à la nef, mais l'on y verra aussi des éléments gothiques et des remaniements des 17e et 18e s.

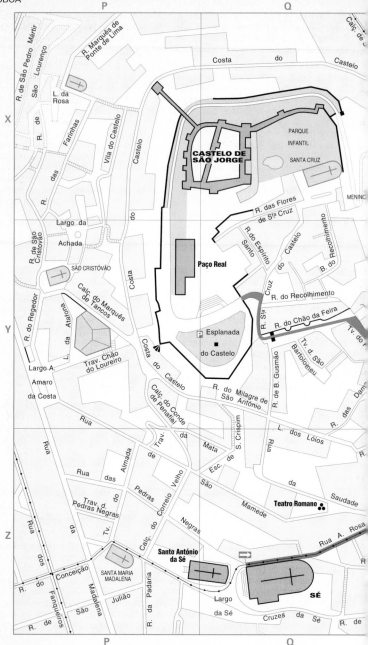

À l'**intérieur,** le vaisseau principal est couvert par une voûte en plein cintre et un élégant triforium. L'ensemble est d'un style roman très sobre.

La chapelle Bartolomeu Joanes *(collatéral gauche)* appartient à l'art gothique : elle abrite une jolie crèche en terre cuite de Machado de Castro.

Le chœur, sous une voûte à nervures soutenue par des trompes, fut reconstruit au 18ᵉ s., mais le déambulatoire, aux fenêtres lancéolées, est de style gothique, correspondant à un remaniement du 14ᵉ s. La troisième chapelle rayonnante à partir de la droite abrite les **tombeaux gothiques**★ (14ᵉ s.) de Lopo Fernandes Pacheco, compagnon d'armes du roi Alphonse IV, et de son épouse. Fermant une chapelle proche de l'entrée du cloître, remarquer une admirable **grille**★ romane en fer forgé. Le **cloître** ⊘ *(accès par la troisième chapelle du déambulatoire),* assez endommagé, relève du style gothique cistercien (fin du 13ᵉ s.) et abrite des vestiges lapidaires ; la galerie inférieure est soutenue par de puissants contreforts alternant avec des arcades gothiques ; des oculi en étoile surmontent les arcades. Dans la salle capitulaire se trouve le tombeau du premier évêque de Lisbonne.

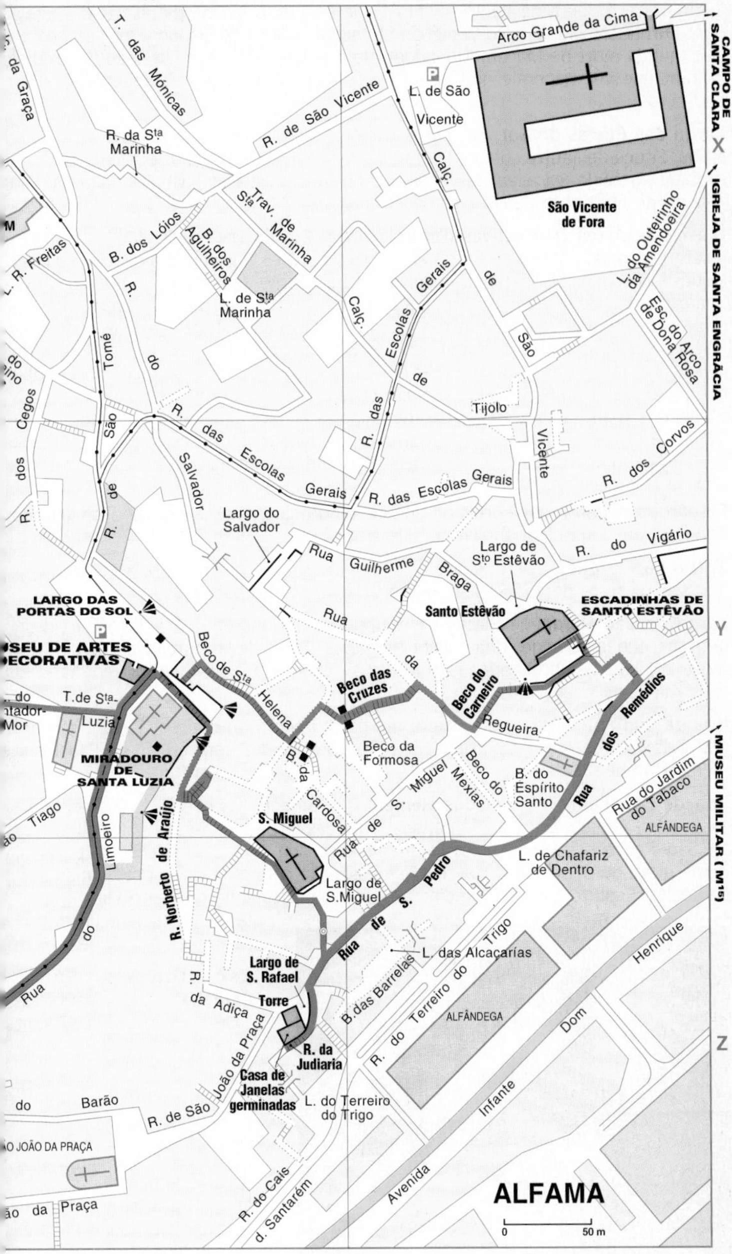

R   S

T. das Mónicas

da Graça

Arco Grande da Cima

L. de São Vicente

R. da Sta Marinha

R. de São Vicente

Calç.

CAMPO DE SANTA CLARA

X

IGREJA DE SANTA ENGRÁCIA

São Vicente de Fora

L.-R. Freitas

Trav. de Sta Marinha

B. dos Lóios

B. dos Aguieiros

L. de Sta Marinha

Calç.

Escolas

Gerais

de

São

L. do Outeirinho da Amendoeira

Esc. do Arco de Dona Rosa

R. das

Vicente

Tijolo

R. dos Corvos

Cegos

dos

São

R. das Escolas

Gerais

R. das Escolas Gerais

Salvador

R.

Largo do Salvador

Rua

Guilherme

Braga

Largo de Sto Estêvão

R. do Vigário

LARGO DAS PORTAS DO SOL

Rua

Santo Estêvão

ESCADINHAS DE SANTO ESTÊVÃO

Y

SEU DE ARTES ECORATIVAS

Beco de Sta Helena

Beco das Cruzes

da

Beco do Carneiro

R. dos Remédios

do ...ador-Mor

T. de Sta Luzia

MIRADOURO DE SANTA LUZIA

Beco da Formosa

Regueira

B. da Cardosa

Rua de S. Miguel Mexias

Beco do

B. do Espírito Santo

Rua dos Remédios

R. do Jardim do Tabaco

MUSEU MILITAR (Mᵗᵉˢ)

ão Tiago

S. Miguel

Rua de S. Pedro

ALFÂNDEGA

Limoeiro

R. Norberto de Araújo

Largo de S.Miguel

L. de Chafariz de Dentro

Rua

Largo de S. Rafael

R. da Adiça

Torre

L. das Alcaçarias

B.das Barrelas

R. do Terreiro do Trigo

Henrique

Z

Casa de Janelas germinadas

R. da Judiaria

João da Praça

ALFÂNDEGA

Dom

do

Barão

R. de São

L. do Terreiro do Trigo

Infante

ÃO JOÃO DA PRAÇA

Avenida

ão da Praça

R. do Cais d. Santarém

ALFAMA

0   50 m

R   S

Dans les jardins du cloître, des fouilles ont mis au jour des vestiges phéniciens (8ᵉ s. avant J.-C.) et romains, ainsi que les ruines d'une ancienne mosquée (9ᵉ et 10ᵉ s.).

★ **Trésor** ⊙ – *Accès à droite, près de l'entrée de l'église.* Un escalier mène aux salles où sont exposés de magnifiques ornements sacerdotaux, ainsi que des reliquaires et des pièces d'orfèvrerie sacrée. Dans l'élégante salle capitulaire du 18ᵉ s., admirer le très riche ostensoir orné de 4 120 pierres précieuses, dit **ostensoir du roi Joseph Iᵉʳ**.

Près de la cathédrale se dresse l'église **Santo António da Sé**, construite sur l'emplacement de la maison natale de saint Antoine de Padoue (1195-1231), que les Lisboètes nomment saint Antoine de Lisbonne. Un petit **musée** (Museu Antoniano) ⊙ rassemble diverses représentations de ce saint populaire, patron de la ville de Lisbonne.

★ **Miradouro de Santa Luzia** – Une placette, attenante à l'église Santa Luzia, a été aménagée en belvédère sur les vestiges des anciennes fortifications arabes. Elle offre une très belle **vue★★** sur le Tage, le port et, juste au-dessous, sur les toits de l'Alfama et le dédale de ruelles d'où émergent les clochers de São Miguel et de Santo Estêvão.

211

Les murs extérieurs de l'église Santa Luzia sont tapissés de panneaux d'azulejos dont l'un figure la praça do Comércio et l'autre la prise de Lisbonne par les croisés ainsi que la mort de Martim Moniz dans le château São Jorge. Des azulejos représentant une vue générale de Lisbonne recouvrent le mur qui délimite la place au Sud.

★**Largo das Portas do Sol** – La porte du Soleil était l'une des sept portes de la cité arabe. Située de l'autre côté de l'église Santa Luzia, cette place dispose d'une petite terrasse agréable, excellent belvédère offrant une belle **vue★★** sur les maisons, São Vicente de Fora et le fleuve *(voir illustration p. 174).*

★★**Museu de Artes Decorativas** (Fundação Ricardo Espírito Santo da Silva) ⊙ – L'ancien palais des comtes Azurara (17ᵉ s.) et les merveilleuses collections qu'il abrite furent légués à la ville de Lisbonne par Ricardo Espírito Santo da Silva. Ce musée constitue une évocation de la vie quotidienne à Lisbonne aux 17ᵉ et 18ᵉ s. à travers une succession de petites salles intimistes décorées d'azulejos et de fresques, sur trois niveaux. Le niveau 4 (2ᵉ étage) est assez élégant, tandis que les intérieurs du niveau 3 montrent un goût décoratif plus simple mais non moins gracieux. Le mobilier portugais et indo-portugais est particulièrement bien représenté, ainsi que des collections d'argenterie, de porcelaine chinoise et plusieurs tapisseries des 16ᵉ et 18ᵉ s. Le niveau 3 dispose d'une salle d'expositions temporaires et d'une cafétéria avec un patio accueillant. Parallèlement et à côté du musée, une école d'arts décoratifs a été créée en 1953.

En partant du largo das Portas do Sol, descendre par les escaliers de la **rua Norberto de Araújo**, qui s'appuient sur la muraille arabe.

Église São Miguel – Cette église d'origine médiévale, reconstruite après le tremblement de terre de 1755, possède de belles boiseries baroques.

Largo de São Rafael – Placette entourée de maisons du 17ᵉ s. Du côté Ouest, on remarque les vestiges d'une **tour** ; elle faisait partie de la muraille arabe qui protégea la Lisbonne chrétienne jusqu'au 14ᵉ s., époque à laquelle le roi Ferdinand fit construire une nouvelle muraille.

Rua da Judiaria – Dans cette ruelle qui porte le nom du quartier juif, remarquer une **maison** à fenêtres géminées (16ᵉ s.) au-dessus des contreforts de l'ancienne muraille arabe.

Rua de São Pedro et Rua dos Remédios – Ce sont les rues les plus commerçantes de l'Alfama, bordées de petites boutiques et de tavernes populaires. La rua de São Pedro est très animée le matin avec son typique marché au poisson. Remarquer, au début de la rua dos Remédios, du côté gauche, le portail manuélin de l'église Espírito Santo. Plus loin, le nº 2 de la calçadinha de Santo Estêvão présente également un portail de la même époque.

J.-P. Lescourret/EXPLORER

Choisir son poisson rua de S. Pedro...

★**Escadinhas de Santo Estêvão** – Ces « petits escaliers » *(escadinhas)* sont composés d'une série de volées diversement orientées, qui forment un cadre très pittoresque. En passant derrière l'église Santo Estêvão, remarquer un mur à encorbellement et un panneau d'azulejos. Monter l'escalier qui longe l'église. Le sommet offre une belle **vue★** sur les toits hérissés d'antennes de télévision, sur le port et le Tage. Descendre par ce même escalier et tourner immédiatement à droite, dans le beco do Carneiro.

Beco do Carneiro – Rue très étroite, aux escaliers en pente raide. Au bout de cette venelle, en bas à droite, se trouve un **lavoir public**. En regardant en arrière, on a une belle perspective sur la façade de l'église Santo Estêvão.

Beco das Cruzes – À l'angle de la rua da Regueira et du beco das Cruzes se trouve une maison du 18ᵉ s. Au-dessus d'une porte en encorbellement, un panneau d'azulejos représente la Vierge de la Conception ; de là, perspective sur la ruelle en escalier.

Remonter au largo das Portas do Sol par le beco de Santa Helena. Prendre à droite la travessa de Santa Luzia, qui mène au château.

★★**Castelo de São Jorge** – Berceau de la cité, le **château Saint-Georges** occupe une position stratégique remarquable sur une butte. Bâti par les Wisigoths au 5ᵉ s., agrandi par les Maures au 9ᵉ s., il fut modifié sous le règne d'Alphonse Henriques. Aujourd'hui, il est aménagé en un agréable jardin fleuri et ombragé.

Après avoir franchi l'enceinte extérieure qui abrite le vieux quartier médiéval, on atteint l'ancienne place d'armes ; de là, **vue**★★★ magnifique sur la « mer de Paille », les agglomérations de la rive gauche et le pont suspendu, la ville basse et le parc de Monsanto. Le glacis est devenu une agréable promenade.

Le château compte dix tours reliées par de puissantes murailles crénelées. On franchit la barbacane d'entrée du château ; des escaliers mènent au chemin de ronde et au sommet des tours qui sont autant de belvédères sur la ville. Remarquer, en passant, percée dans la muraille Nord, la porte où s'illustra **Martim Moniz** : au prix de sa vie, il empêcha les Maures de refermer cette porte pendant l'attaque d'Alphonse Henriques.

Édifié à la place du palais arabe, le **palais royal** fut du 14ᵉ au 16ᵉ s. le lieu de résidence des souverains portugais.

Autour de l'Alfama

Les curiosités qui suivent sont accessibles par le tramway nᵒ 28.

Église São Vicente de Fora ⊘ – Philippe Terzi l'érigea de 1582 à 1627. Son appellation de Fora, qui signifie « hors les murs », rappelle que lors de sa construction elle se trouvait à l'extérieur des remparts de la ville.

L'intérieur, que coiffe une jolie voûte à caissons, est remarquable par la rigueur de ses lignes. Au Sud de l'église, le **cloître**, aux murs couverts d'**azulejos**★ du 18ᵉ s. évoquant les fables de La Fontaine, donne accès à l'ancien réfectoire des moines, transformé, après le règne de Jean IV, en panthéon de la dynastie des Bragance. Dans la conciergerie *(portaria)* du couvent, au plafond peint par Vicente Bacarelli (18ᵉ s.), un grand panneau d'azulejos représente la prise de Lisbonne sur les Maures : on y reconnaît le château Saint-Georges et la cathédrale.

★**Campo de Santa Clara** – Cette agréable place, encadrée d'élégantes façades, s'étend entre les églises São Vicente de Fora et Santa Engrácia. Elle sert de cadre tous les mardis et samedis à la **Feira da Ladra** (Foire de la voleuse – *voir p. 188*), pittoresque marché aux puces où l'on peut trouver au milieu des brocantes et vêtements quelques belles céramiques anciennes. Son côté Nord est occupé par le **palais Lavradio** (18ᵉ s.) qui abrite le tribunal militaire. Au centre, le petit **jardin Boto Machado** offre une halte parmi ses essences exotiques ; beau point de vue sur la « mer de Paille » en contrebas.

★**Église de Santa Engrácia** ⊘ – **Panthéon national** – Commencée au 17ᵉ s., cette église n'avait jamais été achevée. En forme de croix grecque, elle a été couronnée d'un dôme qui complète harmonieusement sa façade baroque, et inaugurée en 1966. Elle est devenue le panthéon national et abrite en son centre les cénotaphes à la mémoire des grands hommes portugais, parmi lesquels : Camões, Henri le Navigateur, Pedro Álvares Cabral, Vasco de Gama, Afonso de Albuquerque et Nuno Álvares Pereira. La grande chanteuse de fado Amália Rodrigues a été la première femme à être transférée au panthéon national, en juillet 2001.

L'expression « comme les travaux de Santa Engrácia » est passée dans le langage populaire pour désigner une entreprise jamais menée à terme.

Graça – Ce quartier résidentiel et populaire, où l'on peut voir quelques villas et cités ouvrières du 19ᵉ s., se trouve sur une colline au Nord, au-dessus de l'Alfama.

Église et couvent Nossa Senhora da Graça – Cet imposant ensemble sur la colline de Graça domine la ville. Sa fondation remonte au 13ᵉ s., mais il a été reconstruit plusieurs fois, en particulier au 16ᵉ s. et après le tremblement de terre de 1755. À côté du portail du couvent s'élève le clocher, bâti en 1738. L'intérieur de style rococo est revêtu de beaux azulejos des 17ᵉ et 18ᵉ s. Devant l'église, un belvédère avec une terrasse offre une **vue**★ étendue sur le site de Lisbonne : à l'Est le château, à l'Ouest le pont et le fleuve.

Miradouro da Senhora do Monte – Vue★★★ étendue sur Lisbonne, en particulier sur le château São Jorge et le quartier de Mouraria. La chapelle près du belvédère date de 1796, mais elle fut fondée en 1147, année de la reconquête de Lisbonne.

Église da Conceição Velha – La **façade Sud**★ du transept, seul vestige de l'église primitive qui s'est écroulée lors du tremblement de terre, est un bel exemple de style manuélin ; les sculptures du tympan représentent Notre-Dame-de-la-Miséricorde abritant sous son manteau le pape Léon X, le roi Manuel, la reine Éléonore, etc.

Casa dos Bicos – La façade de la **maison aux Pointes** est hérissée de pierres taillées en pointe de diamant. Elle faisait partie d'un palais du 16ᵉ s. appartenant au fils d'Afonso de Albuquerque, vice-roi des Indes. Lors du tremblement de terre de 1755, elle a perdu son premier étage, reconstruit en 1982.

LE PORT ET LE TAGE

Le port – Le port de Lisbonne est l'une des principales escales maritimes de l'Europe : docks, quais, entrepôts, gares maritimes se succèdent sur 20 km le long du Tage, d'Algés à Sacavém, et son site s'adaptait parfaitement au thème retenu pour l'Exposition mondiale de 1998.

Son trafic (environ 15 millions de tonnes par an) consiste essentiellement en marchandises lourdes et en conteneurs ; c'est également un port d'exportation de produits agricoles (vin et liège surtout). Des complexes industriels ont été créés en direction de Vila Franca de Xira : silos pour céréales, cimenteries, dépôts de pétrole, industries sidérurgiques, usines de traitement du liège, installations frigorifiques pour l'emmagasinage de la morue, etc. Les dimensions des quatre cales sèches du chantier naval de Rocha, sur la rive droite du Tage, s'étant avérées insuffisantes pour accueillir les grandes unités modernes, un grand chantier naval (Lisnave) a été construit dans la baie de Margueira, sur la rive gauche. Inauguré en 1967, il est doté actuellement de trois cales sèches, la plus vaste de 520 m de long pouvant recevoir les plus grands pétroliers. Situé dans une zone où évoluent 75 % des pétroliers mondiaux, il propose des infrastructures pour la réparation des bateaux ainsi que pour le dégazage et le nettoyage des réservoirs.

Les ports de voyageurs, avec un trafic annuel de 140 000 passagers, sont situés à Rocha do Conde de Óbidos, Alcântara et Santa Apolónia.

★**Promenades sur le Tage** – Elles permettent d'admirer le site de la ville et d'avoir un bon aperçu du trafic portuaire ; les gabares, barques légères de type vénitien à grande voile triangulaire blanche, se font de plus en plus rares. En été, des excursions sont proposées sur des bateaux qui longent la côte de Lisbonne à Cascais (voir *Carnet d'adresses – Se déplacer à Lisbonne*).

La traversée de l'estuaire par l'un des bacs réguliers constitue également une agréable promenade et offre de belles **perspectives**★★ sur la ville et ses collines. L'arrivée à Lisbonne en bateau, au Terreiro do Paço, est une magnifique expérience qui donne l'impression de pénétrer au cœur de la ville.

★★**Pont Vasco da Gama** – Construit entre 1995 et 1998, ce pont routier grandiose de 18 km de long franchit le Tage entre Sacavém et Montijo. Il a été conçu pour alléger le trafic sur le pont 25 de Abril et créer une liaison directe entre le Nord et le Sud du pays, en évitant le centre de Lisbonne. Le pont décrit une courbe, sur un parcours ascendant et descendant, dont 12,2 km au-dessus de l'eau, qui reste visible en permanence. Dans sa partie la plus basse, en regardant les rives au loin, on a l'illusion de rouler sur l'Océan. Ce bel ouvrage d'architecture est constitué de plusieurs travées qui s'appuient sur des piliers pouvant atteindre 150 m de hauteur, enterrés jusqu'à 95 m de profondeur. La hauteur du tablier varie de 14 à 30 m pour permettre la navigation.

★**Parque das Nações** – Le lieu qui a accueilli l'Exposition mondiale de Lisbonne en 1998 est situé aux abords de la **doca** (bassin) **dos Olivais**, à l'Est de Lisbonne, le long du Tage. Desservi par la grande gare multimodale Oriente et le pont Vasco da Gama, il est devenu un lieu de promenade et de divertissement pour les Lisboètes, avec ses bars, restaurants, lieux de spectacle, ses jardins, sa vaste zone piétonne et le centre commercial Vasco da Gama. Vous y découvrirez en outre, éparpillées sur le site, plus d'une vingtaine d'œuvres d'artistes contemporains portugais et étrangers (João Cutileiro sur le passeio das Tágides, immense sculpture en acier couverte d'oxyde de fer de Jorge Vieira et pavement décoratif de Fernando Conduto devant le rossio (place) dos Olivais, Pedro Cabrita Reis et Pedro Calapez près de l'ancienne porte Sud, pavement de Pedro Proença près de l'océanarium, etc.).

★**Estação do Oriente** – Cette œuvre de l'architecte espagnol Santiago Calatrava est recouverte d'une structure arborescente en verre et acier, forte et délicate, d'une grande luminosité. Elle comprend une gare de chemin de fer (lignes de banlieue et grandes lignes), une station de métro et un terminal d'autobus de banlieue et régionaux.

Les grands pavillons de l'Exposition, représentatifs de l'architecture contemporaine, ont désormais des contenus et des fonctions différentes, à l'exception de l'aquarium.

★★**Oceanário de Lisboa** ⊘ – Conçu par l'architecte américain Peter Chermayeff, le plus grand aquarium d'Europe est constitué de cinq bassins principaux qui évoquent autant d'habitats typiques des côtes des océans Arctique, Indien, Pacifique et Atlantique, et abrite près de 15 000 animaux marins et plus de 250 espèces de plantes.

Piliers palmés et jeux de prismes pour la gare d'Orient

Dès l'entrée, le visiteur est plongé dans cet univers marin, avec ses sons et ses odeurs caractéristiques. Ensuite, il se déplace autour de l'énorme bassin central de 5 000 m³, qui représente la haute mer, où il voit passer devant lui des monstres placides tels que les mérous et les impressionnantes raies, ou plus inquiétants, comme les requins de différentes espèces, ou bien encore de grands bancs de maquereaux ou de chinchards. Sur un parcours tantôt émergé tantôt immergé, nous assistons sur la côte de l'Antarctique au plongeon des cormorans et des manchots et pouvons suivre leurs évolutions à l'air libre ou sous l'eau ; dans la zone Pacifique tempérée, les loutres de mer se prélassent sur l'eau ; dans les eaux tropicales, nous admirons l'explosion de couleurs et de vie des récifs coralliens. Le spectacle fascinant des animaux s'accompagne d'informations qui, au-delà de leur rôle didactique, sont destinées à nous faire prendre conscience de la nécessité de protéger et de préserver l'Océan global.

Pavilhão Atlântico (ancien pavillon de l'Utopie) – Cet impressionnant bâtiment en forme de carène renversée, dont l'intérieur laisse apparaître la structure en bois, peut recevoir jusqu'à seize mille spectateurs et accueille des épreuves sportives, des concerts et des congrès.

Torre Vasco da Gama – Située à l'extrême Nord du parc, la tour est un belvédère qui offre des vues sur toute la région et sur le Tage et abrite le restaurant panoramique « O Nobre ».

Téléphérique ⊘ – Un moyen agréable de se promener au-dessus du fleuve, le long des quais, ou une façon originale d'admirer le coucher du soleil sur la « mer de Paille ».

Les **jardins de l'Eau** sont un espace ludique aménagé autour du thème de l'eau.
Devant le cais dos Olivais, le long du Tage, se trouve le plaisant **jardin Garcia da Orta**, du nom du médecin du 16ᵉ s. qui étudia et classifia les plantes asiatiques. Sa végétation est originaire des régions visitées par les Portugais à l'époque des Grandes Découvertes.
La nuit est animée par des concerts sur la place Sony et sur les scènes du quai des Olivais et du pavillon de l'Atlantique, ainsi que par les nombreux bars et restaurants, au nombre desquels, près du jardin Garcia da Orta, le célèbre Peter Café Sport, cousin du café situé aux Açores, qui porte le même nom.

★★ Museu Nacional do Azulejo ⊘ – *Voir également en Introduction : Les azulejos.*
Malgré sa localisation un peu éloignée, près du port, au Nord-Est de la gare de Santa Apolónia, ce charmant musée mérite une visite. La grande aventure des azulejos, des carreaux hispano-mauresques du 15ᵉ s. aux réalisations modernes, est élégamment présentée dans les bâtiments du **couvent da Madre de Deus**, fondé au 16ᵉ s. et en grande partie reconstruit après le tremblement de terre (admirer le beau portail manuélin de la façade de l'église, côté rue). Au rez-de-chaussée, dans les galeries disposées autour du grand cloître, de beaux exemples d'azulejos importés de Séville aux 15ᵉ et 16ᵉ s., qui furent supplantés par le style majolique italien et repris par les premiers ateliers portugais. Remarquer en particulier le retable de Nossa Senhora da Vida (1580) qui représente la Nativité *(illustration p. 62)*.

On quitte le cloître pour pénétrer dans l'église par un *coro baixo* dont les murs sont ornés d'azulejos sévillans du 16ᵉ s. L'**église**★★ (18ᵉ s.) éblouit par sa profusion de bois dorés, en particulier sur la chaire baroque. La nef est couverte d'une voûte à caissons dont les panneaux représentent des scènes de la vie de la Vierge. Sur les murs, des tableaux évoquent à gauche la vie de sainte Claire et à droite celle de saint François. La partie basse est garnie de carreaux de faïence hollandais du 18ᵉ s. Avant de monter à l'étage supérieur, on passe par le ravissant petit **cloître manuélin**, orné de ses azulejos polychromes d'origine (16ᵉ-17ᵉ s.). Au premier étage sont exposés de magnifiques panneaux d'azulejos représentant des animaux, des batailles et des scènes de la vie quotidienne. La somptuosité et l'exubérance de la chapelle consacrée à saint Antoine et, surtout, de la **salle capitulaire**★ surplombant la nef sont impressionnantes. Parmi sa riche décoration, notons en particulier au plafond de caissons peints à encadrement qui sertissent des tableaux des 16ᵉ et 17ᵉ s. Les portraits du roi Jean III et de son épouse Catherine d'Autriche seraient de Cristóvão Lopes. Les murs sont ornés de peintures illustrant la vie du Christ. Admirer, dans le grand cloître, la célèbre **vue panoramique de Lisbonne** avant le tremblement de terre – belle composition en bleu et blanc, de 23 m de longueur, constituée de près de 1 300 azulejos *(illustration p. 198)*.

Les autres salles, qui reçoivent parfois des expositions temporaires, montrent la continuité de l'art de l'azulejo à travers des réalisations modernes, dont celles qui décorent certaines stations du métro de Lisbonne, œuvres d'artistes connus comme Júlio Pomar et Vieira da Silva.

Le restaurant-café de ce musée *(situé près de l'entrée)*, avec son patio intérieur décoré d'azulejos « alléchants » (jambons, lapins et autres victuailles), offre un cadre rafraîchissant et reposant à ceux qui veulent s'y sustenter.

★**Museu da Água da EPAL** ○ – Ce musée évoque l'histoire de la distribution de l'eau à Lisbonne et plus particulièrement du projet des Águas Livres (eaux libres), conçu par l'ingénieur Manuel da Maia. Il a reçu le prix du Musée attribué par le Conseil de l'Europe en 1990.

Les tentatives d'acheminement vers Lisbonne des eaux des sources qui jaillissent au pied de la serra de Sintra avaient commencé dès 1571, mais il fallut attendre que le roi Jean V donne son autorisation en 1731 pour que l'aqueduc fût érigé (1732 à 1748). Ses eaux se déversaient dans le réservoir de la Mãe d'Água des Amoreiras (1752-1834), d'où elles étaient distribuées vers les fontaines et canalisations de la ville. En 1880 fut installée la troisième structure de ce réseau, la station de pompage des Barbadinhos où se trouve aujourd'hui le siège du musée. Ce système approvisionna la ville en eau pendant près de deux siècles et demi (jusqu'en 1967).

Visite – La salle d'exposition présente l'évolution de l'approvisionnement en eau de Lisbonne depuis les Romains à travers des instruments, des objets et des documents. La **station de pompage à vapeur des Barbadinhos** fut construite dans l'ancienne enceinte du couvent dont elle prit le nom. C'est un magnifique exemple d'archéologie industrielle du dernier quart du 19ᵉ s., où se marient avec bonheur la brique, le bois, la fonte et le cuivre autour des quatre puissantes machines à vapeur dont l'une est mise en fonctionnement pour les visiteurs.

Le musée administre aussi l'**aqueduc des Eaux libres** et la **Mãe d'Água das Amoreiras** *(voir plus loin à Amoreiras)*.

Museu Militar ○ – Au bord du Tage, l'ancien arsenal du 18ᵉ s. a conservé de remarquables boiseries ainsi que des azulejos et des **plafonds**★ intéressants représentant pour la plupart des scènes de batailles. Des maquettes, des tableaux et surtout de nombreuses armes du 16ᵉ s. à la fin du 19ᵉ s., fabriquées ici même ou provenant de l'étranger, évoquent le passé militaire du pays.

★★★**Museu Nacional de Arte Antiga** ○ – *Rua das Janelas Verdes.* Installé dans le palais des comtes d'Alvor (17ᵉ s.) et dans une annexe moderne construite en 1940, ce musée possède une remarquable collection d'œuvres d'art qui provient en partie de la confiscation des biens des couvents au moment de la suppression des ordres religieux en 1833. Ces collections, qui mêlent peintures, sculptures, arts décoratifs du 12ᵉ s. au début du 19ᵉ s., sont liées à l'histoire du Portugal (artistes portugais, peintres européens ayant vécu au Portugal ou l'ayant connu, objets provenant des anciennes colonies portugaises).

La principale richesse du musée d'Art ancien est la collection de primitifs portugais avec pour pièce maîtresse le célèbre **polyptyque de l'Adoration de saint Vincent**★★★ *(voir détail p. 42)*, peint entre 1460 et 1470 par Nuno Gonçalves. Les panneaux de ce polyptyque, dont on ignorait totalement l'existence, furent découverts en 1882 dans les combles du monastère São Vicente de Fora ; ils constituent un précieux document sur la société portugaise de l'époque. On y reconnaît, autour de saint Vincent, patron du Portugal, Henri le Navigateur et différents types sociaux : princes, prélats, chevaliers, moines, marins. L'exécution est remarquable par le flamboiement des couleurs et le réalisme des expressions. Sa facture évoque l'art de la tapisserie du 15ᵉ s.

① Saint Vincent
② Le roi Alphonse V
③ Le prince Jean, futur Jean II
④ L'infant Henri le Navigateur
⑤ La reine Isabelle
⑥ Isabelle d'Aragon, sa mère
⑦ Nuno Gonçalves
⑧ Le prince Ferdinand

⑨ Chevaliers
⑩ L'archevêque de Lisbonne entouré de deux chanoines
⑪ Le chroniqueur Gomes Eanes de Azurara
⑫ Moines cisterciens d'Alcobaça
⑬ Pêcheurs et pilotes
⑭ Fernando, 2ᵉ duc de Bragance

⑮ Fernando, son fils aîné
⑯ João, son fils cadet
⑰ Chevalier maure
⑱ Ecclésiastique présentant l'os du crâne de saint Vincent
⑲ Juif
⑳ Mendiant devant le cercueil du saint

Musée d'Art ancien – *Adoration de saint Vincent*

L'**Annonciation**★ de Frei Carlos (1523) est un chef-d'œuvre, une remarquable illustration de la peinture luso-flamande qui s'est développée durant cette période intense d'échanges, flamande dans la façon de traiter les personnages, mais originale par la composition. Parmi les autres œuvres portugaises, citons le *Triptyque de Cook* de Grão Vasco et *le Retable de Santa Ana* : provenant du couvent de Madre de Deus, ce tableau est un témoignage non signé sur l'arrivée au Portugal des reliques de sainte Auta, offertes par l'empereur Maximilien à sa cousine, la reine Dona Leonor, en 1509.

Parmi les peintures des autres écoles européennes se détache l'extraordinaire **Tentation de saint Antoine**★★★ de Jérôme Bosch, l'une de ses œuvres de maturité où grouillent des êtres hybrides dans un décor infernal mêlés à des représentations de la faune, de la flore et des figures humaines. Citons aussi une ravissante *Vierge à l'Enfant* de Hans Memling, un *Saint Jérôme* par Dürer, *La Vierge, l'Enfant et les Saints* par Hans Holbein le Vieux et les portraits des **Douze Apôtres**★ de Zurbarán. Une salle est consacrée aux précieux **paravents japonais**★★ montrant l'arrivée des Portugais sur l'île de Tanegashima en 1543. Les Japonais appelaient les Portugais les « Nambanajin » (les Barbares du Sud) et cet art est qualifié d'art namban. Chaque paravent, constitué de six panneaux articulés, est un magnifique document sur la vision des Japonais fascinés par les longs nez des Portugais, leurs grosses moustaches, leurs pantalons bouffants, leurs chapeaux ronds et la peau noire de certains des marins. Les deux paravents attribués à Kano Domi illustrent le débarquement des marchandises et le cortège des Portugais apportant des cadeaux dans

Détail d'un panneau japonais namban, MNAA

Museu Nacional de Arte Antiga – J. Pessoa/ANF – IPM

les rues de Nagasaki. Les deux autres attribués à Kano Naizen montrent le départ de Goa et l'arrivée au Japon ; l'auteur japonais, ignorant tout de l'Inde, y a dessiné une architecture chinoise.

Le musée abrite aussi une riche collection d'orfèvrerie et d'argenterie, dont le fleuron est l'**ostensoir du monastère de Belém** (1506), attribué à Gil Vicente, et qui aurait été exécuté avec l'or rapporté d'Inde par Vasco de Gama. On remarquera aussi les précieux coffrets indo-européens du 16ᵉ s., la riche collection de mobilier, de tapisseries et de tapis anciens d'Arraiolos.

La partie récente du musée englobe la **chapelle★** de l'ancien couvent des Carmes Santo Alberto, remarquable par ses bois dorés et ses azulejos du 16ᵉ au 18ᵉ s.

Le musée dispose d'une boutique et d'un restaurant installé dans un patio calme et agréable.

Les docks – Autrefois occupés par des entrepôts et des gares fluviales, ils sont devenus le dernier endroit à la mode, où se mêlent de nombreux bars, cafés, restaurants avec terrasses et discothèques pour tous les goûts *(voir Carnet d'adresses – Sortir)*. Promenade agréable en fin d'après-midi ou, le soir, lorsque l'animation est intense.

★Ponte 25 de Abril – Jusqu'en 1966, aucun pont ne franchissait le Tage en aval de Vila Franca de Xira, et Lisbonne n'était relié aux provinces méridionales du pays et à la zone industrielle de la rive gauche du fleuve (Barreiro, Almada, Cacilhas) que par des bacs. Aussi, en novembre 1962 un pont suspendu a-t-il été mis en chantier et ouvert en août 1966 sous le nom de pont Salazar. Il fut rebaptisé après la révolution des Œillets « pont du 25-Avril ».

C'est l'ouvrage suspendu le plus long d'Europe pour la portée de sa travée centrale : 1 013 m (Tancarville : 608 m). D'une longueur totale de 2 278 m, le pont, dont le tablier est suspendu à 70 m au-dessus des eaux moyennes du Tage, est supporté par deux pylônes, d'une hauteur de 190 m ; les fondations de la pile Sud descendent jusqu'à 80 m au-dessous de l'eau (record mondial) pour prendre appui sur un rocher de basalte.

En juillet 1999, une voie ferrée fixée sous le tablier routier a été inaugurée. Cet axe ferroviaire relie sept gares de banlieue entre Entrecampos et Fogueteiro sur 21 km. La traversée au-dessus du Tage dure sept minutes.

Du pont, dans le sens Sud-Nord, la **vue★★** est très belle. La ville étage ses façades claires : à l'Est, les quartiers médiévaux de l'Alfama dominés par le château São Jorge, au centre, la Baixa aux demeures néoclassiques édifiées majestueusement près du Tage, à l'Ouest, la tour de Belém qui évoque les fastes du 16ᵉ s.

Cristo Rei ⊘ – *Sortir par ② du plan. 3,5 km à partir du péage Sud du pont suspendu. À la sortie 1 de l'autoroute, prendre à gauche en direction d'Almada. Suivre ensuite la signalisation et laisser la voiture au parc de stationnement du monument.* La statue géante du **Christ-Roi** fut érigée en 1959 pour remercier Dieu d'avoir épargné le Portugal pendant la Seconde Guerre mondiale. Du piédestal *(accès par ascenseur, plus 74 marches)* qui, à 85 m du sol (et 113 m au-dessus du Tage), supporte la statue haute de 28 m – réplique un peu réduite du Christ Rédempteur de Rio de Janeiro –, le **panorama★★** se révèle sur l'estuaire du Tage, tous les quartiers anciens de Lisbonne et vers le Sud sur la plaine jusqu'à Setúbal.

Le pont du 25-Avril vu du Christ-Roi

T. Adina/EXPLORER

★★BELÉM *une journée*

C'est de Belém (traduction de Bethléem en portugais) que partirent les vaisseaux qui se lançaient à la découverte des terres et des continents inconnus, prêts à affronter la mer Océane.

De la praça do Comércio, suivre le Tage en voiture, ou prendre le tramway n° 15.

★★ **Museu Nacional dos Coches** – Le **musée des Carrosses** fut créé en 1904 par la reine Amélie. Il groupe une somptueuse collection de voitures (carrosses, berlines, litières, etc.). La plus ancienne est la magnifique berline peinte que Philippe II d'Espagne amena de son pays à la fin du 16ᵉ s.
Les pièces les plus extraordinaires sont les trois immenses carrosses construits à Rome en 1716 pour l'ambassade du marquis de Fontes, ambassadeur extraordinaire du Portugal près du pape Clément XI. Ce sont de véritables chefs-d'œuvre du baroque italien, représentant les découvertes et les conquêtes des Portugais sous forme d'allégories. Le carrosse de Jean V frappe par la beauté des peintures d'Antoine Quillard et les sculptures qui l'ornent.

★★★**Mosteiro dos Jerónimos** – Sur l'emplacement d'un ermitage fondé par Henri le Navigateur, le roi Manuel entreprit en 1502 de bâtir ce magnifique monastère destiné aux **hiéronymites** et considéré aujourd'hui comme la pièce maîtresse de l'art manuélin. Cet art glorifiait les Grandes Découvertes : Vasco de Gama rentrait des Indes et ses caravelles avaient accosté dans le port de Restelo près de Belém. Bénéficiant de l'afflux de richesses à Lisbonne, les architectes purent se lancer dans une œuvre de grande envergure. Le Français Boytac adopta le style gothique, mais, après 1517, ses successeurs le modifièrent et y ajoutèrent l'appareil ornemental caractéristique du style manuélin où se retrouvent diverses influences. João de Castilho, d'origine espagnole, donna à la décoration une tournure plateresque ; Nicolas Chanterene mit en relief les thèmes de la Renaissance, Diogo de Torralva et Jérôme de Rouen (fin 16ᵉ s.) apportèrent une note de classicisme.
Seuls les bâtiments ajoutés au 19ᵉ s. à l'Ouest du clocher affectent quelque peu l'harmonie architecturale de cet ensemble.

★★★**Église Santa Maria** ☉ – Le **portail latéral Sud**, œuvre de Boytac et de João de Castilho, présente un foisonnement de gâbles, de pinacles et de niches garnies de statues. Il est couronné par un dais surmonté de la croix des chevaliers du Christ. Le trumeau est orné de la statue de Henri le Navigateur et le tympan décoré de deux bas-reliefs se rapportant à la vie de saint Jérôme. De part et d'autre du portail, admirer les fenêtres décorées de riches moulures.
Le **portail Ouest**, abrité sous le porche (construit au 19ᵉ s.) qui mène au cloître, fut réalisé par Nicolas Chanterene. Il est orné de très belles statues, notamment celles du roi Manuel et de sa seconde épouse, Marie d'Aragon, présentés par leurs patrons. Au-dessus du portail, on reconnaît les scènes de l'Annonciation, de la Nativité et de l'Adoration des Mages.
L'**intérieur** surprend par la hardiesse de la **voûte**★★ qui a résisté au tremblement de terre de 1755 en dépit de la légèreté de ses piliers. La nef centrale et les collatéraux, de même hauteur, forment une église-halle. La décoration des piliers ainsi que la magnifique voûte surmontant la croisée du transept sont dues à João de Castilho. Les bras du transept, de style baroque, érigés par Jérôme de Rouen, fils de Jean de Rouen, renferment plusieurs tombeaux d'infants. Dans le chœur, reconstruit à l'époque classique, on voit un tabernacle en argent du 17ᵉ s. ainsi que les tombeaux des rois Manuel Iᵉʳ et Jean III et de leurs épouses. Sous la tribune du *coro alto*, à l'entrée de l'église, se trouvent les tombeaux néomanuélins de Vasco de Gama et de Camoens, dont le gisant est couronné de lauriers.

★★★**Cloître** ☉ – Ce chef-d'œuvre de l'art manuélin est d'une richesse sculpturale éblouissante. La pierre revêt en fin d'après-midi une chaude teinte dorée. Quadrilatère de 55 m de côté, le cloître comprend deux étages.
L'étage inférieur, œuvre de Boytac, est percé de larges arcades dont les remplages prennent appui sur de fines colonnettes. Leur décoration s'inspire du gothique finissant et de la Renaissance.
L'étage supérieur a été érigé par João de Castilho dans un style moins exubérant. La salle capitulaire abrite le tombeau de l'écrivain Alexandre Herculano. La sacristie donnant sur la galerie Est et le réfectoire des moines, sur la galerie Ouest, sont couverts de voûtes à liernes et tiercerons.
Un escalier mène au **coro alto** de l'église, d'où s'offre une autre perspective sur les voûtes. Les élégantes stalles Renaissance en érable sont l'œuvre de Diogo de Carça.

Museu Nacional de Arqueologia ☉ – Il est situé dans l'aile du 19ᵉ s. du monastère des Hiéronymites. Dans la grande galerie, les différentes étapes de l'histoire du territoire portugais depuis les origines jusqu'à la fin de l'époque romaine sont illustrées par les poteries, armes, bijoux, stèles... exposés dans les vitrines. L'époque mégalithique se signale par quelques stèles et statues-menhirs, l'âge du fer par des armes et les curieux *berrões* (sculptures en granit représentant des sangliers) que l'on trouve en nombre dans le Nord-Est du Portugal. L'époque romaine est particulièrement bien représentée, et l'on remarquera une statuette en bronze, *La Fortune* (1ᵉʳ s.), et le sarcophage en marbre d'une petite fille (3ᵉ s.).

Cloître du monastère des Hiéronymites

★**Trésor** – Il abrite une riche collection d'orfèvrerie archaïque provenant de différents lieux de fouilles du Portugal : magnifiques bracelets, torques et boucles d'oreilles en or.

★★**Museu da Marinha** ⊙ – Ce conservatoire du passé maritime du Portugal, composé d'une collection exceptionnelle de **maquettes**★★★ d'embarcations de différentes époques, est installé, de part et d'autre de l'esplanade du **planétarium Calouste Gulbenkian**, dans deux bâtiments distincts : l'aile Ouest du monastère des Hiéronymites et le moderne pavillon des Galiotes.

Après l'entrée, monter l'escalier qui se trouve devant la porte de droite.

Sur la mezzanine, la salle d'Orient présente des porcelaines et des maquettes d'embarcations asiatiques, ainsi qu'une paire d'armures japonaises du 15e s.
À l'étage au-dessus, la salle de la marine de plaisance comprend une petite collection de maquettes de yachts des 18e et 19e s. De l'autre côté, la salle de la marine marchande évoque l'histoire de cette activité au Portugal, à travers des pièces intéressantes telles que les paquebots *Santa Maria* et *Infante D. Henrique*, qui transportèrent les soldats vers les anciennes colonies portugaises, ou le pétrolier *Neiva*. Au fond, la salle de la construction navale expose de manière instructive les techniques de construction des navires.

Descendre l'escalier.

Bâtiment principal – Statues géantes en grès de personnages historiques (dont Henri le Navigateur) et canons anciens occupent le hall d'entrée.
Au rez-de-chaussée, dans l'immense salle en équerre consacrée aux découvertes et à la marine militaire du 15e au 18e s., des cartes anciennes et des maquettes très fidèles (qui étaient généralement utilisées dans les écoles de navigation) et souvent magnifiques de vaisseaux (*Principe da Beira*, 18e s.), de nefs, caravelles et frégates voisinent avec des figures de proue et des instruments de navigation, dont des astrolabes du 15e s. La marine de guerre des 19e et 20e s. est aussi représentée (modèles réduits de canonnières, frégates et corvettes, sous-marins modernes). La marine de pêche des différentes régions du Portugal (collection Henrique Seixas) montre la diversité des bateaux qui opéraient naguère dans les estuaires ou le long du littoral portugais : maquettes de *muleta* du Tage avec ses nombreuses voiles, du *calão* d'Algarve, du *galeão* de Nazaré... ou sur les fleuves : frégates du Tage, *rabelos* du Douro. Dans la dernière salle, on a reconstitué le luxueux appartement royal du yacht *Amélia* (fin 19e s.).

La sortie donne sur le pavillon des Galiotes.

Pavilhão das Galeotas – Il abrite un ensemble de magnifiques galiotes d'apparat. L'embarcation la plus remarquable, par sa décoration due à l'ornemaniste français Pillement, est le brigantin royal construit en 1778 pour les noces du futur roi Jean VI. On y voit en outre tout un arsenal de canons de marine, obus, torpilles, et trois hydravions, dont le *Santa Cruz*, avec lequel Sacadura Cabral et Gago Coutinho réalisèrent la première traversée de l'Atlantique Sud en juin 1922.

★**Centro Cultural de Belém** – En face du monastère des Jerónimos, construit dans le même beau calcaire, cet immense bâtiment achevé en 1990, conçu par les architectes Vittorio Gregotti et Manuel Salgado, joue un rôle de premier plan dans la vie culturelle de Lisbonne et, d'une manière générale, de celle du pays. Il comprend un centre de congrès, deux salles de spectacle dont un opéra, ainsi qu'un vaste centre d'expositions, qui dépendent de la fondation des Découvertes. Il présente une programmation variée de spectacles de musique, de théâtre et de danse, ainsi que d'importantes expositions d'arts plastiques, d'architecture et de photos, modernes et contemporaines. Le centre dispose de plusieurs bars, d'un restaurant et d'une cafétéria avec une terrasse ayant vue sur le Tage.

★Museu do Design ⊘ – Logé dans une aile du centre culturel, ce nouveau musée a été créé pour recevoir la collection de Francisco Capelo, qui a également réuni les œuvres du musée d'Art moderne de Sintra. La collection permanente comprend des œuvres de près de 230 concepteurs de mobilier et d'objets représentatifs des divers courants du design dans le monde, de 1937 à nos jours. Elle est divisée en quatre thèmes principaux : les décorateurs, le modernisme, le pop, le cool. Une partie du musée accueille des expositions temporaires thématiques.

Museu de Arte Popular ⊘ – Ce musée, situé devant le Centre culturel de Belém, est ce qu'il reste de l'Exposition du monde portugais de 1940. Il expose des objets traditionnels, ustensiles, vaisselle, mobilier, costumes, accessoires, tapis, ainsi qu'un ensemble de charrettes provenant de différentes régions du Portugal. À droite de l'entrée, une salle est consacrée aux expositions temporaires.

Padrão dos Descobrimentos ⊘ – Le **monument des Découvertes**, œuvre du sculpteur Leopoldo de Almeida, haut de 52 m, fut élevé en 1960 à l'occasion du 500ᵉ anniversaire de la mort de Henri le Navigateur. Il représente une proue de navire sur laquelle l'infant ouvre la voie à une foule de personnages parmi lesquels on reconnaît, sur le flanc droit, le roi Manuel portant la sphère armillaire, Camões tenant un extrait des *Lusiades* et le peintre Nuno Gonçalves.
Du sommet du monument *(accès par ascenseur)*, une vue s'offre sur le Tage, les monuments de Belém et les quartiers Ouest de la ville. De cette hauteur, on peut aussi admirer le dessin de la mosaïque en marbre qui se trouve au pied du monument : une mappemonde au centre d'une rose des vents.

★★★Torre de Belém ⊘ – Cette élégante tour manuéline fut bâtie entre 1515 et 1519 au milieu du Tage pour défendre son embouchure et le monastère des Hiéronymites. En raison du déplacement du cours du fleuve au moment du tremblement de terre de 1755, elle se trouve maintenant au bord d'une plage. C'est un véritable petit bijou de l'architecture où la construction encore romano-gothique s'orne de loggias qui rappellent Venise et de dômes qui évoquent le Maroc où avait voyagé son architecte, Francisco de Arruda. À la tour carrée, aménagée pour l'artillerie, est accolée une plate-forme dont les créneaux, décorés d'écussons, portent la croix de l'ordre du Christ.
Sur la terrasse qui devance le donjon se dresse, face à la mer, une belle statue de Notre-Dame-du-Bon-Succès.
La tour elle-même compte cinq étages et se termine par une terrasse. Au rez-dechaussée, on frémit en voyant dans le sol les ouvertures par lesquelles les prisonniers étaient jetés dans des fosses souvent inondées. Au 3ᵉ étage, d'élégants

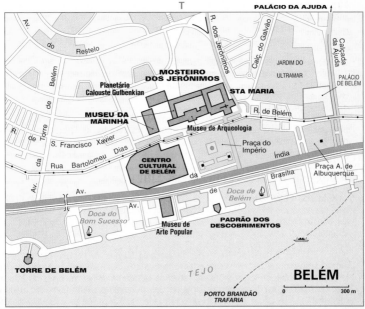

La tour de Belém

balcons à fenêtres géminées et une magnifique loggia Renaissance, que surmontent les armes du roi Manuel et deux sphères armillaires, viennent adoucir la sévérité originelle de l'ensemble.

★**Palácio da Ajuda** ⊘ – Au Nord de Belém, cet ancien palais royal (18ᵉ-19ᵉ s.), construit après le tremblement de terre mais resté inachevé, fut la résidence des monarques portugais Louis et Maria Pia à partir de 1862.

Il présente sur deux niveaux une succession de salles aux plafonds peints, garnies d'une profusion de mobilier, tapisseries, statues (de Machado de Castro notamment), peintures (Domingos Sequeira, Vieira Portuense) et objets décoratifs du 19ᵉ s., et constitue l'un des ensembles romantiques les plus complets d'Europe. Remarquer le plafond du jardin d'hiver, couvert d'agate calcédoine. La surprenante salle de Saxe est entièrement décorée de personnages et de meubles en porcelaine de Saxe. Certaines pièces, comme la chambre et la salle à manger de la reine, exhalent une atmosphère intime et paraissent habitées en raison de l'abondance d'objets personnels.

Les salles du 1ᵉʳ étage sont généralement plus vastes et solennelles (salle du trône, salle de bal éclairée par trois lustres en cristal, salle des ambassadeurs). L'atelier de peinture du roi Louis, avec ses meubles en bois doré et sa décoration néogothique, est imprévu dans cet ensemble. Le palais abrite une partie des services du ministère de la Culture.

En haut de la rue calçada da Ajuda se trouve le **jardin botanique d'Ajuda**, qui communique par un passage avec le romantique **jardin des Dames** (Jardim das Damas) du 18ᵉ s., agrémenté de cascades et de bassins, autrefois lieu de promenade des dames de la Cour.

AUTOUR DE L'AVENIDA DA LIBERDADE *une demi-journée*

★**Avenida da Liberdade** – Longue de 1 300 m et large de 90 m, cette avenue est la plus majestueuse de Lisbonne. De chaque côté, les immeubles de la fin du 19ᵉ s. et les constructions plus récentes abritent des hôtels, des agences de voyages, des compagnies d'assurances, d'aviation, des boutiques de luxe, etc. Les trottoirs sont couverts de mosaïques de calcaire et de balsalte qui dessinent des motifs noir et blanc. Elle est limitée au Nord par la **praça do Marquês de Pombal**, centre névralgique de Lisbonne où convergent les grandes avenues. Au milieu de cette place circulaire, bordée de grands hôtels, est érigé le monument au marquis de Pombal. Les inscriptions sur le piédestal évoquent les principales réalisations de ce grand ministre.

Y. Travert/PHOTONONSTOP

Prendre l'avenida Fontes Pereira de Melo, puis à gauche l'avenida António Augusto de Aguiar.

⋆**Parque Eduardo VII** – Cet élégant parc à la française couronne l'avenida da Liberdade. Du haut du parc, une magnifique **perspective**⋆ s'offre sur la ville basse et le Tage qu'encadrent les collines du château São Jorge et du Bairro Alto.

⋆**Serre froide** (Estufa fria) ⊘ – Des lattes de bois protègent des chaleurs de l'été et des rigueurs de l'hiver d'innombrables plantes exotiques qui croissent au bord d'étangs poissonneux et de fraîches cascades, près de petites grottes.

⋆**Jardim Botânico** ⊘ – *Entrée par la faculté des sciences, située rua da Escola Politécnica, ou par la rua da Alegria.* Le jardin s'étend à flanc de coteau à proximité de l'avenida da Liberdade et dépend de l'Académie des sciences. Fondé en 1873 dans un but scientifique, il est connu comme l'un des meilleurs d'Europe pour sa flore subtropicale.

Havre de paix dans un quartier animé, il offre de belles promenades à ceux qui parcourent son allée principale bordée de majestueux palmiers.

Museu de Ciência da Universidade de Lisboa ⊘ – *Entrée par la faculté des sciences, rua da Escola Politécnica, n° 56.* Le dynamique **musée de la Science de l'université de Lisbonne** présente une exposition interactive dans laquelle le visiteur peut réaliser des expériences (de physique, en particulier), de même qu'une collection permanente d'objets historiques liés à la science. Il possède également un observatoire astronomique vieux de plus de 100 ans *(situé derrière le bâtiment principal, dans le jardin botanique)*, un planétarium, une bibliothèque spécialisée dans l'histoire des sciences et une boutique avec un café. Le musée organise des ateliers d'astronomie et de chimie ainsi que des cours d'initiation à l'astronomie.

Museu Nacional de História Natural ⊘ – *Entrée commune au Museu da Ciência.* Ce musée universitaire expose des collections de zoologie, d'anthropologie et de botanique.

Lisbonne insolite

Nombreux sont les aspects insolites de cette ville aux multiples coins et recoins. Ainsi l'on découvre, sur le campo dos Mártires da Pátria, une statue entourée d'ex-voto de marbre et de cierges. Il s'agit de la statue du **docteur Sousa Martins** (1843-1897) qui n'abandonna jamais les cas désespérés et à qui est voué un véritable culte populaire.

LA FONDATION GULBENKIAN

Calouste Gulbenkian, Arménien né à Istanbul en 1869, était surnommé « Monsieur 5 % », pourcentage qui représentait sa part des bénéfices de l'Irak Petroleum Company.

Amateur d'art, il réunit en quatre décennies une remarquable collection. Le goût de collectionner lui vint très tôt, lorsqu'il était encore enfant, en acquérant quelques pièces de monnaie anciennes.

Avant de mourir en 1955, il fit don au Portugal de son immense fortune qui servit à créer un an plus tard la fondation Calouste Gulbenkian. Cette institution privée comprend le musée Gulbenkian, le Centre d'art moderne, un orchestre, un corps de ballet, un chœur. Elle distribue de nombreuses bourses à des étudiants, finance des recherches, organise des expositions et possède deux délégations à Londres et à Paris.

Le siège de la fondation est installé dans des bâtiments modernes, entourés de très beaux jardins, qui abritent les musées, quatre amphithéâtres polyvalents, dont un en plein air, une zone de congrès, deux grandes galeries occupées par des expositions d'artistes et une bibliothèque de 152 000 volumes.

★★★Museu Calouste Gulbenkian ⏱ – Ce musée, aux vastes salles très aérées donnant sur les jardins, a été conçu tout spécialement pour recevoir les collections de Gulbenkian, composées de belles pièces de grande valeur choisies avec soin, et particulièrement riches en art oriental et en art européen. Les œuvres y sont remarquablement mises en valeur. Le niveau inférieur accueille des expositions temporaires d'art contemporain.

Art antique – L'Antiquité est représentée par l'Égypte (coupe d'albâtre vieille de 2 700 ans, statuette en pierre du « juge Bes », barque solaire en bronze et masque de momie en argent doré de la XXXᵉ dynastie), par le monde gréco-romain (superbe cratère attique du 5ᵉ s. avant J.-C., bijoux, une tête de femme attribuée à Phidias, des objets romains en verre irisé et une magnifique collection de monnaies en or et en argent) et la Mésopotamie (stèle assyrienne du 9ᵉ s. avant J.-C., urne parthe).

Art oriental – Céramiques et tapis sont les fleurons de la vaste section orientale. En majorité persans, les fastueux tapis des 16ᵉ et 17ᵉ s., en laine, en soie, voisinent avec de chatoyants velours de Brousse (Turquie) datant de la même période. Les céramiques (12ᵉ au 18ᵉ s.), les costumes en soie et les lampes de mosquée d'Alep évoquent par leur raffinement l'univers des miniatures persanes.

Dans cette section, on admirera aussi les recueils poétiques exposés par roulement, les corans et les manuscrits arméniens.

Art d'Extrême-Orient – La Chine est représentée par de magnifiques porcelaines (bol taoïste du 14ᵉ s., vase aux cent oiseaux du 17ᵉ s., sceptre et support de coiffeuse en porcelaine blanche) et des « pierres dures » (coupe en néphrite verte du 18ᵉ s.), et le Japon par des estampes et des laques des 18ᵉ et 19ᵉ s.

Art européen – Cette section s'ouvre sur l'**art religieux médiéval**, représenté par des pièces en ivoire d'une extrême délicatesse, des manuscrits enluminés et des livres d'heures.

Appartenant à la **peinture et sculpture des 15ᵉ, 16ᵉ et 17ᵉ s.**, l'un des premiers tableaux acquis par Gulbenkian fut la *Présentation au Temple* de l'Allemand **Stephan Lochner**. Les Flamands et les Hollandais sont à l'honneur avec le *Saint Joseph* de **Van der Weyden**, l'admirable *Annonciation* de **Thierry Bouts**, la magnifique *Figure de vieillard* de **Rembrandt** et le magistral *Portrait d'Hélène Fourment* par **Rubens**.

De l'école italienne, on retiendra un ravissant *Portrait d'une jeune femme* attribué à **Ghirlandaio**.

Les salles suivantes sont essentiellement consacrées à la **peinture française du 18ᵉ s.** et aux arts décoratifs : meubles (luxueuses réalisations de Cressent, Jacob, Œben, Riesener, Garnier, Carlin), tapisseries, dont la très belle série *Jeux d'enfants* exécutée à Ferrare d'après des cartons attribués à Jules Romain, et l'orfèvrerie représentée par des chefs-d'œuvre d'argenterie de table créés par A. Durand et F.-T. Germain.

L'école française du 18ᵉ s., célèbre pour ses portraits et ses évocations de fêtes, est ici illustrée par **Hubert Robert** (scènes dans les jardins de Versailles), **Quentin de La Tour** *(Portrait de Mademoiselle Sallé* et *Portrait de Duval de l'Épinoy)*, **Nicolas de Largillière** *(Portrait de M. et Mme Thomas Germain)*. Parmi les sculptures, on admirera l'altière *Diane* en marbre blanc de Houdon.

La peinture du 18ᵉ s. est aussi représentée par des œuvres anglaises de **Gainsborough** (délicieux *Portrait de Mrs. Lowndes-Stone)*, **Romney** *(Portrait de Miss Constable)*, **Turner** *(Quillebœuf à l'embouchure de la Seine)* et de **Thomas Lawrence**.

Une salle consacrée à **Guardi** illustre la vie et les fêtes à Venise.

Le 19ᵉ s. français est évoqué par **Henri Fantin-Latour** *(La Lecture)*, les impressionnistes **Manet** *(Le Garçon aux cerises, Le Souffleur de bulles)*, **Degas** *(Autoportrait)*, **Renoir**

Museu Calouste Gulbenkian, Lisboa

Pendentif de Lalique

(Portrait de Madame Claude Monet) et les nombreuses toiles de **Corot** *(Le Pont de Mantes, La Saulaie)*, ainsi qu'un bel ensemble de bronzes *(Le Printemps)* et de marbres de **Rodin** *(Les Bénédictions)*.

La dernière salle abrite une extraordinaire collection de pièces Art nouveau du décorateur français **René Lalique** (1860-1945), ami personnel de Calouste Gulbenkian. Admirer la minutie et le détail des bijoux, d'une rare beauté.

★Centro de Arte Moderna ⏱ – Le bâtiment, construit en 1983 par l'architecte Leslie Martin, est intéressant par ses volumes où la végétation est incorporée, créant un effet de façade végétale. Il abrite des œuvres d'art moderne d'artistes portugais de 1910 à nos jours : Vieira da Silva, Amadeo de Souza Cardoso, Almada Negreiros, Júlio Pomar. Dans les jardins qui l'entourent sont exposées quelques sculptures, dont *Femme allongée* de **Henry Moore**.

Autour de la fondation Gulbenkian

Église Nossa Senhora de Fátima – Cette église moderne est décorée de jolis **vitraux★** d'Almada Negreiros.

Bibliothèque municipale – En face des **arènes** (praça de Touros) du Campo Pequeno de style néomauresque, la bibliothèque est installée dans le palais Galveias du 16e s.

LES AMOREIRAS

Ce quartier est dominé par les tours des Amoreiras et l'aqueduc des Eaux libres. Le nom *amoreiras* (mûriers) évoque les arbres qui existaient à cet endroit pour l'élevage des vers à soie destiné à l'ancienne fabrique de soieries, qui abrite désormais la fondation Arpad Szenes-Vieira da Silva.

Tours des Amoreiras – Les célèbres tours postmodernes conçues par l'architecte Tomás Taveira, achevées en 1983, roses, grises et noires, situées près d'une entrée de la ville, se voient de loin. Les trois édifices abritent des bureaux, des appartements de luxe et le grand centre commercial qui les a rendues célèbres *(voir p. 190)*.

★**Fundação Arpad Szenes-Vieira da Silva** ⊘ – Situé sur un côté de l'ombragée praça das Amoreiras, près des arcs de l'aqueduc des Eaux libres, ce bel édifice du 18e s. a été réaménagé avec sobriété et élégance par l'architecte Sommer Ribeiro. Maria Helena Vieira da Silva (1908-1992), qui vécut une grande partie de sa vie à Paris avec son mari, l'artiste Arpad Szenes, est le peintre portugais le plus célèbre du 20e s.
Le musée présente une petite collection d'œuvres qui sont le fruit de donations des artistes et de dépôts de collectionneurs et d'institutions.

★**Aqueduto das Águas Livres** ⊘ – Construit entre 1732 et 1748 *(voir musée de l'Eau p. 216)*, l'**aqueduc des Eaux libres** mesure plus de 58 km avec toutes ses ramifications. 35 arches enjambent la vallée d'Alcântara. La plus grande est haute de 65 m et large de 29 m. On en a la meilleure vue de l'avenida de Ceuta, au Nord du pont autoroutier de la N 7.

Mãe d'Água das Amoreiras ⊘ – L'aqueduc déverse ses eaux dans ce réservoir à l'abri d'un bâtiment terminé en 1834 *(voir musée de l'Eau p. 216)*. À l'intérieur se trouvent une cascade et l'arche des Eaux (Arca da Água), d'une profondeur de 7 m et d'une capacité de 5 500 m³. À côté, la maison de registre, où étaient enregistrés les niveaux de l'eau qui partait vers les fontaines de la ville, sert aujourd'hui de cadre à des expositions et des concerts.

AUTRES CURIOSITÉS

Casa-Museu Anastácio Gonçalves ⊘ – Ce musée est installé dans deux villas ayant appartenu au peintre José Malhoa, et plus tard au Dr. Anastácio Gonçalves, grand amateur d'art et ami de Gulbenkian. La première partie du musée accueille des expositions temporaires, généralement consacrées aux peintres portugais du début du 20e s. (modernistes comme Columbano, Eduardo Viana, Amadeo de Souza Cardoso, Vieira da Silva, Mário Eloy, naturalistes comme Silva Porto, Sousa Pinto). Bel ensemble de dessins d'Almada Negreiros. La collection permanente est constituée de porcelaines de Chine anciennes, de mobilier, de textiles et de joaillerie.

★★**Palácio dos Marqueses de Fronteira** ⊘ – *Prendre le métro jusqu'à la station Jardim Zoológico, puis 15/20 mn à pied.* Ce palais, situé au Nord du parc de Monsanto près de Benfica, fut construit par João Mascarenhas, premier marquis de Fronteira, vers 1670, comme pavillon de chasse. Bien que fortement influencé par la Renaissance italienne, influence surtout visible dans le dessin des jardins, c'est l'une des plus belles réalisations portugaises, exceptionnelle par la qualité et la diversité de style de ses **azulejos★★**. À l'intérieur du palais, ceux de la salle des Batailles évoquent avec une certaine naïveté les grands épisodes de la guerre de Restauration où s'illustra le premier marquis de Fronteira ; la salle à manger est ornée de carreaux de Delft (17e s.), les premiers à avoir été importés au Portugal. Sur les terrasses et dans les jardins, pas un pan de mur, pas un banc, pas un bassin n'est vierge : les petits carreaux de faïence ont envahi chaque surface plane pour créer des tableaux tantôt rustiques : la représentation des saisons et les travaux des champs, tantôt grandioses et solennels comme les douze cavaliers de la galerie des Rois se reflétant dans les eaux du bassin, tantôt pleins d'humour : le bestiaire mettant en scène des chats et des singes.

★★**Jardim zoológico** ⊘ – *Métro Sete Rios.* Ce parc est à la fois un très beau jardin et un zoo. Il est aménagé sur les 26 ha du parc das Laranjeiras, qui comprenait le palais rose des comtes de Farrobo, que l'on voit à droite de l'entrée. La partie inférieure du parc est plantée d'une belle roseraie ainsi que de fleurs de diverses origines. C'est là que se trouvent les enclos où sont abrités près de 2 500 animaux,

Détail d'azulejo du palais des marquis de Fronteira

dont de nombreuses espèces exotiques. Pour une vision générale du zoo, prendre le téléphérique qui fait le tour du parc en passant au-dessus des animaux, pendant 20 mn environ. Un petit train (trajet de 15 mn) passe également par les principaux endroits. La grande vedette du zoo est son éléphant qui sonne une cloche avec sa trompe lorsqu'on lui donne une pièce de monnaie. Les plus rares sont un couple de pandas et un couple de rhinocéros blancs d'Afrique du Sud. Plusieurs fois par jour ont lieu des spectacles avec des perroquets, des reptiles et des dauphins. Le beau **delphinarium** *(photo p. 196)*, dans un bassin très coloré, ne peut être visité que durant les spectacles. Expositions temporaires pour les enfants. Site pour les pique-niques (Aldeia das Merendas) et restaurant-grill.

★**Parque Florestal de Monsanto** – Ce parc boisé, accidenté, qui se visite surtout en automobile, est sillonné de routes offrant des **vues**★ panoramiques sur Lisbonne, en particulier depuis le belvédère de Monsanto.

★**Museu da Música** ⊘ – Situé à l'intérieur de la station de métro Alto dos Moinhos, il expose une importante collection d'instruments musicaux et de publications sur la musique du 16e au 20e s., en particulier un ensemble de clavecins baroques et un grand nombre d'instruments à cordes et à vent. Dans les locaux du musée, équipé de bornes interactives, ont lieu des concerts.

Casa-Museu de Amália Rodrigues ⊘ – *R. de São Bento, 193*. Deux ans après la mort de la grande chanteuse de fado et quelques jours après le transfert de sa dépouille mortelle au panthéon national (église de Santa Engrácia), la maison de cinq pièces où elle vécut la majeure partie de sa vie a été transformée en musée, selon ses propres volontés. La disposition des objets a peu changé, de sorte que la maison paraît encore habitée par la diva, avec ses tableaux, portraits, souvenirs, décorations, vêtements, bijoux... Dans la salle-à-manger, la table est mise et semble prête à accueillir des invités. Au rez-de-chaussée, se trouve une boutique. Ses recettes ainsi que celles des billets sont reversées en grande partie à des institutions de charité.

Casa do Fado e da Guitarra Portuguesa ⊘ – Située devant le largo do Xafariz de Dentro, dans le quartier de l'Alfama, cette **Maison du fado et de la guitare portugaise** est un musée qui évoque dans une sucession de salles, des atmosphères typiques du fado, au moyen de vidéos et d'une riche collection d'instruments, de partitions, de photos, d'affiches, de vêtements, etc. Le musée possède une boutique où l'on peut acheter des disques.

★**Basilique da Estrela** – *Tramway nº 28*. Blanc sanctuaire baroque de la fin du 18e s., la croisée du transept est surmontée d'une belle **coupole**★ que coiffe un lanternon. À l'intérieur, on peut voir une imposante crèche, aux personnages grandeur nature, sculptée par Machado de Castro.
En face de la basilique, le **jardin da Estrela**★, avec ses essences exotiques, est l'un des plus beaux de Lisbonne.

Casa Fernando Pessoa ⊘ – *Rua Coelho da Rocha, 16-18*. La maison où Pessoa vécut les quinze dernières années de sa vie a été aménagée dans un style moderne pour devenir un centre culturel axé sur la poésie portugaise et un lieu d'exposition de peinture, sculpture, etc. Ses œuvres et archives y sont rassemblées.

Palacio das Necessidades – *Calçada das Necessidades*. Cet ancien palais royal du 18ᵉ s., construit pour les frères de Jean V, est aujourd'hui le siège du ministère des Affaires étrangères.

Museu da Cidade ⏱ – *Campo Grande, 345. Métro : Campo Grande*. En haut du Campo Grande, au voisinage fâcheux d'un échangeur autoroutier, le **Musée municipal** est installé dans le palais Pimenta, élégant édifice construit au 18ᵉ s. sous le règne fastueux de Jean V. Les vestiges romains, wisigothiques, arabes, médiévaux rappellent les différentes étapes de l'histoire de Lisbonne. Sur de nombreux blasons se retrouve l'emblème de la ville, la caravelle (transportant le corps de saint Vincent) guidée par les corbeaux. Une maquette reconstitue Lisbonne au début du 18ᵉ s. juste avant le tremblement de terre, période évoquée aussi par des azulejos montrant le Terreiro do Paço avant la disparition du palais royal. La cuisine du palais est ornée d'azulejos rustiques. Au premier étage, faïences et gravures sur Lisbonne. On remarquera la célèbre toile de Malhoa, *Le Fado*.

Museu Rafael Bordalo Pinheiro ⏱ – *Campo Grande, 382. Métro : Campo Grande*. Située de l'autre côté du Campo Grande, cette maison rassemble des dessins, des caricatures et surtout les **faïences★** de Rafael Bordalo Pinheiro (1846-1905), artiste très prolifique qui avec son frère et sa sœur étaient les grands animateurs de la vie sociale lisboète à la fin du 19ᵉ s. On lui doit entre autres le grand succès de la fabrique de faïence de Caldas da Rainha.

★**Musées du Costume et du Théâtre** – *Estrada do Lumiar, 12*. Dans le vaste domaine de la **Quinta de Monteiro-Mor**, que longe la estrada do Lumiar bordée de part et d'autre de belles propriétés, deux palais ont été aménagés pour abriter l'un le musée du Costume, l'autre le musée du Théâtre. Un pavillon près du musée du Costume sert de cadre à un agréable restaurant.

★**Museu Nacional do Traje** ⏱ – L'élégant palais des marquis de Angeja accueille aujourd'hui de remarquables expositions sur le costume. Merveilleusement présentées, elles font revivre une époque, une ville, une profession…

Pessoa, définitivement fondu dans le décor de « sa » ville

En contrebas du palais, le **jardin botanique de Monteiro-Mor** ⊘ séduit par la variété des essences, ses bassins, son côté sauvage accentué par les reliefs.

Dans le palais de Monteiro-Mor, le **Museu Nacional do Teatro** ⊘ présente des expositions temporaires sur des thèmes relatifs à l'art dramatique.

Aquarium Vasco da Gama ⊘ – *À Dafundo, sur la N 6, par* ③ *du plan.* Nombreux réservoirs à plantes marines, poissons et crustacés des deux hémisphères ; bassins à tortues de mer et à otaries. À l'étage, salle d'animaux marins naturalisés.

EXCURSIONS — *Voir carte des principales curiosités p. 10.*

Circuit par le bord de mer et Sintra

80 km. Prévoir une journée.

Ce trajet offre une plaisante promenade au bord de la mer et révèle toute la beauté de cette région. Sortir de Lisbonne par la route Marginale *(N° 6,* ③ *du plan)*, en suivant le Tage, qui débouche sur l'Océan.

★**Estoril** – *Voir ce nom.*

★**Cascais, Boca do Inferno, Guincho** – *Voir Cascais.*

★**Cabo da Roca** – *Voir Serra de Sintra.*

★★★**Sintra** – *Voir ce nom.*

Autres excursions

★★**Queluz** – *Voir ce nom.*

Costa da Caparica – *14 km au Sud-Ouest. Quitter Lisbonne par le pont du 25-Avril, puis emprunter l'IC 20 à partir de la sortie 1 de l'autoroute A 2.* Cette station balnéaire est la plus proche de Lisbonne, sur l'autre rive du Tage. Bénéficiant de vastes plages, moins polluées que celles de la rive Nord, Costa da Caparica est l'un des endroits les plus fréquentés par les Lisboètes le week-end. La station ne cesse de s'agrandir et de s'allonger parallèlement à l'Océan et aux dunes qui l'en protègent.

En saison, un **petit train** littoral dessert, sur 11 km, les accès de l'immense plage rectiligne.

On peut encore y voir quelques barques de pêche à la proue ornée d'une étoile ou d'un œil peints et assister à la remontée des filets à laquelle se joignent les estivants.

Belvédère dos Capuchos – *3 km à l'Est de Costa da Caparica par la voie rapide, puis une route s'en détachant à droite (suivre la signalisation). Devant le couvent des Capucins (Capuchos), tourner à droite dans le chemin pavé menant au belvédère, sur la falaise.* Vue intéressante sur la station, les falaises à gauche du belvédère, l'estuaire du Tage et la côte Nord jusqu'à Cascais.

Sesimbra – *39 km au Sud. Quitter Lisbonne par le pont du 25-Avril, puis emprunter la N 378 à partir de la sortie 2 de l'autoroute A 2. Voir ce nom.*

Serra da LOUSÃ★

Carte Michelin n° 940 M 4 et L 5

Des mamelons boisés et des crêtes où la roche à nu prend une teinte violette composent le paysage de cette montagne dont le point culminant atteint 1 202 m au Alto do Trevim. Le massif, constitué de croupes schisteuses et de crêtes de quartz, se termine au Nord en abrupt au-dessus du bassin de Lousã. La vallée du Zêzere au Sud le sépare de la serra de Gardunha ; à l'Est, il est dominé par le massif granitique de la serra d'Estrela.

Autrefois, les habitants, dans des hameaux aux maisons basses faites de schistes, vivaient de médiocres cultures en terrasses (seigle, maïs) et de l'élevage des chèvres et des moutons.

DE POMBAL À COIMBRA PAR LA SERRA

124 km – environ 3 h

À Pombal (voir ce nom), prendre l'IC 8 en direction d'Ansião.

Jusqu'à Pontão, la route serpente sur des collines calcaires piquetées de quelques oliviers, chênes, pins et eucalyptus.

Quitter l'IC 8 à Pontão et emprunter l'ancienne route de Sertã, qui passe par Figueiró dos Vinhos.

Le paysage devient plus accidenté et plus frais, le calcaire cédant la place aux marnes, exploitées dans quelques briqueteries ; le **parcours**★, d'une grande variété, suit en corniche les sinuosités de la montagne ; les vues sur les vallées cultivées ou sur les sommets pelés alternent avec les passages boisés.

Figueiró dos Vinhos – Au pied de la serra, petite ville connue pour sa vaisselle en terre cuite. L'**église**, au chœur décoré d'azulejos du 18ᵉ s. illustrant la vie de saint Jean-Baptiste, possède une belle Trinité dans la chapelle de droite.

À Figueiró dos Vinhos, prendre la N 236-1 vers le Nord, en direction de Lousã.

La route franchit la serra da Lousã. Le versant Sud, d'abord boisé de pins et d'eucalyptus, se dénude à mesure que l'altitude croît.

Castanheira de Pêra – Dans la rue principale du bourg, face à une école, curieux jardin public à ifs, buis et thuyas taillés avec une amusante fantaisie.

Après Castanheira, dans un virage à droite, un belvédère offre une **vue**★ étendue, par-delà un rideau de pins, en contrebas sur la petite vallée d'un affluent du Zêzere, plus haut sur une ligne de crêtes et derrière elle la vallée du Zêzere, puis sur une deuxième ligne de crêtes précédant le bassin du Tage.

La **descente**★ sur Lousã est très rapide ; la route en corniche procure de jolis coups d'œil sur la vallée de l'Arouce.

Candal – Dans ce vieux village, on voit encore de belles maisons grises faites de schistes s'étageant dans un site original. À sa sortie, remarquer à gauche, en contrebas, plusieurs bergeries.

★**Belvédère de Nossa Senhora da Piedade** – Très belle **vue** plongeante sur la vallée de l'Arouce au fond de laquelle se dressent un petit château médiéval et de minuscules chapelles blanches ; en contre-haut, le village perché de **Casal Novo** est entouré de cultures en terrasses.

Un peu plus loin se découvrent Lousã et la vallée du Mondego.

Lousã – Lousã, comme **Foz de Arouce**, au Nord, possède encore, dans le quartier qui entoure l'église, un ensemble de maisons patriciennes du 18ᵉ s., armoriées, dont les fenêtres sont décorées.

Après la traversée du bassin de Lousã, la route *(N 236, puis N 17 à gauche)* passant par Foz de Arouce emprunte les vallées du Ceira, puis du Mondego, et gagne Coimbra.

Palácio e Convento de MAFRA★★
Palais et couvent de MAFRA – District de Lisboa
Carte Michelin n° 940 P 2

À une quarantaine de kilomètres de Lisbonne, le monastère de Mafra illustre, par sa masse imposante et son style baroque où le marbre est omniprésent, le règne du roi Jean V « le Magnanime ». On a souvent comparé ce monument au monastère de l'Escurial en Espagne du fait de ses dimensions, de sa proximité de la capitale, de son origine votive et de son rôle palatial et religieux. Il en a le côté austère, qu'adoucit sa décoration baroque.

L'accomplissement d'un vœu – En 1711, le roi Jean V, encore sans enfant après trois ans de mariage, fait le vœu de construire un monastère si Dieu lui accorde un héritier. Une fille naît, Barbara, qui deviendra plus tard reine d'Espagne.

En 1717, les travaux sont confiés à l'architecte allemand Friedrich Ludwig. Cependant, les plans et la décoration sont plutôt conçus par des artistes romains dirigés par le marquis de Fontes, ambassadeur du Portugal auprès du Saint-Siège. L'or du Brésil qui va servir à financer la construction autorise des projets grandioses. À l'origine, le monastère devait compter 13 moines ; finalement, il est destiné à en recevoir 300, ainsi que toute la famille royale. Le roi fait alors appel à deux autres architectes. Ils apparaissent dans l'ensemble architectural de Mafra des détails d'influence germanique, italienne et portugaise.

50 000 ouvriers travaillèrent pendant treize ans à la construction de ce bâtiment gigantesque couvrant 4 ha, comprenant la basilique, le palais, le couvent, comptant 4 500 fenêtres et portes. Un parc de 20 km de périmètre le prolonge à l'Est. Les matériaux provenaient du Portugal (pins de Leiria, marbres de Pero Pinheiro, chaux de Santarém), de Hollande et de Belgique (carillons), de France (objets du culte), du Brésil (bois précieux), d'Italie (noyers, statues de Rome ou de Florence, marbre de Carrare).

L'école de Mafra – La présence de nombreux artistes étrangers à Mafra permet à Jean V d'y fonder une école de sculpture ; son premier directeur est l'Italien Alessandro Giusti. Parmi les professeurs se trouvent José de Almeida, Jean Antoine de Padoue, qui sculpta les principales statues de la cathédrale d'Évora, et surtout Joaquim **Machado de Castro** (1731-1822), qui œuvra à Lisbonne. Des ateliers de l'école, favorisée par les chanoines réguliers de St-Augustin qui occupaient alors le couvent, sont sortis de nombreuses statues de marbre et plusieurs retables en jaspe ou en marbre, souvent traités en bas-reliefs, que l'on admire dans la basilique.

VISITE *1 h 1/2*

Longue de 220 m, la façade est flanquée à ses extrémités de pavillons d'angle d'allure germanique avec leurs dômes bulbeux. La basilique en occupe le centre.

★★ Basilique – Construite en marbre comme les pavillons d'angle, la façade de la basilique rompt la monotonie de l'ensemble par sa blancheur et sa décoration baroque. Entre ses tours hautes de 68 m s'alignent deux rangées de colonnes. Des niches abritent, à l'étage supérieur, les statues en marbre de Carrare de saint Dominique et de saint François ; à l'étage inférieur, celles de sainte Claire et de sainte Élisabeth de Hongrie. Le péristyle est orné de six statues dont la plus remarquable est celle de saint Bruno.

L'**intérieur** de l'église frappe par l'élégance de ses proportions et la variété de son revêtement de marbre. La voûte en plein cintre s'appuie sur les pilastres cannelés qui séparent les chapelles latérales ; dans chacune d'elles se trouvent des statues et un retable de marbre blanc en bas-relief ciselé par les sculpteurs de l'école de Mafra. Les retables en jaspe et marbre des chapelles du transept, le fronton du chœur sont également des œuvres de l'école de Mafra ; remarquer celui de la chapelle collatérale de gauche, consacré à la Vierge et l'Enfant Jésus. La sacristie et le lavabo sont décorés de marbres de toutes nuances.

À la croisée du transept, quatre arcs finement travaillés soutiennent une magnifique **coupole★** en marbre rose et blanc, haute de 70 m.

Façade du palais-couvent

On notera aussi la présence de nombreuses torchères en bronze et de six beaux orgues datant de 1807.

Palais et couvent ⊘ – 3ᵉ porte à gauche de la basilique.

On visite successivement un musée de sculpture comparée, l'infirmerie des moines, la pharmacie, la cuisine ainsi qu'un musée d'Art sacré.

Au 2ᵉ étage, la suite des appartements royaux fascine par les dimensions des enfilades. Aux deux extrémités se trouvent le pavillon de la Reine et le pavillon du Roi. Les plafonds sont peints et les pièces ont été remeublées. Le palais avait atteint l'apogée de sa splendeur au début du 19ᵉ s. sous Jean VI, mais, quand celui-ci partit au Brésil en 1807, il emporta avec lui une partie des objets et meubles qui décoraient Mafra.

On admirera la grandiose et harmonieuse **salle de la Bénédiction**, donnant sur la basilique. C'est de cette galerie, ornée de colonnes et de moulures revêtues de marbre de différentes couleurs, que la famille royale assistait à la messe. Le buste représentant Jean V est l'œuvre du maître italien Alessandro Giusti. On remarquera aussi la salle de chasse décorée de trophées, les cellules des moines et la très belle **bibliothèque**★ (illustration p. 373) occupant une galerie longue de 83,60 m au magnifique pavage de marbre rose, gris et blanc. Les murs sont couverts d'étagères en bois de style rocaille dans lesquelles sont classés 40 000 livres datant du 14ᵉ au 19ᵉ s.

AUTRE CURIOSITÉ

Église Santo André ⊘ – Dans le vieux bourg.

Construite à la fin du 13ᵉ s., cette petite église présente trois nefs en croisée d'ogives et une abside pentagonale.

À l'entrée, deux beaux sépulcres gothiques de Diogo de Sousa et de sa femme. La tradition veut que Pedro Hispano, futur pape Jean XXI (13ᵉ s.), fut ici curé.

ENVIRONS

★**Ericeira** – 11 km à l'Ouest par la N 116. Le village, perché sur une falaise face à l'Atlantique, a conservé son quartier ancien autour de l'église, son dédale de ruelles et son pittoresque port de pêche. C'est une station balnéaire très fréquentée. C'est de là que, le 5 octobre 1910, le roi Manuel II s'embarqua pour l'exil, alors que la République était proclamée à Lisbonne.

Port – Au pied de la falaise cuirassée d'un revêtement de maçonnerie dont le sommet forme le parapet des rues en corniche, c'est une plage abritée que protège en outre une jetée, au Nord. De la place (largo das Ribas) qui la domine, une assistance toujours renouvelée de spectateurs observe la mise au sec des bateaux de pêche et le déchargement des poissons ou des poulpes capturés.

Quartier de l'église – De vieilles ruelles pavées, aux charmantes maisons basses et blanches avec leurs arêtes soulignées de bleu, entourent l'**église paroissiale** (Igreja Matriz) dont l'intérieur séduit par son plafond à caissons et des azulejos à bordure polychrome.

Serra do MARÃO★

Carte Michelin n° 940 ou 441 I 6 – Schéma : Vallée du DOURO

La serra du Marão est un bloc de granit et de schiste limité à l'Est par le Corgo, à l'Ouest par le Tâmega, au Sud par le Douro. Les dislocations qui ont accompagné son soulèvement à l'ère tertiaire ont entraîné d'importantes différences d'altitude entre ses sommets. Le paysage doit sa désolation à la vigueur de l'érosion.

DE VILA REAL À AMARANTE

70 km – environ 1 h 1/2 – Itinéraire ③

Vila Real – Voir ce nom.

Quitter Vila Real à l'Ouest par l'IP 4/E 82, route de Porto.

Dès les premières pentes, le maïs, les pins et les châtaigniers commencent à remplacer les vignes, les vergers de pommiers et les oliviers.

À partir de Parada de Cunhos, les **vues** se développent sur droite sur les contreforts de la serra et sur Vila Real dans son bassin.

Après Torgueda, on laisse à droite la N 304 vers Mondim de Basto (itinéraire décrit ci-dessous).

L'IP 4, en montée, bordée de caroubiers, de vignes et de champs de maïs, offre à gauche de belles **vues**★ sur le sommet du pic de Marão, point culminant de la serra.

Au col, Alto do Espinho, quitter l'IP 4 et prendre la route vers le pic de Marão. On passe devant la pousada de São Gonçalo, située en balcon au-dessus des pentes tapissées de pins. Quelques kilomètres plus loin, prendre à gauche.

La route s'élève dans un paysage minéral de blocs cristallins ou schisteux feuilletés et aboutit à un replat, proche du sommet, où se trouvent la chapelle Nossa Senhora da Serra et un relais de télévision.

★★ Pico do Marão – Alt. 1 415 m. De ce sommet que coiffe un obélisque, magnifique **panorama** sur tous les autres sommets dénudés de la serra.

Revenir à la route qui passe par Candemil et rejoint Amarante.

La descente sur Amarante, rapide et sinueuse, se fait en corniche au-dessus du rio Ovelha, affluent du Tâmega, riche en truites. Peu avant Candemil, la route s'encaisse dans une vallée rocheuse. La fin du parcours, très verdoyante (cultures, pins, châtaigniers), offre de belles vues à droite sur les vallées affluentes du Tâmega. La route gagne la vallée du Tâmega et Amarante *(voir ce nom)*.

DE VILA REAL À MONDIM DE BASTO

61 km – environ 1 h 1/2 – Itinéraire 4

Vila Real – *Voir ce nom.*

Quitter Vila Real par l'IP 4 décrit ci-dessus, et après Torgueda prendre à droite la N 304.

La route s'élève vers le col, Alto de Velão, d'où se révèle à gauche une **vue** sur le haut bassin du rio Olo. La route traverse l'extrémité Ouest du **parc naturel d'Alvão**, aux beaux paysages parsemés de chaos granitiques, puis amorce une **descente★** en corniche vers Mondim de Basto dans la vallée du Tâmega.

De Mondim de Basto, prendre la N 312 au Nord et, à droite, une route forestière qui grimpe entre les rochers et les pins.

★Chapelle de Nossa Senhora da Graça – *Laisser la voiture en bas du majestueux escalier (68 marches) qui mène à la chapelle.* Du haut du clocher *(54 marches et échelons)* s'offre un vaste **panorama** sur la vallée du Tâmega, Mondim de Basto et la serra do Marão.

MARVÃO★★

District de Portalegre – 653 habitants
Carte Michelin n° 940 N 7 – Schéma : PORTALEGRE

Sur l'un des sommets (865 m) de la serra de São Mamede, à proximité de la frontière espagnole, Marvão est un village médiéval fortifié, véritable nid d'aigle perché au faîte d'une haute muraille de granit. La route d'accès, qui contourne le piton par le Nord, permet d'apprécier la valeur défensive de ce **site★★** remarquable.

La position stratégique de la cité lui valut d'être l'enjeu de combats entre libéraux et absolutistes, lorsqu'en 1833 l'Alentejo devint le théâtre de la guerre civile. Les libéraux s'en emparèrent par surprise en décembre et repoussèrent une attaque des troupes de Dom Miguel le mois suivant.

Vue générale du village

★LE VILLAGE *2 h*

Après avoir longé les remparts et jeté un coup d'œil au portail gothique du couvent de Nossa Senhora da Estrela, franchir la double porte d'entrée que flanquent des courtines, des échauguettes et des mâchicoulis.

Une étroite ruelle fleurie mène à une place avec pilori où l'on peut se garer.

La place forte est sillonnée de petites rues avec passages sous voûtes et maisons blanches à balcons fleuris, grilles en fer forgé et fenêtres manuélines. Plusieurs chapelles s'ouvrent par un portail Renaissance.

Dans la rua do Espírito Santo qui mène au château, remarquer deux magnifiques **balustrades**★ en fer forgé du 17e s.

Église Santa Maria – Au pied du château, cette église du 13e s. abrite aujourd'hui l'Office de tourisme et le **Musée municipal** (pierres mégalithiques, stèles romaines, reproductions de cartes anciennes de Marvão) ⊙.

★**Château** – Édifié à la fin du 13e s. à l'extrémité Ouest de l'éperon rocheux, il a subi quelques modifications au 17e s. Il se compose d'une série d'enceintes que domine un donjon carré.

On franchit une première porte fortifiée ; juste après, à droite, à l'entrée de la **citerne**★, s'élève un escalier dont les 10 arcs se reflètent dans l'eau. Une seconde porte fortifiée s'ouvre sur la première cour du château : suivre le chemin de ronde d'où s'offrent de belles **vues**★ sur le village tout blanc qui s'étend au pied du château. Dans la seconde cour, où se trouve le donjon, prendre à droite les escaliers qui mènent au chemin de ronde ; le suivre jusqu'au donjon. Du haut de celui-ci se découvrent des **vues**★★ plongeantes impressionnantes sur les diverses enceintes et surtout sur les tours crénelées et les échauguettes construites sur le rebord en à-pic ; le **panorama**★★ très vaste embrasse à l'Est les sierras espagnoles déchiquetées, au Nord la région de Castelo Branco et la serra da Estrela, au Sud-Ouest la serra de São Mamede.

MÉRTOLA

District de Beja – 3 091 habitants
Carte Michelin n° 940 T 7

Isolée au milieu des vastes paysages de l'Alentejo, Mértola apparaît soudain toute blanche, s'étageant en amphithéâtre sur une colline au confluent du Guadiana et de la rivière d'Oeiras. Fondée par les Phéniciens, l'ancienne Myrtilis était déjà une importante place commerciale à l'époque préromaine et constituait le port le plus septentrional de la grande voie fluviale du Guadiana. La ville, qui a gardé de nombreux vestiges de son passé, est encore dominée par le donjon et l'enceinte ruinée de son château-fort des 12e et 13e s. Elle a conservé de son passé arabe une ancienne mosquée transformée en église.

Église-mosquée ⊙ – Il s'agit de l'unique église portugaise où l'on reconnaît encore nettement sa fonction première de mosquée, dans le plan carré, l'abondance de ses piliers, la présence, derrière l'autel de l'ancien mihrab, niche d'où l'imam dirigeait les exercices du culte avec le nimbar (chaire mobile), dans l'arc outrepassé de la porte qui donne sur la sacristie. Les jolies voûtes sous croisée d'ogive datent du 13e s.

Plusieurs centres muséologiques sont dispersés dans la localité. Ils témoignent des peuples qui s'y sont succédé et éclairent son histoire en évoquant son passé.

Castelo – Construit au 12e s., le château est partiellement en ruine mais son **donjon** restauré abrite une petite exposition de vestiges lapidaires des 6e au 9e s.

Núcleo romano – Au sous-sol de la mairie, on peut voir dans ce **Centre romain** les vestiges d'une maison romaine, où sont présentés des objets de cette époque.

Núcleo visigótico – Le **Centre wisigothique** est installé dans une ancienne basilique paléochrétienne, où sont exposés des vestiges lapidaires des 5e au 7e s., provenant du cimetière médiéval de Mértola.

Núcleo islâmico – *Rua da Igreja, 2.* Ce **Centre islamique** montre des objets de cette période parmi lesquels une importante collection de céramique : vaisselle, ustensiles et azulejos de type *corda seca.*

Núcleo de Arte Sacra – L'**église da Misericórdia** abrite une collection d'art sacré provenant des églises de la région.

Núcleo de tecelagem – Dans cet atelier de tissage, une activité encore courante dans cette région, les artisans fabriquent et vendent les traditionnelles couvertures de laine.

MIRANDA DO DOURO★

District de Bragança – 2 154 habitants
Carte Michelin n° 940 ou 441 H 11

Sur un éperon qui domine en à-pic la vallée du Douro aux confins de l'Espagne et du Portugal, Miranda est une vieille bourgade où l'on parle encore un idiome particulier, le *mirandês*, qui s'apparente au bas latin.

À l'entrée de la ville, sur une butte, se dressent les ruines d'un château médiéval, détruit par une explosion au 19ᵉ s. La ville vit de ses nombreux commerces (textiles, chaussures, bijouterie) destinés aux voisins espagnols, qui traversent la frontière du Douro pour y faire leurs achats.

La danse des Pauliteiros – Dans la région, les jours de fête et, en particulier, lors de la fête de Santa Barbara, le 3ᵉ dimanche d'août, les hommes se réunissent pour la danse des Pauliteiros. Revêtus d'un jupon de flanelle blanc, d'une veste noire aux broderies multicolores et d'un chapeau noir à ruban écarlate abondamment fleuri, ils exécutent des mouvements scandés, en frappant des baguettes *(paulitos)* les unes contre les autres. Cette danse, évoquant le croisement des épées, serait d'origine guerrière.

Sé ⊘ – Cette **cathédrale** du 16ᵉ s., bâtie selon les plans de Gonçalo de Torralva et les indications de Miguel de Arruda *(voir index)*, présente une austère façade en granit flanquée de deux tours quadrangulaires. L'intérieur, de type halle, aux voûtes nervurées, abrite une série de **retables**★ en bois doré : celui du chœur, œuvre des Espagnols Gregório Hernandez et Francisco Velázquez, représente une Assomption autour de laquelle s'ordonnent des scènes de la vie de la Vierge ainsi que des Évangélistes et des évêques ; l'ensemble est couronné par un calvaire ; de chaque côté du chœur, des stalles en bois doré du 17ᵉ s. sont décorées de jolis paysages peints. Dans le bras droit du transept, remarquer dans une vitrine l'amusante statuette de l'Enfant Jésus, coiffé d'un chapeau haut de forme. Il est l'objet de toutes les attentions de la part des habitants de Miranda qui lui ont fait don d'une importante garde-robe. Sa fête a lieu le jour des Rois. Quatre enfants le transportent pendant la procession.

De la terrasse de la cathédrale, belle **vue** plongeante sur le Douro, en contrebas. Derrière la cathédrale s'élèvent les ruines du cloître du palais épiscopal.

★**Museu regional da Terra de Miranda** ⊘ – Situé dans le centre historique de la ville et occupant le bâtiment de l'ancien hôtel de ville du 17ᵉ s., cet intéressant musée ethnographique expose une collection variée de métiers à tisser, pièces archéologiques (outils des âges de la pierre, du bronze, du fer, *berrão* – sanglier en pierre – celte, stèles romaines), des jouets anciens, des costumes régionaux (capes d'honneur ou *capas de honra*), une chambre à coucher traditionnelle, une cuisine de Miranda, des armes, des pièces de monnaie, des outils agricoles, des céramiques et des costumes des fêtes rituelles du solstice d'hiver. À cette occasion, ceux qui les portent, cachés derrière des masques aux expressions effrayantes, appelés *chocalheiros* ou *caretos*, ont le droit de faire tout ce qui leur est interdit le reste de l'année. L'origine de ces rites, liée aux pratiques initiatiques et de fertilité, se perd dans la nuit des temps.

EXCURSIONS

★**Barrage de Miranda do Douro** – *3 km par une petite route à l'Est.*
C'est le premier des cinq barrages (Miranda, Picote, Bemposta, Aldeadávila, Saucelle) qui se présente à l'entrée du cours international du Douro. Érigé en 1956-1961 dans un défilé rocheux, c'est un barrage de type contrefort, haut de 80 m et long de 263 m à la crête.

★**Barrage de Picote** – *27 km par la route de Mogadouro (N 221), puis à gauche, après Fonte da Aldeia, la N 221-6.*
Après avoir traversé Picote, village créé pour le personnel affecté à la création du barrage, on laisse à droite une route menant à un belvédère. Inauguré en 1958, le barrage, prenant appui sur les versants granitiques du Douro, haut de 100 m et long de 139 m à la crête, est du type voûte.

MIRANDELA

District de Bragança – 11 161 habitants
Carte Michelin n° 940 ou 441 H 8

Fondée par le roi Alphonse II, mais d'origine romaine, Mirandela domine le Tua que franchit un long pont roman de 230 m reconstruit au 16ᵉ s., soutenu par 20 arches, toutes différentes.

Cette ville pimpante, très fleurie, dotée de nombreux espaces verts, offre au visiteur de multiples possibilités : faire des croisières en bateau sur le Tua, parcourir dans une petite rame de métro la ligne ferroviaire du Tua, de Mirandela à Carvalhais, ou encore faire le tour de la ville en petit train.

Palais des Távora – Au sommet de la colline, la mairie occupe un beau palais du 18ᵉ s. dont la façade en granit est composée de trois corps. Le plus élevé, au centre, présente des frontons incurvés surmontés de pinacles.

Au milieu de la place se trouve la statue du pape Jean-Paul II et, à côté, l'église paroissiale, édifice massif construit à une époque récente.

★**Museu municipal Armindo Teixeira Lopes** ⊙ – Installé dans le centre culturel, cet intéressant musée d'arts plastiques, fruit des donations des enfants d'Armindo Teixeira Lopes, expose plus de 400 œuvres de 200 artistes, portugais pour la plupart, du début du 20ᵉ s. à nos jours. Citons entre autres : Vieira da Silva, Tàpies, Cargaleiro, Nadir Afonso, Graça Morais, José Guimarães, Júlio Pomar, Teixeira Lopes...

Le musée organise des expositions temporaires d'artistes contemporains.

EXCURSION

Romeu – *12 km au Nord-Est.*

Au cœur du Trás-os-Montes, dans un paysage de vallons boisés de chênes-lièges et de châtaigniers, Romeu forme avec **Vila Verdinho** et **Vale de Couço** un ensemble de coquets villages fleuris qui ont bénéficié d'une restauration soignée dans les années 1960.

Museu das Curiosidades ⊙ – Collections personnelles de Manuel Meneres, bienfaiteur des trois villages. Dans une salle sont rassemblés des modèles primitifs de machines à écrire, à coudre, stéréoscope, phénakistiscope – l'ancêtre du cinéma ; dans une autre, le moindre objet (chaise, poupée, pendule) engendre, une fois son mécanisme remonté, une agréable musique.

Au rez-de-chaussée, on verra en particulier un vélocipède et des automobiles anciennes dont une belle Ford de 1909.

Serra de MONCHIQUE

Carte Michelin nº 940 U 4 – Schéma : ALGARVE

Dans l'arrière-pays de l'Algarve, la serra de Monchique offre aux estivants de la côte la fraîcheur de ses hauteurs boisées, ainsi que de beaux points de vue sur la région.

« Un jardin suspendu » *(Miguel Torga)* – Bloc volcanique surgi à plus de 900 m au-dessus des croupes schisteuses environnantes, la serra de Monchique forme une barrière sur laquelle viennent buter les influences climatiques de l'océan Atlantique qui y entretiennent une humidité d'autant plus élevée que la roche est imperméable. L'humidité et la chaleur combinées favorisent, sur ces sols volcaniques riches, le développement d'une végétation exubérante et variée où s'entremêlent la flore tropicale et les espèces tempérées : eucalyptus, chênes-lièges, châtaigniers, pins, arbousiers, caroubiers, rhododendrons, etc. ; cultures en terrasses d'orangers et de maïs.

Le volcanisme explique la présence des sources thermales qui, à **Caldas de Monchique**, sont utilisées dans le traitement des rhumatismes et des maladies de peau.

DE PORTIMÃO AU PICO DA FÓIA *30 km – environ 2 h*

Portimão – *Voir ce nom.*

Quitter Portimão par la N 124, au Nord.

Après Porto de Lagos, par la N 266 prise à gauche, commence la montée dans la serra de Monchique, agréablement boisée. Au-delà de l'embranchement vers Caldas de Monchique (qu'on laisse à gauche), dans un ample lacet de la route, à gauche, un premier belvédère (table d'orientation) offre une jolie **vue** sur la station thermale située en contrebas et les cultures de maïs en terrasses qui l'entourent, ainsi que, plus au Sud, sur le moutonnement des collines s'abaissant vers Portimão.

La route passe entre les versants opposés du Fóia et du Picota, couverts de pins, de chênes-lièges et d'eucalyptus. D'importantes carrières de syénite sont exploitées pour la construction.

Monchique – Agréablement nichée dans la verdure sur le flanc Est du Fóia, la petite ville possède une **église** célèbre pour son portail manuélin où des colonnes torses se prolongent en une cordelière nouée.

Du belvédère aménagé sur le champ de foire *(accès par la rue que prolonge la route du Fóia)*, vue intéressante sur les quartiers étagés face au mont Picota (alt. 773 m).

Dans Monchique, prendre à gauche la N 266-3 vers le mont Fóia.

La **route**★ gravit les pentes du Fóia, point culminant de la serra. Après quelques kilomètres sous les pins et les eucalyptus, la **vue**★ se dégage vers le Sud dans un virage à droite (croix et fontaine) ; on distingue, de gauche à droite, le golfe de Portimão, la baie de Lagos, le lac d'Odiáxere et, dans le lointain, la presqu'île de Sagres.

★**Pico da Fóia** – Alt. 902 m. Le site, qu'avoisinent un relais de radio-télévision et un restaurant, présente l'aspect d'un chaos rocheux. Du sommet (obélisque), **vues**★ étendues sur les croupes dénudées du Nord et les hauteurs boisées de l'Ouest.

MONSANTO★★

District de Castelo Branco – 1 165 habitants
Carte Michelin n° 940 L 7

Monsanto s'accroche aux pentes d'une colline de granit aride et déchiquetée, qui se dresse au milieu de la plaine, à 758 m d'altitude. Vieux village d'origine préhistorique, puis occupé par les Romains, il fut donné en 1165 par le roi Alphonse Henriques à Gualdim Pais, maître de l'ordre des Templiers qui a élevé sa citadelle inexpugnable. On n'en distingue guère de loin que les toits rouges, ses maisons et les murailles de son château se confondant avec le chaos rocheux environnant.

La fête du château – Chaque année, en mai, des jeunes filles jettent par-dessus les remparts des cruches remplies de fleurs, en souvenir du veau à qui on fit subir le même sort lors d'un siège afin de décourager les assaillants qui comptaient sur la famine pour s'emparer du château. Les petites poupées ou *marafonas*, qu'ont coutume de porter les filles à cette occasion font allusion à Maia, la déesse de la fécondité et montrent la survivance de rites païens.

Village et site de Monsanto

Village – Des ruelles escarpées sillonnent le village composé de vieilles maisons de granit qui prennent souvent appui sur la roche, se confondant avec elle et épousant les courbes de ces immenses blocs ; les façades, parfois écussonnées, sont percées de fenêtres géminées et de portails manuélins.

Chapelle Santo António – De style manuélin, elle possède un portail à cinq arcades à arc brisé.

Chapelle São Miguel – À côté du château, cette chapelle en ruine d'origine romane conserve un beau portail avec quatre arcades en plein cintre et des chapiteaux historiés.

Château – Une ruelle puis un sentier en très forte montée conduisent au château à travers un chaos impressionnant de blocs rocheux où il n'est pas rare de trouver, dans des abris formés par les rochers, des poules, des lapins ou, dans quelque ruine romaine, un cochon, un mouton. Du château, rebâti par le roi Denis, les nombreux sièges n'ont laissé que des ruines. Du donjon, un immense **panorama**★★ se développe au Nord-Ouest sur la serra da Estrela et au Sud-Ouest sur le lac du barrage d'Idanha et la vallée du Ponsul.
En revenant au village, remarquer le clocher isolé d'une ancienne église romane, puis plusieurs tombes creusées dans le rocher.

MONSARAZ★★

District d'Évora – 977 habitants
Carte Michelin n° 940 Q 7

Aux confins de l'Espagne et du Portugal, ce village fortifié, très pittoresque, occupe une position stratégique et un **site★★** remarquable sur une haute éminence dominant la vallée du Guadiana. Lorsqu'il perdit son rôle de refuge, il fut délaissé au profit de Reguengos de Monsaraz. Il a ainsi gardé intacte sa physionomie du passé.

CURIOSITÉS

Laisser la voiture devant la porte principale.

S. Cordier/EXPLORER

★**Rua Direita** – Cette rue a conservé tout son charme avec ses vieilles maisons (16ᵉ et 17ᵉ s.) blanchies à la chaux dont les façades sont flanquées d'escaliers extérieurs et de balcons aux grilles en fer forgé. Tous les monuments donnent sur cette rue qui aboutit au château.

Ancien tribunal ⊘ – Situé à gauche, dans la rua Direita. Il se distingue par les ogives de sa porte et de ses fenêtres. À l'intérieur, une intéressante fresque murale représente la Justice probe et la Justice malhonnête (qui porte un bâton incurvé) et, au-dessus, un Christ en majesté, les bras levés.

Église paroissiale – Elle abrite le tombeau en marbre (14ᵉ s.) de Tomás Martins, sur lequel sont sculptés les personnages d'un cortège funèbre : moines, chevaliers, précédés d'un prêtre ; au pied, scène de chasse au faucon.

Pilori – Il date du 18ᵉ s.

Hôpital da Misericórdia – 16ᵉ s. Il fait face à l'église paroissiale.

Château – Réédifié par le roi Denis au 13ᵉ s., il reçut une seconde enceinte au 17ᵉ s., garnie de puissants bastions. Du chemin de ronde, le **panorama** est magnifique sur les paysages de l'Alentejo plantés d'oliviers et de chênes-lièges.

MOURA

District de Beja – 9 187 habitants
Carte Michelin n° 940 R 7

Moura, la Maure, groupée autour des ruines de son château du 13ᵉ s., est une petite station thermale de l'Alentejo dont les eaux bicarbonatées calciques sont utilisées dans le traitement des rhumatismes.
À quelques kilomètres de la ville, la source de **Pisões-Moura** fournit une eau de table (Água do Castelo) très vendue au Portugal.

La ville de la Mauresque – À en croire la légende, la cité doit son nom (Vila de Moura) et ses armes (une jeune fille morte devant une tour) au malheur de Salúquia, fille du seigneur maure du lieu. Le jour de ses noces, elle attendait en vain son fiancé, seigneur d'un château du voisinage ; ce dernier était tombé dans une embuscade tendue par des chevaliers chrétiens et avait été massacré avec toute son escorte. Les chevaliers chrétiens, revêtus des vêtements de leurs victimes, avaient alors réussi à pénétrer dans la place et à s'en emparer. Salúquia, désespérée, se serait précipitée du haut de sa tour.

CURIOSITÉS

★**Église São João Baptista** – Cet édifice gothique s'ouvre par un intéressant **portail** manuélin décoré de sphères armillaires.
À l'intérieur, remarquer l'élégante colonne torse en marbre blanc qui supporte la chaire ; le chœur, couvert d'une voûte en réseau, abrite un joli groupe baroque de la Crucifixion ; la chapelle de droite est ornée d'azulejos (17ᵉ s.) représentant les vertus cardinales.
En face se trouvent l'**établissement thermal** et son jardin public.

Mouraria – Ce quartier évoque par son nom l'ancienne domination mauresque dont la ville ne fut libérée qu'en 1233. Bordant les rues étroites, les maisons basses sont parfois ornées de panneaux d'azulejos ou de cheminées pittoresques.

NAZARÉ★

District de Leiria – 9 385 habitants
Carte Michelin n° 940 N 2

Nazaré bénéficie d'un site★★ exceptionnel : une longue plage dominée sur la droite par une falaise abrupte. La ville se compose de trois quartiers distincts : **A Praia**, le plus important, qui borde la plage, **O Sítio**, construit sur le sommet de la falaise, et **Pederneira** sur une autre hauteur.

Son nom, qui signifie Nazareth, lui vient d'une statue de la Vierge, originaire de Palestine, découverte sur le Sítio en 1179. Une légende veut qu'elle ait été rapportée d'un couvent espagnol par le roi wisigoth Rodrigue. Vaincu à la bataille de Guadalete qui marqua le début de l'invasion musulmane en Espagne, celui-ci aurait fini ses jours en ermite au Portugal.

La ville des pêcheurs – Nazaré était fort célèbre pour les costumes et les traditions de ses pêcheurs. Ceux-ci, vêtus d'une chemise et d'un pantalon à carreaux, coiffés d'un long bonnet de laine tombant sur l'épaule, remontaient leurs barques sur la plage à l'aide de rondins *(voir Cantanhede – Excursions : Praia da Mira)* sous l'œil attentif de leurs épouses tout de noir vêtues mais laissant apercevoir les ourlets des sept jupons superposés de couleurs différentes.

Aujourd'hui, on ne rencontre plus guère ces costumes et les bateaux de pêche sont bien à l'abri dans le nouveau port construit en 1983.

A PRAIA

Ce nom désigne la ville basse au tracé géométrique qui borde la longue plage de sable fin. On y trouve de nombreux hôtels, restaurants et magasins de souvenirs.

Bairro dos Pescadores – Le **quartier des pêcheurs** s'étend entre la praça Manuel de Arriaga et l'avenida Vieira Guimarães. De chaque côté de ses ruelles, perpendiculaires au rivage, se juxtaposent de petites maisons blanchies à la chaux.

Le port – Situé au Sud de la plage, il accueille les bateaux de pêche. Une partie des poissons (sole, merlan, loup, poisson-épée, colin, raie, maquereau et surtout sardine) est vendue au marché. Les pêcheurs font sécher sur des claies les poissons destinés à leur propre consommation.

O SÍTIO

On peut y accéder en voiture ou à pied par un escalier, mais il est beaucoup plus pittoresque de prendre le funiculaire (voir sur plan) ⊘.

Belvédère – Aménagé sur le rebord de la falaise, 110 m au-dessus de la mer, il offre une belle **vue**★ sur la ville basse et la plage.

Ermida da Memória ⊘ – Minuscule édifice situé près du belvédère, la chapelle commémore le miracle qui sauva la vie du seigneur Fuas Roupinho. Un matin brumeux de septembre 1182, celui-ci poursuivait à cheval un cerf qui culbuta

Vue générale de Nazaré

NAZARÉ

soudain dans le vide, du haut de la falaise. Alors que le cheval entraîné par son élan allait faire de même, Dom Fuas Roupinho implora Notre-Dame-de-Nazareth, et l'animal fit volte-face, sauvant ainsi son cavalier.

La façade, la toiture et l'intérieur à deux étages de la chapelle sont revêtus d'azulejos : ceux de la façade, côté mer, évoquent le saut du cheval, ceux de la crypte le miracle de l'intervention mariale. Dans l'escalier menant à la crypte, une niche préserve l'empreinte qu'aurait laissée le cheval sur la paroi rocheuse.

Église Nossa Senhora da Nazaré – Sur la grand-place où se déroule en septembre la fête annuelle dédiée à sa patronne, cette imposante église de la fin du 17ᵉ s. présente une façade à avant-corps formant galerie et un porche baroque s'ouvrant au sommet d'un perron semi-circulaire.

L'intérieur est décoré d'une profusion d'azulejos ; ceux du transept représentent des scènes bibliques (Jonas, Joseph vendu par ses frères).

Le phare – *800 m à l'Ouest de l'église.* Le phare est bâti sur un fortin occupant le promontoire extrême d'une falaise. Derrière, en contrebas, un sentier coupé de marches avec parapet et un escalier de fer *(34 marches ; attention au vertige)* conduisent *(1/4 h AR)* face à un magnifique **site marin**★★ : un chaos de rocs déchiquetés entre lesquels la mer tourbillonne ; sur la droite, on aperçoit la plage Nord (praia do Norte) où les vagues déferlent en puissants rouleaux. *Contourner le promontoire sur quelques mètres, vers la gauche :* beau coup d'œil sur les parois tailladées de la falaise du Sítio et sur la baie de Nazaré.

PEDERNEIRA

Situé sur une falaise à l'Est de A Praia, c'est le berceau de Nazaré.

Église da Misericórdia – Au bout de la rue principale (rua Abel da Silva), cette église du 16ᵉ s. à voûte en bois abrite une curieuse colonnade attenante au mur droit. Du parvis de l'église, intéressant **belvédère**★ sur la ville et le Sítio.

EXCURSION

São Martinho do Porto – *13 km au Sud. Quitter Nazaré par ③ du plan, N 242.* Cette station balnéaire est située au Nord d'un lac d'eau de mer qui communique avec l'Océan par un goulet percé entre de hautes falaises. Sa situation abritée en fait l'une des seules plages sûres pour les enfants et on y peut pratiquer de nombreux sports nautiques.

Suivre la direction O Facho.

Un belvédère offre une **vue**★ intéressante sur la barre et une partie de l'anse.

ÓBIDOS★★

District de Leiria – 2 982 habitants

Carte Michelin n° 940 N 2

Dominant un vaste paysage de vallons verdoyants et de hauteurs piquetées de moulins à vent, Óbidos a su conserver à travers les siècles son cachet et son charme de ville médiévale. Autrefois la cité fortifiée, à l'abri de son enceinte flanquée de petites tours rondes et de massifs bastions carrés, surveillait le littoral ; le comblement d'un ancien golfe marin, dont subsiste la lagune d'Óbidos (Lagoa de Óbidos), l'a isolée du rivage et elle se trouve aujourd'hui à 17 km à l'intérieur des terres.

L'apanage des reines – Sitôt reprise aux Maures en 1148 par Alphonse Henriques, Óbidos connut la fièvre de la reconstruction. Ses murailles consolidées, ses tours rebâties, ses ravissantes maisons blanches remises en état, la cité présentait déjà sa physionomie attrayante lorsque, en 1282, elle eut la visite du roi Denis accompagné de sa jeune épouse, Isabelle d'Aragon. Lors de la promesse de mariage, l'année précédente, Isabelle avait reçu Óbidos en présent et, jusqu'en 1833, les reines du Portugal l'eurent en apanage.

Le filet d'Óbidos – En 1491, l'infant se noie dans le Tage à Santarém. Son corps est ramené dans le filet d'un pêcheur. Sa mère, la reine Leonor, épouse de Jean II, vient cacher ses larmes et chercher l'apaisement à Óbidos. Le filet de pêche qui figure sur le pilori de la ville devant l'église rappelle cet événement.

SE LOGER À ÓBIDOS

Casa do Relógio – *R. da Graça, 2510 Óbidos – ☎ 262 95 92 82 – fax 262 95 92 82 – 8 chambres – 42,50/57,50 € (GB) – restaurant (Ilustre Casa de Ramiro).*
Une maison ancienne et accueillante près des remparts, avec des chambres confortables.

Mansão da Torre – *Sur la route de Caldas da Rainha, à 2,5 km au Nord-Est d'Óbidos – Casal Zambujeiro, 2510-216 Óbidos – ☎ 262 95 92 47 – fax 262 95 90 51 – 41 chambres – 67,50/87 € (GB) – restaurant – parking – air conditionné.*
Hôtel confortable dans un cadre champêtre, avec beau jardin, court de tennis et piscine.

Estalagem do Convento – *R. D. João d'Ornelas, 2510-074 Óbidos – ☎ 262 95 92 16 – fax 262 95 91 59 – 31 chambres – 73/85 € (GB) – restaurant.*
Auberge joliment installée dans un ancien couvent. Cadre rustique, chambres spacieuses et plaisantes.

Pousada do Castelo – *Paço Real, 2510 Óbidos – ☎ 262 95 91 05 – fax 262 95 91 48 – 9 chambres – 185/196 € (GB) – restaurant – air conditionné.*
L'ancien château d'Óbidos abrite aujourd'hui une confortable pousada décorée avec élégance dans un style ancien.

Quinta da Foz – *À Foz do Arelho, à 15 km au Nord-Ouest d'Óbidos. Prendre l'IC 1 vers le Nord et, à la sortie 19, emprunter la N 360 en direction de Foz do Arelho – 2500 Foz do Arelho – 5 chambres + 2 appartements – 80 € sans le petit-déjeuner.*
Dans cette belle quinta de famille du 16ᵉ s., située dans un village paisible tout proche de la lagune d'Óbidos, vous apprécierez la tranquillité et la nature environnante. Les propriétaires possèdent des chevaux (dont certains lusitaniens) qui se prêtent à la promenade.

SE RESTAURER À ÓBIDOS

Alcaide – *R. Direita – ☎ 262 95 92 20 – 22,50 € (GB) – fermé le lundi et en novembre.*
Une adresse très appréciée pour son emplacement central, ses belles vues sur la ville et sa cuisine traditionnelle simple.

A Ilustre Casa de Ramiro – *R. Porta do Vale – ☎ 262 95 91 94 – 32 € (GB) – fermé le jeudi.*
Cuisine traditionnelle soignée dans une ancienne maison rustique.

Pousada do Castelo – *Voir ci-dessus.*

Bar Ibn Errik Rex – Dans la rue principale, ce bar, qui fut une boutique d'antiquités, est une institution de la ville. Pour boire sa fameuse liqueur de griottes, la *ginginha*, pour un en-cas de *chouriça* grillée à même la table sur un petit récipient en terre cuite, ou encore pour son atmosphère particulière, c'est un endroit à ne pas manquer.

Bar Lagar da Mouraria – *R. Travessa da Mouraria.*
Un ancien pressoir à vin restauré avec goût, où l'on peut entendre chanter le fado.

Josefa de Óbidos – Née à Séville en 1634, Josefa de Ayala, plus connue sous le nom de Josefa de Óbidos, vient très jeune dans cette ville où elle demeure jusqu'à sa mort (1684). Ses peintures, aux tons indécis et au dessin estompé, sont empreintes d'une féminité ingénue qui confine parfois à la mièvrerie. Ses savoureuses natures mortes, aux riches couleurs, sont plus appréciées.

★★LA CITÉ MÉDIÉVALE *1 h 1/2*

Laisser la voiture à l'extérieur des remparts.

Porta da Vila – C'est une double porte en chicane dont l'intérieur est revêtu d'azulejos du 18ᵉ s.

★Rua Direita – Étroite, elle est occupée en son centre par un caniveau dallé et bordée de maisons blanches, fleuries de géraniums et de bougainvilliers, qui accueillent des magasins d'artisanat, des restaurants et des galeries d'art.

★Praça Santa Maria – Cette jolie place en contrebas de la rue principale forme un joli tableau.

Pilori – Surmontant une fontaine, le pilori du 15ᵉ s. porte les armes de la reine Leonor sur lesquelles figure un filet évoquant le drame de la mort de l'infant.

Église Santa Maria ⊙ – En 1444, le jeune roi Alphonse V y épousa sa cousine Isabelle âgée de 8 ans.
L'**intérieur★** présente des murs complètement recouverts d'azulejos bleus du 17ᵉ s. à grands motifs végétaux. Dans le chœur, on remarque dans un enfeu à gauche un **tombeau★** Renaissance, surmonté d'une Pietà qu'accompagnent les saintes femmes, et Nicodème venant ensevelir le corps du Christ ; cette œuvre remarquable est attribuée à l'atelier de Nicolas Chanterene *(voir index)*. Le retable du maître-autel est orné de tableaux de João da Costa.

Musée municipal ⊙ – Ce petit musée expose une statue de saint Sébastien du 15ᵉ ou 16ᵉ s. et celle d'une Pietà polychrome du 17ᵉ s. ; dans la salle « Josefa de Óbidos », au premier sous-sol, différentes œuvres sont attribuées à cette artiste ; dans une autre salle sont rassemblés des souvenirs de la guerre contre Napoléon (plan-relief de la région, armes, curieux coffres en peau translucide). Au deuxième sous-sol : vestiges archéologiques luso-romains et médiévaux.

Poursuivre jusqu'à l'extrémité de la rue principale pour atteindre les remparts. Suivre la signalisation pour la pousada.

★★Remparts – *Accès près de la Porta da Vila ou à proximité du château.* Ils datent des Maures, mais ont été en partie restaurés aux 12ᵉ, 13ᵉ et 16ᵉ s. La partie Nord, la plus élevée, est occupée par le donjon et les hautes tours du château.
Le tour par le chemin de ronde offre des **vues★★** très agréables sur la cité fortifiée, ses maisons blanches rehaussées de bleu ou de jaune, ainsi que sur les environs.

Château – *Il abrite la pousada.* Transformé en palais au 16ᵉ s., il présente une façade percée de fenêtres géminées manuélines à colonnes torses et un portail manuélin surmonté de deux sphères armillaires.

Óbidos et ses remparts

AUTRES CURIOSITÉS

Aqueduc – On peut le voir à la sortie de la ville. Il date du 16ᵉ s.

Sanctuaire Senhor da Pedra ⊘ – Il est situé hors des remparts, au Nord de la ville, en bordure de l'ancienne route nationale. C'est une construction baroque de plan hexagonal, édifiée de 1740 à 1747.

Dans une vitrine au-dessus de l'autel se dresse une croix de pierre primitive datant du 2ᵉ ou 3ᵉ s. avec une étrange représentation d'un petit personnage les bras en croix. Autour de la nef, des niches abritent plusieurs statues baroques d'apôtres. Le carrosse qui se trouve dans le sanctuaire servait à transporter la statue de la Vierge de l'église Santa Maria d'Óbidos à l'église Nossa Senhora de Nazaré lors de la fête du 8 septembre.

EXCURSION

Lagoa de Óbidos – *17 km – environ 1 h. Prendre la direction de Peniche et, à Amoreira, tourner à droite vers le Nord.*

La route, après avoir traversé Vau, atteint l'extrémité Sud de la **lagune d'Óbidos** qu'elle contourne parmi les pins. Avant la boucle routière finale, on profite d'une échappée sur la mer à gauche, sur la lagune à droite, puis l'on débouche face au village de Praia (sur la rive opposée) : **vue** sur la passe, le plan d'eau et les plages.

OLIVEIRA· DO HOSPITAL

District de Coimbra – 4 352 habitants
Carte Michelin n° 940 ou 441 K 6

Quelques collines couvertes de vignes, d'oliviers et de pins servent de cadre à ce bourg, situé à l'écart de la N 17, dont le nom rappelle la vieille appartenance (12ᵉ s.) à l'ordre des Hospitaliers de St-Jean-de-Jérusalem *(voir Leça do Balio).*

★**Église paroissiale** ⊘ – Romane à l'origine, elle a été reconstruite à l'époque baroque, comme l'attestent son clocher en spirale et sa façade à pignon, volutes et balcon encadré de statues. L'intérieur, couvert d'un joli plafond peint en trompe-l'œil, abrite la chapelle funéraire des Ferreiros (13ᵉ s.) où se trouvent les tombeaux (fin 13ᵉ s.) de Domingos Joanes et de son épouse ; leurs gisants, sculptés dans la pierre d'Ança *(voir p. 120)*, reflètent déjà par leur délicatesse l'évolution du roman vers le gothique.

Une **statue**★ équestre d'un chevalier médiéval (14ᵉ s.) semblable à celui du musée Machado de Castro à Coimbra est fixée au mur au-dessus des tombeaux ; remarquer également un beau **retable**★ (14ᵉ s.) en pierre polychrome, représentant la Vierge à l'Enfant entre ses parents : saint Joachim et sainte Anne.

EXCURSION

Église de Lourosa ⊘ – *10 km au Sud-Ouest par la N 230, la N 17 et une route à gauche.*

Cette église préromane dont la construction remonterait à 950, de plan basilical, basse et trapue, précédée d'un porche, a été restaurée en 1921 (façade et chœur). L'intérieur est typiquement mozarabe par ses arcs outrepassés le divisant en trois nefs et reposant sur de courts piliers ronds (anciennes colonnes romaines), et par les élégantes petites fenêtres géminées perçant chaque pignon de la nef centrale. Un linteau roman primitif est visible dans le faux bras droit du transept.

Des fouilles ont permis de découvrir les vestiges d'un baptistère et, tant sous le sol de la nef qu'à l'extérieur du sanctuaire, de nombreuses sépultures.

Près de l'église, campanile du 15ᵉ s. et pilori manuélin.

OURÉM

District de Santarém – 4 498 habitants
Carte Michelin n° 940 N 4

Au Sud de Vila Nova de Ourém, la vieille cité fortifiée coiffe une butte isolée dont le sommet est occupé par les vestiges d'un château. L'endroit est propice à une agréable promenade.

Ourém connut une période de faste au 15ᵉ s. lorsque le quatrième comte d'Ourém, Dom Afonso, fils du premier duc de Bragance *(voir Bragança)* et neveu du connétable Nuno Álvares Pereira, fit aménager le château en palais et édifier plusieurs monuments. À l'époque, plus de 2 000 personnes vivaient à l'intérieur de l'enceinte.

CURIOSITÉS

Laisser la voiture à l'entrée de la cité et prendre à gauche une rue qui s'élève vers le château.

Le blason du comte Dom Afonso orne la fontaine à l'entrée du village.

Château – Deux tours en éperon apparaissent de chaque côté du chemin ; remarquer les curieux mâchicoulis en brique qui couronnent les murailles du château.

Passer sous le porche de la tour de droite.

Un sentier permet de voir un ancien souterrain. Des escaliers mènent à une tour carrée qui commande l'accès d'un château triangulaire plus ancien ; dans la cour du château se trouve une citerne souterraine arabe datant du 9e s.

En faisant le tour du chemin de ronde, on aperçoit à l'Ouest le clocher de la basilique de Fátima, au Nord-Ouest le bourg de Pinhel, au Nord-Est Vila Nova de Ourém et, dans le lointain, la serra da Lousã.

Un sentier mène au village et à la collégiale.

Collégiale – En entrant par le bras droit du transept, une porte s'ouvre aussitôt à droite sur un escalier donnant accès à une crypte à six colonnes monolithes ; elle abrite le **tombeau** du comte Dom Afonso, en calcaire blanc d'un gothique très fleuri ; le gisant est attribué au sculpteur Diogo Pires le Vieux. Deux machines élévatrices sont gravées sur le tombeau.

PALMELA★

District de Setúbal – 16 068 habitants
Carte Michelin n° 940 Q 3 – Schéma : Serra da ARRABIDA

Ce pittoresque bourg blanc s'étage sur le versant Nord de la serra da Arrábida, au pied d'une butte coiffée par un important château qui devint en 1423 le siège de l'ordre de St-Jacques.

La fin et les moyens – En 1484, un an après l'exécution du duc de Bragance *(voir Vila Viçosa)*, le roi Jean II apprend l'existence d'un nouveau complot destiné à le renverser au profit du duc de Viseu, frère de la reine. En août, revenant d'Alcácer do Sal à Setúbal, il déjoue une embuscade qui lui était tendue sur le Sado. Aussitôt arrivé à Setúbal, il convoque le duc de Viseu, le reçoit dans sa chambre où il le poignarde. L'évêque d'Évora, Dom Garcia de Meneses, instigateur du complot, est emprisonné au château de Palmela, dans une citerne située sous le donjon. Il y meurt quelques jours après, probablement empoisonné.

CURIOSITÉS

★**Château** ⊘ – *Suivre la signalisation « Pousada ». Laisser la voiture sur le terre-plein extérieur.* Occupant une sorte de promontoire, le château, en partie aménagé en pousada, domine la campagne environnante.

La visite révèle trois époques de construction ; franchir d'abord une enceinte édifiée à la fin du 17e s. et inspirée du système de Vauban, puis monter en chicane jusqu'à une deuxième ligne de fortifications assez grossières, probablement bâtie par les Maures. En prenant à gauche, on passe à proximité des vestiges d'une ancienne mosquée transformée en église (Santa Maria), puis détruite lors du tremblement de terre de 1755. On atteint enfin le donjon et la place d'armes qui datent de la fin du 14e s. ; le sous-sol est occupé par la citerne qui fut fatale à l'évêque d'Évora.

★**Panorama** – Du haut du donjon *(64 marches)*, très jolie vue à l'Ouest sur la serra da Arrábida ; au Sud, sur un alignement de moulins à vent, Setúbal, la presqu'île de Tróia et l'Atlantique ; à l'Est, sur la plaine de l'Alentejo ; au Nord, sur les toits de Palmela et, dans le lointain, Lisbonne et la serra de Sintra, par temps clair.

Ancien couvent de Sant' Iago – L'extrémité Ouest du château est occupée par l'église Sant' Iago et son couvent édifiés au 15e s. par les chevaliers de St-Jacques qui s'étaient installés dans le château en 1186.

L'**église**, bâtie dans le style roman de transition, est une construction d'une grande simplicité aux belles proportions ; la voûte romane en berceau se prolonge par un chœur gothique. Les murs sont revêtus d'azulejos qui datent du 16e s. dans le chœur et du 18e s. dans la nef. Remarquer, sur le sol, le blason sculpté de l'ordre des chevaliers de St-Jacques et, dans un enfeu manuélin du bas-côté gauche, le tombeau de Georges de Lancastre, fils naturel du roi Jean II et dernier maître de l'ordre.

Église São Pedro ⊘ – Elle est située dans la partie haute de la ville, au pied du château. Cette église du 18e s. est revêtue intérieurement d'**azulejos★** représentant des scènes de la vie de saint Pierre ; remarquer dans le bas-côté droit la pêche miraculeuse, le Christ marchant sur les eaux et la crucifixion de saint Pierre.

Parque nacional da PENEDA-GERÊS★★

Carte Michelin n° 940 F 5, G 5 et 6

Créé en 1971, ce parc national, le seul du Portugal, couvre une superficie de 72 000 ha, dans le Nord du pays, sur les districts de Viana do Castelo, Braga et Vila Real. Il affecte la forme d'un fer à cheval dont les branches enserrent la pointe Sud-Ouest de la province espagnole d'Orense avec laquelle il a plus de 100 km de frontière commune.

C'est une zone très accidentée où le relief de nature granitique s'est érodé en chaos de rochers, en éboulis donnant des paysages impressionnants. Les vallées des rios Lima, Homem, Cávado ont compartimenté cette région en différentes serras : de Peneda, de Soajo, d'Amarela, de Gerês. L'indice de pluviosité de la serra de Peneda est le plus fort du Portugal.

Le territoire du parc se divise en trois parties : au Nord la **serra de Peneda**, encore sauvage, qu'une route permet de traverser, au Sud la **serra de Gerês**, la zone du parc la plus fréquentée, enfin à l'Est la **région du Barroso** autour de la retenue de Paradela *(voir Cávado)*. Pour se rendre de la partie de Peneda à celle de Gerês, il est plus rapide de passer par l'Espagne.

Le parc a pour mission de protéger des paysages admirables, des sites archéologiques ainsi qu'une flore (chênes, pins sylvestres, lys) et une faune (cerfs, chevaux sauvages, aigles royaux...) d'un intérêt exceptionnel. C'est une région encore très habitée, où la population se répartit dans de nombreux hameaux. Les traditions y restent vivaces, surtout dans la serra de Barroso où les villages ont conservé le four et le bœuf communaux.

★★DU RIO CÁVADO AU PORTELA DO HOMEM

1 À partir de la N 103 *22 km – compter 3 h*

Se détachant de la N 103 entre Braga et Chaves *(voir Haute vallée du Cávado)*, la N 304 entame une descente sinueuse entre de beaux rochers tapissés de bruyère. Après 2 km, on passe devant la pousada de São Bento, magnifiquement située, d'où s'offre un remarquable panorama sur la retenue de Caniçada.

★**Confluent de Caniçada** – Deux ponts franchissent successivement le Cávado et son affluent le Caldo, transformés en lacs par le barrage de Caniçada (construit à 10 km de là à l'Ouest). Le premier passe au-dessus d'un village noyé, émergé en période de basses eaux.

Au débouché du pont, sur la presqu'île entre les deux lacs, prendre à droite du carrefour la N 308 empruntant aussitôt le deuxième pont. Suivre la direction de Gerês.

Gerês – Située au fond d'une gorge boisée, cette agréable petite station thermale est fréquentée pour ses eaux, riches en fluor, utilisées dans le traitement des maladies du foie et de l'appareil digestif.

Le confluent de Caniçada

C'est le principal centre d'excursions dans le parc national : le **centre d'information du parc** se trouve ici, juste après l'établissement thermal.

Passé Gerês, la route, bordée d'hortensias au début, monte en lacet sous les bois (pins, chênes). 8 km après Gerês, on entre dans la réserve naturelle, après une aire de pique-nique installée au bord du torrent.

Laisser la voiture et poursuivre à pied pour aller voir la voie romaine (compter 1 h 1/2 AR). 1 km après le parking, un pont fait franchir un torrent, et 700 m plus loin on prend à gauche la piste vers Campo do Gerês. Après 1,3 km apparaissent les vestiges de la voie romaine ; d'autres se trouvent 700 m plus loin.

★**Vestiges de la voie romaine (Geira)** – Les quelques bornes milliaires se dressant au bord de la route sont des vestiges de la voie romaine qui reliait Braga à Astorga sur 320 km en passant par le col de Homem. Ces bornes portaient des inscriptions commémoratives ou honorifiques concernant l'empereur (dynastie des Flaviens au 1er s.) ou parfois le gouverneur de la province. On retrouve sur certaines l'inscription Bracara Augusta qui était le nom de Braga.

De belles vues s'offrent ensuite sur le lac de retenue de **Vilarinho das Furnas**★ dont les eaux bleues s'étalent dans un paysage sauvage et rocailleux.

Revenir sur ses pas et reprendre la voiture.

La route s'élève doucement à travers les bois et franchit le rio Homem qui se faufile en flots tumultueux à travers les rochers. Elle se poursuit jusqu'au défilé du **col de Homem** (Portela do Homem), frontière avec l'Espagne.

★★SERRA DO GERÊS

② De Gerês à la retenue de Vilarinho das Furnas
15 km – compter 2 h

De Gerês, prendre la N 308 vers le Sud, puis tourner à droite.

★★**Route de montée vers Campo do Gerês** – Cette route en lacet offre de très beaux points de vue sur la retenue de Caniçada et sur les superbes coulées de rocs où se chevauchent d'énormes blocs en équilibre.

Sur la droite, un panneau indique « Miradouro de Junceda ». Une piste de 3 km, en très mauvais état, mène à ce belvédère.

★**Belvédère de Junceda** – Une vue aérienne s'offre sur Gerês et sa vallée.

Revenir à la route et continuer vers Campo do Gerês.

On arrive à un croisement au centre duquel un belle borne milliaire sert de piédestal à un Christ sculpté.

En poursuivant la route sur la droite, on accède à la retenue de Vilarinho das Furnas. Sur la gauche, le barrage-voûte a été construit dans un site rocailleux et sauvage. La piste qui longe la retenue *(à prendre à pied)* mène aussi à la voie romaine décrite ci-dessus.

★★SERRA DA PENEDA

③ De Arcos de Valdevez à Melgaço
70 km – compter une bonne demi-journée

Cet itinéraire permet de découvrir la région la plus sauvage du parc.

Arcos de Valdevez – Agréable petite ville sur les rives du rio Vez, dominée par les tours de deux églises.

Entre Arcos et Soajo, la route s'élève d'abord parmi les châtaigniers, les pins et les platanes, dans des paysages en terrasses où se dispersent les maisons entourées de vignes. Puis l'on entre dans un paysage plus sauvage de landes.

Mezio – C'est l'entrée du parc national. Un centre d'interprétation présente le parc, ses caractéristiques géologiques, sa faune et sa flore.

2,5 km plus loin s'amorce la route pour Peneda, mais l'on poursuit sur Soajo.

Soajo – Ce village isolé possède un très bel **ensemble d'espigueiros**★. Ces séchoirs à grains en granit sur pilotis, au nombre d'une vingtaine, sont regroupés sur une plate-forme, à la périphérie du village. Ils datent du 18e et du 19e s. Certains sont surmontés d'une ou deux croix *(illustration p. 293)*.

Revenir à l'embranchement avec la route de Peneda que l'on prend.

Les paysages sont grandioses : montagnes parsemées de blocs de granit, certains rochers ont des formes extraordinaires. Quelques hameaux jalonnent la route.

Roucas – Ce village est entouré de champs en terrasses dans lesquels s'éparpillent des *espigueiros*.

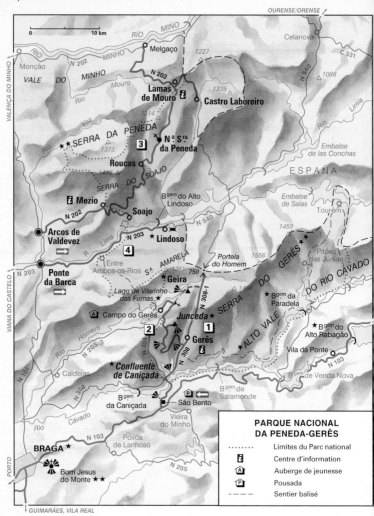

Monastère de Nossa Senhora da Peneda – Dans un site★ magnifique au pied d'une falaise de granit, le sanctuaire est précédé d'un escalier de 300 marches que les pèlerins empruntent lors du célèbre pèlerinage de septembre qui attire des foules de toute la région. Avant la création de la route, les pèlerins y venaient à pied ou à cheval.

Lamas de Mouro – Autre porte du parc, ce site est équipé d'un centre d'interprétation et d'un camping.

Castro Laboreiro – Ce village a conservé quelques maisons traditionnelles en granit ainsi que les ruines d'un château d'où s'offre une vue étendue sur les paysages parsemés de rochers.

De Castro Laboreiro, revenir à Lamas de Mouro, puis rejoindre Melgaço.

4 De Ponte da Barca à Lindoso – *31 km – description p. 292*

PENICHE

District de Leiria – 15 594 habitants
Carte Michelin n° 940 N 1

Commandant l'accès d'une presqu'île longue de près de 3 km que précède un isthme étroit et sableux où s'étalent des marais salants, Peniche est le second port de pêche du Portugal (langouste, sardine, thon, etc.) en même temps qu'un centre de constructions navales et de conserveries de poisson.

Des restes de remparts et une puissante citadelle rappellent l'ancien rôle militaire de la cité. Un agréable jardin public, planté de palmiers, entoure l'Office de tourisme *(rua Alexandre Herculano)*.

La dentelle de Peniche – Depuis le 16ᵉ s., les femmes de Peniche s'adonnent l'hiver à l'art de la dentelle au fuseau *(rendas de bilros)*. Cette activité a connu son apogée à la fin du 19ᵉ s. : elle était alors répandue dans la plupart des foyers du port. De nos jours, une association, Rendibirlos, s'attache à préserver la tradition. De remarquables réalisations, dont certaines ont été primées lors de concours internationaux, sont visibles au Musée municipal, situé dans la citadelle. On peut acquérir des ouvrages de dentelle en ville *(avenida do Mar)*.

CURIOSITÉS

Fortaleza – Cette ancienne forteresse du 16ᵉ s., transformée au 17ᵉ s. en citadelle à la Vauban, garde fière allure avec sa cuirasse de hauts murs et de bastions aux arêtes vives, surmontés d'échauguettes. Prison d'État avant 1974, puis cité d'urgence pour des réfugiés d'Angola, elle domine à la fois le port à l'Est et la mer au Sud.

Le port – Il occupe, au Sud-Est de la ville, une anse presque fermée par deux digues. L'esplanade *(largo da Ribeira)* qui le borde, au pied de la citadelle, devient à chaque **retour de pêche**★ le théâtre d'un spectacle haut en couleur, sous l'incessant ballet aérien des mouettes criardes, au moment du déchargement des sardiniers (ou thoniers, ou langoustiers).

Église da Misericórdia – Le plafond à caissons de cette église du 17ᵉ s. est couvert de peintures des grands maîtres de l'époque, parmi lesquels Baltazar Gomes Figueira (père de Josefa de Óbidos) et Pedro Peixoto. Un espace muséologique a été aménagé dans l'église, où l'on peut voir cinq toiles de Josefa de Óbidos, des parements religieux, des statues, etc.

Église São Pedro – 17ᵉ s. Le chœur a été revêtu au 18ᵉ s. de boiseries dorées où s'intègrent quatre grandes toiles du 16ᵉ s., dues à Pedro Peixoto et illustrant la vie de saint Pierre.

EXCURSIONS

★**Cap Carvoeiro** – C'est une presqu'île longue de 2 km dont les côtes sont constituées de rochers tourmentés formant des piles tabulaires feuilletées.

Sortir par le Nord de la ville et suivre à gauche la N 114.

Papoa – *Prendre un chemin à droite après une école et un château d'eau, et, 500 m plus loin, laisser la voiture. Une demi-heure à pied.*

Rochers du cap Carvoeiro

Ph. Roy/EXPLORER

Cette petite presqu'île greffée en ergot sur le cap Carvoeiro conserve dans sa partie la plus large un moulin et les ruines du fort qui constituait le pendant Nord de la citadelle de Peniche. On y accède par des passerelles qui permettent d'atteindre un promontoire d'où l'on surplombe de hautes falaises et les rocs qui s'en détachent en mer, dont le Vaisseau des Corbeaux (Nau dos Corvos).

Gagner le monument élevé au point culminant pour apprécier le **panorama★** qui s'offre à l'Est sur la pointe du Baleal, son île et la côte au-delà, échancrée par la lagune d'Óbidos ; au Nord-Ouest sur l'île Berlenga ; à l'Ouest sur les falaises jusqu'à Remédios ; au Sud sur Peniche.

Revenir à la N 114.

La route suit en corniche une côte escarpée dont les multiples anfractuosités sont très prisées par les pêcheurs à la ligne.

Plusieurs belvédères ménagent des vues plongeantes sur les falaises ; celui situé dans l'axe de la chapelle de Remédios permet d'admirer une étrange concentration de piles rocheuses tabulaires feuilletées.

Chapelle Nossa Senhora dos Remédios – Dans le petit village tout blanc de Remédios s'élève, au fond d'une courette plantée d'araucarias, cette chapelle au menu clocher hexagonal dont l'intérieur est revêtu de beaux **azulejos★** du 18e s. attribués à l'atelier d'António de Oliveira Bernardes *(voir index)*. On reconnaît à droite la Nativité et la Visitation, à gauche la Présentation au Temple ; le plafond est décoré d'une Assomption.

Après Remédios, la végétation s'estompe pour faire place à une sorte de lande où s'élève le **phare**. La **vue★** est impressionnante sur l'Océan, sur le rocher isolé appelé « Vaisseau des Corbeaux » (Nau dos Corvos) et, au large, sur la silhouette trapue de l'île de Berlenga.

★★Île de Berlenga – *Par bateau. Accès et description à ce nom.*

PINHEL

District de Guarda – 3 465 habitants
Carte Michelin n° 940 ou 441 J 8

Ancienne place forte située sur un seuil montagneux proche de l'Espagne, Pinhel est un vieux village aux maisons souvent blasonnées et aux jolis balcons de fer forgé ; sur la place centrale, plantée d'acacias, se dresse un pilori dont la colonne monolithe est surmontée d'un joli lanternon.

La route d'accès à Pinhel par le Sud-Ouest *(N 221)* fait traverser une campagne couverte d'oliviers et de vignes ; on remarque en fin de parcours, aux abords de la localité, une importante concentration de cuves à vin dressant leurs dômes blancs à pointe.

Musée municipal ⊙ – Ce petit musée expose des vestiges préhistoriques et romains, des œuvres d'art religieux (retable en pierre d'Ançã, dû à Jean de Rouen), des armes, étains et faïences portugais ; à l'étage, des peintures populaires naïves et autres tableaux.

EXCURSIONS

Serra da Marofa – *20 km au Nord par la N 221 – environ 1 h 1/2.*

La route qui relie Pinhel à Figueira de Castelo Rodrigo a été nommée l'**Excommuniée** par les habitants de la région en raison des innombrables sinuosités qu'elle décrit dans la serra da Marofa.

Après avoir traversé une riche région agricole, cette route s'encaisse entre des versants parsemés de rochers, puis franchit la vallée du Côa, verdoyante de jardins. Elle pénètre ensuite dans la **serra da Marofa**, sauvage et rocailleuse, avant d'atteindre le plateau de Figueira de Castelo Rodrigo, planté d'arbres fruitiers.

À gauche, le sommet de la serra (976 m) est un bon belvédère, en particulier sur le village fortifié de Castelo Rodrigo dont les ruines se dressent sur une hauteur.

Castelo Rodrigo – Importante cité dès le Moyen Âge, elle fut supplantée au 19e s. par Figueira de Castelo Rodrigo. Belles vues sur la région.

Figueira de Castelo Rodrigo – Ce bourg possède une église baroque (18e s.) aux nombreux autels en bois doré.

Ancien couvent de Santa Maria de Aguiar – *2 km au Sud-Est de Figueira.* Aujourd'hui propriété privée. L'**église** est un édifice gothique à plan cistercien.

Barca de Alva – *20 km au Nord de Figueira.* La floraison des amandiers constitue ici, entre la fin février et la mi-mai, un spectacle étonnant.

★Route d'Almeida – *25 km au Sud-Est.* Cet itinéraire assure une pittoresque liaison entre Pinhel et Almeida.

Prendre, au Sud-Est de Pinhel, la N 324.

La route s'engage ensuite sur un plateau désolé, semé d'énormes blocs de granit qui forment un **paysage**★ lunaire. Après Vale Verde, on franchit un affluent du rio Côa sur un vieux pont étroit en dos d'âne.

2,5 km plus loin, à un croisement, prendre à gauche la N 340 : la route passe le Côa sur un pont et rejoint la N 332 que l'on emprunte à gauche pour gagner Almeida.

★ **Almeida** – *Voir Guarda.*

POMBAL

District de Leiria – 16 008 habitants
Carte Michelin n° 940 M 4

Au pied de son château médiéval, ce bourg évoque le souvenir du marquis de Pombal qui possédait ici une propriété où il finit ses jours.

Le despotisme du Grand Marquis – Né à Lisbonne (1699) dans une famille de petite noblesse, Sebastião de Carvalho e Melo fait ses débuts dans la diplomatie. L'appui de son oncle, chanoine de la Chapelle royale, lui vaut d'être envoyé à Londres, où il s'intéresse à l'économie florissante de la société anglaise, puis à Vienne. À la mort de Jean V en 1750, le roi Joseph Ier appelle Carvalho au pouvoir. Le ministre s'attache à relever les finances du pays. Il accomplit une œuvre remarquable, promulguant de nombreux décrets (création de la Banque royale, abolition de l'esclavage des indigènes au Brésil). En 1755, le tremblement de terre de Lisbonne lui donne une autre occasion de montrer ses capacités. Mais, parallèlement, il cherche à consolider l'absolutisme royal en expulsant les trop puissants jésuites (1759) et en réduisant la noblesse. Le 2 septembre 1758, le roi est blessé dans un attentat au retour d'une rencontre galante avec Maria Teresa de Távora. Trois mois plus tard, le ministre passe à l'action et fait arrêter le marquis de Távora et les membres de sa famille ; les malheureux sont roués vifs et brûlés, leurs complices pendus. En 1759, le ministre est devenu comte d'Oeiras. Le roi lui donne le titre de marquis de Pombal dix ans plus tard. Mais à la mort de Joseph Ier en 1777, Pombal doit faire face à de nombreux ennemis. Condamné en 1781 au bannissement, il se retire sur ses terres où il meurt l'année suivante.

Château ⊙ – *Visite : 1/4 h. Prendre à droite, à l'angle du palais de justice, la route d'Ansião puis, à hauteur d'une croix, emprunter complètement à droite une route goudronnée, étroite, en forte montée. Laisser la voiture au pied du château.*
Construit en 1161 par Gualdim Pais, grand maître de l'ordre des Templiers, il a été modifié au 16e s. Sa restauration date de 1940.
Du haut des remparts, que domine un donjon crénelé, **vue** sur Pombal à l'Ouest et sur les contreforts de la serra de Lousã à l'Est.

PONTE DE LIMA

District de Viana do Castelo – 2 739 habitants
Carte Michelin n° 940 ou 441 G 4

Cette petite ville, située entre Viana do Castelo et le parc national de Peneda-Gerês, a une histoire très ancienne. Les Romains y construisirent un pont important sur la voie qui allait de Braga à Astorga. Plus tard, au début du 12e s., la reine Thérèse y résida et lui donna des libertés communales.
La richesse de son architecture lui a valu d'être choisie comme ville pilote pour la restauration du patrimoine. Ses rues sont bordées de constructions romanes, gothiques, manuélines, baroques, néoclassiques, et ses environs sont exceptionnellement riches en manoirs (*solares*) et en propriétés seigneuriales (*quintas*) des 16e, 17e et 18e s., construits en granit, décorés de portes blasonnées et flanquées de galeries couvertes.
À partir des années 1980 s'est créée à Ponte de Lima l'**Associação do turismo de Habitacão** qui propose aux touristes de loger dans ces très beaux manoirs ou dans les *casas rústicas* qui évoquent les gîtes ruraux. Aujourd'hui, cet organisme offre des possibilités d'hébergement dans tout le Portugal *(voir p. 19)*.
La ville est également le centre d'une importante activité viticole, car nous sommes ici en pleine région délimitée du *vinho verde*. La cave coopérative (Adega Cooperativa) de Ponte de Lima offre au visiteur la possibilité de goûter et acheter ces vins fameux.

CURIOSITÉS

★ **Pont médiéval** – Ce pont sur le rio Lima, qui a donné son nom à la ville, présente 16 arches en plein cintre alternant avec des piles ajourées munies d'avant-becs, sur une longueur de 277 m par 4 m de largeur. Il fut édifié par les Romains : du pont d'origine, il reste 5 arches et quelques bornes milliaires. Il a été reconstruit et pourvu de créneaux et de tours de défense au 14e s. par le roi Pierre Ier, qui éleva aussi les remparts et les portes fortifiées.

Largo Principal – La grand'place devant le pont est ornée d'une fontaine du 18ᵉ s. à sphère armillaire. Plusieurs terrasses de cafés y offrent une pause agréable.

Paço do Marquês de Ponte de Lima – La façade du palais percée de fenêtres manuélines est datée de 1464.

Église paroissiale – Remaniée au 18ᵉ s., elle conserve un portail roman aux voussures ornées d'un double cordon de billettes. À l'intérieur, sous un plafond à caissons de bois, se trouvent de nombreuses statues d'époques diverses, et, dans les chapelles latérales, deux retables baroques.

Igreja-museu dos Terceiros ⊙ – Cet ensemble comprend deux églises : Santo António dos Frades et l'**église des Tertiaires** (membres du tiers ordre de saint François), ainsi que des bâtiments conventuels. On y remarquera les azulejos hispano-arabes du 16ᵉ s. et dans l'église des Tertiaires, un rare ensemble de **boiseries**★. Dans la section d'art sacré autour du cloître sont rassemblés des ornements religieux et des statues anciennes.

PORTALEGRE

District de Portalegre – 16 058 habitants
Carte Michelin n° 940 O 7

Ancienne place stratégique à proximité de la frontière, la ville fut dotée par le roi Denis Iᵉʳ, en 1290, d'un château fort dont il ne subsiste que des vestiges.
Célèbre au 16ᵉ s. grâce à ses tapisseries, Portalegre trouve sa prospérité à la fin du 17ᵉ s., lorsque la soierie s'y installe ; elle se pare alors de demeures baroques qui lui donnent sa physionomie actuelle.
Portalegre est le point de départ de l'excursion dans la serra de São Mamede.

CURIOSITÉS

Suivre l'itinéraire indiqué sur le plan.

Casa-Museu José Régio ⊙ – La collection d'art religieux et populaire régional rassemblée par le poète José Régio (1901-1969) constitue le fonds essentiel du musée qu'est devenue la maison où il vécut ; elle comprend notamment un nombre impressionnant de crucifix du 16ᵉ au 19ᵉ s. et de statuettes naïves de saint Antoine, ainsi que des meubles anciens.

Rua 19 de Junho – Elle est bordée de maisons des 17ᵉ et 18ᵉ s.

PORTALEGRE

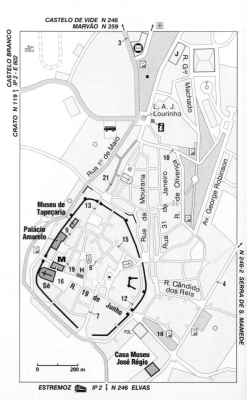

Sé – La façade de la **cathédrale**, du 18e s., se distingue par les colonnes de marbre du portail principal, ses balcons en fer forgé et ses pilastres en granit. À l'intérieur (16e s.), dans la deuxième chapelle à droite, beau retable à compartiments sur la vie de la Vierge ; dans la sacristie, aux murs revêtus d'azulejos, chapier de bois du 18e s.

Musée municipal ⊘ – Installé dans l'ancien séminaire diocésain, il expose une bonne sélection d'œuvres d'art sacré : une curieuse Pietà espagnole en bois doré de la fin du 15e s. ; un retable en terre cuite polychrome du 16e s. ; un somptueux tabernacle d'ébène du 17e s. ; quatre hauts-reliefs en ivoire de l'école italienne du 18e s. ; un grand crucifix, également en ivoire et du 18e s. ; des pièces d'orfèvrerie du 16e s.

On y trouve en outre : des meubles anciens portugais et indo-portugais, une magnifique armoire hollandaise gothico-Renaissance ; des tapis (17e-18e s.) provenant des ateliers d'Arraiolos *(voir Évora, Excursions)* ; une importante collection de faïences hispano-mauresques et portugaises des 16e et 17e s., avec quelques porcelaines de Chine des 17e et 19e s.

Palácio Amarelo – La façade du **palais Jaune**, malheureusement en mauvais état, est ornée de remarquables ferronneries d'art du 17e s.

Museu de Tapeçaria ⊘ – Inauguré en 2001, le **musée de la Tapisserie**, installé dans le palais Castelo Branco, présente des expositions temporaires de tapisseries, dont certaines reproduisent des toiles d'artistes célèbres tels que Vieira da Silva, Almada Negreiros, Júlio Pomar. On pourra voir dans ses nombreuses salles des métiers à tisser et toutes sortes d'objets nécessaires à la fabrication des tapis.

★SERRA DE SÃO MAMEDE

La serra de São Mamede est un îlot de verdure dans une région aride et caillouteuse ; son altitude relativement élevée (point culminant à 1 025 m) et la nature imperméable de son sol entretiennent une humidité favorable à une végétation dense et variée (marronniers, chênes-lièges, saules pleureurs, amandiers, pins, eucalyptus, etc.).

Ce massif, de forme triangulaire, est un bloc de roches dures qui ont résisté à l'érosion ; les dénivellations de sa face occidentale ont été accentuées par une faille.

Circuit au départ de Portalegre

73 km – environ 2 h 1/2 – Quitter Portalegre à l'Est puis se diriger vers le Nord.

La route s'élève dans les bois et offre de jolies vues sur Portalegre et ses environs.

Suivre ensuite la signalisation pour São Mamede.

São Mamede – Du sommet occupé par un relais de radio-télévision, **panorama**★ au Sud sur l'Alentejo, à l'Ouest et au Nord sur la serra de São Mamede, à l'Est sur un foisonnement de sierras espagnoles.

Revenir à la route principale qui traverse un paysage de landes piquetées de pins. La descente vers la plaine boisée et verdoyante est très rapide.

★★**Marvão** – *Voir ce nom.*

★**Castelo de Vide ; Monte da Penha** *(1,5 km)* – *Voir Castelo de Vide.*

Revenir à Portalegre par la **route**★ de Carreiras, tracée en corniche.

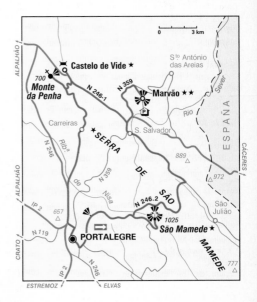

PORTO★★

District de Porto – 262 928 habitants
Carte Michelin n° 940 I 4

Deuxième ville du Portugal et capitale du Nord, Porto compte avec son agglomération plus d'un million d'habitants. Elle a la réputation d'être industrieuse, sombre, austère ; pourtant, sous le soleil, elle apparaît lumineuse, colorée, animée.

Faisant fi du relief, elle occupe un **site★★** escarpé : ses demeures s'accrochent aux versants pentus du Douro, ce fleuve mythique qui vient terminer ici son long parcours à travers l'Espagne et le Portugal.

L'une des gloires de la ville, et non des moindres, est d'avoir donné son nom aux fameux vins qui l'ont fait connaître à travers le monde.

Le meilleur **point de vue★** sur le site s'offre du parvis de l'ancien couvent de Nossa Senhora da Serra do Pilar *(voir ci-après)*.

Le centre historique de la ville a été inscrit au Patrimoine mondial de l'Unesco en 1996.

Les quartiers – Le **centre** traditionnel étend son réseau de rues commerçantes autour de la praça da Liberdade et de la gare São Bento : dans la journée, il y règne une grande animation. On se presse devant les devantures des boutiques, au charme souvent désuet, des ruas Santa Catarina, Formosa, Sá da Bandeira, Fernandes Tomás et fait régulièrement halte à l'une des multiples pâtisseries où se retrouvent les étudiants drapés dans leurs capes noires.

Les quartiers populaires de **Ribeira** et de **Miragaia** près du Douro font depuis quelques années l'objet de travaux de réhabilitation et de rénovation. C'est ainsi que la Ribeira est devenue un haut lieu de la vie nocturne avec de nombreux bars et restaurants à la mode. Sur l'autre rive, **Vila Nova de Gaia** rassemble les chais où vieillissent les vins de Porto.

Le centre économique a tendance à se déplacer vers l'Ouest, autour de l'avenue de **Boavista**, entre Porto et Foz. Les grandes banques, les hôtels d'affaires, les centres commerciaux se sont installés là, dans des tours modernes.

Économie – Porto et sa région rassemblent une grande partie des industries du Portugal. Les plus importantes sont les industries textiles (coton), métallurgiques (fonderies), chimiques (pneumatiques), alimentaires (conserveries), ainsi que le travail du cuir et la fabrication de céramique. Porto a aussi une importante production provenant de ses pépinières et de ses jardins d'horticulture, sans oublier son vin qui a fait sa célébrité dans le monde entier.

Le port et le pont D. Luís I

Les ponts – Les rives du Douro sont reliées par plusieurs ponts techniquement remarquables. « Porto a couché ses tours Eiffel à l'horizontale ; elles lui servent de ponts », écrivait Paul Morand avant la construction du pont d'Arrábida ; cette citation illustre à merveille l'impression que donnent les ponts du 19ᵉ s.

Le **pont ferroviaire Maria Pia★**, en amont des autres ponts historiques, il est le plus élégant avec son arche unique de 350 m de portée. Œuvre de l'ingénieur français Gustave Eiffel, il est entièrement métallique et fut achevé en 1877. Actuellement fermé, il est remplacé par le pont ferroviaire de São João en amont.

Le **pont routier D. Luís I★★** est le plus spectaculaire avec ses deux tabliers superposés permettant de desservir simultanément les quartiers hauts et bas de chaque rive. Il est le symbole de Porto et fait partie du Patrimoine mondial. D'une portée de 172 m, il a été construit en 1886 par la société belge de Willebroeck, suivant une technique analogue à celle d'Eiffel.

Le **pont routier d'Arrábida**, en aval, emprunté par l'IC 1, a été lancé en 1963 selon une technique particulièrement audacieuse. Il franchit le Douro en une seule arche de béton armé de près de 270 m.

Ces deux derniers ponts sont d'intéressants belvédères sur la ville et le fleuve.

Inauguré en 1995, le **pont de Freixo**, sur lequel passe l'IP 1, est situé à l'Est hors de la ville et permet d'en contourner le centre.

UN PEU D'HISTOIRE

Portucale – À l'époque romaine, le Douro est un obstacle aux communications entre le Nord et le Sud de la Lusitanie ; deux cités qui se font face en contrôlent l'estuaire : Portus (le Port) sur la rive droite ; Cale sur la rive gauche.
Au 8ᵉ s., les musulmans envahissent la Lusitanie, mais la résistance des chrétiens les empêche de s'installer de façon durable dans la région entre le Minho et le Douro ; c'est ce territoire, déjà appelé Portucale, que Thérèse, fille du roi de León, apporte en dot en 1095 à son mari Henri de Bourgogne, sous forme de comté ; devenu un des foyers de la Reconquête, le comté donnera son nom à la nation.

Les tripes à la mode de Porto – Dans le comté de Portucale, le Port (O Porto) développe ses relations avec l'Europe du Nord ; aux 14ᵉ et 15ᵉ s., ses chantiers navals contribuent à la création de la flotte portugaise ; sous la direction de l'infant Henri le Navigateur, Porto équipe la flotte qui, en 1415, participe à la prise de Ceuta ; pour ravitailler cette escadre, tout le cheptel bovin de la région est réquisitionné ; la population en est réduite à se nourrir des abats, d'où le surnom de *tripeiros* (mangeurs de tripes) donné aux habitants.

Les Anglais et le porto – En 1703, le Portugal et l'Angleterre signent le traité de Methuen qui facilite l'accès des produits manufacturés anglais sur le marché portugais ; en échange, les vins du Haut-Douro, commercialisés à Porto, trouvent un large débouché en Angleterre. Les négociants anglais créent un comptoir dans la ville en 1717 et, peu à peu, plusieurs compagnies anglaises contrôlent la production, de la récolte à la mise en bouteilles.
Pour faire face à cette situation, le marquis de Pombal fonde, en 1756, une compagnie portugaise détenant le monopole des vins du Haut-Douro ; sa réglementation stricte mécontente les petits producteurs : à l'occasion du Mardi gras, des ivrognes incendient les locaux de la compagnie, 25 condamnations à mort sont prononcées.

L'amour de la liberté – La « revolta dos borrachos » (rébellion des ivrognes) n'a pas été la seule manifestation de l'attachement des habitants de Porto à leur liberté. Auparavant, ils avaient réussi à faire interdire à tout seigneur – par un édit royal – l'accès de leur enceinte réservée au négoce. Plus tard, le 29 mars 1809, fuyant devant l'arrivée des troupes du général Soult, ils se précipitent sur le pont de barques qui relie les rives du Douro ; des centaines de personnes se noient. Une plaque près du pont D. Luís I rappelle cet événement.

Y. Travert/PHOTONONSTOP

SE LOGER À PORTO

HÔTELS « BUDGET »

Pensão Castelo Santa Catarina – *R. de Santa Catarina, 1347, 4000-457 Porto –* ☎ *225 09 71 99 – fax 225 50 66 13 – 26 chambres – 37,50/60 € – parking.*
Cette étonnante demeure a de faux airs de folie de début de siècle, avec sa tour crénelée et son ample jardin aménagé en terrasse. L'intérieur, plutôt sombre et décoré de manière assez « kitsch », est cependant confortable et les prix sont raisonnables. Proximité du centre-ville.

Residencial Rex – *Praça da República, 117, 4050-497 Porto –* ☎ *222 00 45 90 – fax 222 07 45 93 – 21 chambres – 37,50/55 € – parking.*
Petit hôtel aménagé dans une ancienne maison particulière. Ambiance intime et quelques plafonds d'époque intacts. Sa proximité de l'Alliance française explique la présence de nombreux clients français.

Hotel da Bolsa – *R. Ferreira Borges, 101, 4050-253 Porto –* ☎ *222 02 67 68 – fax 222 05 88 88 – 36 chambres – 66/80 € (**GB**) – air conditionné.*
Une adresse intéressante surtout en raison de sa situation toute proche du quartier animé de Ribeira. Belle façade 19ᵉ s. ; l'intérieur a été entièrement rénové dans un style moderne sans charme. Les chambres du dernier étage offrent de belles vues sur le port.

« NOTRE SÉLECTION »

Grande Hotel do Porto – *R. de Santa Catarina, 197, 4000-450 Porto –* ☎ *222 00 81 76 – fax 222 05 10 61 – 100 chambres – 78,50/86 € (**GB**) – restaurant – air conditionné.*
Bien qu'ayant perdu de son ancienne splendeur, ce grand hôtel conserve encore, dans ses salons et autres zones publiques, un certain charme de la grande époque. Les chambres sont décorées dans un style fonctionnel et moderne. Situé dans une artère piétonne commerçante et animée du centre-ville, il sera particulièrement apprécié de ceux qui visitent la ville à pied.

Casa do Marechal – *Av. da Boavista, 2674, 4100-119 Porto –* ☎ *226 10 47 02 – fax 226 10 32 41 – 5 chambres – 140/150 € (**GB**) – restaurant – parking – air conditionné.*
Située dans une ancienne demeure en dehors du centre historique de Porto, la Casa do Marechal allie le confort et le service d'un grand hôtel à un cadre intime et élégant.

« UNE PETITE FOLIE ! »

Infante de Sagres – *Praça D. Filipa de Lencastre, 62, 4050-259 Porto –* ☎ *222 00 81 01 – fax 223 39 85 99 – 68 chambres, 6 suites – 174,50/199,50 € (**GB**) – restaurant – air conditionné.*
Hôtel de prestige de Porto, l'Infante de Sagres, avec ses boiseries, meubles d'époque et vitraux, possède un charme tout particulier. Situation centrale près de la praça da Liberdade.

SE RESTAURER À PORTO

A Grade – *R. São Nicolau, 9 R/C –* ☎ *223 32 11 30 – 15 € – fermé le dimanche.*
Cuisine traditionnelle à prix doux. Plats typiques : morue grillée, chevreau au four.

D. Tonho – *Cais da Ribeira, 13-15 –* ☎ *222 00 43 07 – 25 € (**GB**).*
Installé dans une maison ancienne restaurée et décorée avec goût, avec une belle vue sur le Douro, ce restaurant, qui appartient à Rui Veloso, chanteur célèbre, sert de bons plats traditionnels : *posta mirandesa* (pièce de bœuf), chevreau au four, morue grillée, tripes à la mode de Porto.

Mercearia – *R. Cais da Ribeira, 32 –* ☎ *222 00 43 89 – 19,50 € (**GB**).*
Parmi les nombreux cafés, bars et restaurants de Ribeira donnant directement sur le port, le restaurant Mercearia offre un cadre agréable et une cuisine soignée à prix raisonnable. Belles vues sur le port dans la salle du premier étage.

Churrascão do Mar – *R. João Grave, 134 (au Nord du centre historique, à l'angle de la rua da Constituição) –* ☎ *226 09 63 82 – 22,50 € (**GB**) – fermé le dimanche et en août.*
Spécialités de fruits de mer dans une demeure ancienne.

Mesa Antiga – *R. de Santo Ildefonso, 208 –* ☎ *222 00 64 32 – 21 € (**GB**) – fermé le dimanche.*
Cuisine traditionnelle servie avec soin dans une ambiance familiale.

À Leça da Palmeira *(8 km au Nord-Ouest du centre de Porto, près du port de Leixões).*

Deux restaurants très réputés pour leurs spécialités de fruits de mer :

Garrafão – *R. António Nobre, 53 –* ☎ *229 95 17 35 – 67 € (**GB**) – fermé le dimanche.*

O Chanquinhas – *R. de Santana, 243 –* ☎ *229 95 18 84 – 26 € (**GB**) – parking – fermé le dimanche.*

Le Porto typique

SORTIR À PORTO

Bien que l'on dise au Portugal que Porto travaille pendant que Lisbonne s'amuse, la nuit de Porto est riche et variée, avec des établissements pour tous les goûts.

Pour apprécier pleinement le site de Porto, il convient de s'installer à une terrasse de la rive opposée à la ville, qui, de là, révèle tout son charme, tout en savourant au soleil couchant l'atmosphère particulière de **Vila Nova de Gaia**, ou bien, le soir, de prendre une boisson au bar **Rock's** *(r. Rei Ramiro, 288)*, aménagé dans un bel immeuble ancien.

À Porto, pendant la journée ou en fin d'après-midi, le **Majestic Café** *(r. de Santa Catarina, 112)*, avec sa décoration Art nouveau, est toujours un grand classique.

Pour commencer la nuit, le **Café na Praça**, près de la tour dos Clérigos, restaurant-bar ouvert jusqu'à une heure très avancée, est un bon point de départ. Ensuite, on peut rester à Porto ou poursuivre la nuit à Foz ou à Matosinhos.

Porto – Le quartier de Ribeira, le long du fleuve, est un point de passage obligatoire. L'élégant bar **Aniki-Bóbó** *(r. Fonte Taurina, 36/38 – fermé dimanche et lundi)* accueille une clientèle d'architectes, peintres, photographes, etc. Ceux qui préfèrent une atmosphère plus typique visiteront le **Duque** *(r. da Lada, 98)*, dans ce même quartier et, pour une ambiance alternative, on optera pour le **Urban Sound** *(r. do Ouro, Arcadas de Miragaia)*.

Le **Marechal** *(r. Augusto Nobre, 451)* fait entendre une musique originale et dispose d'une belle terrasse.

Le classique **Twins** *(r. Passeio Alegre, 1000)* dispose dorénavant d'un espace au troisième étage consacré à la « soul music ».

Dans le quartier de Boavista, le **Labirinto** *(r. Nossa Senhora de Fátima, 334)* est un sympathique bar-galerie d'art, tandis que dans la discothèque **Swing** *(r. Júlio Dinis, 766 – Parque Itália)*, on peut danser sur de la musique des années 1970/1980 et sur de techno.

Foz – Le **Maré Alta** *(près du pont da Arrábida)* est un bateau qui organise des concerts. Le **Praia da Luz** *(av. do Brasil)* est un bar disposant d'une agréable terrasse. La discothèque **Indústria** *(Centre commercial da Foz, av. do Brasil, 843)* est l'une des plus animées à Porto. Également à Foz, le **Caféína** *(r. do Padrão, 100)* est un bar ouvert tard, fréquenté par les jeunes chefs d'entreprise et les artistes à succès.

À Foz Velha, il y a le sympathique bar **Trinta-e-Um** *(r. do Passeio Alegre, 564)* et le **Marginal Foz**, un agréable bar-restaurant flottant *(face au 191 r. do Ouro)*.

Matosinhos – C'est actuellement la zone la plus animée des nuits de Porto. Pour entendre des concerts, le **B Flat** *(travessa da Glória, 57)* ou l'**Heritage** *(r. Dom João I, 292)* présentent des groupes de jazz. Rue Manuel Pinto de Azevedo, au n° 567, le **Via Rápida** *(ouvert du jeudi au dimanche)* est une grande discothèque avec sept bars.

Mais le mieux est encore de se promener dans le quartier, car il y a toujours des surprises et de nouveaux endroits à découvrir.

En 1820, la ville se soulève contre l'occupation anglaise, et l'assemblée convoquée (Junta do Porto) réussit à faire adopter par le pays une constitution libérale (1822). Mais, en 1828, D. Miguel s'empare de la couronne et gouverne en roi absolu : nouvelle révolte dans la ville ; en 1833, la monarchie libérale est rétablie. Le 31 janvier 1891, l'agitation des républicains dans tout le pays se mue en une insurrection à Porto. Ce n'est pourtant qu'en 1910 que la république sera proclamée à Lisbonne.

LE CENTRE

Praça da Liberdade et Praça do General Humberto Delgado – Situées au centre de la ville, ces deux places forment un vaste espace ouvert dominé par l'hôtel de ville. Tout autour se répartissent les rues commerçantes dont la rue **Santa Catarina**, piétonne, où se trouvent les boutiques les plus élégantes ainsi que le célèbre café Majestic. Le **marché municipal de Bolhão** entre les rues de Fernandes et de Formosa est très pittoresque par son animation et s'étend sur deux niveaux.

Église et tour dos Clérigos ⊘ – L'église baroque construite entre 1735 et 1748 par l'architecte Nasoni forme une toile de fond en haut de la rue commerçante du même nom. On retrouve l'influence italienne dans le plan elliptique de la nef. L'église est dominée par la **tour★**, haute de 75,60 m, monument le plus caractéristique de Porto, qui servait autrefois d'amer aux bateaux. De son sommet *(225 marches)* s'offre un **panorama★** étendu sur la ville, la cathédrale, le Douro et les chais.

Rua das Carmelitas – Dans cette rue commerçante, on s'arrêtera au n° 144 pour contempler la façade néogothique de la **librairie Lello & Irmão** (1881) et son extraordinaire escalier intérieur à double volée et à double orientation. Au premier étage se trouve un petit bar où l'on peut s'asseoir confortablement au milieu des livres.

Églises do Carmo et das Carmelitas – Ces deux églises baroques sont construites côte à côte. L'église do Carmo est décorée à l'extérieur d'un grand panneau d'azulejos représentant la prise de voile des carmélites (1912).

Museu Nacional Soares dos Reis ⊘ – Remanié par Fernando Távora, architecte originaire de Porto, ce musée installé dans le palais des Carrancas (18e s.) présente des collections permanentes de peinture et de sculpture portugaise des 19e et 20e s. et d'œuvres du 16e au 18e s. ; il dispose en outre d'une galerie d'expositions temporaires. Dans le domaine de la sculpture, les œuvres les plus admirables sont celles de **Soares dos Reis** (1847-1889).

La peinture portugaise de 1850 à 1950 est représentée par les toiles de Silva Porto, Henrique Pousão, influencés par les impressionnistes et les symbolistes, José Malhoa, João Vaz et Columbano.

La peinture ancienne comprend des œuvres portugaises de Frei Carlos, Gaspar Vaz, Vasco Fernandes, Cristóvão de Figueiredo, et étrangères, de François Clouet (portraits de *Marguerite de Valois* et *Henri II*), Quillard, Pillement, Teniers, Troni, Simpson. Collections de céramique ancienne, d'orfèvrerie et d'art religieux. Admirer deux paravents nambans du 17e s. illustrant l'arrivée des Portugais au Japon.

★★LE VIEUX PORTO

Terreiro da Sé – Cette vaste esplanade surplombant la vieille ville est occupée en son centre par un pilori néopombalin. Elle est délimitée par la silhouette massive de la cathédrale, par l'ancien palais épiscopal (18e s.) et par une tour en granit du 14e s.

Sé ⊘ – Église-forteresse du 12e s., la **cathédrale** a subi de profondes modifications aux 17e et 18e s. La façade principale est encadrée de deux tours carrées, casquées de dômes. Elle est percée d'une rosace romane (13e s.) et d'un portail baroque. Sur la face Nord a été ajoutée une loggia baroque (1736), attribuée à l'architecte Nasoni.

À l'intérieur, la nef centrale, assez étroite, est encadrée par deux collatéraux plus bas ; on y remarquera trois bénitiers en marbre du 17e s., chacun supporté par une statuette, ainsi que, dans le baptistère, le relief en bronze, œuvre du sculpteur Teixeira Lopes, représentant le baptême du Christ par saint Jean.

Le transept et le chœur ont été transformés à l'époque baroque. La chapelle du St-Sacrement, qui s'ouvre sur le bras gauche du transept, abrite un très bel **autel★** avec retable en argent ciselé (œuvre portugaise du 17e s.).

Cloître – *Accès par le bras droit du transept.* Il date du 14e s. et fut totalement décoré de panneaux d'**azulejos★** de Valentim de Almeida, réalisés de 1729 à 1731, représentant la vie de la Vierge et les Métamorphoses d'Ovide. De ce cloître, on peut voir le cloître roman primitif où sont exposés quelques sarcophages. Un bel escalier en granit mène à la terrasse décorée d'azulejos de António Vital et à la salle capitulaire dont le plafond à caissons peint par Pachini (1737) représente les allégories des valeurs morales.

RÉPERTOIRE DES RUES ET DES CURIOSITÉS DE PORTO

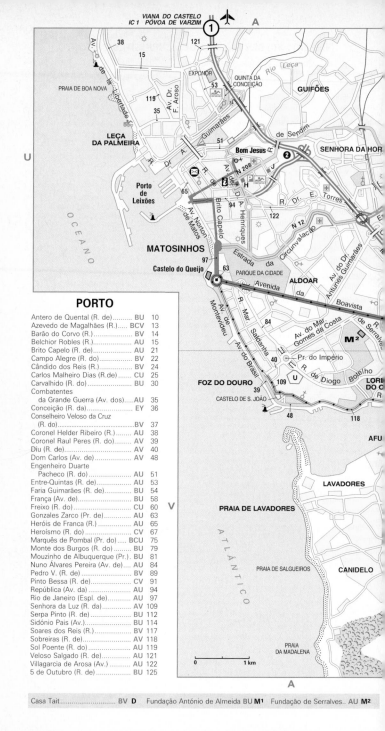

Derrière la cathédrale se trouve le charmant **musée Guerra Junqueiro** *(voir plus loin)*. Du Terreiro da Sé, on peut s'aventurer dans les escaliers et les ruelles étroites de la vieille ville, dont de nombreuses maisons sont en cours de réhabilitation.

L'**église São Lourenço dos Grilos**, d'aspect maniériste, construite par les jésuites au 17e s. et aujourd'hui siège du grand séminaire, abrite un **musée d'Art sacré** ⊘.

On parvient à la rua Mouzinho da Silveira ; la traverser et rejoindre le largo de São Domingos. Là aboutit la pittoresque rua das Flores.

Rua das Flores – Cette petite rue qui remonte vers la gare São Bento est bordée de commerces traditionnels et de demeures du 18e s. aux façades blasonnées. C'était l'ancienne rue des orfèvres et des joailliers.

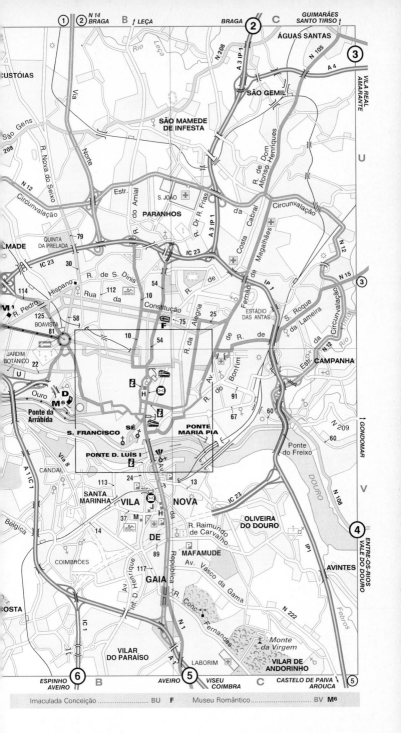

La **Santa Casa da Misericórdia** ⊘ *(à côté de l'église baroque da Misericórdia)* abrite un remarquable tableau de l'école flamande ***Fons Vitae*★** *(La Fontaine de vie)*, offert par le roi Manuel Ier vers 1520. Le donateur et sa femme sont représentés au premier plan, ainsi que leurs huit enfants. L'origine de ce tableau est mystérieuse : il a été attribué à différents peintres dont Holbein, Van der Weyden et Van Orley, mais a probablement été réalisé par un Portugais s'inspirant des peintres flamands.

Revenir sur ses pas et, en arrivant au largo de São Domingos, prendre en face la rua de Belomonte.

Palácio da Bolsa ⊘ – La **Bourse** fut érigée en 1834 par l'Association commerciale de Porto qui l'occupe toujours. Après avoir emprunté un bel escalier de granit et

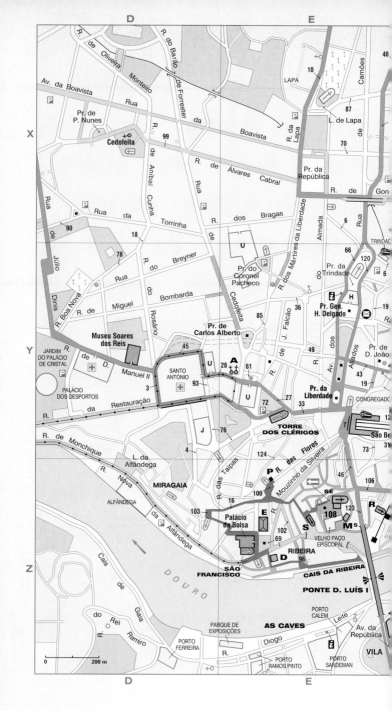

de marbre sculpté, on visite la salle de l'ancien tribunal de commerce, la salle dorée et le **salon arabe★**, pastiche de l'Alhambra de Grenade, de forme ovoïde, décoré de vitraux, d'arabesques, de bois sculpté et doré, imitant les stucs arabes.

En face de la Bourse, la structure métallique du **marché Ferreira Borges** accueille des expositions temporaires.

★★**Église São Francisco** ⊘ – Cette église gothique, qui a conservé sa jolie rose, s'ouvre à l'Ouest par un portail du 17ᵉ s.

Sa sobriété d'origine correspondait à l'esprit de pauvreté de l'ordre des Franciscains. Mais cet ordre, devenu très puissant à partir du 17ᵉ s., se vit octroyer privilèges et biens matériels. Cela se manifeste à l'intérieur de l'église par le triomphe de la **décoration baroque★★** : les autels, les murs, les voûtes disparaissent sous un foisonnement de bois sculptés et dorés (17ᵉ-18ᵉ s.) représentant des

PORTO

pampres, des angelots, des oiseaux. L'**Arbre de Jessé★** dans la 2e chapelle à gauche est une réalisation particulièrement remarquable, tout comme le maître-autel. Sous la tribune, à droite en entrant dans l'église, se trouve une statue de saint François en granit polychrome datant du 13e s.

Cette richesse choqua tant le clergé que l'église fut fermée au culte.

Maison du tiers ordre de Saint-François (Terceiros) – Elle abrite une collection permanente d'art sacré avec des pièces du 16e au 20e s. La crypte est un panthéon où reposent dans des sarcophages, des frères franciscains ainsi que des nobles. La salle du fond laisse paraître, à travers un grillage au sol, un ossuaire.

Casa do Infante – *Rua da Alfândega*. D'après la tradition, Henri le Navigateur serait né dans cette maison. Ce fut le bureau de douane de la ville de Porto du 14e au 19e s. Elle présente une belle façade.

J.-P. Garcin/PHOTONONSTOP

Église São Francisco

*Cais da Ribeira – Ce quai dominé par la haute silhouette du pont métallique D. Luís I est l'endroit le plus pittoresque de Porto *(voir illustration p. 377)*. Les maisons vétustes, tout en hauteur, pavoisées de lessives multicolores, surplombent le quai animé par un petit marché aux poissons et aux légumes et par sa vie nocturne. Quelques bateaux anciens y sont amarrés. Cette zone du centre historique, qui fait partie du Patrimoine mondial de l'Unesco, fait l'objet depuis quelques années de grands travaux de restauration.

Il est possible de traverser le Douro par le pont D. Luís I pour accéder aux chais *(5 mn à pied – description plus loin)*.

LE PORTO ROMANTIQUE

À l'Ouest du jardin du Palácio de Cristal, où s'élevait autrefois la serre qui lui donna ce nom, se trouve la rue Entre-Quintas bordée de belles demeures bourgeoises du 19ᵉ s.

Museu Romântico ⓥ – La quinta da Macieirinha abrite le Musée romantique. Romantique, cette maison l'est par son aspect anglo-saxon, ses fenêtres à guillotine, son parc, et surtout son histoire : c'est ici que le roi Charles Albert d'Italie se réfugia en 1849 après avoir abdiqué et mourut deux mois plus tard. Les pièces décorées de toiles peintes, les meubles de style Empire ou anglais, les stucs confèrent à cette maison un charme très particulier. De ses fenêtres s'offrent de jolies vues sur le Douro.

Solar do Vinho do Porto ⓥ – *Situé en dessous du Musée romantique.* C'est le siège de l'**Institut du vin de Porto**. Dans un cadre très agréable on peut y déguster les centaines de vins de Porto différents.

Casa Tait ⓥ – En face, dans la même rue, cette demeure sert de cadre à des expositions et abrite une intéressante **collection de numismatique** liée à l'histoire du Portugal.

★ AS CAVES ⓥ

Les **chais** (*as caves*, en portugais) occupent le quartier bas de la commune de **Vila Nova de Gaia** sur la rive gauche du Douro et couvrent des hectares. C'est là, par une lente élaboration, que le raisin, récolté sur les versants du Haut-Douro, se transforme en porto *(voir introduction)*. Plus de 58 maisons de porto y sont représentées. Autrefois, c'est en bateau, sur les *barcos rabelos*, que les vins du Haut-Douro parvenaient après 150 km de navigation jusqu'à ces chais où ils étaient transformés en porto. Aujourd'hui, les camions-citernes viennent déverser leur précieuse cargaison dans des cuves en inox. Les grandes marques ont cependant conservé face à leurs chais quelques *barcos rabelos* chargés de tonneaux.

Une quinzaine de chais se visitent, dont ceux de Taylor, Cálem, Sandeman, Ramos Pinto, Ferreira.

La visite des chais permet de suivre les étapes de l'élaboration du porto. Le vin est stocké plusieurs années dans d'immenses cuves contenant jusqu'à 1 000 hl, puis soutiré dans des tonneaux *(pipas)* de 535 l dont la porosité du bois accentue son vieillissement. Seuls les vins authentiques contrôlés par l'Instituto do Vinho peuvent pénétrer dans ces chais. Sous les voûtes, on contemplera les énormes barriques de châtaignier aussi bien que les cuves en métal et la chaîne moderne d'embouteillage.

Quand le porto vieillit...

AUTRES CURIOSITÉS

Estação de São Bento – De cette gare, en activité depuis 1896, partent les trains pour le Minho et le Douro. Les murs de la salle des pas perdus sont plaqués d'azulejos peints en 1930 par Jorge Colaço : les scènes représentées évoquent la vie traditionnelle dans le Nord du Portugal (scènes champêtres, pèlerinages) ainsi que de grands épisodes de l'histoire du pays : Jean Ier entrant à Porto *(en haut à droite)* ; prise de Ceuta en 1415 par Henri le Navigateur, parti de Porto *(en bas à droite)*.

★**Église Santa Clara** ⊙ – Cette église construite à la Renaissance a conservé de cette époque un portail en granit avec des personnages en médaillons. L'extérieur, plutôt austère, contraste avec la profusion de **boiseries sculptées et dorées**★ du 17e s. qui décorent l'intérieur. Au-dessus, un plafond mudéjar complète la décoration.

★**Museu Guerra Junqueiro** ⊙ – Cette demeure du 18e s. s'ouvre sur un très agréable jardin, havre de paix proche du Porto le plus trépidant. Elle appartenait au poète Guerra Junqueiro qui rassembla au cours de sa vie une très belle collection de meubles, d'orfèvrerie, d'argenterie portugaise des 17e et 18e s., de statues religieuses, de tapisseries, etc. On remarquera plus particulièrement les faïences hispano-mauresques (15e-16e s.), le mobilier portugais, les tapisseries flamandes du 16e s. et une belle collection de vierges en bois polychrome pour la plupart d'origine flamande.

Fundação Eng° António de Almeida ⊙ – Le riche industriel António de Almeida se consacra, durant sa vie, à réunir une **collection de monnaies d'or**★ d'origine grecque, romaine, byzantine, française et portugaise. Elle est exposée dans cette maison, où il vécut, décorée de meubles anciens et de porcelaines.

★**Fundação de Serralves (Museu de Arte Contemporânea)** ⊙ – *Du centre de Porto, prendre l'avenida de Boavista, tourner à gauche dans l'avenida do Marechal Gomes da Costa et de nouveau à gauche dans la rua de Serralves.*
Installée dans un magnifique **parc**★ de 18 ha, la **maison de Serralves** *(Casa de Serralves)* est un remarquable exemple de l'architecture des années 1930 dont la décoration intérieure de style Art déco a été réalisée par plusieurs architectes et décorateurs français : Siclis, Brandt, Lalique, Perzel et Ruhlmann. Elle abrite la fondation Serralves (partagée entre l'État et des institutions privées), musée national d'Art contemporain qui accueille des expositions temporaires, des colloques et des concerts. La conception du musée récemment inauguré a été confiée au grand architecte Álvaro Siza Vieira, originaire de Porto.
À l'intérieur, on admirera l'architecture, la décoration, les élégantes **grilles de fer forgé**★ conçues par Edgar Brandt, les luxueux parquets de marqueterie du 1er étage.

Église da Cedofeita ⊙ – Datant du 12e s., c'est l'église la plus ancienne de la ville. Ce bel exemple de roman primitif a été transformé au cours des siècles, surtout au 17e s., mais a conservé intact son portail orné d'un Agnus Dei.

Église da Imaculada Conceição – Cette intéressante église moderne (1939-1947) est décorée d'un chemin de croix et de fresques dus à Guilherme Camarinha.

Ancien couvent de Nossa Senhora da Serra do Pilar – À Vila Nova de Gaia, de l'autre côté du pont D. Luís I. Ce couvent des 16e et 17e s., au plan en rotonde (attribué à Philippe Terzi), domine la ville, ce qui en fait l'un des plus beaux belvédères de Porto d'où l'on peut voir les vestiges de l'enceinte du 14e s.

DE PORTO À MATOSINHOS 8,5 km par l'avenida da Boavista

Foz do Douro – Ce quartier résidentiel dont le nom signifie embouchure du Douro, se double d'une station balnéaire célèbre pour sa plage. À l'extrémité Nord de celle-ci, s'élève le castelo do Queijo (château du Fromage), fort qui gardait l'estuaire du Douro.

Port de Leixões – On gagne l'avant-port et les bassins de ce port créé à la fin du 19e s., transformé dans les années 1930 et terminé en 1985. Il double celui du Douro qui souffrait de l'ensablement périodique du fleuve. Il a offert un remarquable débouché aux productions industrielles, et la construction d'un appontement destiné aux gros pétroliers et d'une raffinerie a permis le développement d'un nouveau secteur. Deuxième port de commerce du Portugal, c'est également un important port de pêche à la sardine.

Matosinhos – Cette ville est connue pour certaines réalisations d'architecture moderne de l'école de Porto, dont le chef de file est Álvaro Siza Vieira qui réalisa en 1981 la mairie de Matosinhos.

Église Bom Jesus de Matosinhos – Sa façade baroque (18e s.) est hérissée de pinacles et de quatre flambeaux et ornée de blasons. À l'intérieur, le regard est attiré par les magnifiques boiseries du chœur, où s'inscrivent des tableaux représentant la Passion du Christ ; au maître-autel, très ancienne statue du Christ, en bois, objet chaque année d'un important pèlerinage (voir en fin de volume au chapitre des Renseignements pratiques : Principales manifestations). La nef et le chœur sont surmontés d'un joli plafond à caissons.

EXCURSIONS

Paço de Sousa – 28 km à l'Est. Sortir de Porto par ③ et la A 4, que l'on quitte à la sortie n° 10 et emprunter la N 106-3. Paço de Sousa a conservé, d'un ancien monastère bénédictin fondé au début du 11e s., une vaste église romane, restaurée, qui renferme le tombeau d'Egas Moniz, compagnon de l'infant Alphonse Henriques, dont la loyauté est restée légendaire.

Un modèle de droiture

Le roi de León, Alphonse VII, pour mettre un terme aux aspirations des comtes du Portugal à l'indépendance, vient assiéger la régente Thérèse (voir Guimarães) à Lanhoso, puis l'infant Alphonse Henriques à Guimarães (1127). Celui-ci ne peut opposer à son suzerain qu'une petite poignée d'hommes ; il lui délègue donc son ancien précepteur **Egas Moniz**. Ce dernier, en échange de l'abandon du siège de Guimarães, reconnaît au nom de son prince l'autorité du roi de León. Le danger écarté, Alphonse Henriques oublie son serment et se soulève de nouveau (1130). Egas Moniz part alors pour Tolède ; accompagné de sa femme et de ses enfants, il se présente devant Alphonse VII en habit de pénitent, pieds nus, la corde au cou, prêt à payer de sa vie la rançon de cette trahison. Juste prix de sa droiture, il reçoit sa grâce.

Église abbatiale – La façade de l'église présente un portail en tiers-point aux voussures garnies de motifs qui se répètent sur la bordure de la rosace. Les chapiteaux sont décorés de feuillages. Le tympan est soutenu à gauche par une tête de bœuf, à droite par une curieuse tête d'homme. Sur le tympan, à gauche, un homme porte la lune, à droite un autre soutient le soleil.
Deux frises d'arcatures lombardes couvrent les façades latérales de l'église. La frise supérieure repose sur des modillons sculptés de têtes d'animaux.
L'intérieur, à trois vaisseaux à arcs brisés, abrite, à gauche, une statue naïve de saint Pierre et, à droite, près de l'entrée, le tombeau d'Egas Moniz (12e s.). Les faces du tombeau portent des bas-reliefs sculptés de façon assez grossière, illustrant d'un côté la scène de Tolède, de l'autre les funérailles du loyal précepteur. À gauche de l'église se dresse une tour crénelée.

Santa Maria da Feira – 28 km au Sud. Quitter Porto par ⑤ et la A 1. Face au bourg qui se disperse sur le versant d'une colline, se dresse, sur une hauteur boisée, le château fort de Santa Maria da Feira, auquel conduit une montée ombragée.

★ **Château fort** ⊘ – Érigé au 11e s., il fut reconstruit au 15e s. par le seigneur du lieu, Fernão Pereira, dont on voit encore le blason au-dessus de la porte. C'est un intéressant exemple, bien qu'à demi ruiné, d'architecture militaire portugaise à l'époque gothique. Un donjon quadrangulaire, flanqué de quatre hautes tours carrées à toits en poivrière, domine une enceinte fortifiée à mâchicoulis que renforce, à l'Est, une barbacane.

Par une poterne, on accède à la place d'armes. On peut suivre le chemin de ronde, où se voient encore des latrines. Un escalier conduit au premier étage du donjon, vaste salle gothique ; la plate-forme supérieure *(60 marches)* offre un panorama sur les fortifications du château, la ville, les collines boisées des environs et le littoral où l'on distingue la ria de Aveiro.

Église da Misericórdia – Le chœur, sous un plafond à caissons, abrite un beau retable doré. Dans une chapelle à droite sont rassemblées de curieuses statues, dont celle d'un saint Christophe haut de 3 m.

PÓVOA DE VARZIM

District de Porto – 27 613 habitants

Carte Michelin n° 940 ou 441 H 3 – Plan dans le Guide Rouge Michelin Portugal

Étalée le long du rivage, la ville natale du grand romancier Eça de Queirós (1845-1900) est constituée d'un vieux port de pêche et d'une élégante station balnéaire.

★**Le quartier des pêcheurs** – Situé au Sud de la plage, ses maisons basses bordent le port de pêche où flottent les bateaux bien à l'abri dans la baie.

EXCURSION

Églises romanes de Rio Mau et de Rates – *15 km – environ une heure. Quitter Póvoa de Varzim par la N 13 au Sud, direction Porto, et prendre, 2 km plus loin, à gauche, la N 206 vers Guimarães.*

Rio Mau – *Prendre à droite, en face de la poste, un chemin non goudronné.* La petite **église romane São Cristóvão**, très simple, est bâtie en granit ; la décoration fruste des chapiteaux des portails contraste avec celle, plus soignée, des **chapiteaux**★ de l'arc triomphal et du chœur, de construction plus récente.

2 km après Rio Mau, prendre à gauche une route vers Rates (à 1 km).

Rates – L'**église São Pedro**, en granit, a été édifiée aux 12e et 13e s. par des moines clunisiens sur les ordres de Henri de Bourgogne.
La façade est percée d'une rose et d'un portail à cinq arcades, dont deux historiées, et à chapiteaux décorés d'animaux et de figures diverses ; au tympan, un bas-relief représente la Transfiguration. Le portail Sud est orné d'un arc alvéolé qui abrite un bas-relief figurant l'agneau divin. L'intérieur, aux proportions harmonieuses, présente de beaux chapiteaux romans.

Palácio Nacional de QUELUZ★★

Palais de QUELUZ – District de Lisboa

Carte Michelin n° 940 P 2

À quelques kilomètres de Lisbonne, le palais national de Queluz plonge le visiteur au cœur du 18e s. Dans ses jardins à la française ornés de bassins et de statues, sur lesquels donnent des façades rococo crépies de couleurs pastel et percées de nombreuses ouvertures, on s'attendrait à assister à l'une de ces fêtes galantes peintes par Watteau. Bien qu'inspiré par le château de Versailles, ses proportions le rendent intime.

Du pavillon de chasse au palais royal – À la fin du 16e s., les terres appartenaient au marquis de Castelo Rodrigo, qui y possédait un pavillon de chasse. Après la Restauration et l'accession au trône du roi Jean IV, le domaine fut confisqué et devint en 1654 la résidence des infants. Pierre (1717-1786), fils de Jean V et futur Pierre III, décida d'y construire un palais. De 1747 à 1758, l'architecte portugais Mateus Vicente, formé à l'école de Mafra, construisit la façade d'apparat ainsi que l'aile où plus tard fut installée la salle du Trône. En 1758, alors que Mateus Vicente était très occupé à la reconstruction de Lisbonne détruite par le tremblement de terre, les travaux reprirent, menés par l'architecte français Jean-Baptiste Robillon, élève de Gabriel ; celui-ci modifia et aménagea la salle du Trône, la salle de musique, puis construisit le pavillon Ouest qui porte son nom. Enfin, une troisième période vit l'édification du pavillon Dona Maria entre 1786 et 1792. Bien que l'ensemble soit de style rocaille, on notera les différences de style entre ces trois périodes.

Palais national ⊘ – La visite fait parcourir une suite de salons décorés de meubles et objets rappelant que Queluz est aussi un musée des Arts décoratifs.
La **salle du Trône**★, somptueuse, évoque la galerie des Glaces de Versailles avec ses fausses portes garnies de glaces ; des cariatides soutiennent le plafond à calotte représentant des allégories, d'où pendent de magnifiques lustres en cristal de Venise. On admirera aussi les plafonds de la salle de musique et des chambres des princesses. La **salle des Azulejos** doit son nom aux magnifiques azulejos polychromes du 18e s. représentant des paysages de Chine et du Brésil. Dans la salle de la Garde royale, joli tapis d'Arraiolos du 18e s. La **salle des Ambassadeurs**, décorée

Façade sur les jardins

de marbre et de glaces, possède un plafond peint où figurent un concert de musique à la cour du roi Joseph et divers motifs mythologiques. Après avoir traversé le boudoir de la Reine, de style rocaille français, on pénètre dans la salle de **Don Quichotte** dans laquelle huit colonnes soutiennent un plafond circulaire ; des peintures illustrent des scènes de la vie du héros de Cervantès. Dans la salle des Goûters, garnie de bois dorés, tableaux du 18e s. évoquant des pique-niques royaux.

Les jardins – Conçus par Robillon dans le goût de Le Nôtre, ils sont égayés de buis taillés, de cyprès, de statues et de massifs de fleurs qui s'ordonnent autour de pièces d'eau. Du bassin d'Amphitrite, vue agréable sur le bassin de Neptune et la façade de cérémonie refaite par Robillon dans le style de Gabriel ; en contrebas, un parc, aménagé dans le goût italien, séduit par ses étangs, ses cascades, ses tonnelles de verdure, ses murs couverts de bougainvilliers. Le **Grand Canal** est bordé de murs recouverts d'azulejos du 18e s. représentant des ports fluviaux et maritimes. La rivière Jamor, qui y coule, est souvent réduite à un filet d'eau. Autrefois la famille royale s'y promenait en barque. On admirera la façade du pavillon Robillon, précédée du magnifique **escalier des Lions★** que prolonge une colonnade.

Victime de la Révolution...

Ce palais fait pour les fêtes fut aussi le théâtre de drames, comme celui de la reine **Marie Iʳᵉ**. D'une piété proche de la superstition, elle considéra la mort en 1786 de son oncle et époux Pierre III comme un avertissement des malheurs dont allaient être accablés sa famille et son peuple. La disparition en 1788, en moins de deux mois, de deux de ses enfants, le prince héritier Joseph, décédé à l'âge de 27 ans, et l'infante Marie-Anne, épouse d'un infant d'Espagne, ne fit que confirmer ses pressentiments. Peu après, elle perdit son confesseur, ce qui accrut la mélancolie où elle était plongée. Enfin, elle fut si troublée par les premiers événements de la Révolution française que fin 1791 elle manifesta des signes de démence. Son second fils, Jean, gouverna dès lors en son nom, prit la qualité de régent en 1799 et, lors de l'invasion du Portugal par les troupes françaises, l'emmena au Brésil où elle mourut, toujours souveraine en titre, en 1816.

Ponta de SAGRES
et cabo de S. VICENTE★★★

Pointe de SAGRES et cap ST-VINCENT – District de Faro

Carte Michelin n° 940 U 3 – Schéma : ALGARVE

Balayé par le vent, ce bout du monde, ce finistère, à l'extrême Sud-Ouest de l'Europe, tombant à pic dans la mer, est un endroit chargé d'histoire et d'émotion. C'est ici qu'Henri le Navigateur se retira, au 15e s., face à l'océan Atlantique et à l'immense inconnue que représentait la « mer Océane », et créa l'école de Sagres qui allait préparer aux Grandes Découvertes.

L'école de Sagres – Après la prise de Ceuta (1415), l'infant se retire à Sagres, fait appel aux astronomes arabes, aux cartographes de Majorque et aux marins les plus réputés de l'époque, fondant ainsi une école de navigateurs. Les résultats des recherches entreprises sont constamment expérimentés et exploités au cours d'expéditions de plus en plus lointaines *(voir Lagos)*.

Grâce au perfectionnement de l'astrolabe et du cadran, qui peuvent désormais être utilisés en haute mer, l'infant inaugure l'ère de la navigation astronomique. Les marins, qui jusqu'alors n'avaient pour guides qu'une carte et une boussole et ne contrôlaient leur position que par l'estimation du chemin parcouru, apprennent à calculer la latitude d'après la hauteur des astres au-dessus de l'horizon et à faire le point avec plus de précision. La cartographie bénéficie de ces améliorations. Aux portulans méditerranéens succèdent des cartes de l'Atlantique qui, même lorsqu'elles ne font pas état de la latitude, montrent la supériorité des Portugais dans ce domaine.

Enfin, les exigences des expéditions entraînent les Portugais à réaliser un nouveau type de bateau qui révolutionne la navigation : la **caravelle**. Petit voilier long au faible tirant d'eau, mais pouvant porter un équipage assez important, elle réunit les avantages des bateaux traditionnels sans en avoir les inconvénients. Sa coque large et son haut bordage accroissent sa sécurité.

Ses mâts multiples combinent les voiles carrées et les voiles latines triangulaires. Pivotant autour de leur mât, ces dernières assurent à la caravelle, en serrant le vent au maximum, une grande rapidité.

Elles sont les seules à permettre la navigation « de bouline » en présence de vents contraires, qui étaient fréquents au retour des côtes d'Afrique. En outre, l'emploi du gouvernail d'étambot augmente la maniabilité du navire. Apparue au milieu du 15e s., la caravelle sillonnera les mers du globe pendant près d'un siècle.

Le cap St-Vincent

CURIOSITÉS

★★★Pointe de Sagres – Elle est en partie occupée par la **forteresse** ⊙ qui, construite au 16ᵉ s., fut très endommagée par le tremblement de terre de 1755, remaniée par « l'État nouveau » vers 1940, et récemment restaurée. Après avoir franchi le portail d'entrée, on pénètre dans une vaste cour : sur le sol se trouve une immense rose des vents de 43 m de diamètre. L'ancienne école des navigateurs et la maison de l'infant ont été détruites par les corsaires de Francis Drake en 1587.

Des bâtiments modernes ont été construits à la fin des années 1990 dans un style sobre. Ils abritent un centre d'expositions temporaires, un centre multimédia, une petite boutique et une cafétéria.

On peut parcourir la pointe de Sagres en voiture, mais il est plus agréable de s'y promener à pied (compter 1 h).

Sur le pourtour de ce promontoire cerné par d'impressionnants escarpements, les **vues★** se révèlent sur la baie et le cap St-Vincent à l'Ouest, la côte de Lagos à l'Est ; deux grottes marines dans lesquelles gronde la mer contribuent à accroître la beauté sauvage du site.

★★★Cap St-Vincent – Pointe Sud-Ouest de l'Europe, ce cap domine l'Océan de 75 m. De tout temps, il fut considéré comme un lieu sacré : les Romains l'appelaient le *« promontorium sacrum »*.

Son nom actuel lui vient d'une légende : le vaisseau contenant le corps de saint Vincent, martyrisé à Valence au 4ᵉ s., serait venu s'échouer ici. Gardé par deux corbeaux, il y serait resté pendant des siècles avant de reprendre sa route pour Lisbonne qu'il aurait atteint en 1173.

L'ancienne forteresse qui occupe la pointe a été transformée en phare. Les **vues★★** sont impressionnantes sur les falaises qui s'étirent à l'infini vers le Nord et sur la pointe de Sagres à l'Est, surtout au coucher du soleil.

Fort de Beliche – Ce petit fort sur la route du cap St-Vincent abrite dans sa cour des bâtiments aménagés en hôtel et restaurant. Jolie chapelle et **vues** sur la pointe de Sagres.

SANTARÉM

District de Santarém – 27 683 habitants
Carte Michelin n° 940 ○ 3

Occupant une colline de la rive droite du Tage, Santarém domine la vaste plaine du Ribatejo dont elle est le chef-lieu.

Sa position stratégique lui valut d'être, dès l'époque musulmane, le théâtre de nombreuses luttes.

Reprise aux Maures en 1147 par Alphonse Iᵉʳ Henriques, elle devint plus tard la résidence de plusieurs rois qui appréciaient son site et sa proximité de Lisbonne. Elle garde de ce riche passé quelques monuments, gothiques pour la plupart, essaimés dans un quartier ancien qui ne manque pas de charme.

C'est un centre réputé de courses de taureaux. On aura l'occasion d'en voir lors de la foire annuelle du Ribatejo, en octobre, qui donne lieu également à des danses populaires et à des défilés de *campinos*.

Sainte Irène – Religieuse dans un couvent près de Tomar, Irène fut assassinée en 653 par le moine Remigo dont elle avait repoussé les avances. Son corps, jeté dans le Tage, vint échouer devant l'ancienne cité de Scalabis. Le roi des Wisigoths, converti au catholicisme, donna à la ville le nom de sainte Irène ou Santarém.

LA VIEILLE VILLE

Le centre historique, avec ses ruelles tranquilles entrecoupées d'escaliers, offre une plaisante promenade.

Église do Seminário – La façade baroque (fin du 18ᵉ s.) de cet ancien collège de jésuites est caractérisée par la superposition de plusieurs étages soulignés par des corniches et percés de fenêtres et de niches qui lui donnent l'allure d'un palais de l'époque ; les niches abritent les statues de saints de la Compagnie de Jésus (Ignace, François Xavier, François de Borgia, Stanislas), dont le symbole (chrisme) est placé au-dessus de la porte principale. Le fronton curviligne est flanqué de lourdes volutes et de pyramides.

L'**intérieur** reste austère malgré les incrustations de marbre qui décorent les pilastres et l'autel. La nef est couverte d'un plafond peint qui représente, au centre, l'Immaculée Conception et, dans les angles, les activités des jésuites dans les continents évangélisés.

Dans le vestibule de l'ancien couvent *(entrée à droite de l'église)*, on verra le départ de la frise d'azulejos (18ᵉ s.) qui parcourt les couloirs de l'édifice.

Église de Marvila – Cette église fut fondée au 12ᵉ s. par le roi Alphonse Henriques après la conquête de Santarém sur les Maures, en 1147. Remaniée au 16ᵉ s., elle s'ouvre sur un élégant portail manuélin. L'intérieur est tapissé d'azulejos. Les plus intéressants, datant de 1620 et de 1635, sont des azulejos dits *tapete* (de tapis) aux motifs végétaux polychromes. Remarquer les éléments manuélins des trois chapelles et l'autel baroque en bois doré.

Église do Santíssimo Milagre – Cette église, siège d'une grande dévotion, fut fondée au 14ᵉ s., puis successivement remaniée. Elle contient dans un tabernacle l'hostie qui en 1247 se serait transformée en sang du Christ.

Église da Misericórdia – Cette église du 16ᵉ s., reconstruite après le tremblement de terre de 1755, présente une façade baroque. L'intérieur, de type église-salon, est couvert par une élégante voûte nervurée soutenue par des colonnes toscanes attribuées à Miguel de Arruda *(voir index)*.

★**Église São João de Alporão – Musée Archéologique** ⊘ – Cette église romano-gothique abrite des collections archéologiques. À gauche de l'entrée, le beau **cénotaphe** de Duarte de Meneses, comte de Viana, de style gothique flamboyant, a été édifié au 15ᵉ s. par sa femme pour accueillir une dent, seul reste de son mari tué par les Maures en Afrique.
À gauche de l'entrée, joli balcon de pierre ciselé par Mateus Fernandes *(voir index)*. En raison de son exiguïté, le musée organise des expositions thématiques, et les pièces exposées changent régulièrement.

Torre das Cabaças ⊘ – Du sommet de la **tour des Calebasses**, vestige de l'ancienne muraille médiévale, située en face de l'église São João de Alporão, belle **vue** sur l'ensemble de la ville. Sa cloche réglait autrefois la vie de la cité.

Portas do Sol – De la muraille percée de la porte du Soleil, qui a donné son nom au jardin, on surplombe le Tage qui forme en contrebas une large boucle.

★**Église da Graça** ⊘ – Cette église gothique, édifiée en 1380, montre une belle façade flamboyante percée d'une jolie rose, finement ciselée dans un seul bloc de pierre. Une restauration a rendu la pureté de ses lignes à la très belle **nef** principale. L'église abrite plusieurs tombeaux, dont celui de Dom Pedro de Meneses (15ᵉ s.), premier gouverneur de Ceuta, dans le bras droit du transept. Reposant sur huit lions, le tombeau, qui porte les gisants du comte et de sa femme, est ouvragé de feuillages et de blasons. Sur le sol de l'absidiole de droite, plaque funéraire du navigateur Pedro Álvares Cabral qui découvrit le Brésil en 1500. Dans la chapelle du collatéral droit, un panneau d'azulejos du 18ᵉ s. représente saint Jean Baptiste entre sainte Rita et saint François.

AUTRES CURIOSITÉS

Église Santa Clara ⊘ – Cette vaste église gothique faisait partie d'un couvent bâti au 13ᵉ s. L'absence de portail en façade accentue l'impression de nudité produite par l'extérieur de l'église.

À l'intérieur, la nef centrale, étroite et longue de 72 m, est terminée par une jolie rosace qui surmonte le tombeau (17ᵉ s.) de Dona Leonor, fondatrice du couvent. On voit également le tombeau primitif (14ᵉ s.) de celle-ci ; sur ses faces figurent des moines franciscains et des clarisses ; au pied, saint François recevant les stigmates ; au chevet, l'Annonciation. Admirer les fresques du 17ᵉ s.

★**Miradouro de São Bento** – Ce belvédère offre un vaste **panorama**★ sur la plaine, que le Tage recouvre l'hiver de ses eaux fertilisantes, et sur Santarém dont on distingue les principaux monuments.

Fonte das Figueiras – Fontaine du 13ᵉ s. dont le porche, adossé à une muraille, est couronné de merlons pyramidaux.

Mercado – Les murs du **marché** sont recouverts d'azulejos du début du siècle.

Chapelle Nossa Senhora do Monte – Au centre d'une place en fer à cheval, cette façade du 16ᵉ s. est bordée sur deux côtés d'une galerie à arcades dont les chapiteaux sont ornés de feuillages et de têtes d'angelots. Au chevet, statue de la Vierge du 16ᵉ s.

ENVIRONS

Alpiarça – *10 km. Quitter Santarém par ② du plan, N 114.*
Dans cette bourgade agricole située sur l'autre rive du Tage, en contrebas de Santarém, on peut visiter un riche manoir.

★**Casa dos Patudos** ⊘ – Cette demeure, construite en 1905, appartenait à José Relvas (1858-1929), homme d'État et grand amateur d'art, qui y avait réuni une remarquable collection artistique. À sa mort, le manoir devint un musée qui abrite en particulier un remarquable ensemble de **tapisseries**★ du 17ᵉ au 19ᵉ s. : plus de 40 tapis d'Arraiolos (dont un, unique, brodé de soie, datant de 1762), tapis de soie indo-portugais, couvre-lits de Castelo Branco, tapisseries d'Aubusson ; un riche collection de **faïences et porcelaines**★ portugaises, françaises, allemandes et orientales dont une partie constitue le plaisant décor de la salle à manger.

Dans la salle des primitifs, intéressantes peintures luso-flamandes du 16ᵉ s. et belle œuvre italienne représentant la Vierge à l'Enfant. On voit aussi de nombreuses peintures portugaises (toiles de Josefa de Óbidos, de Silva Porto, portraits de la famille de José Relvas par Malhoa, etc.) et des sculptures de Soares dos Reis, Teixeira Lopes, Machado de Castro.

Une salle est tapissée d'azulejos (18ᵉ s.) illustrant la vie de saint François d'Assise.

Cartaxo – *13 km au Sud de Santarém. Sortir de Santarém par ③ du plan, en suivant la N 3.*

Museu Rural e do Vinho ⊘ – Cet intéressant musée occupe une quinta rurale du 19ᵉ s. On y expose de manière instructive une grande quantité d'instruments et d'outils qui permettent de suivre l'évolution des techniques de vinification. Une partie est consacrée au *campino* (gardian), aux chevaux et aux taureaux de cette région, le Ribatejo. Pour clore agréablement la visite, la traditionnelle petite taverne de la quinta donne la possibilité de goûter (pour 0,25 € le verre) les fameux vins du Cartaxo.

Golegã – *45 km. Sortir de Santarém par ① du plan, N 114. À Almeirim, prendre la N 118 et à Chamusca emprunter la N 243 vers Golegã.*
Située sur la rive droite du Tage, Golegã, entourée de terres fertiles et verdoyantes, est traditionnellement associée à l'élevage des chevaux et des taureaux. Habituellement paisible, la ville s'anime lors de sa grande foire annuelle consacrée au cheval, la **Feira Nacional do Cavalo**, qui se déroule autour de la St-Martin, pendant la première quinzaine de novembre.

Église paroissiale – Construite au 16ᵉ s., cette église présente un beau **portail**★ manuélin attribué à Boytac. L'intérieur contient des panneaux d'azulejos du 18ᵉ s. Aux environs de la ville, la **réserve naturelle do Paúl do Boquilobo**, vaste zone humide de près de 530 ha, inondée pendant une grande partie de l'année, abrite une grande variété de plantes aquatiques, de cannaies et différentes espèces d'oiseaux, en particulier la plus grande colonie de hérons de la péninsule Ibérique.

SANTIAGO DO CACÉM

District de Setúbal — 7 296 habitants
Carte Michelin n° 940 R 3

Santiago do Cacém s'agrippe aux pentes d'une colline que coiffe un ancien château édifié par les Templiers. La N 120 offre, à la sortie Sud de la ville, une jolie **vue★** sur le site.

Château – Deux enceintes crénelées, restaurées, cernent les ruines du château ; l'intérieur est occupé par le cimetière, planté de beaux cyprès. Faire le tour des remparts pour admirer le panorama qui se développe jusqu'au cap de Sines.

Musée municipal ⊘ – Dans l'ancienne prison, reconstitution de plusieurs intérieurs où on apprécie les traditions et les costumes de l'Alentejo.

Ruines romaines de Miróbriga ⊘ – *1 km. Quitter la ville au Nord, par la N 120, direction Lisbonne et, au sommet d'une côte, prendre à droite (pancarte) une route étroite, puis à gauche un chemin de terre ; laisser la voiture sur le terre-plein final.* Miróbriga fut probablement un centre urbain relativement important du 1er au 4e s. comme en témoignent les ruines dispersées dans un agréable paysage champêtre planté de cyprès. Une voie romaine mène aux **thermes** situés en contrebas. On y distingue très bien les canalisations, les différentes piscines, les salles de repos. En remontant, on passe près de l'auberge et l'on accède au **forum** où se trouvaient les édifices administratifs et religieux. Les fouilles ont montré que cette zone était déjà occupée à l'âge du fer (4e s. avant J.-C.) par un temple. À 1 km, on a retrouvé les structures de l'hippodrome où couraient les fameux chevaux lusitaniens.

SERNANCELHE

District de Viseu — 1 191 habitants
Carte Michelin n° 940 ou 441 J 7

Occupant une éminence rocheuse de la Beira Alta, le vieux bourg de Sernancelhe fut autrefois une commanderie de l'ordre de Malte dont le château n'est plus aujourd'hui que ruines.

Église – La façade de cette église romane, flanquée d'un clocher carré trapu, est percée d'un joli portail en plein cintre dont l'une des voussures est ornée d'une curieuse frise d'archanges. Le tympan est sculpté de motifs végétaux. De part et d'autre du portail, deux niches abritent six statues en granit représentant les Évangélistes, saint Pierre et saint Paul.

Pilori – *Face à l'église.* Le pilori (16e s.) est surmonté d'une cage décorée de colonnettes.

Solar dos Carvalhos – 18e s. Cet élégant **manoir** baroque, à la façade flanquée de pilastres, appartient à la famille du marquis de Pombal.

Christ – *Prendre une rue partant à gauche de l'église en direction du château et se terminant par des escaliers.*
On voit peu après, sur la droite, abrité par un porche, un beau Christ (14e s.) de pierre. On domine bientôt la place de l'église et le village.

ENVIRONS

Aguiar da Beira – *12 km au Sud par les N 226 et N 229.*
Dans le paysage du haut plateau granitique de la serra de Lapa, les maisons également en granit du bourg de Aguiar da Beira se groupent autour d'une place principale qui a gardé tout son cachet médiéval. Cette place, dont le centre est occupé par un pilori (12e s.), est encadrée par une tour couronnée de merlons pyramidaux, une fontaine romane elle aussi crénelée et une maison typique de la région des Beiras, avec un escalier extérieur.

SESIMBRA

District de Setúbal – 20 460 habitants
Carte Michelin n° 940 Q 2 – Schéma : Serra da ARRABIDA

Située dans une anse au pied du versant Sud de la serra da Arrábida *(voir ce nom)*, Sesimbra occupe un site agréable, et sa plage bordant des eaux limpides est très appréciée des habitants de Lisbonne. C'est un paradis pour la chasse sous-marine et la pêche sportive à l'espadon qui font, à leur manière, une certaine concurrence à la pêche traditionnelle, principale activité de la ville.

Bateaux de pêche à Sesimbra

CURIOSITÉS

La ville – Le petit port de pêche est devenu une station balnéaire importante, et de nombreuses constructions modernes entourent le centre qui conserve ses rues escarpées, parfois coupées de marches, dévalant vers la plage. Le long de ces rues pittoresques, le linge sèche parfois en compagnie de la pêche du jour. Le long de la mer, les restaurants, nombreux, proposent poissons grillés et fruits de mer.

Église paroissiale – *À mi-pente.* Dans la nef, on remarque une chaire (17ᵉ s.) en marbre rose de la région et l'arc triomphal aux motifs de style manuélin ; dans le chœur, du 18ᵉ s., se dresse un retable de bois doré.

La plage – Très animée pendant les week-ends et durant l'été, elle est, le reste du temps, le domaine des pêcheurs qui, de part et d'autre du **fortin de Santiago**, viennent y démêler leurs lignes et leurs filets.

★Le port – *1 km à l'Ouest.*
Il est pittoresquement adossé au pied de la falaise, à l'écart de l'agglomération. Son importante flottille de chalutiers, décorés, à la proue, d'un œil ou d'une étoile, rapporte quotidiennement, matin et soir, des sardines, daurades, congres, poissons-épées, crustacés... qui sont vendus en partie à la criée.

Château – *6 km au Nord-Ouest par une route en forte montée.*
Il occupe, au sommet d'une échine pelée, à plus de 200 m au-dessus de la mer, une position défensive de grande valeur que le premier roi du Portugal, Alphonse Henriques, réussit à enlever aux Maures dès 1165. De ses murailles crénelées qui enserrent le cimetière, belle **vues★** sur Sesimbra et son port.

SETÚBAL★

District de Setúbal – 91 108 habitants
Carte Michelin n° 940 Q 3 – Schéma : Serra da ARRABIDA

Adossée aux derniers contreforts de la serra da Arrábida *(voir ce nom)*, au Nord du large estuaire du Sado, devenu réserve naturelle, Setúbal est à la fois une ville industrielle, un port et une étape touristique sur la route conduisant en Alentejo et en Algarve. Les touristes trouvent à Setúbal un quartier ancien dont les ruelles étroites contrastent avec les larges avenues de la ville moderne. Ils apprécient aussi son vin muscat et ses confitures d'oranges.

La ville a vu naître la cantatrice **Luísa Todi** et le poète **Manuel M. Barbosa du Bocage** (1765-1805).

Un port animé – L'activité de la ville est très diverse : cimenterie, accrochée aux pentes de la serra, exploitation des marais salants sur les rives du fleuve, montage de camions et d'automobiles, industrie chimique, conserverie de poisson et commerce de produits agricoles de la région. La construction navale y est très développée.

Après Lisbonne et Leixões (port de Porto), Setúbal est le troisième port du Portugal continental. Il comprend un important port de pêche (sardines), un port de plaisance et un port de commerce. Ce dernier est en relation avec les grandes cités maritimes d'Allemagne, de Hollande, d'Espagne et de Grande-Bretagne ; ses échanges portent surtout sur le charbon et les phosphates à l'entrée, les ciments et les pâtes à papier à l'exportation.

★CASTELO DE SÃO FILIPE

Accès à l'Ouest, par l'avenida Luísa Todi. Suivre la signalisation pour la pousada.

Dominant la ville, cette forteresse est en partie occupée par l'une des plus belles pousadas du Portugal.

Elle fut construite en 1590 sur l'initiative du roi Philippe II d'Espagne pour contenir l'animosité des habitants de Setúbal, hostiles à la domination espagnole, et empêcher les Anglais de s'installer à Tróia ; elle est garnie de glacis, de bastions à redans à la Vauban.

Franchir un passage voûté et admirer dans la chapelle les azulejos du 18ᵉ s., œuvre du célèbre Policarpo de Oliveira Bernardes *(voir index)*, qui évoquent la vie de saint Philippe.

Du haut des remparts, **panorama★** très étendu : à l'Est, sur le port et les chantiers navals, la baie du Sado et la presqu'île de Tróia ; au Nord-Ouest sur le château de Palmela ; à l'Ouest et au Sud sur la serra da Arrábida.

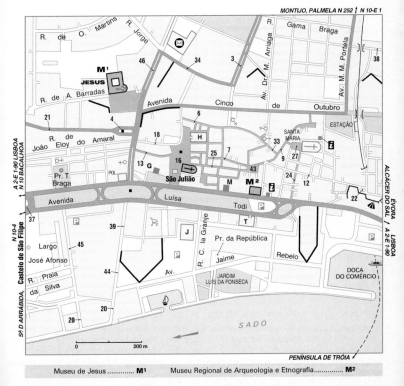

Museu de Jesus .... **M¹**   Museu Regional de Arqueologia e Etnografia.............. **M²**

LE QUARTIER ANCIEN

Entre la large avenida Luísa Todi, la praça Almirante Reis et l'église Santa Maria, le quartier ancien aux ruelles étroites, en grande partie réservées aux piétons, a conservé son caractère pittoresque et rassemble quelques monuments intéressants.

G. Sioën/RAPHO

Église de Jésus

*Église de Jésus – Construite en marbre d'Arrábida, en 1491, elle est l'œuvre de Boytac *(voir index)* et la première manifestation de l'art manuélin.

C'est un édifice de style gothique tardif si l'on considère son portail flamboyant – à portes géminées avec arcs en accolade, qu'encadrent des colonnes baguées – et ses trois voûtes de même hauteur qui en font une église-halle ; l'art manuélin y prend sa valeur décorative, en particulier dans la façon dont sont traités les piliers torsadés qui soutiennent les voûtes et les nervures torses de la voûte du chœur.

Les murs de la nef et du chœur sont en partie revêtus d'azulejos du 17ᵉ s.

Museu de Jesus ⊘ – Il est installé dans le cloître gothique de l'église de Jésus.

Les galeries de l'étage supérieur abritent une importante collection de primitifs portugais (15ᵉ-16ᵉ s.). Tous ces **tableaux*** seraient l'œuvre d'un auteur inconnu désigné comme le « maître du retable de Setúbal ». On les attribue aussi à Gregório Lopes et Cristóvão de Figueiredo *(voir index)*. Malgré l'influence profonde de l'école flamande (attitudes figées, réalisme des détails), il faut noter la chaleur des teintes ; les visages sont empreints de vérité et de mysticisme : remarquer en particulier l'expression de la Vierge et des saints devant la crucifixion et saint François recevant les stigmates.

Dans les galeries inférieures, azulejos du 15ᵉ au 18ᵉ s.

Église São Julião – Son portail latéral Nord trilobé est de style manuélin ; les deux colonnes torses qui l'encadrent se terminent en pinacle en formant des cordelières. À l'intérieur, jolis azulejos du 18ᵉ s. représentant la vie de saint Julien.

Museu Regional de Arqueologia e Etnografia ⊘ – Réunissant des objets préhistoriques (idole taillée dans un os, vase en céramique de l'âge du bronze) et luso-romains (monnaies), des collections d'art et d'artisanat populaires, des costumes, des outils agraires, des modèles réduits de bateaux, le musée expose aussi de nombreux panneaux ou motifs décoratifs réalisés en liège.

EXCURSIONS

PENINSULE DE TRÓIA

Accès :

Par la route : *98 km jusqu'à Tróia. Il faut contourner l'embouchure du rio Sado, par la N 10, la N 5, la N 253 et la N 253-1.*

Par bac ⊘ : *la traversée dure 20 mn.*

Immense langue de sable fin barrant l'estuaire du Sado, bordée de dunes et boisée de pins, la péninsule de Tróia a fait l'objet d'un vaste aménagement touristique le long de ses côtes Nord et Ouest : hôtels, villas résidentielles et hautes tours d'habitation – qui malheureusement défigurent le paysage – y forment déjà une manière de cité orientée vers la serra da Arrábida.

Ruines romaines de Cetóbriga – *À 4 km à pied de l'embarcadère ou 2,5 km par un chemin sablonneux, mais praticable en voiture, à partir de la N 253-1.*
Dans un site agréable au bord de la lagune, on a mis au jour quelques vestiges d'une importante ville romaine détruite par la mer au début du 5ᵉ s. On peut y voir un ensemble de salaison des poissons, une sépulture, les restes d'un temple orné de fresques et des thermes.

Alcácer do Sal – *50 km au Sud, par la N 10 et l'IP 1.* Penchée en amphithéâtre au-dessus du rio Sado, Alcácer do Sal a été une importante cité romaine (Salacia), qui avait le droit de frapper sa propre monnaie, avant de devenir une place-forte mauresque, dont elle a gardé la physionomie dans le tracé de ses ruelles sinueuses et dans son imposant château. Elle fut reconquise par le roi Alphonse II en 1217 avec l'aide des chevaliers de l'ordre de Saint-Jacques, qui s'y sont installés.

Castelo – Dominant la localité, le château maure garde encore ses hauts murs et 31 tours, dont une tour d'angle, au Sud. Le château abrite la **pousada** de Dom Afonso II.

Église paroissiale Santa Maria do Castelo – Située à l'intérieur des murailles, elle a été fondée par l'ordre de Saint-Jacques et constitue un exemple intéressant de l'art roman tardif (fin du 12ᵉ-début du 13ᵉ s.). À l'intérieur, on peut admirer des azulejos polychromes du 17ᵉ s.

Église do espírito Santo – Dans cette église décorée d'un beau **portail** manuélin, le roi Dom Manuel aurait épousé en 1500 sa seconde épouse, l'infante espagnole Dona Maria. Un **Musée archéologique** ✆ aménagé à l'intérieur présente des objets de différentes époques trouvés dans la région.

SILVES★

District de Faro – 10 851 habitants
Carte Michelin nᵒ 940 U 4 – Schéma : ALGARVE

De l'ancienne Xelb aux nombreuses mosquées, capitale maure de l'Algarve, dont la magnificence éclipsait, dit-on, celle de Lisbonne elle-même, il ne subsiste que le château aux murailles de grès rouge situées en acropole au-dessus de la ville toute blanche, étagée sur la colline. Du fait de sa situation à l'intérieur des terres, sur les contreforts de la serra de Monchique, Silves a conservé son authenticité avec ses rues pavées et montueuses.

La cour mauresque – En 712, l'armée de Musa, général musulman dépendant du califat omeyade de Damas occupe l'Algarve. La région est partagée en deux provinces *(koras)*, à l'Ouest l'Algarve proprement dit, Aljarafe à l'Est. Silves est la capitale de l'Algarve. Quelque temps après la chute de la dynastie omeyade à Cordoue (1031), Al-Mutamid, fils du roi de Séville Al-Mutadid, est nommé gouverneur de la région d'Algarve. Devenu roi, il prend pour gouverneur son ami **Ibn Ammar** (1031-1084), par ailleurs grande figure de la poésie arabe, qui va tenir à Silves une cour brillante.

Silves capitale de l'Algarve chrétienne – Appelés à la rescousse par Al-Mutamid, les Almoravides prennent le dessus mais sont bientôt supplantés par les Almohades. Ces derniers sont les maîtres incontestés de l'Algarve jusqu'en 1189, date de la prise de Silves par le roi Sanche Iᵉʳ, qui a demandé l'assistance de croisés allemands et anglais. C'est une première brèche dans la puissance musulmane au Portugal, bien que Silves soit rapidement reprise par les Arabes (1191). Elle n'est récupérée par les Portugais que sous le règne de Sanche II, en 1242, grâce aux chevaliers de l'ordre de Saint-Jacques et à Paio Peres Correia, maître de l'ordre. Une fois la reconquête de l'Algarve menée à son terme, Silves en devient la capitale, tant politique que religieuse. Le transfert de l'évêché à Faro en 1577 marque le début de son déclin.
Vers 1247, le navigateur Diogo de Silves découvre l'île de Santa Maria des Açores.

★ **Château** ✆ – *Laisser la voiture sur la place de la cathédrale et pénétrer dans l'enceinte du château.* Le chemin de ronde sur les remparts crénelés magnifiquement restaurés offre de nombreux **points de vue** sur la ville et les environs : au Nord-Ouest sur la vallée irriguée de l'Arade, les usines de transformation du liège et, derrière, la serra de Monchique, au Sud sur les vergers de pêchers et d'amandiers et au loin sur le littoral. À l'intérieur de la forteresse fleurie de lauriers-roses, deux citernes occupent encore les souterrains.

Fábrica do Inglês – Attenante au château, cette ancienne usine de transformation de liège (acquise par des capitaux anglais, d'où son nom de « fabrique de l'Anglais »), a été transformée en parc de loisirs pour tous les âges et tous les goûts. Ainsi, on pourra y voir une aire de jeux pour enfants, des points de vente d'artisanat, des cafés, des terrasses, un salon de thé, des restaurants, et un spectacle d'eau et lumière la nuit.
Les bâtiments de l'ancienne usine ont été convertis en **musée du Liège** (Museu da Cortiça), qui a obtenu en 2001 le prix du meilleur musée industriel européen. Cette importante activité de la région est évoquée ici par des audiovisuels, des documents, des machines, certaines en fonctionnement, des ustensiles et des objets associés au liège.

La domination musulmane

En 711, des musulmans, dépendant du califat omeyade de Damas, envahissent la péninsule Ibérique. La Reconquête, entreprise en 722 à Covadonga (dans les Asturies) par Pélage, un roi wisigoth, va durer sept siècles.

Quelques dates de la Reconquête du territoire portugais sont à retenir :

867 : Porto

1064 : Coimbra

1147 : Lisbonne (la ville est libérée par le premier roi du Portugal, Alphonse Henriques)

1189 : Silves (qui est toutefois reprise deux ans plus tard)

1249 : chute de Faro qui marque la fin de la Reconquête sur le territoire portugais ; l'Algarve est resté plus de cinq siècles sous domination musulmane.

À la différence de l'Espagne, il reste peu de vestiges d'architecture islamique au Portugal, à part la mosquée de Mértola *(voir ce nom)* en Alentejo et quelques murailles comme celles de Silves.

★**Cathédrale** – Elle a été construite à l'emplacement d'une ancienne mosquée. La nef et les bas-côtés gothiques (13ᵉ s.) frappent par leur belle simplicité ; le transept et le chœur, plus tardifs, sont de style gothique flamboyant.
En face du portail de la cathédrale, remarquer une **porte manuéline**.

Museu arqueológico ☉ – Il est installé dans un bâtiment moderne construit le long de la muraille de la ville autour d'une importante citerne des 12ᵉ-13ᵉ s. Ses collections retracent l'histoire de cette région depuis le paléolithique. Remarquer les menhirs et les stèles funéraires de l'âge du fer. La période arabe est particulièrement bien représentée (céramiques, éléments d'architecture).

Cruz de Portugal – *À la sortie Est de la ville, sur la N 124, route de São Bartolomeu de Messines.* Ce calvaire du 16ᵉ s. en calcaire, très ouvragé, présente sur une face le Christ en croix et sur l'autre une Pietà.

SINTRA ★★★

District de Lisboa – 24 370 habitants
Carte Michelin n° 940 P 1 – Plan dans le Guide Rouge Portugal

À une demi-heure seulement de Lisbonne, Sintra, blottie au pied du versant Sud de sa serra, est un véritable havre de paix et de verdure.
Pendant six siècles, elle fut la résidence préférée des souverains et demeure le lieu de villégiature des grandes familles lisboètes qui y possèdent de ravissantes quintas ou d'élégants palais. Au 19ᵉ s., certains romantiques anglais, dont Lord Byron, y élurent domicile. Le « paysage culturel » de la ville a été inscrit au Patrimoine mondial par l'Unesco en 1995.
Trois quartiers se juxtaposent à Sintra : la vieille ville (Vila Velha), entourant le palais royal, la ville moderne (Estefânia), et l'ancien village de São Pedro célèbre pour son marché à la brocante qui s'y tient les 2ᵉ et 4ᵉ dimanches de chaque mois.
Très fréquentée, surtout pendant les week-ends, Sintra a vu s'installer, dans la vieille ville, des antiquaires, des magasins d'artisanat, des boutiques élégantes, des restaurants et des salons de thé où l'on peut déguster les délicieuses tartelettes appelées *queijadas*, spécialité de la ville.

La convention de Sintra – La première invasion du Portugal par l'armée française est à l'origine de soulèvements qui éclatent un peu partout dans le pays ; Junot se heurte aux troupes anglaises récemment débarquées. Il doit signer la paix.
Aux termes de la convention de Sintra (30 août 1808), les Français obtiennent de regagner leur pays en embarquant sur des navires anglais avec armes et bagages. Ces conditions avantageuses navrent les combattants portugais ; aussi, depuis lors, la demeure de l'ambassadeur de Hollande où fut signé le traité porte-t-elle le nom de Seteais (sept soupirs). Cette demeure accueille aujourd'hui un luxueux hôtel *(voir carnet d'adresses)*.

★★**Palácio real** ☉ – Il doit sa structure hétéroclite aux différentes adjonctions faites au cours des temps. Le bâtiment central a été érigé par le roi Jean Iᵉʳ (fin 14ᵉ s.) ; les ailes sont l'œuvre du roi Manuel Iᵉʳ (début 16ᵉ s.). Outre les deux hautes cheminées coniques qui dominent le palais, les fenêtres géminées mauresques *(ajimeces)* et manuélines sont les éléments les plus marquants de l'extérieur.
L'intérieur est intéressant pour sa remarquable décoration d'**azulejos**★★ des 15ᵉ et 16ᵉ s. ; les plus beaux agrémentent la salle à manger (ou salle des Arabes), la chapelle et la salle des Sirènes.
La **salle des Armoiries**, de forme carrée, est surmontée d'un **plafond**★★ en coupole reposant sur des trompes d'angle et constitué de caissons peints représentant les blasons des nobles portugais au début du 16ᵉ s. ; le blason manquant est celui de la famille Coelho qui conspira contre Jean II.

SE LOGER À SINTRA

Quinta da Capela – *Sur la route de Colares à 4,5 km de Sintra – 2710-405 Sintra – ☎ 219 29 01 70 – fax 219 29 34 25 – 5 chambres, 3 suites – 125/145 € (**GB**) – parking – fermé de décembre à février.*
Cette ancienne quinta merveilleusement située en pleine serra de Sintra offre un confort et un charme à la mesure de son environnement. Beau jardin (avec une petite piscine) et belles vues sur les environs.

Lawrence's Hotel – *R. Consiglieri Pedroso, 38-40, 2710-550 Sintra – ☎ 219 10 55 00 – 16 chambres – 128/158 € (**GB**) – restaurant.*
En plein cœur de la ville, la maison où vécut Lord Byron a été transformée en hôtel de charme de tout confort. L'hôtel dispose d'un jardin et d'un bon restaurant.

« UNE PETITE FOLIE ! »

Palácio de Seteais – *R. Barbosa do Bocage, 8, 2710-517 Sintra – ☎ 219 23 32 00 – fax 219 23 42 77 – 29 chambres, 1 suite – 237/259,50 € (**GB**) – restaurant – parking – air conditionné.*
Cadre magnifique où fut signée la convention de Sintra, cet élégant palais du 18ᵉ s., avec son parc, est l'un des hôtels les plus beaux et les plus luxueux du Portugal.

PRENDRE UN THÉ À SINTRA

Casa de Chá Raposa – *R. Conde Ferreira, 29 – ☎ 219 24 44 82.*
Cet endroit insolite et hors du temps est à la fois un salon de thé et une boutique. Ainsi, dans un cadre très « cosy » et romantique, décoré de meubles et de services à thé anciens, d'argenterie, de tableaux, de plantes, et doté d'un coin de lecture, vous pourrez vous délecter d'un thé « Mariage frères » et acheter pratiquement tout objet se trouvant dans la maison. Le thé complet avec toasts, scones et confitures maison : *8,75 €.*

Fábrica das Queijadas da Sapa – *Volta do Duche, 12 – ☎ 219 23 04 93.*
Les *queijadas* de Sintra sont des pâtisseries traditionnelles à base d'œufs, de fromage frais et de cannelle. Cette fabrique fondée en 1786 dispose d'un petit salon de thé jouissant d'une belle vue sur le palais royal, où les gourmands pourront goûter, entre autres douceurs, aux fameuses *queijadas*.

Les imposantes cheminées du palais

La salle de lecture, ou **salle des Pies**, possède un plafond peint (17ᵉ s.) décoré de pies tenant dans leur bec une rose avec les mots « por bem » (pour le bien) prononcés par Jean Iᵉʳ, surpris par la reine en train d'embrasser une dame d'honneur ; pour mettre fin aux commérages, il fit peindre sur le plafond autant de pies qu'il y avait de dames à la Cour.

★ **Museu do Brinquedo** ⊙ – Le **musée du Jouet**, aménagé dans l'ancienne caserne des pompiers, est le fruit de la passion d'un collectionneur, João Arbués Moreira. Il expose une vaste collection de jouets du monde entier, depuis des petites figures en bronze âgées de 3 000 ans jusqu'aux robots modernes. Au dernier étage a été installée une « clinique de chirurgie esthétique » réparant les méfaits que le temps a fait subir aux poupées et jouets. Les chevaux en bois, les petits trains, les petites voitures, les soldats de plomb et les jouets portugais d'antan plongent immédiatement le visiteur dans ses souvenirs d'enfance.

★**Museu de Arte Moderna (Colecção Berardo)** ⊘ – Installé dans l'ancien casino de Sintra, ce musée public inauguré en 1997 expose la riche collection particulière du commandeur J. Berardo, constituée de pièces de la seconde moitié du 20ᵉ s., représentatives des courants artistiques d'avant-garde apparus depuis 1945. Les œuvres, exposées par rotation, sont de Dubuffet (la plus ancienne), Gilbert & George, David Hockney, Jeff Koons, Joan Mitchell, Richter, Rosenquist, Stella, Tom Wesselmann, Andy Warhol, etc.
On y trouvera une agréable cafétéria, une librairie et une boutique.

★**Quinta da Regaleira** – *Sur la route de Seteais, à 800 m du centre-ville.*
Sur le site d'une ancienne quinta de la fin du 17ᵉ s., Carvalho Monteiro, riche homme d'affaires, adepte de l'ésotérisme et franc-maçon, a fait édifier au début du 20ᵉ s. cet ensemble fascinant de constructions dans un mélange surprenant de styles, en particulier gothique, Renaissance et manuélin. Le **palais** de la quinta est inspiré de celui de Buçaco et a été conçu par le même architecte, Luigi Manini. Enchâssée dans la végétation exubérante de la serra de Sintra, entourée de jardins, dans une atmosphère extrêmement romantique, la quinta révèle un parcours ésotérique initiatique et un symbolisme complexe liée aux Templiers, à l'alchimie, au christianisme, à la mythologie gréco-romaine, etc. Le **Patamar dos Deuses** (Palier des Dieux) est occupé par des statues de la mythologie gréco-romaine et des éléments alchimiques. Dans la **Capela da Santíssima Trindade** (chapelle de la sainte Trinité), le symbole maçonnique du delta rayonnant, avec l'œil de Dieu sur la croix des Templiers, représente le grand architecte de l'univers. La **Gruta de Leda** (grotte de Léda) abrite une statue de femme ayant une colombe dans la main, symbole de l'Immaculée Conception et à ses côtés, un cygne, symbolisant la sagesse. La **Tour da Regaleira** représente la lumière et la connaissance. L'étonnant **Poço iniciático** (Puits initiatique), de 27 m de profondeur, par un parcours de neuf paliers, évoque l'idée de la mort et de la renaissance.
La quinta dispose d'un restaurant et d'une cafétéria avec terrasse.

Serra de SINTRA★★

Carte Michelin nº 940 P 1

Le massif de Sintra est un bloc de granit qui forme une barrière montagneuse (point culminant à la Cruz Alta : 529 m) sur laquelle se condensent les pluies venues de l'Océan. Cette humidité et l'imperméabilité de la roche sont à l'origine de la végétation touffue qui couvre l'ensemble du massif et masque en grande partie les pitons granitiques dégagés par l'érosion. La flore est très variée : chênes, cèdres, arbres tropicaux et subtropicaux, fougères arborescentes, camélias, etc.
La beauté du site a maintes fois été célébrée par les poètes, et en particulier par Gil Vicente, Camões *(Les Lusiades)*, Southey et Byron *(Childe Harold)*.

★★PARQUE DA PENA ⊘

De Sintra à la Cruz Alta *5 km – environ 2 h*

Au Sud de Sintra, le très beau **parc da Pena★★** couvre une superficie de 200 ha sur les pentes granitiques de la serra de Sintra ; il est planté d'essences rares, tant nordiques que tropicales, et compte un grand nombre de pièces d'eau et de fontaines. Sa visite à pied est d'un grand charme, mais l'automobiliste pressé pourra se contenter de parcourir les petites routes qui le sillonnent ou, du moins, de monter aux sommets de ses deux points culminants : celui portant le palais de la Pena, et celui de la Cruz Alta.
Quitter Sintra par la route de Pena, au Sud.

Après avoir longé, à droite, l'Estalagem dos Cavaleiros où Byron écrivit le canevas de *Childe Harold*, la route monte en lacet entre les murs de belles propriétés.
Au croisement de la N 247-3, prendre à gauche vers la Pena.

★**Castelo dos Mouros** ⊘ – *1/2 h à pied AR depuis le parc de stationnement.*
Édifié sur une butte rocheuse au 8ᵉ ou 9ᵉ s., le **château des Maures** ne comporte plus qu'une enceinte crénelée épousant les escarpements du sommet et jalonnée par quatre tours carrées, ainsi que les ruines d'une chapelle romane.
De la tour Royale, que l'on atteint par une série d'escaliers, jolie **vue aérienne★** sur Sintra et son palais, la côte atlantique et le château perché de la Pena.
Franchir la grille d'entrée du parc de la Pena et laisser la voiture sur le parc de stationnement.

« O Rei-Artista », l'artiste roi

Neveu du roi des Belges Léopold Ier, le prince **Ferdinand de Saxe-Cobourg et Gotha** (1816-1885) avait épousé en 1836 la reine Marie II, veuve du duc Auguste de Beauharnais-Leuchtenberg, un petit-fils de l'impératrice Joséphine. À la naissance en 1837 du prince héritier Pierre, il reçut le titre honoraire de roi Ferdinand II de Portugal. Intelligent et diplomate, moderne et relativement libéral, il sera régent du Portugal de 1853 à 1855 et pressenti en 1870 pour le trône d'Espagne. D'une vaste culture et d'une rare sensibilité artistique, il s'adonne à la gravure à l'eau-forte, à la céramique et à l'aquarelle. Président de l'Académie royale des sciences et des beaux-arts, protecteur de l'université de Coimbra, c'est en 1838 qu'il achète le couvent en ruine de Nossa Senhora da Pena, autour duquel il entreprend de faire édifier un palais conforme à sa sensibilité philosophique. Grand maître de la Rose-Croix, il fait de son château une alchimie de symboles où, en compagnie de sa seconde épouse, Elisa Hensler, une cantatrice d'origine suisse, il recevra les plus grands artistes de l'époque. Richard Strauss disait de la Pena, dont il fut l'hôte et qui préfigurait les châteaux de Louis II de Bavière : « Ce parc... est le véritable jardin de Klingsor, et, là-haut, le château du Saint-Graal... »

★★ **Palácio Nacional da Pena** ○ – Perché sur l'un des points culminants de la serra, ce palais *(illustration p. 80)* fut construit au milieu du 19e s. par le roi Ferdinand II autour d'un ancien couvent de hiéronymites datant du 16e s. Son extravagance évoque certains châteaux de Louis II de Bavière bien qu'il les ait précédés de trente ans. C'est un pastiche où les styles « néo » se côtoient avec plus ou moins de bonheur : maure, gothique, manuélin, Renaissance, baroque. Repeint avec des couleurs très vives, son côté éclectique n'en ressort que plus.

Une rampe passant sous une porte mauresque mène devant la cour du palais, sur laquelle s'ouvre un passage que surmonte l'impressionnant arc de Triton.

À l'intérieur, les vestiges du couvent, le cloître manuélin et la chapelle, dont on admirera l'autel en albâtre dû à Nicolas Chanterene, sont décorés d'azulejos. Ils forment un curieux contraste avec les autres pièces : salles de réception, salons, chambres meublées dans le goût du 19e s. avec profusion de tentures, de tapisseries, de meubles lourds, de sofas, de poufs, de miroirs, de décorations en stuc. Des terrasses, de belles **vues**★★ s'offrent sur toute la région, de la côte atlantique au Tage, enjambé à Lisbonne par le pont suspendu ; du massif proche se détachent la Cruz Alta et la statue de l'architecte du palais, le baron Eschwege, campé sur un rocher en chevalier médiéval.

★★ **Cruz Alta** – *La route permet d'accéder au pied de la croix.*

Ce sommet, surmonté d'une croix, offre un immense **panorama** sur l'ensemble du massif (excepté Sintra) et la plaine environnante, jusqu'à Lisbonne au Sud (derrière le palais da Pena).

★CIRCUIT DANS LA SERRA

30 km – environ 3 h

Quitter Sintra comme précédemment. Laisser à gauche la route de Pena pour emprunter la N 247-3 en direction de Cabo da Roca.

Après avoir parcouru quelques kilomètres, on aperçoit à droite de la route le **couvent de capucins** qui fut aménagé au 16e s. dans un chaos de rochers. Les cellules, assez nombreuses, minuscules et précaires, sont creusées dans le roc et tapissées de liège, le meilleur isolant de l'époque.

Prendre en face de la route menant au couvent celle qui conduit à la Peninha, à travers un paysage jalonné d'énormes rochers.

Peninha – Sur ce sommet (486 m) se dresse une petite **chapelle** ○. De la terrasse, **vue**★★ panoramique avec, au premier plan, l'immense plage du Guincho.

On peut gagner directement le Cabo da Roca en suivant la direction Azoia.

★ **Cabo da Roca** – Cette falaise « où la terre finit et la mer commence » (Camões) constitue la pointe la plus occidentale du continent européen. La serra de Sintra se termine ici par une falaise abrupte dominant l'Océan de près de 140 m. Son nom signifie le « cap du Rocher » et l'on peut y voir la côte se découpant au Nord en de multiples indentations qui abritent parfois de petits ports.

Le petit office de tourisme local offre aux visiteurs qui le demandent un certificat attestant de leur passage par le point le plus occidental de l'Europe.

Revenir à la N 247 que l'on suit jusqu'à Colares.

Colares – Cette jolie localité, avec ses maisons basses et ses quintas perdues dans la verdure, est réputée pour ses vins de table blancs et rouges, vins de sable veloutés, légers et parfumés.

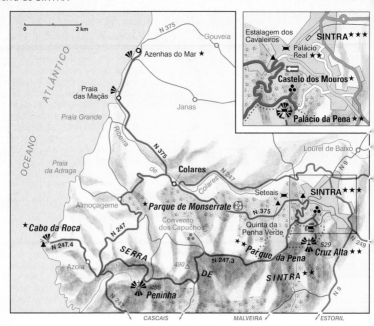

D'ici on peut se rendre à **Azenhas do Mar**★ *(6 km au Nord)* en passant par **Praia das Maçãs**, station balnéaire. L'arrivée à Azenhas do Mar offre un joli coup d'œil sur le **site**★ de ce bourg étagé sur une falaise déchiquetée. Au creux de la falaise, la petite crique a été aménagée en piscine d'eau de mer.

De Colares, regagner Sintra par la N 375. Cette route étroite et accidentée s'élève au milieu d'une végétation exubérante en ménageant des vues magnifiques sur la serra.

★**Parque de Monserrate** ⊙ – Un **parc**★ à l'anglaise entoure un palais néo-oriental construit au 18ᵉ s. par un vice-roi des Indes. Le parc est planté de nombreuses essences (cèdres, arbousiers, bambous, fougères arborescentes...) s'épanouissant autour de cascades et de bassins.

En arrivant à Sintra, on passe, à gauche, la quinta de Penha Verde (16ᵉ s.) dont l'arc enjambe la route. C'est également l'ancien palais d'un vice-roi des Indes portugaises. On aperçoit ensuite à gauche l'entrée monumentale (19ᵉ s.) du palais-hôtel de Seteais.

TAVIRA★

District de Faro – 12 059 habitants
Carte Michelin n° 940 U 7 – Schéma : ALGARVE

Tavira est une charmante ville aux maisons blanches et aux innombrables églises, agréablement située sur l'estuaire du rio Gilão, au pied d'une colline cernée des vestiges des murailles construites par le roi Denis. Le pont romain et les murailles maures rappellent son ancienneté. La ville fut victime du tremblement de terre de 1755 qui démolit la plupart de ses édifices et coupa le port du littoral en l'ensablant. Autrefois, c'était un grand centre de la pêche au thon et Tavira conserve encore quelques activités de pêche. Sa plage se trouve sur le cordon littoral.

CURIOSITÉS

Se garer dans le centre-ville près de la praça da República.

Le centre de Tavira, préservé, a beaucoup de charme avec ses ruelles étroites, ses bords de fleuve agrémentés de jardins, son marché couvert très animé. On découvre çà et là des maisons aux portes ornées de moucharabiehs *(de reixa)*, héritage des Arabes, de gracieuses toitures à quatre pans retroussées, dites *de tesouro* et les typiques cheminées de l'Algarve.

De la praça da República, on peut voir le **pont romain** et sur l'autre rive quelques belles maisons.

Quartier ancien – Pour visiter le quartier ancien, passer sous l'arc da Misericórdia d'où se découvre le portail Renaissance de l'**église da Misericórdia**. L'intérieur de celle-ci est couvert de panneaux d'azulejos historiés du 18ᵉ s. représentant les œuvres de la Miséricorde ; dans le chœur, retable en bois doré de la même époque. En sortant de l'église et en tournant à gauche, on parvient au **château maure** dont il ne subsiste que les murailles crénelées enserrant un beau jardin. Au-dessus, l'église **Santa Maria do Castelo**, construite sur une ancienne mosquée, a gardé sa façade gothique. Le chœur conserve le tombeau des sept chevaliers de l'ordre de Saint-Jacques dont l'assassinat par les Maures a déclenché la reconquête de la ville. Remarquer la voûte nervurée de la chapelle à gauche de l'entrée et les azulejos du 18e s. L'église fait face au largo da Graça, jolie place en pente très fleurie et ombragée. De là, rejoindre la praça da República et traverser le pont. Monter la rua 5 de Outubro jusqu'à la praça Dr. Padinha, à droite, où se trouve l'**église São Paulo** du 17e s. À l'intérieur, sept chapelles sont occupées par d'impressionnantes boiseries baroques du 18e s. En sortant de l'église, monter la rua de São Brás jusqu'au largo do Carmo, où s'élève l'**église do Carmo** du 18e s. L'intérieur baroque contient un beau retable en bois doré. Pour retourner au fleuve et au centre, faire le chemin en sens inverse ou déambuler dans les ruelles.

Plage de l'île de Tavira – *2 km, puis accès par bateau.*
La route traverse les marais salants et parvient à l'embarcadère d'où partent régulièrement, en été, les bateaux pour l'île de Tavira (Ilha de Tavira).

TOMAR★★

District de Santarém – 18 806 habitants
Carte Michelin n° 940 N 4

Sur les rives du Nabão, la ville de Tomar s'étend au pied d'une colline boisée que coiffe un château fort érigé en 1160 par Gualdim Pais, maître de l'ordre des Templiers, à l'intérieur duquel se trouve le couvent du Christ.

Des Templiers aux Chevaliers du Christ – Au début du 12e s., en pleine Reconquête, la frontière entre les chrétiens et les Maures passait à cet endroit. L'ordre des Chevaliers de la milice du Temple – qui avait été créé à Jérusalem en 1119 – y édifia en 1160 un couvent-forteresse qui devint la maison mère de l'ordre au Portugal. En 1314, à la demande du roi français Philippe le Bel, le pape Clément V ordonna la dissolution de l'ordre du Temple. Au Portugal, le roi Denis créa alors, en 1320, un nouvel ordre, celui des Chevaliers du Christ, qui récupéra les biens de l'ordre du Temple et dont les moines chevaliers étaient pour la plupart d'anciens Templiers. Le siège de ce nouvel ordre fut d'abord établi à Castro Marim, dans l'Algarve, puis en 1356 à Tomar. La période de gloire des Chevaliers du Christ se situe au début du 15e s., alors que l'infant Henri le Navigateur en était le grand maître (1418 à 1460). L'immense fortune de l'ordre lui permit de financer les Grandes Découvertes en armant des caravelles aux voiles frappées de l'emblème de l'ordre, la grande croix rouge. Les Portugais explo-

Une belle addition de styles, le couvent du Christ

rèrent alors les côtes africaines, contournèrent le cap de Bonne-Espérance et atteignirent les Indes. Cette richesse se traduit à Tomar par la richesse de la décoration manuéline.

La fête des Tabuleiros – Tous les quatre ans se perpétuent à Tomar les cérémonies qu'organisaient jadis les fraternités du St-Esprit – fondées au 14e s. par la reine sainte Isabelle, femme du roi Denis – pour distribuer du pain, du vin et de la viande aux pauvres de la ville. À cette occasion, des jeunes filles vêtues de blanc défilent dans les rues en portant sur la tête un *tabuleiro* (plateau). Celui-ci, de la même hauteur que celle qui le porte, est constitué de 30 pains empilés sur des roseaux fixés à un panier d'osier, l'ensemble étant orné de feuillages, de fleurs en papier et d'épis de blé *(illustration p. 73)*. La fête dure quatre jours et comprend des réjouissances profanes, des danses folkloriques et des feux d'artifice.

★★CONVENTO DE CRISTO ☉ 1 h

Au sommet de la butte qui domine la ville, les murailles du 12e s. enferment les bâtiments du **couvent du Christ** dont la construction s'est poursuivie du 12e au 17e s. en faisant un véritable musée de l'architecture portugaise où se mêlent les styles roman, gothique, manuélin, Renaissance.

Laisser la voiture sur le parking devant les murailles.

★**Église** – Le portail, qui évoque le style platéresque de Salamanque, a été réalisé par l'Espagnol João de Castilho, successeur de Diogo de Arruda. L'ancienne église des Templiers forme maintenant le chevet. Le roi Manuel y accola une nef qui communique avec la rotonde par un arc dû à Diogo de Arruda.

★★**Charola dos Templários** – Bâtie au 12e s. sur le modèle du St-Sépulcre de Jérusalem, la **rotonde des Templiers** se présente comme une construction octogonale à deux étages soutenue par huit piliers ; un déambulatoire à voûte annulaire sépare cet octogone du polygone extérieur à seize côtés, les peintures qui ornent l'octogone sont l'œuvre d'artistes portugais du 16e s. ; quelques statues en bois polychrome datent de la même époque.

Nef – Construite au 16e s. par l'architecte Diogo de Arruda, elle est remarquable par l'exubérance de sa décoration manuéline.

★**Bâtiments conventuels** – Ils sont répartis autour de plusieurs cloîtres.

Claustro Principal – Le Grand Cloître fut érigé pour l'essentiel de 1557 à 1566 par Diogo de Torralva, fervent admirateur de l'architecte italien Palladio. Il est aussi appelé « cloître des Philippe » en souvenir de Philippe II qui y ceignit la couronne du Portugal en 1581. Ce cloître Renaissance comprend deux étages avec colonnes toscanes au rez-de-chaussée et ioniques à l'étage supérieur. Son dépouillement et sa sévérité contrastent avec la décoration manuéline de la nef qu'il masque en partie. Trois fenêtres, dont deux seulement sont visibles, constituent les éléments les plus extraordinaires de cette décoration. La première se voit à droite en entrant dans le Grand Cloître. Mais pour voir la plus célèbre, il faut descendre dans le cloître Ste-Barbe (claustro de Santa Bárbara).

Du Grand Cloître, un escalier en colimaçon aménagé dans l'angle Est mène aux terrasses d'où se révèlent des vues intéressantes sur l'ensemble du couvent.

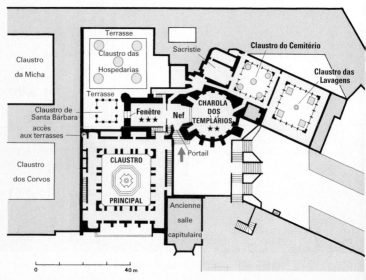

★★★Fenêtre – Conçue par l'architecte Diogo de Arruda et sculptée de 1510 à 1513, c'est la plus étonnante réalisation de décoration manuéline au Portugal. À partir des racines ① d'un chêne-liège, soutenues par le buste d'un capitaine ②, la décoration grimpe le long de deux mâts en de multiples torsades. Dans la profusion des détails végétaux et marins, on reconnaît des coraux ③, des cordes ④, du liège ⑤ (pour la construction des bateaux), des algues ⑥, des câbles ⑦, des chaînes ⑧. L'ensemble est couronné des emblèmes du roi Manuel Ier (blason et sphère armillaire) et de la croix de l'ordre du Christ, que l'on retrouve sur la balustrade qui ceint la nef. La fenêtre est amarrée par des câbles à deux tourelles de facture analogue, entourées l'une d'une chaîne, représentant l'ordre de la Toison d'or, l'autre d'un ruban, insigne de l'ordre de la Jarretière.

Les cloîtres gothiques – Le cloître du **Cimetière** (claustro do Cemitério), aux chapiteaux à décoration végétale, et le **cloître des Ablutions** (claustro das Lavagens), situés à l'Est de la rotonde, ont été élevés au 15e s. sous la direction de l'infant Henri le Navigateur.

La fenêtre de la salle capitulaire

MICHELIN

AUTRES CURIOSITÉS

Chapelle Nossa Senhora da Conceição ⊙ – Elle est située à mi-pente, à gauche en descendant du couvent vers la ville. C'est une belle œuvre de la Renaissance, aux chapiteaux délicatement sculptés.

Église São João Baptista – *Praça da República*. Édifice gothique de la fin du 15e s., flanqué d'un campanile manuélin. Il s'ouvre par un joli **portail★** flamboyant d'une grande finesse dû – comme la chaire flamboyante à gauche de la nef – à un artiste français anonyme. Dans le collatéral gauche, Cène peinte par Gregório Lopes (16e s.).

Synagogue ⊙ – *Rua Joaquim Jacinto, 73*. Construite entre 1430 et 1460, elle ne fut utilisée comme lieu de culte que jusqu'en 1497, date de l'édit d'expulsion des juifs par le roi Manuel. Un Musée luso-hébraïque y est installé et l'on remarquera, dans la salle de culte aux voûtes reposant sur des piliers, les cruches d'argile dont la résonance servait à amplifier les voix.

TORRE DE MONCORVO

District de Bragança – 3 030 habitants
Carte Michelin n° 940 ou 441 I 8

L'arrivée à Torre de Moncorvo par la N 220 à l'Est ménage une **vue★** d'ensemble sur la ville, groupée dans un très vaste paysage d'arides croupes montagneuses au-dessus d'une vallée fertile plantée d'oliviers et de vignes, proche de la confluence du Douro et du Sabor. Au Sud-Est, la serra do Reboredo recèle de riches gisements de minerai de fer.
La ville compte plusieurs maisons seigneuriales des 17e et 18e s. (Solar dos Pimentéis, Casa dos Távoras). Ses *amêndoas cobertas*, sortes de pralines, sont très réputées.

Église paroissiale – Cette imposante église à façade austère, des 16e-17e s., renforcée de puissants contreforts, présente au centre une tour à avant-corps et un portail Renaissance en plein cintre. L'entablement est surmonté de sculptures dans des niches baroques en forme de coquille. L'intérieur, sous des voûtes à nervures, abrite un beau retable du 17e s. et, dans le bas-côté gauche, un intéressant triptyque en bois peint illustrant la vie de sainte Anne, mère de la Vierge, et de saint Joachim, son époux. On voit à droite leur rencontre, à gauche leur mariage, et, au centre, la présentation de l'Enfant Jésus à ses grands-parents.

EXCURSION

Freixo de Espada-à-Cinta – *41 km à l'Est par la N 220, puis la N 221 à droite*. Devant un horizon de montagnes, cette bourgade, bâtie en schiste et en granit, est tapie dans un bassin fertile. C'est la ville natale du poète satirique et régionaliste **Guerra Junqueiro** (1850-1923).

★**Église paroissiale** – Édifiée à la fin du gothique, cette église-halle s'ouvre par un joli portail gothique agrémenté de motifs manuélins *(illustration dans l'ABC d'architecture)*.

L'intérieur, qui contient une belle chaire en fer forgé, est couvert d'une voûte en réseau ; le **chœur**★, dont la voûte est ornée de clefs pendantes blasonnées, abrite un autel en bois doré avec colonnes torses et baldaquin ; les murs sont entièrement revêtus de caissons peints (16e s.).

Pilori – De style manuélin, il est surmonté d'une tête humaine.

Parque Arqueológico do VALE DO CÔA★★

Parc archéologique de la VALLÉE DU CÔA – District de Guarda

Carte Michelin n° 940 ou 441 I 8

Situé dans un cadre naturel grandiose, dans une région isolée, au Nord-Est du pays, aux confins des régions de Trás-os-Montes et de la Beira Alta, le parc archéologique de la Vallée du Côa a été créé pour préserver l'un des plus importants sites mondiaux de gravures rupestres du paléolithique en plein air. Celles-ci se trouvent le long du Côa, près de la confluence avec le Douro.

La découverte – Depuis l'époque où les hommes de Cro-Magnon ont gravé sur le schiste les animaux qu'ils voyaient dans la nature, le paysage a peu changé. Grâce à l'isolement, l'art rupestre de la vallée du Côa a été préservé jusqu'à nos jours. Il a même été perpétué au cours des siècles par les hommes de toutes les époques qui y sont passés et y ont laissé leur trace, inscrite sur la pierre, jusqu'au 20e s., où fut représenté un train empruntant le pont ferroviaire de Foz do Côa.

En 1992, lors de la construction du barrage dans la zone de Canada do Inferno, on découvrit des roches gravées datées du paléolithique (30 000 à 10 000 ans avant notre ère). Après une longue polémique, le nouveau gouvernement, choisissant de conserver cet ensemble exceptionnel d'art paléolithique, décida, au début de 1996, de suspendre les travaux du barrage, qui aurait élevé le niveau des eaux de 130 m.

Jusqu'à présent, près de 150 roches gravées ont été découvertes, dont 18 peuvent être approchées. On a trouvé des roches ornementées, certaines immergées, sur d'autres sites, et le parc évolue sans cesse en raison des nombreuses découvertes faites au cours de nouvelles prospections.

Le parc a été inauguré en août 1996. En décembre 1998, il a été distingué par l'Unesco comme faisant partie du Patrimoine mondial. Actuellement, sur 17 km le long de la rivière, on visite trois sites distincts : Penascosa, Ribeira de Piscos et Canada do Inferno.

Site de Ribeira de Piscos

QUELQUES CONSEILS...

Accès – La voiture est le moyen de transport le plus pratique. Depuis Lisbonne : *387 km via Albergaria-a-Velha ; prévoir 5 h.* Depuis Porto : *214 km via Mirandela ; prévoir 3 h 30.*

Comment organiser votre visite – *Voir les conditions de visite en fin de volume pour les horaires d'ouverture, les prix et les réservations.* Les visites doivent être réservées au moins deux mois à l'avance. Les visiteurs doivent se rendre directement au centre de réception du site qu'ils vont visiter et arriver 15 mn avant le départ (Castelo Melhor pour Penascosa, Muxagata pour Ribeira de Piscos et le siège du parc, à Vila Nova de Foz Côa, pour Canada do Inferno). Ils sont transportés jusqu'aux sites en Jeep, dont la capacité est de 8 passagers au maximum (chaque enfant occupe une place dans le véhicule). Les visites sont faites par de jeunes guides de la région, spécialement formés à cet effet. Le parc peut annuler provisoirement les visites si le temps ne le permet pas (en cas de pluie, notamment). Les horaires sont communiqués lors de la réservation.
Les personnes désirant visiter les trois sites doivent prévoir 2 jours. À celles qui ne peuvent visiter qu'un seul site de gravures, nous conseillons Penascosa.
Le parc peut organiser également des randonnées et des promenades en VTT (vélos non fournis) pour des groupes jusqu'à 15 personnes.
La visite du site de Ribeira de Piscos peut être complétée par une dégustation de porto ou un déjeuner à la **Quinta da Ervamoira**, qui dispose en outre d'un musée consacré à l'environnement de cette zone de la vallée du Côa.

Et ne pas oublier... – Prévoir des chaussures de marche, des bottes en hiver et un chapeau en été, une bouteille d'eau et, si possible, avoir les mains libres (porter un sac à dos) pour marcher plus aisément, surtout à Canada do Inferno et à Ribeira de Piscos, où le terrain irrégulier et en pente oblige à s'accrocher parfois à la végétation et aux pierres. Les personnes sensibles à la chaleur doivent éviter les visites en été, car la température peut atteindre 40 °C.

L'art rupestre du paléolithique – Le paléolithique ou âge de la pierre taillée est la période la plus longue (2,5 millions d'années) et la plus reculée de l'histoire de l'humanité. Les gravures les plus anciennes de la vallée du Côa, datées grâce aux espèces animales représentées, ont environ 20 000 ans : elles remontent au paléolithique supérieur et se rattachent pour la plupart au solutréen. Si les peintures des grottes de Lascaux en France ou d'Altamira en Espagne sont à peu près de la même époque, elles appartiennent à l'art pariétal. Alors qu'ici, comme sur le site de Siega Verde en Espagne, dans la vallée du rio Águeda, autre affluent du Douro, à quelque 80 km, il s'agit d'**art rupestre de plein air**.
Les techniques de gravure utilisées dans la vallée du Côa, qui peuvent avoir été associées à la peinture, sont de trois sortes : l'**abrasion**, qui consiste à faire un sillon profond en passant plusieurs fois avec l'instrument (pierre taillée) sur le trait, le **picotage**, succession de points martelés avec un caillou et formant un trait, parfois complété par abrasion, et le **trait filiforme**, beaucoup plus fin et par conséquent plus difficile à distinguer.

Les animaux le plus fréquemment représentés sont le cheval, l'aurochs et le bouquetin. Généralement, le même rocher sert de support à la représentation de plusieurs animaux, dont les dessins se superposent. La particularité de l'art du Côa réside dans l'extraordinaire beauté des gravures rendue par la représentation du mouvement et de la forme des animaux, associés à un trait simple et sûr.

VISITE ⊙

Penascosa – *1 h 40 AR, dont 40 mn en Jeep.*
Aménagé dans une maison ancienne en schiste typique de la région, le centre de réception de **Castelo Melhor** *(voir Guarda)*, point de départ de la visite, allie harmonieusement une architecture traditionnelle préservée et un espace intérieur moderne, équipé de postes multimédias reliés à Internet et d'une salle de conférences et de projection. Une agréable terrasse extérieure permet l'attente en prenant une boisson.

P. Martins/MICHELIN

Gravure rupestre du site de Penascosa

285

Le trajet en jeep offre de belles vues panoramiques sur les pentes où l'on cultive les vignes pour le porto, en particulier sur la célèbre quinta da Ervamoira. Penascosa est le site le plus accessible et le plus intelligible. Il se trouve près du fleuve et les véhicules s'arrêtent à quelques mètres des roches. Il doit être visité l'après-midi, afin de bénéficier de la luminosité la plus favorable à la perception des gravures, pour la plupart exécutées suivant les techniques de l'abrasion et du picotage. Le mouvement des animaux est ici extraordinairement reproduit, en particulier dans une probable scène d'accouplement, montrant une jument couverte par un cheval à trois têtes qui traduisent le mouvement du cou. On visite actuellement sept roches sur ce site.

Ribeira de Piscos – *2 h 30 AR, dont 1 h en Jeep et 40 mn à pied.*
Situé dans le village de **Muxagata**, où l'on peut voir un pilori du 16ᵉ s., le centre de réception occupe une belle maison du 16ᵉ s., entièrement restaurée.
La visite offre une très agréable promenade le long de la rivière de Piscos. Les gravures, en majorité filiformes, sont plus dispersées sur les versants et moins perceptibles. Toutefois, l'une d'elles, assez visible, représente deux chevaux dont les têtes enlacées et les lignes dorsales évoquent deux ailes. La grâce et la pureté du trait sont d'une émouvante beauté. À noter, sur une roche à côté, une figure humaine de la même époque. On approche actuellement cinq roches sur ce site.

Canada do Inferno – *1 h 40 AR, dont 20 mn en Jeep et 20 mn à pied.*
Jusqu'à l'ouverture sur place du futur musée/centre d'interprétation, les véhicules partent du **siège du parc**, à **Vila Nova de Foz Côa** *(voir ce nom)*, qui dispose d'une petite boutique.
Ce site, le plus important des trois, se trouve dans une zone plus escarpée du fleuve, sur une pente accentuée de 130 m, d'accès un peu plus difficile. De là, on peut voir le chantier interrompu du barrage, 400 m en aval. La visite doit être faite le matin pour bénéficier de la meilleure visibilité des gravures, en majorité filiformes. De nombreux rochers sont immergés et six seulement sont visibles. Témoignant de la continuité de l'activité au cours des siècles, quelques gravures à thèmes religieux datant du 17ᵉ s. sont également visibles.

ENVIRONS

Vila Nova de Foz Côa – *7 km au Nord-Est.* Dans un paysage de collines dénudées, cette petite ville solitaire mais riante, animée par des étudiants, s'étend sur une longue crête aux pentes garnies de vignes.

Église paroissiale – Elle offre une remarquable **façade★** manuéline en granit, à clocher-porche, avec un portail entouré de pilastres en faisceaux et surmonté d'une archivolte décorée de motifs floraux et de coquilles sous un linteau où des sphères armillaires encadrent une Pietà en calcaire du 16ᵉ s. L'intérieur compte trois nefs dont le plafond de bois peint est soutenu par des colonnes à chapiteaux sculptés de têtes humaines, inclinées de façon à donner une impression d'ouverture vers le ciel. Des retables baroques de bois doré ornent l'abside et une chapelle du bas-côté droit.

Pilori – Beau pilori manuélin en granit, le fût ceint d'une torsade et le faîte sculpté de colonnettes et de statues sous une sphère armillaire et un lys.

VALENÇA DO MINHO★

District de Viana do Castelo – 3 472 habitants
Carte Michelin nº 940 ou 441 F 4

Valença, sur une butte dominant la rive gauche du Minho, face à la ville galicienne de Tui, garde depuis des siècles la frontière Nord du Portugal et le passage du fleuve. Elle se trouve sur la grande route qui relie St-Jacques-de-Compostelle à Porto : le chemin du Nord-Ouest pour les pèlerins, qui passe par le bord de mer de Póvoa de Varzim jusqu'à Caminha et s'infléchit ensuite en suivant le cours du Minho. La route le franchit grâce au **pont** métallique construit par Gustave Eiffel en 1884. Dans sa partie ancienne, c'est une très curieuse cité géminée, constituée par deux places fortes de style Vauban que relie un seul pont, jeté sur un large fossé et suivi d'un long passage sous voûte. Valença est un bon endroit pour acheter du linge de maison (nappes et draps brodés, en particulier) dans ses innombrables boutiques, très fréquentées par les Espagnols.

★**Ville fortifiée** – *Accès en voiture, depuis le Sud, par une route ombragée détachée de la N 13.*
Chacune des deux places fortes, dans l'état où l'a laissée le 17ᵉ s., se présente comme un polygone irrégulier comprenant six bastions à doubles redans et à échauguettes, précédés d'ouvrages avancés, et deux portes monumentales, Nord et Sud, blasonnées aux armes du royaume et du gouverneur. Des pièces d'artillerie anciennes demeurent en position devant les embrasures. Des remparts Nord, jolie **vue★** sur la vallée du Minho, sur Tui et les monts de Galice.
Chaque enceinte circonscrit un quartier autonome avec ses églises, ses pittoresques rues étroites et pavées, ses fontaines, ses maisons parfois ornées de statues sur leurs angles et ses boutiques.

EXCURSIONS

★★**Monte do Faro** – *7 km. Quitter Valença par la N 101 vers Monção ; prendre à droite en direction de Cerdal et peu après à gauche vers Monte do Faro.*
La route s'élève rapidement parmi les pins ; les vues prennent de l'ampleur. Laisser la voiture sur le rond-point final et prendre, à gauche de la route, le sentier qui conduit au sommet (alt. 565 m). De là, **panorama**★★ très étendu : au Nord et à l'Ouest, sur la vallée du Minho parsemée de villages blancs et dominée dans le lointain par les monts de Galice ; à l'Est, sur la serra do Soajo ; au Sud-Ouest, sur les collines boisées de la côte et l'Océan.

Vallée du Minho – *De Valença à São Gregório, 52 km. Sortir de Valença par la N 101, à l'Est.*
C'est à l'Est de Valença que la rive portugaise du rio Minho offre le plus d'intérêt. Le fleuve, qui apparaît majestueusement étalé au début du parcours, s'encaisse jusqu'à devenir invisible entre des pentes aussi abruptes que verdoyantes. La route, pavée et sinueuse, toujours bordée d'arbres (pins, eucalyptus, et même palmiers) ou de vignes sur treille – produisant le célèbre *vinho verde* –, traverse de gros villages viticoles.

Monção – Construite au bord du Minho qu'elle domine, cette agréable petite ville est une station thermale dont les eaux soignent les rhumatismes. Quelques maisons anciennes, l'**église paroissiale** qui a conservé certaines parties romanes, le **belvédère**★ sur le Minho et les paysages alentour, son vin réputé, l'Alvarinho, font de Monção une étape agréable.
À 3 km au Sud sur la route d'Arcos de Valdevez, on peut voir sur la droite le **palais de Brejoeira** construit au début du 19ᵉ s. sur le modèle du palais d'Ajuda à Lisbonne. En contrebas de la route, les vignes, les champs de maïs, de potirons... s'étagent en terrasses face au riant versant espagnol ponctué de villages perchés. L'abondance des cultures et des maisons isolées (à crépi de couleur vive) frappe particulièrement. Après Melgaço, la N 301, en balcon, ménage des **échappées** plongeantes sur le Minho, toujours très encaissé, jusqu'aux approches de São Gregório (poste frontière).

VIANA DO CASTELO★★

District de Viana do Castelo – 15 545 habitants
Carte Michelin n° 940 ou 441 G 3

Au pied du versant ensoleillé de la colline de Santa Luzia, sur la rive droite de l'estuaire du Lima, Viana do Castelo est une agréable station balnéaire dont les jardins s'étendent en bordure du fleuve.
Humble village de pêcheurs au Moyen Âge, la cité connut un essor prodigieux au 16ᵉ s., lorsque ses marins allèrent pêcher la morue sur les bancs de Terre-Neuve et développèrent leurs relations commerciales avec les villes hanséatiques. De cette époque datent les demeures manuélines et Renaissance qui font aujourd'hui le charme de la vieille ville. Après une période de déclin consécutive à l'accession du Brésil à

C. Pinheira/PHOTONONSTOP

Romaria de Nossa Senhora da Agonia, le dernier jour...

SE LOGER À VIANA DO CASTELO

Casa dos Costa Barros – *R. de São Pedro, 28, 4900-538 Viana do Castelo –* ☎ *258 82 37 05 – fax 258 82 81 37 – 10 chambres – 50/62,50 €.*
Dans le centre historique de la ville, les hôtes sont reçus avec sympathie par la propriétaire de cette maison manuéline.

Hotel Viana Sol – *Largo Vasco da Gama, 4900-322 Viana do Castelo –* ☎ *258 82 89 95 – fax 258 82 34 01 – 65 chambres – 47,50/67,50 € (GB) – piscine chauffée, squash, sauna, salle de sport.*
Situé sur une place tranquille, cet hôtel offre tout le confort à des prix modérés.

Pensão Jardim Residencial – *Largo 5 de Outubro, 68, 4900-515 Viana do Castelo –* ☎ *268 82 89 15 – fax 268 82 89 17 – 30/45 € (GB).*
Hôtel bien entretenu, avec des chambres lumineuses et agréables (préférer celles de l'arrière, plus calmes).

SE RESTAURER À VIANA DO CASTELO

Casa d'Armas – *Largo 5 de Outubro, 30 –* ☎ *268 82 49 99 – 20 € (GB) – fermé le mercredi.*
Installé dans une maison ancienne, ce restaurant propose une cuisine régionale savoureuse. Spécialités de viandes et poissons grillés et de fruits de mer.

Cozinha das Malheiras – *R. Gago Coutinho, 19 –* ☎ *258 82 36 80 – 15 € (GB) – fermé le mardi.*
Dans ce restaurant aménagé dans une ancienne chapelle, vous pourrez apprécier les plats de la gastronomie locale. Spécialités de poissons et de fruits de mer.

Os 3 Potes – *Beco dos Fornos (près de la praça da República) –* ☎ *258 82 99 28 – 18,50 € (GB) – fermé le lundi.*
Restaurant typique où se produisent des musiciens et des chanteurs de fado.

l'indépendance (1822) et à la guerre civile (1846-1847), la ville est redevenue un actif centre de pêche en haute mer ; industries (bois, céramique, pyrotechnie, constructions navales) et artisanat (costumes, broderies) contribuent à sa prospérité.

Romaria de Nossa Senhora da Agonia – Elle se déroule en août. L'une des plus célèbres du Minho, elle comprend une procession, une course de taureaux, des feux d'artifice sur le Lima, des défilés de géants et de nains, des illuminations et surtout de remarquables manifestations folkloriques : festival de danses et chants régionaux et, le dernier jour, magnifique défilé costumé.

★★**Belvédère de Santa Luzia** – *4 km par la route de Santa Luzia, ou 7 mn par le funiculaire.*
Le belvédère de Viana est la colline de Santa Luzia qui s'élève au Nord de la ville et que coiffe une basilique moderne, lieu de pèlerinage. On y accède en auto par une route pavée, en lacet, qui grimpe agréablement entre des pins, des eucalyptus et des mimosas.

Basilique de Santa Luzia ⊙ – De style néobyzantin, elle est précédée d'un vaste parvis et d'un escalier monumental. L'intérieur, éclairé par trois rosaces, se réduit à un chœur et à une abside sous des coupoles ornées de fresques. À 57 m au-dessus du sol, le lanternon supérieur du dôme central *(142 marches à partir de la sacristie ; passage très resserré en fin de montée)* offre un magnifique **panorama**★★ sur Viana do Castelo et l'estuaire du Lima que dominent à l'horizon, au Sud-Est, les hauteurs boisées et parsemées de villages blancs de la région de Barcelos ; au-delà du port, contrôlé par le fort São Tiago da Barra (16ᵉ s.), l'Océan écume le long d'immenses plages de sable fin.

★LE QUARTIER ANCIEN

Au hasard de flâneries dans ce quartier, en partie piétonnier, le visiteur découvrira de nombreuses demeures aux façades armoriées, d'intéressants exemples d'architecture Renaissance et manuéline.

★**Praça da República** – Les édifices du 16ᵉ s. qui s'ordonnent autour de cette vaste place, dont la **casa dos Sá Sottomayores**, en font un pittoresque ensemble urbain.

Fontaine – Construite en 1554 par João Lopes le Vieux, elle compte plusieurs vasques et se termine par un couronnement de motifs sculptés portant une sphère armillaire et la croix de l'ordre du Christ.

Ancien hôtel de ville – Seule la façade a conservé son aspect primitif (16ᵉ s.) ; hérissée de merlons, elle est percée d'arcades ogivales au rez-de-chaussée. Au-dessus des fenêtres, à l'étage, on reconnaît l'écusson du roi Jean III, la sphère armillaire, emblème du roi Manuel Iᵉʳ, et le blason de la ville représentent une caravelle qui rappelle que de nombreux marins de Viana participèrent aux Grandes Découvertes.

VIANA DO CASTELO

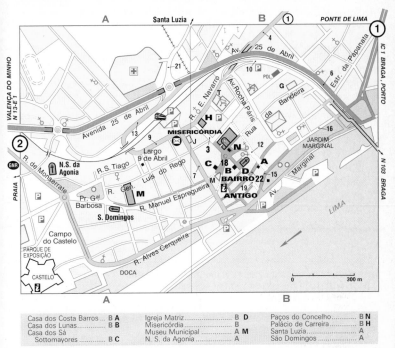

★**Hôpital da Misericórdia** – Cet édifice Renaissance (1589), d'influence vénitienne et flamande, est dû à João Lopes le Jeune. À gauche de sa porte monumentale se dresse
la façade noble dont les deux étages de balcons à loggias soutenues par des atlantes
et des cariatides reposent sur une robuste colonnade aux chapiteaux ioniques.
Attenante, l'**église da Misericórdia** ⊘ a été refaite en 1714. Elle est décorée d'azulejos et de bois doré de cette époque.

Rua Cândido dos Reis – Elle est bordée de plusieurs demeures qui ont conservé
des façades manuélines. On remarquera tout particulièrement le **palais de Carreira** qui
abrite aujourd'hui les bureaux de l'hôtel de ville. Sa très belle façade manuéline
frappe par sa symétrie. La **casa das Lunas**, de style Renaissance italienne, présente
aussi des éléments manuélins.

Église paroissiale – Bien que la construction date des 14e et 15e s., les deux tours
carrées crénelées qui encadrent la façade sont encore de style roman et leur couronnement à arcatures lombardes repose sur des modillons sculptés. Le portail
gothique montre trois voussures historiées qui s'appuient sur des statues-colonnes
(saint André, saint Pierre et les Évangélistes) ; la voussure supérieure est ornée
d'un Christ encadré d'anges porteurs des instruments de la Passion.
À l'intérieur, dans le baptistère, un panneau en bois sculpté polychrome (17e s.)
représente le Baptême du Christ. Dans la 3e chapelle à gauche, belle peinture sur
bois du 16e s.
À gauche de l'église, maison du 15e s. dite de **João o Velho** (Jean le Vieux).

Rua São Pedro – Bordée aussi de demeures anciennes, on y remarquera tout particulièrement la fenêtre manuéline de la **casa dos Costa Barros** *(voir carnet d'adresses)*.

★**Musée municipal** ⊘ – Il est installé dans l'ancien palais (18e s.) de la famille
Barbosa Maciel, dont les murs intérieurs sont revêtus de superbes **azulejos**★★ peints
en 1721 par Policarpo de Oliveira Bernardes : les sujets traités concernent les
continents, la chasse, la pêche, les réceptions, etc. Ces azulejos et de beaux plafonds en bois décorent les salles du premier étage dans lesquelles est exposée une
remarquable **collection de faïences portugaises**★ (de Coimbra, de Lisbonne, etc.) qui
serait la plus importante du Portugal.
Le rez-de-chaussée, sous les plafonds de bois verni à caissons, abrite de beaux
meubles indo-portugais du 17e s., sculptés ou marquetés, parmi lesquels un somptueux cabinet en écaille de tortue et ivoire, des céramiques et des faïences
anciennes portugaises, italiennes et hollandaises, une petite Vierge à l'Enfant en
ivoire ainsi que des vestiges préhistoriques. La cour-jardin attenante rassemble des
curiosités archéologiques : statues ex-voto, pierres tombales.

Église São Domingos – Construite en 1576, elle présente une façade Renaissance de granit en forme de retable. À l'intérieur, tombeau du fondateur de l'église, Bartolomeu dos Mártires, archevêque de Braga.

Église Nossa Senhora da Agonia – Cette charmante chapelle baroque est connue pour le grand pèlerinage qui s'y déroule en août.

EXCURSION

Vallée du rio Lima

75 km. Compter trois heures. Quitter Viana do Castelo par ①, puis prendre à gauche la N 202.

Le Lima coule dans une paisible vallée verdoyante et calme, jalonnée de beaux domaines, comme la quinta dos Nóbregas (14ᵉ s.), près de Ponte da Barca. Mais c'est après Ponte de Lima que la vallée a le plus de charme.

Ponte de Lima – *Voir ce nom.*
Poursuivre ver l'Est par la N 203.

Bravães – Un peu perdue au bord de la route, l'église São Salvador de Bravães est l'un des plus beaux édifices romans du Portugal.

★**Église São Salvador** ⊙ – Petite église romane (12ᵉ s.) à chevet plat, derrière lequel un campanile fait office de clocher. La façade est percée d'un remarquable **portail**★ aux cinq voussures couvertes d'un décor fouillé où l'on reconnaît des colombes, des singes, des personnages humains et des motifs géométriques ; des statues-colonnes sculptées de façon naïve et fruste soutiennent des chapiteaux abondamment historiés. Le tympan, que supportent deux têtes de bovins stylisées, est orné de deux anges adorant un Christ en majesté.
Sur le tympan du portail Sud, au-dessus de deux têtes de griffon, un bas-relief représente l'agneau divin.
À l'intérieur, l'arc triomphal est agrémenté d'une frise d'influence arabe et retombe sur des chapiteaux sculptés de motifs stylisés. Un cordon de billettes court, à mi-hauteur, sur tous les murs.

Ponte da Barca – Le pont monumental érigé au 15ᵉ s. au-dessus du Lima doit son nom à la barque à laquelle il se substitua et qui passait d'une rive à l'autre les pèlerins se rendant à St-Jacques-de-Compostelle.

Église São João Baptista – Édifiée de 1717 à 1738 sur des plans du célèbre architecte régional Manuel Pinto de Villalobos, elle est dotée de part et d'autre de la nef et du chœur de chapelles latérales qui lui confèrent une forme inhabituelle. La façade, déséquilibrée depuis la destruction par la foudre de la tour de droite, mêle les styles maniériste et baroque ; le relief un peu fruste du Baptême du Christ proviendrait de l'église primitive du 15ᵉ s. Le plafond en bois de cette église-halle est peint à l'imitation de voûtes à croisée d'ogives ; beau **retable** baroque (1727) en bois doré dans le chœur et, sauvés de l'ancienne église, azulejos polychromes de type tapis dans une chapelle.
De nombreuses maisons nobles (18ᵉ s.) aux parements de granit s'harmonisant à merveille avec l'habitat populaire et une jolie place (arcades de l'ancien marché du 18ᵉ s. d'un côté, curieux pilori au centre) confèrent à la petite ville une sérénité que l'on ne manquera pas d'apprécier.

De Ponte da Barca à Lindoso, la **route**, bordée de pins, de mandariniers, de lauriers-roses, sinue sur un versant boisé de la serra Amarela, en vue des serras da Peneda et do Soajo, arides et rocailleuses, qui s'élèvent de l'autre côté de la vallée du Lima. À hauteur de l'embranchement pour Entre-Ambos-os-Rios, elle s'engage, en forte montée, dans le **parc national de Peneda-Gerês** *(voir ce nom)* et offre les vues dominantes sur les méandres du fleuve, qu'élargit un barrage en amont. Son parcours se termine, en corniche, avec l'apparition du château de Lindoso.

★**Lindoso** – Adossé en amphithéâtre aux flancs Sud d'un contrefort de la serra do Soajo, Lindoso étage à 462 m d'altitude ses austères maisons de granit, parfaitement intégrées au paysage rocheux – malgré la présence de quelques constructions récentes – et entourées de cultures en terrasses (maïs, vigne), derrière l'éminence où se dressent son château et un ensemble insolite d'*espigueiros*.

★**Espigueiros** – Couvrant une plate-forme rocheuse au pied du château, ces greniers à grain, au nombre d'une soixantaine, forment une extraordinaire concentration, aux allures de cimetière, de petits édifices en granit, juchés sur pilotis et surmontés, pour la plupart, d'une ou deux croix. Leur exécution, très soignée, remonte aux 18ᵉ et 19ᵉ s. Ils sont encore utilisés, de nos jours, pour le stockage et le séchage du maïs.

Château ⊙ – Édifié au début du 13ᵉ s., sa situation face à la frontière lui valut d'être attaqué à plusieurs reprises par les troupes de Philippe IV d'Espagne pendant la guerre d'Indépendance au 17ᵉ s. Restauré, il offre le spectacle d'un donjon féodal crénelé élevé par le roi Denis au milieu d'une petite enceinte quadrilatère du 17ᵉ s. à bastions et échauguettes. Du chemin de ronde, vues sur la vallée du Lima et les farouches montagnes environnantes, portugaises ou galiciennes.

Migration de récolte vers les espigueiros

VILA DO CONDE

District de Porto – 25 545 habitants
Carte Michelin n° 940 ou 441 H 3

À l'embouchure de l'Ave, Vila do Conde, ville natale du poète José Régio, est une station balnéaire, un port de pêche actif ainsi qu'un centre industriel (constructions navales, textiles, chocolateries).
Selon un dicton portugais, « là où il y a des filets, il y a des dentelles », et, de fait, Vila do Conde est réputée autant pour ses dentelles au fuseau que pour ses fêtes. Celle de la Saint-Jean est l'occasion de grandioses défilés dont celui des *mordomas* parées de magnifiques bijoux d'or et celui des *rendilheiras* (dentellières) en costume régional.

CURIOSITÉS

Museu-escola das Rendas de Bilros ⊘ – La fabrication des dentelles au fuseau est connue à Vila do Conde depuis le 16e s. Le **musée de la Dentelle** a été créé pour revitaliser cette activité manuelle qui exige une grande habileté des dentellières. Celles-ci utilisent un coussin cylindrique sur lequel elles disposent les dessins des modèles à réaliser. Sur ceux-ci, elles piquent des épingles entre lesquelles elles font passer les fuseaux contenant des fils de coton, de lin ou de soie. Le musée retrace les différents aspects de cette activité au travers d'une exposition de dentelles anciennes et modernes, de photos, mais surtout par la présence de dentellières qui travaillent sur place.

★**Couvent Santa Clara** ⊘ – Sa masse monumentale se dresse au-dessus de l'Ave. Derrière la façade du 18e s. se découvrent des bâtiments du 14e s. Aujourd'hui, le couvent abrite un collège pour enfants inadaptés et seuls l'église et le cloître se visitent.

Église – Fondée en 1318, elle est du type forteresse et a conservé son style gothique d'origine. Sa façade Ouest est percée d'une jolie rose. L'intérieur, à une seule nef, est couvert de plafonds de bois à caissons sculptés (18e s.).
La chapelle de la Conception *(première à gauche)*, du 16e s., abrite les **tombeaux**★ Renaissance des fondateurs et de leurs enfants : travaillés dans la pierre d'Ançã, ils présentent des faces magnifiquement ouvragées. Sur celui de **Dom Afonso Sanches**, les faces latérales content des scènes de la vie du Christ et le chevet représente sainte Claire empêchant les Sarrasins d'envahir le monastère de Ste-Claire à Assise. Sur le **tombeau de Dona Teresa Martins**, le gisant est figuré en habit de religieuse du tiers ordre de St-François ; les faces latérales évoquent les scènes de la Passion du Christ et le chevet montre saint François recevant les stigmates. Les tombeaux des enfants sont illustrés, l'un des docteurs de l'Église *(à gauche)*, l'autre des Évangélistes *(à droite)*.
La nef est séparée du chœur des religieuses par une jolie grille.

Au Sud de l'église subsistent les arcades du cloître du 18e s. La fontaine centrale est le point d'aboutissement de l'aqueduc (18e s.) en provenance de Povoa de Varzim. Du parvis, belle vue sur la petite cité limitée au Sud par l'Ave et à l'Ouest par l'Océan.

Église paroissiale – Église fortifiée, de style manuélin, elle a été édifiée au 16e s. par des artistes de Biscaye, ce qui explique la présence d'un joli portail plateresque dont le tympan est décoré d'une statuette de saint Jean Baptiste, protégée par un dais et encadrée par les symboles des Évangélistes.

La tour à gauche de la façade date de la fin du 17e s. L'intérieur renferme plusieurs autels et une chaire en bois doré des 17e et 18e s.

Pilori – *En face de l'église paroissiale*. De style Renaissance mais remanié au 18e s. il porte un bras de justice brandissant un glaive.

ENVIRONS

Azurara – *1 km au Sud*. Ce village possède une **église** manuéline fortifiée du 16e s. couronnée de créneaux et, en face, une jolie croix manuéline.

VILA FRANCA DE XIRA

District de Lisboa – 18 359 habitants
Carte Michelin n° 940 P 3

Sur la rive droite et au seuil de l'estuaire du Tage, cette ville industrielle de la plaine ribatejane est réputée pour ses festivités et ses courses de taureaux, ceux-ci étant élevés dans les vastes prairies de la rive gauche.

La cité s'anime, en particulier en juillet, lors de la fête du **Colete encarnado** (le « gilet rouge » des *campinos*). On y assiste à de pittoresques défilés de campinos et surtout à plusieurs lâchers de taureaux dans les rues de la ville. Danses folkloriques, courses de taureaux, banquets en plein air (sardines grillées) et parfois régates sur le Tage complètent les réjouissances.

Les arènes, construites en 1901, se trouvent à la sortie Sud de la ville, route de Lisbonne *(N 10)*, et abritent le Musée ethnographique.

CENTRES ÉQUESTRES

Centro Equestre da Lezíria Grande – *À la sortie de Vila Franca, à 3 km du centre, sur la N 1 en direction de Carregado* – ☎ 263 28 51 60 – *restaurant, salons pour réceptions et événements – fermé le lundi.*

Nous pénétrons ici dans l'univers du cheval lusitanien, dans un centre intégré dans la nature, créé par Luís Valença, grand maître d'équitation, qui enseigne l'art équestre portugais à des cavaliers du monde entier. Les noms des chevaux les plus célèbres sont inscrits sur des azulejos au-dessus de leurs box.

Le centre dispose d'un agréable restaurant, ouvert le midi, qui permet d'apprécier l'atmosphère particulière du lieu.

Centro Equestre do Morgado Lusitano – *Quinta de Santo António de Bolonha. À partir des arènes, suivre la N 10 vers Lisbonne – 2665 Póvoa de Santa Iria –* ☎ *263 56 35 43 ou 219 53 54 00 – salons pour réceptions et événements – boutique du cheval et du cavalier – fermé le lundi.*

Tout comme le précédent, ce centre élève des chevaux lusitaniens et entraîne des cavaliers. En outre, il présente un beau spectacle d'art équestre portugais, avec des costumes et des harnais traditionnels du 18e s.

Le cheval lusitanien et l'art équestre portugais

« Il est le plus beau du monde et le plus approprié pour un roi un jour de victoire » (duc de Newcastle, 17e s.).

Le pur-sang lusitanien était déjà connu des hommes du paléolithique supérieur qui l'ont gravé sur les rochers de la vallée du Côa. Monté depuis près de 5 000 ans, il est le plus ancien cheval de selle du monde. Son tempérament fougueux mais docile, son agilité, sa force et son courage en ont fait le cheval de combat par excellence. Au Portugal, depuis le Moyen Âge, la noblesse l'a utilisé dans la guerre. Pour s'y préparer, elle recourait à l'affrontement avec les taureaux ibériques. L'école portugaise d'art équestre a été créée au 18e s. Aujourd'hui encore, les cavaliers portugais portent les mêmes habits d'apparat et les chevaux sont harnachés comme autrefois. Tout cela contribue à faire du spectacle équestre un moment de rare beauté, dans lequel le cavalier et son cheval, en parfaite harmonie, exécutent les figures les plus complexes avec une légèreté qui rend justice au surnom donné au lusitanien de « fils du vent ».

Museu etnográfico da Junta Distrital de Lisboa ⊘ – Ce petit musée, où l'on pénètre par une porte des arènes, expose des peintures, des dessins, des photos et des sculptures relatives à la région et à ses traditions : l'art tauromachique, la pêche sur le Tage et surtout les costumes traditionnels du 19ᵉ s. (pêcheurs, paysans, éleveurs) et de campinos des 18ᵉ et 19ᵉ s.

Miradouro de Monte Gordo – *3 km au Nord par la rue António Lúcio Baptista passant sous l'autoroute, puis par une route revêtue, en forte montée.*
Du belvédère aménagé, entre deux moulins, au sommet de la colline, **panorama**, à l'Ouest et au Nord sur les autres collines couvertes de bois et de vignobles, d'où émergent des quintas, à l'Est sur la plaine ribatejane que rejoint le pont de Vila Franca jeté sur le Tage, au Sud sur les deux premières îles de l'estuaire du fleuve.

ENVIRONS

Alverca do Ribatejo – *8 km au Sud-Ouest par la N 1, puis suivre la signalisation pour Museu do Ar.*
Sur l'aérodrome militaire, un hangar abrite le **musée de l'Air** (Museu do Ar) ⊘. Celui-ci évoque le passé aérien du Portugal à travers des photos, des documents d'archives et surtout en présentant d'authentiques avions anciens et des répliques comme celles du Blériot XI, du Demoiselle XX (1908) de Santos-Dumont ou de l'hydravion Santa Cruz (1920) qui fut le premier à effectuer la traversée de l'Atlantique Sud.

VILA REAL

District de Vila Real – 16 133 habitants
Carte Michelin n° 940 ou 441 I 6 – Schéma : Vallée du DOURO

Groupée sur un plateau, au pied de la serra do Marão *(voir ce nom)*, parmi les vignes et les vergers, Vila Real, la « ville royale », est une pimpante petite ville qu'agrémentent de nombreuses demeures patriciennes des 16ᵉ et 18ᵉ s.
On pourra acheter, lors de la foire de Saint-Pierre (28 et 29 juin) en particulier, les belles poteries noires fabriquées dans les environs.
Vila Real est aussi renommée pour son circuit automobile.

CURIOSITÉS

Les principales curiosités de la ville s'ordonnent autour de l'avenida Carvalho Araújo.
Descendre l'avenue par la droite à partir du carrefour central que flanque la cathédrale.

Sé – Ancienne église conventuelle érigée à la fin de l'époque gothique, la **cathédrale** présente néanmoins certains caractères romans, discernables en particulier dans la facture des chapiteaux de la nef.

Casa de Diogo Cão – *Au n° 19 (plaque).* Ainsi appelée parce que y serait né, suivant la tradition, le célèbre navigateur *(voir index).* La façade a été refaite au 16ᵉ s. dans le style de la Renaissance italienne.

Câmara Municipal – Édifié au début du 19ᵉ s., et précédé d'un pilori à lanterne, l'**hôtel de ville** est remarquable par son monumental escalier de pierre à balustres dans le goût de la Renaissance italienne.
Poursuivre tout droit vers le cimetière, que l'on contournera par la droite.

Esplanade du cimetière – Cette promenade ombragée, sur l'emplacement de l'ancien château, domine le confluent des rios Corgo et Cabril. Dans l'axe du cimetière, derrière lui, belle **vue** plongeante sur les gorges du Corgo et de son affluent. Plus à gauche, vue d'enfilade sur le ravin du Corgo et les maisons qui le surplombent.
Revenir à l'avenida Carvalho Araújo et la remonter par la droite.

Office de tourisme – *Au n° 94.* La maison du 16ᵉ s. qu'il occupe présente une jolie façade manuéline.
Par la première rue à droite (à hauteur du palais de justice), gagner l'église São Pedro.

Église São Pedro – Elle est décorée d'azulejos polychromes du 17ᵉ s. dans le chœur et d'un joli **plafond**★ à caissons en bois sculpté et doré.

EXCURSION

Mateus – *3,5 km à l'Est par la N 322 en direction de Sabrosa.* Châtaigniers, vignes et vergers annoncent les approches du bourg de Mateus, célèbre par le manoir des comtes de Vila Real et le vin rosé produit sur son domaine.

★★ Solar de Mateus ⏱ – Le **manoir**, édifié dans la première moitié du 18ᵉ s. par Nicolau Nasoni *(voir index)*, est une réussite de l'architecture baroque.

En arrière de pelouses plantées de cèdres, et suivi d'un jardin agrémenté de massifs de buis et d'une charmille formant « tunnel de verdure », il présente une **façade★★** précédée d'un miroir d'eau, où repose couchée, une statue de femme, œuvre du sculpteur contemporain João Cutileiro. Le corps central du bâtiment, en retrait, se pare d'un ravissant escalier à balustres et d'un haut fronton armorié encadré de statues allégoriques. La cour d'honneur est protégée par une balustrade de pierre ornementée. Les fenêtres d'étage sont surmontées de gâbles moulurés. Sur les corniches des toitures s'élèvent de très beaux pinacles.

À gauche de la façade lui fait pendant celle d'une haute chapelle baroque érigée en 1750, également par Nasoni, et fort élégante.

À l'intérieur du palais, on remarque les magnifiques plafonds en bois sculpté de la grande salle et du grand salon, la richesse de la bibliothèque (nombreuses éditions françaises anciennes), certains meubles (portugais, espagnols, chinois, français en bois peint du 18ᵉ s.) et, dans deux salles de l'étage constituées en musée : des **cuivres gravés** par Fragonard et le baron Gérard, des éventails précieux, des objets de culte et vêtements liturgiques, un autel du 17ᵉ s., des sculptures religieuses dont un crucifix d'ivoire du 16ᵉ s.

Manoir de Mateus

VILA VIÇOSA★

District d'Évora – 5 442 habitants
Carte Michelin n° 940 P 7

Groupée sur le versant d'une colline où croissent orangers et citronniers, Vila Viçosa est une ville ombragée *(viçosa)* et fleurie qui fut la résidence des ducs de Bragance et de plusieurs rois portugais.

Depuis la chute de la monarchie en 1910, Vila Viçosa est devenue une tranquille petite cité vivant de quelques activités artisanales (poteries et fer forgé) et de l'exploitation des carrières de marbre alentour. Son centre, autour de la praça da República, a gardé une certaine animation, mais les quartiers de la place du palais ducal et de la vieille ville lui confèrent plutôt une atmosphère de ville-musée évocatrice de la vie fastueuse des Bragance. Au Nord de la cité, à 300 m du palais, un très vaste parc (2 000 ha) leur servait autrefois de réserve de chasse.

À quelques kilomètres de là eut lieu, le 17 juin 1665, la bataille de Montes Claros qui confirma l'indépendance du Portugal à l'égard de l'Espagne.

La cour ducale – Dès le 15ᵉ s., Dom Fernando, deuxième duc de Bragance, choisit Vila Viçosa comme résidence de sa cour. L'exécution du troisième duc, Dom Fernando, anéantit la puissance ducale, et c'est seulement au siècle suivant que la Cour connaît une vie fastueuse. Dans le palais construit par le duc Jaime, grandes fêtes seigneuriales et mariages princiers se succèdent ainsi que banquets gargantuesques, représentations théâtrales et courses de taureaux.

Cette époque dorée prend fin en 1640, lorsque le huitième duc de Bragance accède au trône du Portugal sous le nom de Jean IV.

L'exécution du duc de Bragance – Dès son accession au trône en 1481, le roi Jean II prend des mesures rigoureuses pour abolir les privilèges accordés par son père Alphonse V aux nobles qui avaient participé à la Reconquête.

Le premier frappé est le duc de Bragance, beau-frère du roi, le plus riche et le plus puissant seigneur du royaume, coupable de complot. Après un jugement sommaire, le duc est décapité à Évora en 1483.

★TERREIRO DO PAÇO

★**Paço Ducal** Ⓥ – Le **palais des Ducs** domine une place dont le centre est occupé par la statue de Jean IV, œuvre en bronze du sculpteur Francisco Franco.

Las de l'inconfort du vieux château datant du roi Denis, le quatrième duc, Dom Jaime Iᵉʳ, fit entreprendre en 1501 la construction de ce palais. L'ensemble est constitué de deux ailes perpendiculaires dont la principale, en marbre blanc, s'étend sur 110 m de long.

L'intérieur a été aménagé en musée. La cage de l'escalier qui conduit au premier étage est ornée de peintures murales représentant la bataille de Ceuta (15ᵉ s.) et le siège d'Azamor (16ᵉ s.) par le duc Dom Jaime Iᵉʳ.

Aile principale – Des azulejos du 17ᵉ s., des tapisseries de Bruxelles et d'Aubusson et des tapis d'Arraiolos la décorent. Les salles sont ornées de plafonds peints à motifs variés : David contre Goliath, les aventures de Persée, les sept vertus. On verra aussi les portraits des Bragance par les peintres portugais (fin 19ᵉ s.) Columbano, Malhoa, Sousa Pinto et, dans la salle des Tudesques, par le peintre français Quillard.

La face Ouest donne sur des jardins classiques de buis taillés.

Aile transversale – Elle comprend les appartements du roi Charles Iᵉʳ (1863-1908), peintre et dessinateur de talent, et ceux de la reine

La porte des Nœuds

Amélie ; dans la chapelle, un intéressant triptyque du 16ᵉ s., attribué à Cristóvão de Figueiredo, illustre des scènes du Calvaire. Le **cloître**, de style manuélin (16ᵉ s.), est d'une grande fraîcheur.

★**Museu dos Coches** ⊘ – *Entrée par la Porta dos Nós.* C'est une partie du musée national des Carrosses qui se trouve à Lisbonne *(voir Lisboa)*. Il rassemble plus de 70 carrosses, berlines, voitures... du 18ᵉ au 20ᵉ s. présentés dans quatre bâtiments, dont l'**écurie royale★** bâtie à la demande du roi Joseph Iᵉʳ en 1752. Cette salle longue de 70 m pouvait abriter des centaines de chevaux sous ses voûtes supportées par des piliers de marbre. Parmi les voitures exposées, remarquer le nᵒ 29, le landau dans lequel le roi Charles Iᵉʳ et son fils furent assassinés le 1ᵉʳ février 1908. La variété et l'état des véhicules sont remarquables : malles-poste, chars à bancs, phaétons, landaus, berlines voisinent avec les carrosses de gala.

★**Porta dos Nós** – La maison de Bragance, dont la devise était « Depois de vós, nós » (Après vous, nous), avait choisi les nœuds comme symbole en raison du double sens du mot *nós* (nous et nœuds). Cette porte est l'un des derniers vestiges de la muraille du 16ᵉ s.

Revenir sur la place du palais.

Convento dos Agostinhos – Reconstruite au 17ᵉ s. par le futur Jean IV, l'**église**, qui se dresse à l'Est de la place du palais, est la nécropole des ducs de Bragance. Le transept et le chœur abritent, dans des enfeus, les tombeaux des ducs.

Antigo Convento das Chagas – Fondé par Joana de Mendonça, deuxième femme du duc D. Jaime Iᵉʳ, l'**ancien couvent des Plaies** est situé au Sud de la place du palais. L'église, aux murs tapissés d'azulejos de 1626, sert de nécropole aux duchesses de Bragance.

VIEILLE VILLE

Laisser la voiture à l'extérieur des remparts.

Le château et les remparts, élevés à la fin du 13ᵉ s. par le roi Denis, ont été renforcés par des bastions au 17ᵉ s.
Les murailles crénelées, flanquées de tours, enserrent encore une vieille cité.
On y pénètre par une porte percée dans la muraille. Les ruelles sont bordées de maisons blanches dont la partie basse est peinte de couleurs vives. Une petite rue mène au glacis occidental où se trouvent l'**église da Conceição** et le **pilori** du 16ᵉ s.

Château – Les parties les plus anciennes datent du 13ᵉ s., mais il fut remanié plus tard. Il est entouré de profonds fossés. La visite fait parcourir les souterrains de l'édifice primitif. Au premier étage a été installé un **Musée archéologique** ⊘ regroupant entre autres, des vestiges préhistoriques, romains et arabes, ainsi qu'une collection de vases grecs.
À l'entrée, un surprenant **musée de la Chasse** (Museu da Caça) ⊘ réunit près de 1 500 pièces léguées par l'ingénieur Manuel de Carvalho, provenant en grande partie d'anciennes colonies portugaises d'Afrique (Angola, Mozambique et Guinée-Bissau). L'ensemble constitue le plus grand musée d'armes africaines au monde. Dans une succession de salles du château, on admire toutes sortes d'animaux naturalisés originaires d'Europe et d'Afrique (hippotragues, buffles, antilopes, lynx), des armes européennes et africaines anciennes, parmi une collection offerte au roi Dom Carlos par les anciennes colonies, des peaux d'animaux, des meubles, etc. Du chemin de ronde du château se déploient de nombreuses et jolies vues sur la vieille ville et ses ruelles.

VISEU★

District de Viseu – 21 443 habitants
Carte Michelin nᵒ 940 ou 441 K 6

Dans une région boisée et légèrement accidentée où croît le fameux vignoble du Dão, Viseu s'est développé sur la rive gauche du Pavia, tributaire du Mondego.
C'est un important centre agricole (seigle, maïs, bétail, fruits) et artisanal (dentelles, tapis, vannerie, poteries d'argile noire). Ses sucreries aux œufs *(bolos de amor, papos de anjo, travesseiros de ovos moles, castanhas de ovos)* sont appréciées.

L'école de peinture de Viseu – Comme Lisbonne, Viseu connaît au 16ᵉ s. une florissante école de peinture dirigée par deux maîtres, Vasco Fernandes et Gaspar Vaz, eux-mêmes influencés par des Flamands tels que Van Eyck et Quentin Metsys.
Formé en grande partie à l'école de Lisbonne, **Gaspar Vaz** (mort vers 1568) est doué d'une brillante imagination et sait donner aux formes et aux drapés une grande intensité d'expression. Les paysages qu'il peint gardent cependant un cachet régional. Ses œuvres principales, encore imprégnées de gothique, sont exposées dans l'église de São João de Tarouca *(voir ce nom)*.

Les premières œuvres de **Vasco Fernandes** (1480-1543 env.), que la légende a fait connaître sous le nom de **Grão Vasco** (le Grand Vasco), révèlent l'influence flamande : retables de Lamego (au Musée régional) et de Freixo de Espada-à-Cinta. Son art, devenu ensuite plus original, se distingue par le sens dramatique de la composition, la richesse des couleurs et le réalisme violent, d'inspiration populaire et régionaliste, dont sont empreints les portraits et les paysages. Ses principales peintures sont exposées au musée de Viseu. Les deux maîtres ont probablement collaboré à la création du polyptyque de la cathédrale de Viseu, ce qui explique le caractère hybride de l'œuvre.

★VIEILLE VILLE *2 h*

Suivre l'itinéraire indiqué sur le plan, en partant du Rossio.

Avec ses ruelles pavées de dalles de granit, ses demeures Renaissance et classiques à encorbellements, décorées d'écussons, le vieux Viseu a gardé son cachet ancien.

Praça da República (ou Rossio) – Centre animé de Viseu, cette agréable promenade plantée d'arbres s'étend devant l'hôtel de ville.

Porta do Soar – Cette porte de l'enceinte érigée au 15ᵉ s. par le roi Alphonse V donne accès à la vieille ville.

★**Adro da Sé** – Au cœur de la vieille ville, la tranquille place de la Cathédrale est encadrée de nobles édifices de granit, parmi lesquels celui du musée Grão Vasco, outre la cathédrale, et l'église da Misericórdia.

★★**Museu Grão Vasco** ⊘ – Il occupe l'ancien palais dos Três Escalões, construit au 16ᵉ s. et modifié au 18ᵉ s.

Le rez-de-chaussée est consacré à la sculpture du 13ᵉ au 18ᵉ s. Remarquer un **trône de grâce★** (14ᵉ s.) dont il ne reste qu'une représentation de Dieu le Père, une Pietà du 13ᵉ s., quelques azulejos hispano-arabes (16ᵉ s.) et la céramique portugaise (17ᵉ et 18ᵉ s.).

1ᵉʳ étage – Œuvres de peintres portugais du 19ᵉ s. et du début du 20ᵉ s.

2ᵉ étage – À l'exception d'une salle où sont réunies des toiles de **Columbano** (1857-1929), dont un autoportrait, cet étage est consacré aux **primitifs★★** de l'école de Viseu. On s'arrêtera longuement devant le *Saint Pierre sur son trône*, l'un des chefs-d'œuvre de Vasco Fernandes. Bien que ce tableau soit une réplique de celui attribué à Gaspar Vaz à São João de Tarouca, il montre une grande originalité dans la façon de représenter saint Pierre, homme au visage plébéien, grave, un peu triste, entouré par l'atmosphère de la Renaissance. *Le Calvaire*, autre grande œuvre de Grão Vasco, est d'une violence terrible dans la représentation des personnages comme dans celle du paysage balayé par les vents.

Les 14 tableaux qui composent le retable provenant de la cathédrale sont dus à un groupe d'artistes de l'école de Viseu ; la *Descente de Croix* et le *Baiser de Judas* sont parmi les meilleurs ; dans l'*Adoration des Rois mages*, on remarquera que le roi noir a été remplacé par un Indien du Brésil, ce pays venant d'être découvert. Sont aussi de l'école de Viseu deux intéressantes peintures : *La Cène* et *Le Christ dans la maison de Marthe*.

Saint Pierre par Grão Vasco

Museu Nacional Grão Vasco – J. Pessoa/ANF-IPM

VISEU

Torre de Menagem ..... **A**
Museu Grão Vasco ..... **M¹**

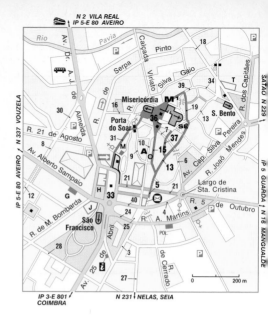

★**Sé** – La **cathédrale** romane a subi d'importantes modifications du 16ᵉ s. au 18ᵉ s. La façade a été reconstruite au 17ᵉ s. ; parmi les six statues, celle du centre représente saint Teotónio, patron de Viseu.

À l'intérieur, la voûte manuéline refaite au 16ᵉ s. a transformé l'édifice en église-halle ; s'appuyant sur des piliers gothiques, elle est soutenue par des **liernes**★ torsadées se nouant à intervalles réguliers ; les clefs de voûte sont décorées des armes de l'évêque fondateur et des devises des rois Alphonse V et Jean II (pélican). Le chœur date du 17ᵉ s. ; la voûte en berceau, peinte de grotesques, abrite un monumental **retable**★ baroque ; au-dessus du maître-autel se tient une Vierge (14ᵉ s.) en pierre d'Ançã. La chapelle orientée de gauche est ornée d'azulejos du 18ᵉ s.

Du bras gauche du transept, on accède par un escalier à la tribune *(coro alto)* où l'on remarque un lutrin en bois doré du Brésil (16ᵉ s.) et une amusante statuette représentant un ange musicien. De là, on peut atteindre la salle capitulaire, située au premier étage du cloître ; elle renferme un intéressant **trésor d'art sacré** ⊙ comprenant deux coffrets reliquaires en émail de Limoges du 13ᵉ s., un évangéliaire du 12ᵉ s. (avec une reliure du 14ᵉ s.) et une crèche de Machado de Castro.

Le **cloître** est de style Renaissance ; la galerie du rez-de-chaussée, dont les arcades s'appuient sur des colonnes ioniques, abrite des azulejos du 18ᵉ s. ; dans la chapelle N.-D.-de-la-Pitié, joli bas-relief (16ᵉ s.) figurant une Descente de Croix ; ce travail serait dû à l'école de Coimbra *(voir ce nom)* ; un beau portail du style de transition roman-gothique fait communiquer le cloître avec la cathédrale.

Église da Misericórdia – La belle façade baroque est rythmée par le contraste des murs blancs et des pilastres de granit gris. Le corps central, percé d'un joli portail baroque surmonté d'un balcon, est ceint d'un élégant fronton.

Maisons anciennes – Dans la rua Dom Duarte, on verra un ancien donjon (torre de menagem) agrémenté d'une belle fenêtre manuéline ; dans la **rua Direita**, pittoresque, étroite et commerçante, des maisons du 18ᵉ s. à balcons sur consoles de fer forgé ; **rua dos Andrades** *(au Sud de la rua Direita)*, des maisons à encorbellement ; **rua da Senhora da Piedade**, des maisons du 16ᵉ s.

Revenir rua Direita et regagner l'Adro da Sé par la rua Escura.

AUTRES CURIOSITÉS

Église São Francisco – Église baroque ornée d'azulejos et de bois dorés.

Église São Bento – Beaux **azulejos**★ du 17ᵉ s.

EXCURSIONS

Mangualde – *14 km à l'Est par la N 16, puis l'IP 5.* Mangualde, d'origine médiévale, est aujourd'hui un actif centre agricole et commerçant.

Palácio dos condes de Anadia – Cette demeure seigneuriale du 17ᵉ s. offre une façade de style rocaille.

Igreja da Misericórdia – *Entrer par la cour de l'école attenante.* Du 18ᵉ s., bâtie en équerre, la charmante **église de la Miséricorde** présente une petite façade baroque ornée de statues et une galerie d'étage (côté cour) à colonnades et balustres de granit. À l'intérieur, dans la nef, azulejos évoquant la Cène, la Pêche miraculeuse, saint Martin... Dans le chœur, orné d'un plafond à caissons dorés et de devants d'autels en azulejos, remarquer les potences en bois sculpté destinées à suspendre les lampes.

Quartier ancien – En avant du palais Anadia et d'une fontaine se trouve le vieux Mangualde : ruelles tortueuses, petites maisons de granit serrées autour d'un beffroi.

Penalva do Castelo – *12 km au Nord-Est de Mangualde par la N 329-1.* Aux abords Ouest du bourg, la **Casa da Insua**, appelée aussi **manoir des Albuquerques**, date de 1775. Elle dresse sa majestueuse façade crénelée dans un riant paysage de bois et de vergers. On visite la chapelle (1690), le parc, planté d'arbres géants (séquoias, eucalyptus), et le jardin, très soigné, où fleurissent camélias, magnolias, essences rares.

Madère
et les Açores

Archipel de Madère

Outre l'île principale, Madère, la plus vaste (740 km²) et la plus peuplée (253 427 habitants), l'archipel comprend l'île de Porto Santo (42 km²), à 40 km au Nord-Est, et deux groupes d'îlots inhabités : les îles Desertas, à 20 km de Funchal, et les îles Selvagens, à proximité des Canaries.

DES VACANCES À MADÈRE

Accès par avion – De Lisbonne à Funchal, plusieurs liaisons quotidiennes avec correspondance pour Porto Santo (accès à Porto Santo sans supplément si le billet est pris sur le continent). Quelques vols directs Paris-Funchal sont assurés par la TAP. *En arrivant de France à Madère, il faut retarder sa montre d'une heure.*

Séjour – *Les adresses de certains offices de tourisme figurent en fin de volume, au chapitre des Conditions de visite.*
La température est clémente toute l'année avec quelques pluies en mars, avril et octobre. En janvier, la moyenne est de 16 °C et en juillet de 22 °C.
Pour le choix des hôtels et des restaurants, consulter Le Guide Rouge Michelin Portugal. Il faut savoir que la majorité des touristes résident dans Funchal qui possède la majeure partie du parc hôtelier. Les autres endroits où l'on peut séjourner sont Machico, près de l'aéroport, et l'île de Porto Santo. Quelques hôtels ou pensions sont dispersés dans l'île à Santana, Porto Moniz, São Vicente, Ribeira Brava, et l'on pourra aussi loger dans les deux pousadas du Pico do Arieiro et dos Vinháticos, situées en pleine nature dans des sites exceptionnels.

Madère en voiture – Les paysages de Madère sont spectaculaires et à partir de ces lieux de séjour on les découvrira en empruntant les circuits que nous décrivons dans les pages qui suivent. On peut louer une voiture, prendre un taxi pour les petites distances ou emprunter les nombreux autocars réguliers ⊘.

Madère à pied – De plus en plus de randonneurs viennent à Madère ; le réseau de sentiers suivant les levadas, ainsi que ceux aménagés dans les montagnes autour du pico Ruivo offrent une multitude de possibilités. Ces sentiers sont classés de 1 à 3 étoiles par ordre de difficulté. La Direcção Regional do Turismo possède plusieurs refuges fermés une partie de l'année et il faut réserver. Certaines promenades sont décrites dans ce guide : Pico Ruivo, les Balcões, la levada do Norte à Estreito de Lobos et Rabaçal.

Pour les marcheurs, nous conseillons la carte touristique de Madère vendue sur place et le livre de John et Pat Underwood « Paysages de Madère ».

Les fleurs – Madère attire de nombreux amateurs de fleurs ; c'est l'une des raisons de son succès auprès des Britanniques. Les jardins botaniques et les parcs sont multiples à Funchal (Jardin botanique, Quinta das Cruzes et Quinta do Palheiro Ferreiro dans ses environs).

Les plages – L'île de Madère n'a pratiquement pas de plages et les amateurs de baignade devront se contenter de piscines parfois remplies d'eau de mer. En revanche, l'île de Porto Santo possède la plus belle plage du Portugal : 8 km de sable blanc et une température idéale la plus grande partie de l'année. L'eau est un peu fraîche en hiver.

Autres sports – Citons le golf, avec plusieurs terrains (Santo da Serra, Palheiro Golf) et la pêche au gros ou au lancer.

Île de MADÈRE★★★

District de Funchal – 242 603 habitants
Carte Michelin n° 940 pli 43

L'île de Madère dresse sa masse volcanique au-dessus des flots, à plus de 900 km de Lisbonne. La « perle de l'Atlantique » offre aux touristes la douceur permanente de son climat, les charmes de sa végétation semi-tropicale qui en font toute l'année un véritable jardin fleuri, la variété et la beauté de ses paysages qui s'étalent en d'immenses panoramas.

UN PEU D'HISTOIRE ET DE GÉOGRAPHIE

La découverte et la colonisation – La découverte de Madère marque la première étape des Grandes Découvertes portugaises. En 1419, **João Gonçalves Zarco** *(voir p. 309)* et Tristão Vaz Teixeira, qui dirigent une expédition organisée par l'infant Henri le Navigateur, abordent à l'île de Porto Santo, puis à Madère, dans la baie de Machico. L'île leur apparaît déserte et couverte de forêts : ils la nomment « a ilha da madeira » (l'île boisée). Les navigateurs rendent compte de leur découverte à l'infant et reviennent l'année suivante, chargés de la colonisation de l'île et de son peuplement.

L'infant a divisé le territoire en trois « capitaineries » ; celle de Funchal revient à Zarco ; elle s'étend au Sud d'une ligne fictive allant de la pointe d'Oliveira à la pointe de Tristão. Tristão Vaz reçoit celle de Machico, qui englobe le reste de Madère. Celle de Porto Santo est confiée à **Bartolomeu Perestrelo** *(voir Porto Santo).*

L'infant concède bientôt les capitaineries à titre héréditaire. En 1497, pour éviter les abus d'autorité dont font preuve les capitaines-donataires, elles seront incorporées à la couronne.

Le volcanisme – Séparée des îles Selvagens, des Canaries et de l'Afrique par une fosse marine atteignant 4 512 m de profondeur, entourée de bas-fonds de près de 2 000 m, Madère, comme Porto Santo et les Desertas, est surgie de l'Atlantique à l'époque tertiaire, lors d'une éruption volcanique. Des relèvements sous-marins et plusieurs convulsions ont accentué l'évolution géologique de l'île. Le cratère de Curral das Freiras

Cultures en terrasses

où se seraient formés les principaux accidents du relief central de l'île, plusieurs lacs et cheminées de cratères, les piles de basaltes prismatiques bordant les vallées et les côtes attestent cette origine. Le relief a ensuite été modifié par l'érosion : les cours d'eau ont creusé des vallées encaissées, les vagues ont déchiqueté les falaises qu'elles ont débitées en galets.

Un relief tourmenté – L'île est constituée par une chaîne montagneuse d'altitude supérieure à 1 200 m où culminent quelques pics (Pico Ruivo : 1 862 m). Cette chaîne s'étend de la pointe de São Lourenço à la pointe de Tristão, s'abaissant en son centre au col d'Encumeada et détachant quelques ramifications. L'île est ainsi séparée en deux versants bien distincts.

Elle présente un paysage tourmenté, sauvage, de pics altiers voisinant avec de profonds précipices, couverts d'une végétation dense, au fond desquels les torrents *(ribeiras)* ont creusé leur voie vers la mer. La seule partie plane est le plateau de Paúl da Serra, désert et inhospitalier, qui s'étend sur 20 km^2 au centre de l'île, à 1 400 m d'altitude, et qui sert de pâturage à moutons.

Les côtes sont très escarpées. Par endroits, elles sont entrecoupées d'estuaires où se sont établis de petits ports de pêche. Les plages sont rares et généralement couvertes de gros galets. L'île ne compte qu'une plage de sable : Praínha, à l'Est de Machico.

Un climat privilégié – Située à une latitude voisine de celle de Casablanca, Madère jouit d'un climat tempéré réputé pour sa douceur et sa régularité, la température moyenne étant de 16 °C en hiver et de 21 °C en été. C'est sur la côte Sud, bien protégée des vents du Nord et du Nord-Est, que le climat se montre le plus favorable. La pluie y est rare et tombe principalement en mars, avril et en octobre. La luminosité, malgré quelques brumes, y est excellente. La température de l'eau, qui varie de 18 °C à 20 °C, autorise les bains presque toute l'année.

L'intérieur a des températures plus basses et moins régulières. Les nuages s'accumulent sur les sommets, rafraîchissant et humidifiant les régions montagneuses. Abondante au printemps et à l'automne, la pluie fait de ces régions le château d'eau de l'île.

Une végétation luxuriante – Le climat et le relief déterminent trois zones de végétation. Du niveau de la mer jusqu'à 300 m environ, c'est la zone subtropicale. Sur la côte Nord aussi bien que sur la côte Sud, on cultive la canne à sucre, la banane et quelques légumes. Les figuiers de Barbarie envahissent les zones non irriguées de la côte Sud. Au-delà et jusqu'à 750 m se situe la zone tempérée chaude, de climat méditerranéen. C'est le domaine de la vigne, des céréales (maïs, blé, avoine). Les fruits sont variés : fruits des pays européens comme les oranges, poires, pommes, prunes, et fruits exotiques comme les goyaves, avocats, mangues, ananas, maracujás (fruits de la passion).

Entre 750 m et 1 300 m, on trouve une forêt dont l'origine remonte à l'ère tertiaire, appelée **Laurissilva** (ou forêt laurifère). Cette forêt primitive, qui recouvrait autrefois une partie de l'Europe, fut détruite par les glaciations et exceptionnellement préservée dans les îles. Composée de nombreuses espèces endémiques dont les *tils*, les *vinháticos*, les bruyères et les lauriers arborescents, elle joue un rôle primordial dans la protection du sol et l'infiltration de l'eau de pluie. Elle permet captation et infiltration, et évite l'érosion. Les cimes, au-dessus de 1 300 m, sont le domaine des pâturages et des fougères. Pour sauvegarder ce vaste patrimoine naturel, plus des deux tiers de la superficie de l'île ont été classés parc naturel.

Les fleurs – L'île est couverte de fleurs : sur toutes les pentes, dans les jardins ou même le long des routes abondent les hortensias, les géraniums, les hibiscus, les agapanthes, les bougainvilliers, les fuchsias, les euphorbes. Certaines espèces comme les orchidées,

Jardins et parcs de Madère

L'un des plus grands attraits de Madère réside dans sa nature exubérante et omniprésente. Outre les promenades le long des *levadas*, où l'on découvre la riche végétation de l'île, ses nombreux jardins et parcs enchantent par leur beauté et leur diversité. Voici quelques suggestions :

Le **Parc das Queimadas** *(voir p. 321)*, avec sa forêt laurifère primitive, plonge le visiteur dans le milieu originel de l'île.

La vaste **Quinta do Palheiro Ferreiro** *(voir p. 314)* présente un jardin à l'anglaise et une autre partie plus sauvage.

Le **Jardin botanique de Madère** *(voir p. 313)* et le **Jardin tropical du Monte Palace** *(voir p. 316)* sont des lieux où l'on peut admirer des spécimens rares de la flore exotique.

Le **Jardin Orquídea** *(r. Pita Silva, 37 – Bom Sucesso, ouvert tous les jours de 9 h 30 à 18 h)*, à Funchal, ravira les amateurs d'orchidées, avec plus de 4 000 variétés.

Le **jardin de la Quinta das Cruzes** *(voir p. 311)*, avec son petit parc archéologique et ses vestiges lapidaires est empreint d'une atmosphère très romantique.

Mimosa

Strelitzia

Anthurium

les anthuriums et les strelitzias (« oiseaux de paradis ») sont cultivées en quantité importante pour l'exportation. Plusieurs espèces d'arbres se couvrent périodiquement de fleurs : le mimosa, le magnolia, le sumaúma (fleurs rouges ou roses), le jacarandá (fleurs mauves).

Population de Madère – Aux colons portugais ont succédé des Italiens, des Espagnols, des Juifs, des Maures et des esclaves noirs pour travailler dans les champs de canne à sucre. À partir du 18e s., des Anglais vinrent aussi s'y établir. Malgré sa fertilité et son utilisation intensive, la terre madérienne ne suffit pas à faire vivre tous ses habitants, et la densité de population trop forte (340 hab./km² actuellement) incita de nombreux jeunes à s'expatrier, principalement vers le Brésil, le Venezuela, le Canada.

Terrasses et levadas – Les premiers colons défrichèrent l'île en mettant le feu à l'épaisse forêt qui la couvrait. L'incendie se propagea, dit-on, pendant sept ans, épargnant cependant certains endroits où subsiste la forêt d'origine.
Cette terre défrichée, il fallut la domestiquer. Grâce à un labeur opiniâtre, les paysans sculptèrent les versants des montagnes en terrasses, les **poios**, qui donnent à l'île sa physionomie caractéristique. Ils allaient chercher au bas des pentes la terre qui manquait plus haut, la rapportant sur leur dos dans des hottes, car aucun animal de trait n'avait pu s'acclimater dans l'île. Les minuscules parcelles de terrain sont cultivées à la bêche en l'absence de charrue.
Mais c'est surtout à l'irrigation que Madère doit sa richesse agricole. Madère est un énorme réservoir naturel : l'eau de pluie s'infiltre dans la masse des cendres volcaniques et n'est arrêtée que par la couche imperméable de latérite et de basalte. Elle constitue alors des réserves souterraines qui jaillissent en sources. Très tôt, les paysans entreprirent de canaliser l'eau de ces sources, créant un réseau de canaux d'irrigation appelés **levadas**. Ce réseau, qui comptait 1 000 km en 1900, a plus que doublé depuis. En 1939, le gouvernement portugais fit élaborer un système d'irrigation et d'hydroélectricité. L'eau est captée vers 1 000 m d'altitude, dirigée vers les centrales hydroélectriques, puis vers les champs, où elle est redistribuée par des agents appointés appelés *levadeiros*. Des lois sévères régissent la répartition de l'eau, et ce système permet à des champs situés près des côtes, dans des zones plus défavorisées, de profiter de l'eau des cimes. Parmi les *levadas* les plus importantes, citons la *levada* do Norte, la levada dos Tornos et la levada do Furado. Si l'on considère la médiocrité des moyens techniques, l'édification des levadas a représenté un effort prodigieux. Tunnels et aqueducs leur permettent de suivre imperturbablement des courbes de niveau. Parfois, elles s'accrochent à la paroi et surplombent des à-pics vertigineux, et il faut imaginer les hommes qui les réalisèrent, installés dans des paniers d'osier suspendus au-dessus du vide.
Les *levadas* sont longées d'un sentier qui permet leur entretien. Ces sentiers sont une merveilleuse opportunité, pour les amateurs de marche, de découvrir des paysages magnifiques sans jamais connaître de vrai dénivelé.

Les cultures – Dès 1432, la canne à sucre fut importée de Sicile. Le sucre était exporté en Castille, en Angleterre, dans les Flandres, mais, au 16e s., cette culture fut en butte à la concurrence brésilienne et Madère développa alors son vignoble.
Aujourd'hui, les bananes représentent l'une des principales productions de l'île. La plupart des bananeraies se trouvent sur la côte Sud, dans la région de Ribeira Brava.

Le vin de Madère – La culture de la vigne fut introduite à Madère dès le 15e s. Les plants importés de Crète produisirent sur le sol volcanique riche et ensoleillé de la côte Sud un vin de bonne qualité, la malvoisie. Le vin de Madère acquit un certain prestige en Europe et François Ier en offrait à ses invités.
En 1660, l'alliance commerciale entre le Portugal et l'Angleterre favorisa l'exportation du vin et la production s'accrut. De nombreux négociants étrangers, anglais surtout, Blandy, Leacock, Cossart, Gordon, furent attirés à Madère par ce commerce prospère. Les 18e et 19e s. marquèrent l'apogée du vin de Madère, dont Anglais et Américains étaient les principaux consommateurs. En 1852, une épidémie décima le vignoble. Seuls quelques Anglais comme Charles Blandy s'attachèrent à reconstituer le vignoble dévasté. En 1872, Thomas Leacock réussit à lutter efficacement contre le phylloxéra.
Les trois principaux crus sont le **sercial**, dont les plants proviennent du Rhin, vin sec, bouqueté, de couleur ambre et servi frais, idéal pour l'apéritif ; le **boal** qui vient de Bourgogne : brun rougeâtre, sa saveur riche et fruitée en faisant surtout un vin de dessert ; le **malvoisie** (ou Malmsey pour les Anglais), le plus réputé, rare de nos jours, qui est également un vin de dessert, très doux, dont la couleur tend vers le violet. On produit aussi le **verdelho**, vin demi-sec qu'on peut servir en toute occasion, le *moscatel* et le *tinto*, vin rouge.
Les vendanges ont lieu à partir de la fin août. Les grappes sont portées au pressoir puis, de là, leur jus livré à Funchal. Traditionnellement, ce transport était fait à dos d'homme, les *borracheiros*, dans des outres qui ne contenaient pas moins de 40 l. Le vin fermente dans des tonneaux tout en étant soumis à de multiples traitements : on y ajoute de l'alcool, on le clarifie à l'aide de blanc d'œuf ou de colle de poisson, et surtout – la plus grande caractéristique du Madère – on le soumet à la chaleur. Stocké

dans des barriques et des tonneaux, on laisse le vin pendant au moins trois mois dans des caves chauffées à 45 °C. Ensuite les vins commencent leur maturation. Ce procédé s'appelle l'*estufagem* (chauffage). Les propriétés de la chaleur furent découvertes à l'occasion du transport du vin sous les tropiques au 18e s. À une certaine époque, on a même utilisé les tonneaux de Madère pour lester les bateaux faisant de longs trajets vers l'Inde ou vers l'Amérique. Pendant le voyage aller-retour, le vin avait tout le temps de chauffer !

Les madères *vintage* réalisés à partir des meilleurs vins des années exceptionnelles ont la propriété de pouvoir être consommés pendant plus de cent cinquante ans. On raconte qu'en 1815 Napoléon en route vers Ste-Hélène fit escale à Madère et reçut du consul anglais un tonneau de vin ; à sa mort, le consul récupéra le vin non entamé qui fut mis en bouteilles. En 1936, un Anglais put se vanter d'avoir dégusté de ce « vin de l'Empereur » plus que centenaire.

La broderie de Madère – C'est l'une des principales ressources de l'île. En 1856, une Anglaise, **Miss Phelps**, fonde un ouvroir où elle confie à quelques femmes des travaux inspirés de la broderie anglaise, qu'elle dirige ensuite vers des ventes de charité. Des échantillons de ces ouvrages rapportés à Londres remportent un tel succès que Miss Phelps décide de les exporter. La broderie occupe actuellement 30 000 femmes qui travaillent généralement en plein air. Quelques ateliers fonctionnent à Funchal. Les broderies, sur toile, linon, organdi, sont d'une extrême finesse et d'une grande variété.

L'ART

L'art à Madère est essentiellement religieux. Dès les débuts de la colonisation, on a parsemé l'île d'églises ou de chapelles construites suivant le modèle des sanctuaires portugais. Avec la prospérité vient la richesse artistique. Les échanges commerciaux se sont amplifiés et, par le biais des contacts avec les Flandres, l'art flamand pénètre à Madère. Grâce aux riches négociants, aux chevaliers de l'ordre du Christ, au roi Manuel Ier, aux capitaines-donataires, les églises prennent de l'importance et, contrastant avec une façade qui garde souvent une certaine austérité, leur intérieur s'orne de retables, de triptyques qu'on acquiert à Anvers, à Lisbonne, à Venise, en échange de cargaisons de sucre. Les donateurs y sont souvent représentés.

Les styles architecturaux n'ont touché l'île qu'avec un certain retard. Leur évolution s'est montrée plus lente qu'en métropole. Les premières églises sont romano-gothiques ou manuélines. Aux 17e et 18e s., on surcharge leur intérieur d'éléments baroques, tandis que l'on édifie, dans le même style, la plupart des nouvelles églises. Leur façade blanche, souvent influencée par la Renaissance italienne, reste assez sévère, lorsqu'elle n'est pas soulignée de volutes de basalte noir. Elle est généralement percée d'un portail surmonté d'un arc en plein cintre et d'une fenêtre et flanquée d'un ou deux clochers carrés au toit pyramidal, traditionnellement revêtu de carreaux de faïence. La porte principale est doublée d'une porte « paravent » en bois précieux et marqueterie.

À l'intérieur, la nef unique est couverte d'un plafond en berceau de bois peint de fresques baroques. Les retables frappent par leur exubérance. Aux murs sont encore suspendus de nombreux tableaux, souvent intéressants. La belle lampe en argent ouvragé fait rarement défaut près du chœur. La sacristie, enfin, est souvent une belle pièce contenant un chapier en bois précieux et une jolie fontaine de lave baroque.

Quelques demeures civiles ne manquent pas d'élégance : le palais des comtes de Carvalhal, devenu mairie de Funchal, ou la mairie de Santa Cruz.

LA GASTRONOMIE

Les brochettes de viande de bœuf marinées *(espetadas)*, accompagnées de cubes de maïs frit, sont la grande spécialité de Madère. On dégustera également de la viande rôtie à la cannelle, des biftecks *(bifes)* de thon, du poisson frais grillé, des patelles *(lapas)* frites à l'ail et, au dessert, des gâteaux au miel (le fameux *bolo do caco*) et des fruits délicieux. Vous trouverez plus loin une sélection de restaurants.

★★FUNCHAL 102 521 habitants

Plan d'agglomération dans Le Guide Rouge Portugal

La capitale de l'île étage ses maisons blanches sur les pentes bien exposées d'un vaste amphithéâtre autour d'une baie. Des collines verdoyantes la dominent, souvent couronnées de brumes et de nuages. À l'arrivée des premiers colons, ces hauteurs étaient couvertes de fenouil sauvage, d'où le nom de Funchal qui signifie fenouillède.

Ce site remarquable – que de multiples belvédères permettent d'apprécier –, sa végétation luxuriante, ses quintas, ses hôtels, ses distractions nocturnes, ses équipements sportifs (piscines, tennis, ski nautique, pêche) en font un lieu de séjour fréquenté toute l'année par une clientèle très internationale.

FUNCHAL

C'est aussi une cité active qui assure le débouché des principales richesses de l'île.
Le port commercial se signale de loin par sa longue digue, la **pontinha**, construite
à la fin du 18ᵉ s. pour relier un îlot à la terre et prolongée à deux reprises. Il joue
un rôle important puisque la plupart des marchandises parviennent par voie maritime. Il accueille aussi les paquebots de croisière. Le port de plaisance, ou marina,
qui abrite des voiliers de toutes nationalités, fait face au centre de Funchal où se
trouvent les commerces, les administrations et la plupart des monuments historiques. À l'Est de ce quartier s'étend le réseau de ruelles de la vieille ville ; à l'Ouest,
vers la Câmara de Lobos, les grands hôtels modernes déterminent un quartier pour
touristes, alors que les habitants de Funchal résident plutôt sur les hauteurs.
Le 31 décembre, la ville et sa baie s'embrasent d'un somptueux feu d'artifice.

Zarco et la fondation de Funchal – Né à Tomar dans une famille modeste, João Gonçalves Zarco enlève la jeune fille noble qu'il veut épouser et vient implorer la protection de l'infant. Celui-ci le garde à son service et l'arme chevalier. Zarco se distingue par son courage à la bataille de Tanger et à la conquête de Ceuta où il a l'œil blessé d'un coup de flèche. Avec Tristão Vaz Teixeira, il participe à la découverte de Madère. L'année suivante, il vient s'installer avec sa famille à Funchal. Il en sera le donataire pendant plus de quarante ans, jusqu'à sa mort (vers 1467). À l'embouchure de trois ribeiras, il trace les plans d'une ville et distribue des terres aux colons. À la ville, devenue prospère grâce au commerce de la canne à sucre (quatre pains de sucre figurent dans ses armes), le roi Manuel accorde une charte en 1508.

309

Le port de Funchal

Le centre

Suivre l'itinéraire recommandé sur le plan.

Avenida das Comunidades Madeirenses ou avenida do Mar – Cette large voie fleurie suit le bord de mer et la marina où s'abritent les bateaux de plaisance. Le long des quais en contrebas de l'avenue s'alignent de nombreux restaurants et cafés dont l'un a pris pour cadre un yacht ayant appartenu aux Beatles, le *Vagrant*. Du bout de la jetée, belle **vue★** sur la ville.

Avenida Arriaga – Axe principal de Funchal, l'avenida Arriaga est plantée de jaca-randas qui, au printemps, se colorent de violet. Le **jardin public de São Francisco** est un intéressant parc botanique riche en essences diverses. Entre ce jardin et l'Office de tourisme se trouvent les **caves** *(adegas)* **de São Francisco★**, les plus anciennes de Funchal, qui occupent l'ancien monastère des franciscains construit au 16e s. La visite ⊘, qui comprend la tonnellerie, les caves où vieillit le précieux vin et un petit musée, s'achève par une dégustation gratuite.

En face, le **fort São Lourenço** ⊘ est la résidence officielle du ministre de la République pour la Région autonome de Madère. La forteresse d'origine, érigée au début du 16e s. afin d'héberger les capitaines-donataires de l'île, a été prolongée au 18e s. par le palais et ses jardins. La visite du **palais** (Palácio de São Lourenço) ⊘ permet d'admirer une succession de salons nobles, dont certains sont décorés de boise-ries dorées, de portraits des capitaines-donataires, de peintures, de meubles des 17e au 19e s., de porcelaines de chine.

★Sé – Construite par les chevaliers de l'ordre du Christ à la fin du 15e s., elle fut la première **cathédrale** portugaise d'outre-mer. De style manuélin, elle présente une façade sobre, très simple, où le crépi blanc contraste agréablement avec le basalte noir et le tuf rouge. L'abside, décorée de balustres dentelés et de pinacles à tor-sades, est flanquée d'un clocher carré crénelé, au toit pyramidal revêtu d'azulejos. La nef, dont les arcades de lave peinte sont soutenues par de fines colonnes, est couverte, de même que le transept, d'un remarquable **plafond★** *artesoado* (à cais-sons et marqueterie, de style mudéjar) en bois de cèdre, aux motifs soulignés d'incrustations d'ivoire. Il est mal éclairé dans la nef, mais on peut admirer ses motifs dans le bras droit du transept.

Le chœur est orné de stalles du 16e s., de style manuélin. Sur la partie haute, les statues dorées d'apôtres, de docteurs de l'Église et de saints, d'exécution assez primitive, ressortent sur un fond bleu. Les jouées sont ornées de sculptures cari-caturales en bois de *til* où des animaux et des personnages grotesques animent des scènes bibliques, satiriques ou fabuleuses.

Au-dessus du maître-autel, 12 panneaux de peinture flamande forment un beau retable (16e s.) que surmonte une délicate voûte compartimentée.

À droite du chœur, la chapelle du Saint-Sacrement présente une riche décoration baroque en bois doré et en marbre et abrite un tabernacle en argent de la fin du 17e s. La chaire et les fonts baptismaux, du 16e s., en marbre d'Arrábida, ont été offerts par le roi Dom Manuel.

À côté de la cathédrale, des fleuristes en costume traditionnel vendent des fleurs exotiques.

Praça do Município – Elle est bordée au Sud par l'ancien évêché, occupé aujourd'hui par le musée d'Art sacré, à l'Est par la mairie et au Nord par l'ancien collège.

Hôtel de ville – L'ancien palais (18ᵉ s.) du comte de Carvalhal est surmonté d'une tour qui se dresse au-dessus des maisons. La cour intérieure est décorée d'azulejos.

Museu de Arte Sacra ⊘ – Il est installé dans l'ancien évêché dont la façade donnant sur la place s'orne d'une belle galerie à arcade. Il possède une belle collection d'objets sacrés et d'ornements liturgiques, mais sa principale richesse est sa collection de **tableaux★** des écoles flamande et portugaise des 15ᵉ et 16ᵉ s. peints sur bois.

De l'école portugaise, on remarque un triptyque représentant saint Jacques et saint Philippe entre les donateurs du tableau (au dos se trouve une Annonciation). Parmi les peintures de l'école flamande, citons une *Descente de Croix* attribuée à Gérard David dont les personnages montrent une grande noblesse d'expression ; le portrait en pied du patron de Funchal, *Saint Jacques le Mineur*, en toge rouge, attribué à Thierry Bouts ; une *Sainte Marie Madeleine* surprenante par son réalisme : somptueusement vêtue, elle se dresse au premier plan d'un magnifique paysage ; un triptyque attribué à Quentin Metsys représentant saint Pierre dans un somptueux manteau pourpre ; une *Annonciation*, un *Portrait de saint Nicolas évêque*, *La Rencontre de sainte Anne et de saint Joachim*, une *Crucifixion* mouvementée et l'*Adoration des Mages*, provenant de l'église de Machico, belle composition de l'école d'Anvers.

Parmi les pièces d'orfèvrerie provenant de la cathédrale, se détache la remarquable croix d'argent gothico-manuéline (16ᵉ s.), don du roi Manuel Iᵉʳ.

Église du Colégio – Accolée à un couvent de jésuites transformé en université, l'église St-Jean-l'Évangéliste, de style jésuite, a été édifiée au début du 17ᵉ s.

Sa façade blanche, austère, est percée de nombreuses fenêtres aux encadrements de basalte noir et creusée de quatre niches abritant des statues de marbre : en haut sont représentés saint Ignace et saint François Xavier, en bas saint François Borgia et saint Stanislas.

La nef, tapissée d'azulejos, est surchargée d'exubérants autels baroques décorés de grappes de raisin.

La sacristie, à gauche du chœur, est couverte d'un beau plafond peint à trompes d'angle. Cette salle élégante, décorée d'une frise d'azulejos, abrite un magnifique chapier à serrures dorées.

Museu da Fotografia « Vicentes » ⊘ – Attenant au café « Pátio », s'élève une façade évoquant une maison de La Nouvelle-Orléans. C'est ici que Vicente Gomes da Silva, premier d'une longue lignée de photographes, installa son studio au milieu du 19ᵉ s. Les appareils et les plaques de verre ont été pieusement conservés, le studio de prise de vue a été reconstitué avec le décor d'origine, et l'on s'émerveille en feuilletant les nombreux albums, précieux témoignages de la vie à Madère au 19ᵉ s.

Musée municipal et aquarium ⊘ – L'ancienne demeure du comte de Carvalhal, du 18ᵉ s., abrite un aquarium où évoluent les différentes espèces de poissons fréquentant les fonds madériens (rascasses rouges, cigales de mer, murènes, etc.), ainsi qu'un musée d'Histoire naturelle riche en animaux naturalisés dont d'impressionnants requins, raies cornues et phoques à ventre blanc.

★ **Casa-Museu Frederico de Freitas** ⊘ – Cette grande demeure du 18ᵉ s., ayant appartenu au 19ᵉ s. au médecin Frederico de Freitas, est divisée en deux parties. La « casa da calçada » accueille des expositions temporaires et une exposition permanente de gravures, dessins et aquarelles illustrant Madère au cours des siècles. Les appartements bourgeois du 19ᵉ s. sont décorés de meubles anglais, d'armes, d'armoires de style « caisse à sucre » *(voir ci-dessous)*, d'instruments de musique, de magnifiques cabinets ornés d'ivoires ou d'os de baleine, de céramiques, et d'une salle d'art sacré contenant une belle collection de croix en bois et ivoire. La « casa dos azulejos » présente une importante collection d'azulejos de diverses origines, des 12ᵉ au 19ᵉ s. (portugais, sévillans, flamands, chinois, iraniens, etc.).

Convento de Santa Clara ⊘ – Il fut construit au 17ᵉ s., à l'emplacement de l'église fondée par Zarco pour recueillir les dépouilles de sa famille ; ses deux petites-filles, fondatrices de l'ancien couvent des clarisses, y sont enterrées.

L'intérieur de l'église, revêtu d'azulejos (16ᵉ au 18ᵉ s.), parmi lesquels des exemplaires sévillans rares, abrite au fond le tombeau gothique de Zarco, surmonté d'un dais et soutenu par des lions.

★★ **Quinta das Cruzes** ⊘ – L'ancienne demeure de Zarco *(illustration p. 379)* a été transformée en un **musée des Arts décoratifs**.

Au rez-de-chaussée, des salles basses, anciens celliers, sont consacrées au mobilier portugais (16ᵉ s.) recueilli dans plusieurs demeures de Funchal. On y remarque un grand nombre de cabinets, type de meuble le plus répandu au 17ᵉ s., et les armoires et coffres de style *caixa de açúcar* (caisse à sucre) fabriqués avec le bois des coffres dans lesquels était transporté le sucre brésilien. Le fond de la dernière salle est

Le « marché des cultivateurs »

occupé par un retable flamand de la deuxième moitié du 15e s. représentant une Nativité. Une vitrine contient une partie du trésor trouvé dans l'épave d'un galion hollandais de la Compagnie des Indes orientales qui s'échoua à Porto Santo en 1724. Les salles du premier étage sont riches en mobilier anglais des 18e et 19e s. des styles Hepplewhite et Chippendale.

La maison est entourée d'un jardin botanique planté de kapokiers, de dragonniers, d'araucarias. Une serre abrite des orchidées et une multitude d'autres fleurs. Une partie de ce jardin a été transformée en « parc archéologique », petit musée lapidaire insolite et romantique au milieu de la végétation exotique, où l'on peut voir deux belles fenêtres manuélines et un fragment du pilori de Funchal, élevé à la fin du 15e s. et démoli en 1835.

Autres curiosités

Mercado dos Lavradores – Installé dans un édifice récent, le « marché des travailleurs » est particulièrement animé le matin. À l'entrée, les marchandes de fleurs vêtues du traditionnel costume madérien (jupe rayée, corselet, bottes de cuir) proposent des bouquets multicolores. Autour du patio central sont disposés des étals et des corbeilles regorgeant de fruits et de légumes. Dans la partie basse, il règne une grande animation dans la salle de vente des poissons, décorée de panneaux d'azulejos.

Museu da Electricidade – Casa da Luz – Cet intéressant **musée de l'Électricité – Maison de la lumière**, aménagé dans les locaux de l'ancienne centrale thermique de Funchal, évoque au travers de documents, de photos, de maquettes et de machines, l'histoire de l'électricité et de l'électrification de l'archipel de Madère.

La vieille ville – C'est ici que fut fondée la ville au 15e s. Aujourd'hui, les rues étroites sont occupées par des pêcheurs ou des artisans. On y trouve de nombreuses tavernes, des bars et des restaurants populaires.

Église Santa Maria Maior – Son élégante façade baroque (18e s.), dont les volutes de lave noire ressortent sur le crépi blanc, est percée d'un sévère portail. L'apôtre saint Jacques le Mineur y est honoré le 1er mai en souvenir des miracles par lesquels, en 1523 et 1538, les épidémies de peste qui ravageaient Funchal furent enrayées. À l'intérieur, remarquer le plafond peint, en berceau.

En contrebas de l'église s'étend la **plage de la Barreirinha**.

Fort São Tiago ⊙ – Construit en 1614, il dresse ses murailles jaunes au-dessus de la grève où quelques barques de pêcheurs reposent à côté de petits baraquements peints de rayures bleues et blanches. La forteresse abrite un **musée d'Art contemporain** ⊙ qui expose des œuvres d'artistes portugais.

★**Largo do Corpo Santo** – Cette charmante petite place devant la chapelle du Corpo Santo est le cœur du vieux Funchal. Elle s'anime à l'heure des repas quand ses restaurants de poissons se remplissent.

Instituto do Bordado, Tapeçaria e Artesanato da Madeira ⊙ – L'**Institut de la broderie, de la tapisserie et de l'artisanat de Madère**, organisme qui garantit l'authenticité des broderies fabriquées dans l'île par l'apposition d'un sceau de plomb, abrite un musée où sont exposées de merveilleuses broderies anciennes et des objets de l'artisanat de Madère, dans une reconstitution historique de salle à manger et de chambre à coucher.

Instituto do Vinho da Madeira 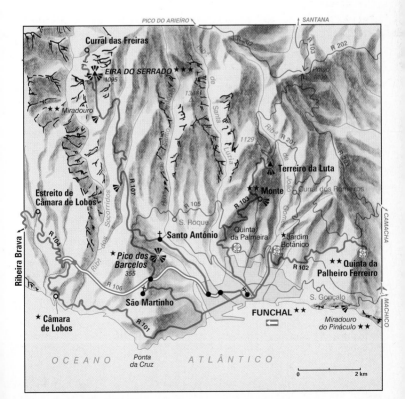 – Créé pour promouvoir le vin de Madère, cet organisme propose des dégustations gratuites et expose dans son **musée** une collection d'outils et d'instruments ainsi que des lithographies et des photos, liés à la viniculture. En face se trouvent les caves de la maison Borges.

À l'Ouest de la ville

Jardins du Casino – Le casino fut construit en 1979 par l'architecte brésilien Óscar Niemeyer. On notera d'ailleurs sa ressemblance avec la cathédrale de Brasilia au Brésil. Il est entouré d'un parc planté de beaux arbres exotiques.

Quinta Vigia – Située entre les jardins du Casino et de Santa Catarina, cette vaste demeure rose est aujourd'hui le siège du gouvernement régional de Madère.

Parque de Santa Catarina – Aménagé autour de la chapelle Santa Catarina, construite en 1425 par Zarco, le parc de Santa Catarina domine l'avenida das Comunidades Madeirenses et le port. Une statue de Christophe Colomb y a été érigée, et, en redescendant vers l'avenue Arriaga, on découvre une autre statue représentant Henri le Navigateur sous une grande arche en pierre volcanique.

Museu Cristóvão Colombo – *Boutique Diogo, avenida Arriaga, 48.* Mário Barbeito de Vasconcelos (1905-1985) poursuivit la même passion tout au long de sa vie : réunir une collection se rapportant à Christophe Colomb. Celle-ci comporte des livres, des bandes dessinées, des gravures, des cartes, etc., et l'un des trois exemplaires du **Psalterium**★, premier récit sur la découverte du Nouveau Monde, paru en 1516 et écrit en chaldéen, arabe, hébreu et grec.

Au Nord de la ville

★**Jardim botânico** – *Prendre la rua Doutor Manuel Pestana, en direction de l'aéroport, puis suivre la signalisation pour le jardin botanique.* Étagé sur des terrasses qui dominent la vallée de la Ribeira de João Gomes, ce jardin a été aménagé dans l'enceinte de l'ancienne quinta de Bom Sucesso. Il rassemble de remarquables exemplaires de la flore madérienne. Dans l'élégante maison blanche aux volets verts, un petit **musée** à l'ancienne présente dans des meubles en bois des collections de botanique, de géologie et de zoologie ; remarquer les bois vulcanisés.
Du belvédère le plus élevé, **vue**★ sur le port de Funchal et, en contrebas, sur la vallée de la ribeira de João Gomes, cultivée en terrasses.

SE LOGER À FUNCHAL

À Funchal, l'offre hôtelière est abondante et peut satisfaire tous les goûts et toutes les bourses. Le quartier du Lido, à l'Ouest, le long de la Estrada (route) Monumental, concentre les grands hôtels internationaux *(voir Le Guide Rouge Portugal)*.

HÔTELS « BUDGET »

Hotel Madeira – *R. Ivens, 21, 9001-801 Funchal* – ☎ *291 23 00 71* – *fax 291 22 90 71* – *53 chambres* – *piscine* – *52,50/62,50 €* (**GB**).
Un hôtel calme et bien tenu, en plein centre-ville, devant le jardin de São Francisco. Les chambres ont des petites terrasses. Sur le toit, avec vue sur la ville, une petite piscine a été aménagée.

Residencial Colombo – *R. Carreira, 182, 9000 Funchal* – ☎ *291 22 52 31* – *fax 291 22 21 70* – *25 chambres, 16 appartements* – *40 €*.
Cet édifice moderne, dans le centre-ville, dispose d'un solarium sur le toit. Certaines chambres bénéficient d'une petite terrasse.

Residencial Vila Teresinha – *R. das Cruzes, 21, 9000-025 Funchal* – ☎ *291 74 17 23* – *fax 291 74 45 15* – *www.pensaoresvilateresinha.com* – *12 chambres* – *40/50 €* – *restaurant-bar*.
En contrebas de la Quinta das Cruzes, cette pension « residencial », avec restaurant, offre une terrasse avec vue sur la ville.

« NOTRE SÉLECTION »

Quinta da Fonte – *Turismo de Habitação. Estrada dos Marmeleiros, 89, 9000 Funchal* – ☎ *291 23 53 97* – *5 chambres* – *77 €*.
Entre Funchal et Monte, cette villa familiale construite en 1850, entourée d'un jardin avec une petite chapelle, jouit d'une belle vue panoramique sur Funchal et sa baie. La maison décorée de meubles anciens de valeur et l'accueil de ses propriétaires illustrent l'art de vivre à Madère.

Quinta da Penha de França et Penha França Mar – *R. Imperatriz D. Amélia, 85, 9000-014 Funchal* – ☎ *291 20 46 50* – *fax 291 22 92 61* – *www. hotelquintapenhafranca.com* – *109 chambres* – *49,50/97,50 €* (**GB**) – *piscine, jardins, parking*.
Proche des jardins du casino, dans un quartier agréable et animé, cet hôtel de charme, très confortable, est divisé en deux parties : la quinta, de style traditionnel, entourée d'un jardin tropical, et une aile plus moderne, devant la mer, avec un accès direct à celle-ci. Les deux parties ont chacune une piscine (pour adultes et enfants).

Estalagem Casa Velha do Palheiro – *Palheiro Golf, São Gonçalo, 9050-296 Funchal* – ☎ *291 79 49 01* – *fax 291 79 49 25* – *www.casa-velha.com* – *37 chambres* – *135/165 €* (**GB**) – *restaurant, bar, club-house, piscine, tennis, sauna, parking*.

Quinta da Palmeira – *Prendre la rua da Carne Azeda au Nord, puis à gauche, la rua da Levada de Santa Luzia. Avant un virage à gauche se présente l'entrée de la quinta, dont le nom est inscrit sur le seuil en galets blancs. C'est une propriété privée, mais on peut se promener à pied dans ses jardins. Laisser la voiture près de la grille.*
Les terrasses de ce parc très bien entretenu dominent Funchal. On y verra de beaux bancs en azulejos et une fenêtre de pierre, gothique, qui provient de la maison où aurait séjourné Christophe Colomb lors de son passage à Funchal.

Environs de Funchal

★★ **Quinta do Palheiro Ferreiro** ⊘ – *10 km. Quitter Funchal par la rua Doutor Manuel Pestana, route de l'aéroport. Prendre la première route en direction de Camacha, puis, après quelques virages, tourner à droite dans une petite route pavée signalisée « Quinta do Palheiro Ferreiro ». Passer la grille d'entrée de la quinta et suivre l'allée de platanes jusqu'au parking près de la villa. Propriété privée.*
La vaste demeure, avec hôtel, restaurant de luxe et terrain de golf, s'inscrit dans le cadre d'un **parc** à l'anglaise très soigné que l'on atteint par des allées bordées de camélias. Plus de 3 000 espèces de plantes y sont représentées, et l'on prendra plaisir à flâner parmi les remarquables spécimens d'arbres exotiques et les massifs de fleurs rares.

★★ **Eira do Serrado et Curral das Freiras** – *Circuit de 34 km – 2 h. Quitter Funchal par l'avenida do Infante.*

São Martinho – L'église paroissiale s'élève sur un « pic » à 259 m d'altitude.
À hauteur du cimetière, tourner à droite.

★ **Pico dos Barcelos** – Entouré d'aloès et abondamment fleuri, ce belvédère (alt. 355 m) offre un panorama sur le site de Funchal, au pied des massifs montagneux dont on aperçoit les formes déchiquetées au Nord, ainsi que sur Santo António tapi dans la vallée autour de son église et sur São Martinho dont l'église se détache sur la mer.

L'ancien pavillon de chasse construit en 1804 par le comte de Carvalhal est aujourd'hui un hôtel de charme, installé dans un cadre magnifique, entre les jardins et le terrain de golf de Palheiro : un lieu de séjour idéal pour les joueurs de golf. Le restaurant gastronomique offre une très belle vue sur Funchal.

« UNE PETITE FOLIE ! »

Hotel Reid's Palace – *Estrada Monumental, 139, 9000-098 Funchal* – ☎ *291 76 71 71 – fax 291 76 71 77 – www.reidspalace.orient-express.com – 169 chambres – 247/389 €* (GB) *– restaurant, snack-bar, piscines, tennis, boutiques, parking, etc.*
Tout le confort et le luxe d'un des grands palaces de ce monde, entouré de jardins luxuriants, avec des terrasses face à la mer...

SE RESTAURER À FUNCHAL

Jacquet – *R. de Santa Maria, 5 – 9050-040 Funchal* – ☎ *291 22 53 44 – 18 €*.
Une véritable surprise, ce petit restaurant typique, avec des tables et des bancs de bois, dans lequel le propriétaire donne à choisir le poisson qui vient d'être pêché. Celui-ci est ensuite grillé devant les convives, derrière le comptoir de la cuisine. Autre spécialité de la maison, les patelles *(lapas)* frites à l'ail. Ambiance populaire garantie !

O Jango – *R. de Santa Maria, 164-166 – 9050-040 Funchal* – ☎ *291 22 12 80 – 20 €* (GB).
Il convient d'arriver tôt à ce petit restaurant, toujours plein, qui sert des plats traditionnels savoureux (brochettes, maïs frit, poisson grillé, mais aussi curry), préparés avec des produits frais. Une bonne adresse.

Churrascaria Montanha – *R. Conde Carvalhal, 321 (près du Miradouro do Pináculo) – 9050-301 Funchal* – ☎ *291 79 31 82 – 22,50 €* (GB).
Sur une hauteur à l'Est de Funchal, ce grand restaurant dispose d'une terrasse *(réservation conseillée pour les tables en terrasse)* avec une vue magnifique sur la baie de Funchal. Spécialité de brochettes (grillées dans un énorme four) et cuisine traditionnelle. Certains soirs, des groupes musicaux et de folklore s'y produisent.

et aussi...

Bar do Teatro – *Ferme à 23 h.* Cet agréable bar situé devant le jardin de São Francisco, à côté d'un concessionnaire automobile décoré de beaux panneaux d'azulejos, est un point de rencontre à la mode. On y sert des repas légers.

Boutique Lido – *Estrada Monumental, 296 – 9000 Funchal.* Dans le quartier des grands hôtels, cette petite boulangerie-pâtisserie-salon de thé propose de délicieuses spécialités salées et sucrées, des gâteaux maison et autres douceurs. Recommandée à tous les gourmands !

Prendre la route en direction de Eira do Serrado.

Après quelques kilomètres et la traversée d'un bois d'eucalyptus, la route se rapproche de la Ribeira dos Socorridos, dont le nom évoque les « rescapés » qui se seraient réfugiés à cet endroit lors de l'incendie de l'île. On a une **vue★** saisissante sur le profond défilé – dû à une fracture d'origine volcanique – dans lequel coule ce torrent. On en aperçoit au Sud l'embouchure, avec quelques maisons de Câmara de Lobos.
La route traverse de bois de pins et d'eucalyptus et offre bientôt des vues dégagées sur la vallée. D'un belvédère sur la gauche, **vue★★** magnifique sur le défilé dont les pentes sont cultivées en terrasses et parsemées de maisons blanches.

Une bifurcation à droite mène à Eira do Serrado où laisser la voiture.

★★★Eira do Serrado – *10 mn à pied AR.* À côté du parking a été construit en 2000 un complexe avec hôtel, restaurant café et boutiques de souvenirs. Un chemin en partie en escalier *(145 marches)* contourne par la droite le pico do Serrado (1 095 m) et gagne le belvédère. Le panorama est remarquable : le village de Curral das Freiras constelle de ses maisons blanches le creux d'un cirque montagneux aux parois ravinées.

Reprendre la route qui descend vers Curral das Freiras.

Cette route s'est substituée à l'ancien sentier qui parcourait en zigzag les pentes vertigineuses. Creusée dans une paroi rocheuse absolument verticale, elle doit franchir deux tunnels pour atteindre le village.

Curral das Freiras – Occupant un **site★** encaissé, au fond d'un grandiose cirque volcanique, Curral das Freiras, qui signifie « l'étable des nonnes », était la propriété des religieuses de Santa Clara qui vinrent s'y réfugier lors du pillage de Funchal par des pirates français en 1566. L'église s'élève sur une petite place entourée de cafés. En remontant, à la sortie du village, à gauche de la route, **vue★** sur l'impressionnante couronne de pics.

En arrivant à Funchal, laisser à droite la route du pico dos Barcelos.

Jardins de Monte

Santo António – Ce quartier résidentiel élégant de Funchal possède une église baroque (18e s.).

Le caminho de Santo António descend rapidement vers le centre de Funchal.

★**Monte** – *7 km par la rua do Til, en direction de Santana : environ 1 h. Par le téléphérique : près de 10 mn.*

Téléphérique de Monte ⊘ – Inauguré en novembre 2000, le téléphérique relie Monte au centre de Funchal *(Campo Almirante Reis, dans la vieille ville)*. Le parcours dure près de dix minutes et offre de très belles vues sur la baie de Funchal.

À près de 600 m d'altitude, Monte est un lieu de villégiature apprécié pour son climat frais et sa végétation luxuriante dans laquelle se disséminent des quintas entourées de beaux parcs. La quinta do Monte, située en contrebas de l'ancien hôtel Belmonte, accueillit dans son exil en 1921 la famille du dernier empereur d'Autriche, Charles Ier, qui y mourut l'année suivante. Sa femme, l'impératrice Zita, était la petite-nièce du roi Pierre IV. Au pied de l'église, s'étend un agréable jardin, abondamment fleuri et agrémenté d'une cascade.

Église Nossa Senhora do Monte – Elle s'élève sur une butte, au centre d'un parc. Elle fut construite à l'emplacement de la chapelle édifiée en 1470 par Adão Gonçalves Ferreira qui, avec sa sœur jumelle Ève, fut le premier-né de l'île de Madère. Sa façade au fronton baroque, percée de grandes fenêtres et d'un porche à arcades, est assez décorative. Cette église abrite, dans une chapelle à gauche de la nef, le tombeau en fer de l'empereur Charles d'Autriche. Au-dessus du maître-autel, un tabernacle en argent ouvragé contient une petite statue de Notre-Dame-du-Mont, patronne de Madère, vêtue d'une cape. La statue découverte au 15e s. à Terreiro da Luta, à l'endroit où la Vierge était apparue à une jeune bergère, est le but d'un important pèlerinage les 14 et 15 août.

Au bas de l'escalier de l'église se trouve le point de départ des traîneaux en rotin *(carros de cesto)*. Retenus par deux hommes en costume blanc, ces toboggans dévalent à grande vitesse le caminho do Monte jusqu'à Livramento.

Jardin tropical de Monte Palace ⊘ – Ce jardin est situé autour de l'ancien « Monte Palace Hotel », érigé à la fin du 19e s., sur le domaine d'une ancienne quinta du 18e s. Il a été acquis en 1987 par l'homme d'affaires José Berardo *(voir musée d'Art moderne de Sintra)* afin d'y installer sa **fondation**. Le jardin offre une délicieuse promenade où l'on découvre dans ses allées ombragées, des azulejos anciens, des panneaux en terre cuite évoquant l'histoire du Portugal, des pagodes, des niches, des statues, des lacs peuplés de poissons, des plantes exotiques originaires du monde entier et en particulier de Madère.

Prendre à pied le largo das Barbosas à gauche de cet escalier quand on descend.

Cette petite route mène jusqu'à une place plantée de platanes où s'élève la **chapelle Nossa Senhora da Conceição**, construite en 1906 dans le style baroque. De cette petite place, vue plongeante sur la vallée boisée de la ribeira de João Gomes, au lieu dit Curral dos Romeiros.

Terreiro da Luta – *À 15 km de Funchal et à 3 km de Monte. Suivre la route qui monte, jusqu'à une petite chapelle avec un Christ. Laisser la voiture à cet endroit et emprunter la ruelle du côté gauche. Au sens interdit, prendre à gauche. À la suite* du bombardement de Funchal par les sous-marins allemands, l'évêque de Funchal décida en 1917 d'ériger un monument à la Vierge si la paix intervenait rapidement. Le monument de Notre-Dame-de-la-Paix, terminé en 1927, se dresse à l'emplacement même de l'apparition de Notre-Dame-du-Mont. Il est entouré d'une barrière constituée par les chaînes d'amarrage des navires torpillés. Vue sur Funchal.

★ **De Funchal à Ribeira Brava par le cap Girão** – *30 km à l'Ouest – environ 1 h. Itinéraire* ⑤ *de la* carte *p. 320. Quitter Funchal par l'avenida do Infante.*

★ **Câmara de Lobos** – Son nom, qui signifie « chambre des loups », lui a été donné en raison du grand nombre de phoques (*lobo marinho* en portugais) qui y vivaient au moment de l'arrivée de Zarco.
La ville, pittoresque, est bâtie autour d'un port protégé par deux falaises volcaniques. En longeant le port à l'Ouest, on découvre une vue générale du **site**★. Les maisons blanches à tuiles rouges sont réparties sur des terrasses plantées de bananeraies. Sur la plage, ombragée de palmiers et de platanes, les barques colorées portent, suspendus à des arceaux d'osier, de curieux filets noirs en train de sécher. Dans la partie haute de la ville, un belvédère doté d'une pergola surplombe la plage de galets et, à droite, la ribeira do Vigário.
Au croisement avec la route principale, une petite terrasse, où Winston Churchill est venu peindre en 1950, domine le port.

Reprendre la route.

Les bananeraies disparaissent au profit de la vigne qui, dans la région d'Estreito de Câmara de Lobos, fait l'objet d'une véritable monoculture. Sous les treilles basses, pour ne pas perdre un pouce de terrain, on cultive des légumes. Du raisin blanc, on tire le malvoisie, le *verdelho* ; du noir, le *tinto*. Au-dessus de 500 m, autour de Jardim da Serra, la vigne, cultivée en espaliers, produit le fameux *sercial*.

Estreito de Câmara de Lobos – Petite ville animée, à l'écart de la R 101, dominée par son église blanche s'élevant sur un vaste parvis.
Une petite route à côté de l'église conduit à la partie haute du village, qui donne accès à la levada do Norte.

★ **Promenade le long de la levada do Norte** – *2 h à pied AR.* En suivant cette levada, on arrive dans la vallée de la Ribeira de Caixa, véritable bout du monde enchanteur, encadré par les terrasses cultivées. Seul le bruissement de l'eau courant dans la levada accompagne cette promenade parmi les fleurs.

Revenir à la route 101.

À l'approche du cap Girão, le paysage est peuplé de pins et d'eucalyptus.

Prendre à gauche en direction du cap Girão.

★ **Cabo Girão** – Du belvédère aménagé à l'extrémité de la falaise verticale, on jouit d'une vue étendue sur les plaines côtières jusqu'à la baie de Funchal. L'Océan écume à 580 m en contrebas, dessinant des courbes régulières.
La route se poursuit à travers les terrasses et bananeraies et descend subitement vers Ribeira Brava.

Ribeira Brava – *Voir la côte Sud-Ouest.*

★LA CÔTE EST

Itinéraire ① *de la carte p. 320 – 90 km – environ 4 h. Quitter Funchal par la rua do Conde Carvalhal. Suivre la direction de l'aéroport.*

Cet itinéraire suit la côte Est de Madère, l'une des plus ensoleillées et au climat le plus doux. Les cours d'eau qui descendent de la montagne ont formé des ravines et des petites rias où se sont installés les villages. Le paysage souvent désolé garde les vestiges des anciennes terrasses de culture. Le tracé de la côte a été légèrement modifié par la construction de l'aéroport qui a empiété sur la mer.

★★ **Miradouro do Pináculo** – *2 km après São Gonçalo.* Installé sur un promontoire rocheux (*pináculo*), ce belvédère offre, à travers sa pergola fleurie, une magnifique vue sur Funchal au fond de sa baie et à l'horizon sur le cap Girão. On aperçoit au loin les îles Desertas.

Caniço – Dans cette localité, les habitants vivent traditionnellement des cultures de la banane et de la canne à sucre ; les pointes de Garajau et de Oliveira ont été aménagées en zone résidentielle avec hôtels et appartements. Sur la première, une grande statue du **Christ-Roi** a été élevée par une famille de Madère.

Santa Cruz – Bourg de pêcheurs bordé par une plage de galets, Santa Cruz garde des premiers temps de la colonisation plusieurs monuments manuélins.
Sur la place principale occupée par un jardin public, l'**église São Salvador**★ édifiée en 1533 serait la plus ancienne de l'île. Blanche, flanquée d'un clocher au toit pyramidal, elle se termine par une abside ceinte d'une balustrade de croix du Christ. L'intérieur, à trois nefs, est couvert d'un plafond peint. Dans le chœur, dont la voûte est soutenue par des colonnes torses, dalle funéraire en métal de João de Freitas. Dans le collatéral gauche, tombeau des Spinola et jolie chapelle manuéline.

De l'autre côté de la place, l'ancienne **domus municipalis** présente des fenêtres manué-lines. La rue qui part de l'Est de la place mène à la **mairie**, bel édifice du 16ᵉ s. La route longe l'aéroport construit en 1966 sur une plate-forme artificielle.

★**Miradouro Francisco Álvares Nóbrega** – Une route à gauche mène à ce belvé-dère portant le nom d'un poète portugais, surnommé « le petit Camões » (1772-1806), qui loua les mérites de Madère. La vue s'étend sur Machico et la pointe de São Lourenço.

Machico – Au débouché de la large et fertile vallée de la Ribeira de Machico, la ville se compose du quartier des pêcheurs, nommé Banda d'Além, à l'Est de la rivière, et de la vieille ville, à l'Ouest. C'est ici que débarquèrent Zarco et ses com-pagnons. L'année suivante, Tristão Vaz Teixeira reçut de l'infant Henri la direction de la capitainerie de Machico.

Église paroissiale – Elle borde une place plantée de platanes. Édifiée à la fin du 15ᵉ s., elle est de style manuélin. Sa façade est percée d'une jolie rosace et d'un portail orné de chapiteaux sculptés de têtes d'animaux. Présent du roi Manuel Iᵉʳ, le portail latéral est constitué d'arcs géminés soutenus par des colonnes de marbre blanc. À gauche de la nef, couverte d'un intéressant plafond peint, un arc manuélin ouvre sur la chapelle de São João Baptista, panthéon des donataires.

Capela dos Milagres – Située à l'Est de la rivière, la chapelle des Miracles marque l'em-placement de la tombe des amants de Machico. Tristão Vaz Teixeira y avait fait construire une chapelle dès 1420. Détruite par une crue en 1803, elle fut réédifiée, mais garda son vieux portail manuélin. En 1829, un négociant anglais, Robert Page, prétendit y avoir retrouvé la croix de cèdre qui surmontait le tombeau des amants.

Suivre la direction de Caniçal.

La route s'élève en offrant des vues sur la haute vallée de Machico, dominée par les sommets. On quitte la vallée par un tunnel foré sous le mont Facho.

Caniçal – Après avoir perdu son rôle de centre de la chasse à la baleine lorsque celle-ci fut interdite en 1981, Caniçal végéta quelques années avant de redevenir un des premiers ports portugais pour la pêche au thon, activité importante dont témoignent les dimensions des installations portuaires et de la conserverie.

Près du port ancien, au bas du village, un petit **musée de la Baleine** (museu da Baleia) ⊙ évoque cette activité qui fut d'une grande importance entre 1940 et 1981. Deux films documentaires sont présentés : le plus long *(35 mn)*, tourné à Caniçal par un Français en 1978, fait revivre par des images fortes la lutte acharnée des hommes contre les monstres marins. Le second film, plus récent et réalisé par des Portugais *(15 mn)*, retrace l'historique de la chasse à la baleine. Une baleinière exposée semble un frêle esquif à côté de la maquette grandeur nature d'un cachalot. Quelques harpons, des maquettes de bateaux, des *scrimshaws* (dents de cachalot ou os gravés) complètent cette exposition.

Poursuivre la route jusqu'à la pointe de São Lourenço.

★**Ponta de São Lourenço** – Cette pointe formée de roches volcaniques aux tons ocre, rouge, noir s'étire loin dans la mer. Elle est battue par les flots et les vents (présence d'éoliennes), et pourtant c'est le seul endroit de l'île où l'on trouve une plage de sable, celle de **Praínha**, bien protégée au pied d'un monticule portant l'**ermitage de Nossa Senhora da Piedade**.

La route se poursuit jusqu'à un parking près de la baie da Abra. De là, un sentier mène à un point de vue d'où l'on découvre des rochers surprenants. D'ici, comme du **belvédère de la ponta do Resto** *(petite route à prendre à gauche avant la chapelle)*, s'offrent des **vues**★★ impressionnantes sur la côte abrupte du Nord de l'île.

Revenir à Machico et prendre la direction de Portela.

Les cultures de bananes et de canne à sucre font place à des bois de pins et d'eu-calyptus à mesure que l'on s'élève.

Boca da Portela – Au carrefour du col de Portela (alt. 662 m), monter jusqu'au belvédère qui domine la vallée verdoyante de Machico.

Les amants de Machico

Une légende raconte que, en 1346, une tempête fit échouer un navire anglais à l'embouchure de la rivière. Deux naufragés, Robert Machim et Ana d'Arfet, qui s'étaient enfuis de Bristol pour s'épouser malgré l'opposition de leurs parents, moururent quelques jours après. Leurs compagnons reprirent la mer sur un radeau, furent capturés par les pirates arabes et emmenés au Maroc. Le récit de leurs aventures, transmis par un Castillan au roi du Portugal, aurait incité ce dernier à préparer une expédition pour retrouver l'île inconnue. En débarquant, Zarco aurait découvert au pied d'un cèdre la tombe des deux amants et donné le nom de Machico à cet endroit en sou-venir du jeune Anglais Machim.

Santo da Serra – À 800 m d'altitude, sur un plateau couvert de forêts (pins, eucalyptus), Santo da Serra est un lieu de villégiature apprécié des habitants de Funchal pour son climat frais et son site reposant. Ses terrains de golf sont réputés.

Sur la place centrale, où s'élève l'église, pénétrer dans le parc de la quinta da Junta, ancienne propriété de la famille Blandy. À l'extrémité de l'allée principale bordée d'azalées, de magnolias, de camélias, un belvédère surplombe la vallée de Machico ; au loin, on distingue la pointe São Lourenço et, par beau temps, la tache blanche de l'île de Porto Santo.

La route qui mène à Camacha traverse des régions boisées, où quelques cultures de primeurs révèlent la présence de hameaux. À gauche, une pancarte signale une vue sur la levada dos Tornos qui coule sur le versant opposé de la vallée.

Camacha – Bourg situé dans une zone boisée à 700 m d'altitude. C'est un centre réputé de vannerie, connu également pour son groupe folklorique : les accords de la *braguinha* (guitare à 4 cordes) accompagnent les danses gracieuses et alertes ; l'amusant *brinquinho*, bâton supportant une pyramide de poupées et de castagnettes, sert à marquer la cadence.

De Camacha, revenir à Funchal en suivant la signalisation.

★★TOUR DE L'ÎLE

Itinéraires 2, 3, 4 *de la carte p. 320. Au départ de Funchal. 220 km – compter deux jours.*

Ce tour de l'île permet de voir les sites les plus importants de Madère. Il peut être effectué en une journée, mais nous conseillons à ceux qui veulent profiter des promenades à pied décrites de compter au moins deux jours en faisant une étape par exemple à Santana.

2 De Funchal à Santana par le Pico do Arieiro *60 km*

Cette partie de l'itinéraire passe par les plus hauts sommets pour redescendre sur la côte Nord de l'île.

Quitter Funchal par la rua do Til.

Monte et Terreiro da Luta sont décrits dans les Environs de Funchal.

Après Terreiro da Luta, la route bordée de haies de fleurs s'élève en lacet parmi les bois de pins et d'acacias. Avec l'altitude, le paysage se dénude : la campagne est parsemée de genévriers et de chênes verts.

Au col de Poiso, prendre à gauche la route du Pico do Arieiro.

Parcourant les crêtes montagneuses de la zone centrale de l'île, cette route offre des perspectives sur la côte Sud et sur Funchal ainsi que sur la côte Nord. Dans les landes désolées paissent des troupeaux de moutons. À Chão do Arieiro, la route passe en contrebas de l'observatoire météorologique, perché sur une falaise à 1 700 m d'altitude. La route aboutit à proximité de la pousada do Pico do Arieiro.

★★**Miradouro do Pico do Arieiro** – Aménagé sur la cime même du pic, à 1 818 m d'altitude, au terminus de la route, ce belvédère offre un magnifique panorama sur les massifs du centre de l'île. On remarque l'emplacement du cratère de Curral das Freiras, la crête du pic das Torrinhas à la silhouette caractéristique, le pic das Torres qui précède le pic Ruivo. Au Nord-Est, on distingue la ribeira da Metade, la butte de Penha da Águia (rocher de l'Aigle) et la pointe São Lourenço.

Du pic do Arieiro, un chemin aménagé mène au pic Ruivo *(voir p. 320)*.

★**Miradouro do Juncal** – Un chemin bien aménagé contourne le sommet (1 800 m) et mène *(1/4 h à pied AR)* au belvédère, d'où la vue est belle sur toute la vallée de la ribeira da Metade qui débouche au pied de Faial, près du curieux piton rocheux de Penha da Águia, et sur la pointe São Lourenço.

Revenir à Poiso et prendre à gauche en direction de Faial.

La route descend en lacet parmi les pins et les lauriers arborescents dont la densité annonce l'humidité du Nord de l'île.

★**Ribeiro Frio** – Dans un site agréable, les versants qui dominent la « rivière froide » sont riches en espèces végétales et font partie du parc forestier « Flora da Madeira ». Un élevage de truites profite de la fraîcheur de cet environnement.

À Ribeiro Frio passe la **levada do Furado** qui irrigue une partie de ce versant jusqu'à Porto da Cruz et Machico. On peut la suivre à pied vers l'Est jusqu'au col de Portela *(3 h 30)* ou vers l'Ouest jusqu'au Balcões.

★★**Balcões** – *40 mn à pied AR. Prendre le sentier à gauche du virage en dessous de Ribeiro Frio.* Le chemin longeant la levada do Furado passe dans des couloirs taillés dans le rocher basaltique. Il atteint le belvédère de Balcões, situé sur un versant de la vallée de la Metade, au débouché des cirques de haute montagne. La vue s'étend de la haute vallée qui part du flanc des pics déchiquetés (Pico do Arieiro, Pico das Torres et Pico Ruivo) jusqu'à la vallée côtière plus épanouie dont les collines arrondies portent de riches cultures. À gauche de la Penha da Águia, on aperçoit les maisons de Faial.

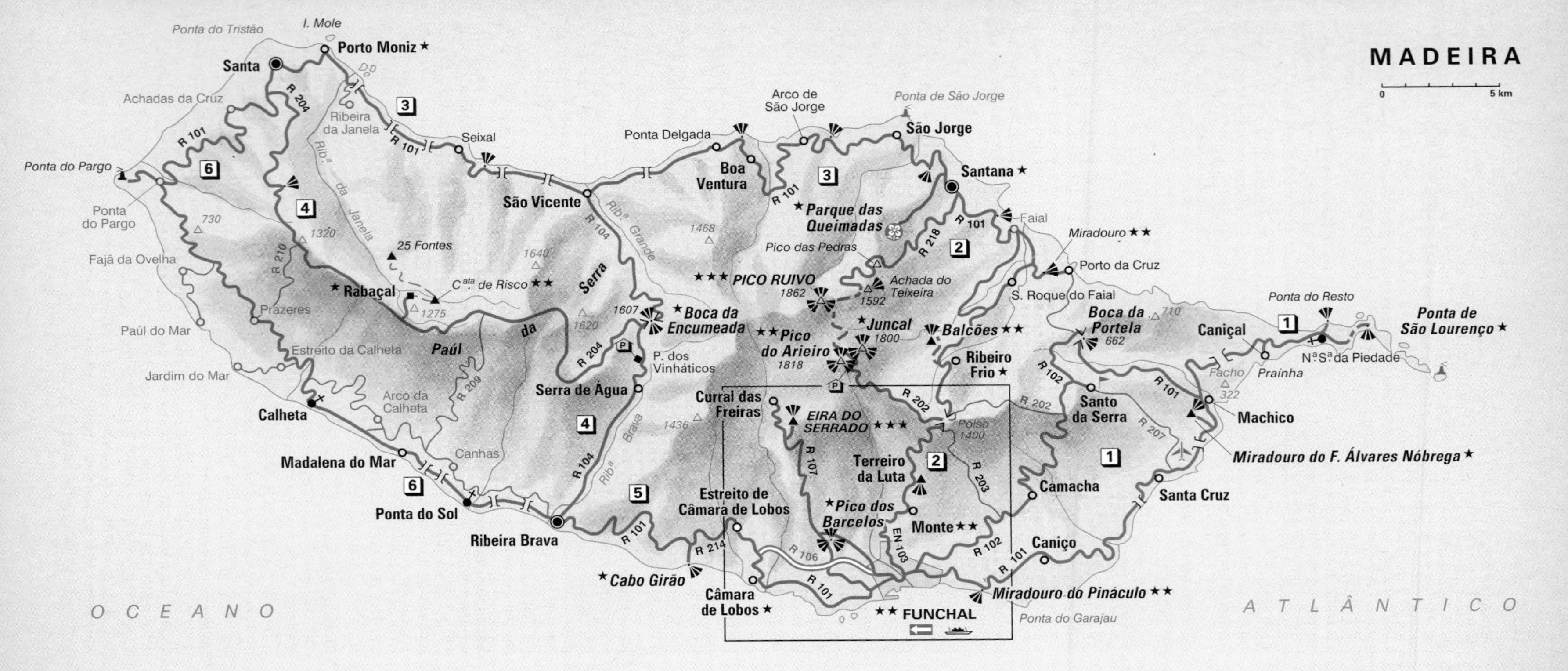

MADEIRA

0   5 km

I. Mole

Ponta do Tristão

Porto Moniz ★

Santa ◉

Ponta do Pargo

Ponta do Pargo

Achadas da Cruz

Paúl do Mar

Fajã da Ovelha

Jardim do Mar

Madalena do Mar

Calheta

Ponta do Sol

Ribeira Brava

R 101

R 204

R 101

R 107

R 209

R 210

Canhas

Arco da Calheta

Estreito da Calheta

Prazeres

Rabaçal ★

25 Fontes

Cᵃᵗᵃ de Risco ★★

Ribᵃ da Janela

Ribᵃ da Janela

Ribeira da Janela

1275 △

1320 △

730 △

Seixal

São Vicente ★★

R 107

R 104

Ribᵃ Grande

Serra   da   Paul

1640 △

1620 △

1607

Ponta Delgada

Boa Ventura

1468 △

Arco de São Jorge

São Jorge ★

Ponta de São Jorge

Santana ★

R 101

R 218

Parque das Queimadas ★★

Pico das Pedras

Achada do Teixeira 1592

PICO RUIVO △ 1862 ★★★

★★★ Boca da Encumeada

P. dos Vinháticos

R 204

Serra de Água

R 104

Ribᵃ   Brava

1436 △

Curral das Freiras ★

★★★ EIRA DO SERRADO

Pico do Arieiro △ 1818 ★★

Juncal 1800 ★

Balcões ★★

Ribeiro Frio

Poiso 1400

R 202

R 203

R 202

R 107

Terreiro da Luta ★★★

Pico dos Barcelos ★★

Monte ★★★

EN 103

R 106

R 101

Estreito de Câmara de Lobos ★

Câmara de Lobos ★

R 214

★ Cabo Girão

FUNCHAL

Miradouro do Pináculo ★★

Ponta do Garajau

Caniço ★

R 101

Camacha ★

R 202

Santo da Serra ★

R 102

Boca da Portela 662

△ 710

Poᵈ da Cruz

Miradouro ★★

S. Roque do Faial

Faial

Porto da Cruz

Ponta de São Lourenço ★

Ponta do Resto

Caniçal

NªSª da Piedade

Prainha

Ponta do Resto

Facho △ 322

Machico

Miradouro do F. Álvares Nóbrega ★

Santa Cruz

R 101

R 207

1

1

2

2

3

3

4

4

5

6

6

ATLÂNTICO

OCEANO

① ②③④⑤⑥

P. Martins/MICHELIN

Aux abords du Pico do Arieiro

Reprendre la route en direction de Faial.

En suivant la vallée, on arrive en vue de **São Roque do Faial**, village perché sur une crête allongée entre deux vallées. Autour des maisons au toit de tuiles envahi par la vigne, les petits champs en terrasses de cultures maraîchères, les plantations d'osier, les vergers piquetés d'abris à toits de chaume *(palheiros)* composent un paysage pittoresque.

Prendre à droite en direction de Portela.

Du pont qui enjambe la ribeira de São Roque, jolie vue sur la vallée de Faial et sur le village perché au sommet de sa falaise. Sur les pentes les mieux exposées, on cultive quelques bananiers, la canne à sucre et la vigne.

Suivre la direction Porto da Cruz.

Un belvédère offre une des plus jolies **vues**★★ de l'île sur Porto da Cruz, petit port niché au pied d'une falaise abrupte, en bordure d'une plage de galets.

De Porto da Cruz, revenir en direction de Faial.

À 4 km de Faial, deux belvédères à droite de la route offrent une **vue**★ d'ensemble sur Faial, la Penha da Águia, le village de São Roque, au confluent des vallées de Metade et de São Roque et, à l'horizon, la pointe de São Lourenço.

★**Santana** – Situé sur un plateau côtier à 436 m d'altitude, Santana est l'un des plus agréables villages de Madère. Les habitants vivaient traditionnellement dans de coquettes chaumières en bois, aux toits pointus, entourées de jardins fleuris clos de haies de buis. Quelques-unes subsistent (entre des constructions plus modernes), notamment à proximité des Queimadas.

Parque das Queimadas – *À partir de la route principale, prendre à gauche le caminho das Queimadas en mauvais état sur 3 km.*

On parvient à 883 m d'altitude, après un bois peuplé d'arbres magnifiques, à des chaumières, propriété du gouvernement. Là, au pied des pentes du Pico Ruivo, dans un **site**★ enchanteur, les arbres de la forêt primitive de Madère, aux branches couvertes de lichens, se mirent dans les eaux d'un petit étang. Des sentiers assez difficiles, déconseillés après la pluie, mènent au Pico Ruivo et au cratère de Caldeirão Verde *(1 h 30 de marche)*.

Pico das Pedras et Achada do Teixeira – *10 km. La route partant de Santana passe par le Pico das Pedras (où se trouve une station expérimentale de botanique), et se poursuit jusqu'au parking du plateau (achada) do Teixeira. De là, un chemin mène au Pico Ruivo (voir p. 325).* Une belle **vue**★★ sur le massif du Pico Ruivo s'offre assez rapidement en s'avançant sur ce sentier.

Derrière le bâtiment qui se trouve près du parking se découvre un point de vue sur Faial et au premier plan sur une formation basaltique appelée **Homen em Pé** (l'homme debout).

③ De Santana à Santa 70 km

En quittant Santana s'offre un panorama splendide, à gauche, sur la chaîne de montagnes.
La route, agréablement bordée d'hortensias, d'arums, de cannas, traverse des vallées côtières dont le versant ensoleillé porte des cultures variées.

São Jorge – À l'écart de la route principale, son **église** (17ᵉ s.) surprend par la richesse de son ornementation baroque dont la présence, insolite dans une paroisse rurale, évoque l'époque fastueuse du roi Jean V : plafond peint en trompe-l'œil, azulejos, retable de bois doré, tableaux, torchères... et, dans la sacristie, un élégant chapier et une jolie fontaine baroque.

Avant la descente sur **Arco de São Jorge**, un belvédère à droite de la route offre une **vue**★ étendue sur la côte qui s'incurve dans la baie de São Vicente ; en contre-bas, la petite vallée dans laquelle est bâti Arco de São Jorge est scandée de gradins d'érosion successifs. Les treilles se font nombreuses sur les pentes les plus abritées. Cette région, comme celle d'Estreito, produit du *sercial*.

Boa Ventura – Ce village se disperse au milieu des vignobles, dans un joli site, sur une colline séparant deux vallées *(lombos)*.

À 3 km de Boa Ventura, jolie **perspective**★ à droite sur la côte qui déroule ses indentations au-delà de la rivière dos Moinhos toute proche, à gauche sur **Ponta Delgada** avec son église blanche et sa piscine d'eau de mer. Après Ponta Delgada, la côte prend un aspect encore plus austère. La route passe au pied d'une immense falaise verticale, sombre et humide. Les treilles sont maintenant protégées du vent par des clôtures de genêts qui donnent à la campagne l'aspect d'un damier.

Sur la route de Porto Moniz

São Vicente – Cette petite ville construite à l'embouchure de la Ribeira Grande se protège au creux d'une falaise un peu à l'écart de la mer. Les maisons groupées autour de l'église ont fait l'objet d'une rénovation et il est agréable de s'y arrêter. À l'endroit où la rivière se jette dans la mer, un rocher a été creusé pour abriter la chapelle São Vicente.

Grutas de São Vicente – *À l'Est de la localité (suivre les pancartes)*. Les grottes de São Vicente offrent un voyage captivant au centre de la Terre, le long d'un parcours de 700 m dans les galeries de lave, de basalte et de fer, formées par l'explosion du volcan au Paúl da Serra il y a 400 000 ans.

★★**La route de São Vicente à Porto Moniz** – Construite en 1950, elle a été surnommée la « route de l'or » en raison de son coût.

Taillée audacieusement en corniche au flanc d'une falaise qui plonge en abrupt dans l'Océan, elle représente un véritable exploit dans le domaine des travaux publics. Étroite à certains endroits – des aires de dégagement y ont été prévues – elle est encore impressionnante, bien qu'elle ait été remplacée en partie par des tunnels. Quelques cascades s'y précipitent du haut de Paúl da Serra, et, à certains endroits proches du niveau de la mer, les embruns des vagues l'arrosent.

De rares vignes affrontent cependant cette côte inhospitalière.

3 km avant le village de Seixal, la route franchit un long tunnel au-dessus duquel tombe une cascade abondante. À la sortie, un belvédère offre un beau **point de vue**★ sur le célèbre site.

Seixal – Ce village est établi dans un joli **site**★ sur un promontoire prolongé d'écueils, parmi les vignobles.

À l'embouchure de la ribeira da Janela se dressent trois îlots. Le plus grand est percé d'une sorte de fenêtre *(janela)*, d'où le nom de la rivière et du village. En s'éloignant du pont, on distingue l'étrange configuration de ce rocher.

★**Porto Moniz** – C'est le seul port abrité de la côte Nord, bien protégé par une langue de terre aplatie, qui s'allonge en direction d'un îlot arrondi, l'Ilhéu Mole, et sur laquelle sont bâties les maisons des pêcheurs. Jusqu'en 1980, la chasse à la baleine y était pratiquée. Quelques hôtels et restaurants s'y sont construits et Porto Moniz joue le rôle d'étape.

G. Durand/PHOTONONSTOP

Au Nord du village, la côte est semée d'**écueils★** pointus dans lesquels on a aménagé une piscine d'eau de mer ; il faut s'avancer sur les belvédères qui surplombent les gouffres et les arches naturelles creusées par la mer dans ces rochers de lave noire.

Après Porto Moniz, la route gravit en lacet la pente raide de la falaise qui domine le village.

Deux belvédères offrent des **vues★** plongeantes sur Porto Moniz, dont le bourg se blottit à mi-pente autour de son église, parmi les damiers de ses champs enclos de genêts ; au-delà, la mer forme une frange d'écume sur les écueils.

Santa – Nom abrégé de Santa Maria Madalena. L'église blanche est flanquée d'un curieux clocher ressemblant à un minaret.

Après Santa, prendre à gauche la route 204 vers Paúl da Serra et Encumeada ou suivre l'itinéraire ⑥ *décrit au chapitre : la côte Sud-Ouest.*

④ De Santa à Ribeira Brava par Paúl da Serra *55 km*

La route 204 relie l'Ouest de l'île, près de Santa, au col de Encumeada. Très agréable et beaucoup plus rapide que la route de la côte, elle permet de découvrir ce haut plateau, seule surface plane de l'île, où l'on peut voir paître des vaches et des moutons. En hiver, quand elle est noyée dans les nuages, il vaut mieux l'éviter.

Entre Santa et Rabaçal, la route suit la ligne de crête, offrant de beaux points de vue sur les deux versants de l'île, notamment sur la **ribeira da Janela**, la plus grande vallée de l'île, très encaissée et très verte (forêts de lauriers et de bruyères).

★**Rabaçal** – Une petite route sinueuse *(4 km)* s'enfonce sous les frondaisons et mène au refuge de Rabaçal (Casas de Rabaçal). Retiré et sauvage, c'est un des endroits préférés des Madériens qui viennent y pique-niquer le dimanche.

★★**Cascade de Risco** – *Du refuge de Rabaçal, 50 mn à pied AR.* Un frais sentier suivant la levada do Risco mène à la magnifique cascade qui tombe d'une centaine de mètres dans un bassin au fond de la vallée de Ribeira da Janela.

Un autre sentier s'embranchant sur celui de Risco mène au site des **25 fontes** en suivant la levada du même nom *(compter au moins 2 h à pied AR).*

Paúl da Serra – Surprenant par son horizontalité et son aridité, cette vaste étendue qui se transforme en marais en hiver (le mot *paúl* signifie marais) est une lande à moutons. C'est aussi le carrefour de pistes, de routes et de chemins qui permettent de faire des excursions dans le centre de l'île.

La route entre Paúl da Serra et Encumeada domine en partie le versant Sud de l'île, offrant de très belles vues sur les sommets qui dominent la côte plantée de bananiers.

★**Boca da Encumeada** – À ce col, situé à 1 007 m d'altitude dans une dépression de chaîne montagneuse, un belvédère domine les deux versants de l'île, offrant une vue générale des deux vallées centrales de Madère, qui occupent une zone de fracture volcanique entre le plateau de Paúl da Serra et les massifs proches du Pico Ruivo.

La **levada do Norte** passe sous la route, descend à Serra de Água, puis irrigue la région comprise entre Ribeira Brava et Câmara de Lobos. Cette *levada* parcourt 60 km. Construite en 1952, c'est une des plus récentes de Madère.

En passant au niveau de la pousada dos Vinháticos, située dans un paysage magnifique de pics dénudés et découpés, on aperçoit des fonds de vallées sculptés en terrasses.

Serra de Água – Ce village est bâti dans un joli **site**★, à mi-pente dans la vallée de Ribeira Brava, au milieu de riches cultures.

La rivière coule dans une vallée étroite, aux contours harmonieux. La végétation est abondante et variée : saules et peupliers d'Italie prédominent au bord de l'eau.

De Ribeira Brava à Funchal *35 km – voir itinéraire* ⑤ *décrit en sens inverse à Environs de Funchal.*

★LA CÔTE SUD-OUEST

Itinéraires ⑤ *et* ⑥ *de la carte p. 320. Circuit de 145 km – prévoir une journée.*

La partie Sud-Ouest de l'île bénéficie d'un climat beaucoup plus ensoleillé que la côte Nord, et sur ses versants s'épanouissent les bananiers et toutes sortes de fleurs. C'est une région très peuplée et les villages sont reliés par une route extrêmement sinueuse suivant les courbes du relief. Entre Ribeira Brava et Calheta, une nouvelle route, jalonnée d'ouvrages d'art, a été construite au niveau de la mer pour rendre cette partie de la côte plus facilement accessible.

⑤ De Funchal à Ribeira Brava par le cap Girão
Voir Environs de Funchal.

⑥ De Ribeira Brava à Santa *70 km*

Ribeira Brava – Cette petite ville, dont le nom signifie « rivière sauvage », est bâtie à l'embouchure de la rivière de même nom, entre deux montagnes couvertes de bananeraies et autres cultures. Une avenue ombragée et animée longe la plage, débouchant sur un petit quai. La tour, vestige d'un fortin du 17ᵉ s., témoigne d'une époque troublée par les assauts des pirates. Au centre du bourg, sur une place pavée de galets formant mosaïque, se dresse une coquette petite **église** du 16ᵉ s. flanquée d'un clocher au toit décoré d'azulejos. Modifiée par la suite, elle a gardé de l'époque primitive une chaire et des fonts baptismaux manuélins intéressants. Dans la localité, un ancien moulin à sucre abrite le **Musée ethnographique de Madère** ⊙, consacré aux activités traditionnelles (pêche, tissage), où l'on peut voir reconstitués des intérieurs de maisons. Une petite boutique y vend des objets artisanaux.

À Ribeira Brava, prendre la route qui longe la côte au niveau de la mer. Son tracé a nécessité la construction de nombreux tunnels.

Ponta do Sol – Au pied des versants couverts de bananeraies, l'**église** du 16ᵉ s., au clocher couvert d'azulejos, présente dans le chœur un plafond mauresque en bois de cèdre peint.

Madalena do Mar – Le village se regroupe entre deux rochers au bord d'une plage de galets noirs.

Calheta – L'**église** (1639) se dresse sur la droite dans un virage. Elle est intéressante pour le plafond mauresque qui couvre le chœur : des motifs semblables à ceux du plafond de la cathédrale de Funchal s'assemblent ici en carré.

Après Calheta, on rejoint la route ancienne extrêmement tortueuse qui parcourt l'Ouest de l'île.

La côte Ouest de l'île est la moins peuplée, la plus retirée. La route, bordée de massifs fleuris, traverse une campagne verdoyante où, parmi les bois de lauriers, de bruyères arborescentes, d'eucalyptus, de pins, sont disséminées quelques terrasses de cultures maraîchères.

La route passe à proximité de la **pointe do Pargo**, pointe occidentale de Madère, où, lors d'un voyage de reconnaissance, les marins du navire de Zarco pêchèrent un gigantesque pagre *(pargo)*, sorte de daurade. Son phare se dissimule derrière une colline. *De là, poursuivre sur la route de la côte Ouest jusqu'à la jonction avec la route 204. Revenir par Paúl da Serra (itinéraire* 4 *décrit au chapitre Tour de l'île).*

★★★PICO RUIVO

Point culminant de l'île de Madère avec ses 1 862 m, le pic Ruivo présente des pentes boisées de bruyères géantes et offre de son sommet un panorama incomparable. Il n'est accessible qu'aux marcheurs. Plusieurs sentiers parviennent jusqu'au refuge *(casa-abrigo).*

Accès par le Pico do Arieiro – *8 km à pied, environ 4 h AR. C'est le plus connu et le plus spectaculaire, mais l'absence de garde-fous à certains endroits et l'inégalité du sol rendent parfois la marche difficile et dangereuse pour ceux qui sont sujets au vertige.*
Le chemin parcourt d'abord une arête rocheuse qui domine à gauche la vallée de Curral das Freiras, à droite celle de la ribeira da Metade. Un tunnel franchit le cap do Gato, puis un autre évite la montée difficile au pic das Torres. À la sortie de ce tunnel, on découvre un vaste cirque montagneux où se rejoignent les affluents supérieurs de la Ribeira Seca. On remarque sur la droite, à proximité du chemin, les vestiges d'une étonnante cheminée volcanique.

Accès par l'Achada do Teixeira *(voir p. 321)* – Cet accès est beaucoup plus facile et rapide. 1 h jusqu'au refuge du pic Ruivo par un sentier pavé. De là, on peut accéder en 15 mn au sommet du pic. Compter le même temps pour le retour.
La meilleure solution, si l'on peut s'organiser avec les moyens de transport locaux, est de partir du Pico do Arieiro et de poursuivre jusqu'à Achada do Teixeira et au-delà jusqu'à Queimadas et Santana. Du pic do Arieiro à Achada do Teixeira, compter 3 h 30, pour l'ensemble 6 h.

Panorama du sommet du Pico Ruivo : de gauche à droite on peut voir :
– vers l'Est, les vallées sauvages de la Ribeira Seca, de la Ribeira da Metade et du Ribeiro Frio qui disparaissent derrière les crêtes en direction de l'Océan ; à l'horizon, la pointe São Lourenço ;
– plus proche, au Sud-Est, le Pico das Torres précédant le Pico do Arieiro ; à droite de celui-ci, le Pico do Cidrão (1 802 m) ;
– au Sud et à l'Ouest, le cirque de Curral das Freiras et le défilé de la Ribeira dos Socorridos ; au-dessus, le Pico Grande (1 657 m) qui domine le Pico das Torrinhas (« des tourelles ») à la silhouette caractéristique, le Pico Casado en forme de cassis ; au loin, le Paúl da Serra ;
– au Nord-Ouest, le cratère du Caldeirão do Inferno (Chaudron de l'Enfer) ;
– au Nord, les vallées de la côte Nord séparées par de longues collines ;
– au Nord-Est, São Jorge et Santana sur leur plateau côtier.

Le pic Ruivo

Île de PORTO SANTO★

District de Funchal – 4 441 habitants
Carte Michelin n° 940

À 40 km au Nord-Est de Madère, l'île de Porto Santo n'offre que des contrastes avec sa voisine. Beaucoup moins étendue (42 km²), moins peuplée, elle est constituée d'une grande plaine où se dressent, au Nord-Est et au Sud-Est, quelques « pics » dont le plus élevé, le Pico do Facho, n'a que 517 m d'altitude. Hormis l'hiver, où ses champs reverdissent sous l'effet de l'humidité, son sol calcaire, dépourvu de végétation, lui donne la couleur ocre d'un désert.

Accès – Par avion ou par bateau.

Visite de l'île – Il faut compter 3 ou 4 h pour faire le tour complet de l'île. On peut donc prévoir d'y aller pour la journée depuis l'île de Madère. Il est possible de s'entendre avec un taxi, de louer une voiture ou, pour les plus sportifs, une bicyclette. Et pour ceux qui passent plusieurs jours, pourquoi ne pas visiter l'île à pied ? Le principal intérêt de l'île reste sa très belle plage de sable qui retient touristes et Madériens. Pendant l'été, il peut y avoir foule et il vaut mieux réserver son hôtel à l'avance.

Une immense **plage de sable★** doré, qui longe la côte Sud sur plus de 7 km, un climat doux (température annuelle moyenne : 19 °C) et plus sec que celui de Madère attirent les touristes dans cette île tranquille.

Les habitants de Porto Santo vivent de la pêche et de quelques cultures (céréales, tomates, melons, pastèques, figues) ; la vigne produit un excellent vin blanc très sucré, moins célèbre cependant que les eaux minérales bicarbonatées, appréciées pour leur valeur thérapeutique, exportées à Madère et dans la métropole.

UN PEU D'HISTOIRE

Un an après la découverte de l'île en 1419, le premier capitaine, **Bartolomeu Perestrelo**, arrive à Porto Santo. Ayant eu la fâcheuse idée de peupler l'île de lapins, il se voit incapable d'éviter les méfaits de la prolifération de ces rongeurs. Il réussit cependant à donner à l'île dévastée une certaine prospérité. Mais l'île est longtemps abandonnée par les autorités de la métropole, et ses habitants doivent lutter contre les pirates algériens et français qui, jusqu'au 18ᵉ s., ne leur épargnent ni les pillages ni les massacres. Plusieurs périodes de sécheresse provoquent, en outre, la famine.

Christophe Colomb – Chargé par un Portugais de négocier l'achat d'une cargaison de sucre à Madère, Christophe Colomb vient séjourner à Porto Santo où il épouse Isabel Moniz, fille du capitaine-donataire Bartolomeu Perestrelo. Il demeure ensuite quelque temps chez son ami João Esmeraldo à Funchal, où il est mis au courant de divers problèmes de navigation qui l'inciteront plus tard à partir à la découverte du monde.

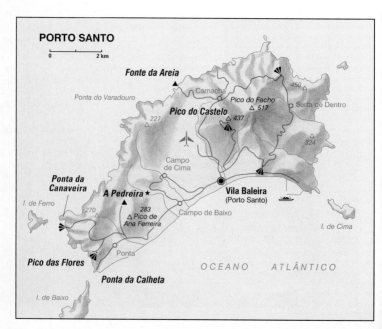

J. Ducange/TOP

Une plage de Porto Santo

CURIOSITÉS

Vila Baleira – La capitale de l'île est à son échelle. Le centre est le **largo do Pelourinho**★, jolie place plantée de palmiers, autour de laquelle se dressent de beaux bâtiments blancs dont l'église et un édifice armorié abritant la mairie.

Une ruelle à droite de l'église mène à la **maison de Christophe Colomb** (Casa-museu Cristóvão Colombo). On peut y voir les deux pièces où il vécut avec sa femme et, dans un bâtiment annexe, des gravures et des cartes évoquant sa vie et ses différents périples.

Du largo do Pelourinho, la large rue Infante D. Henrique bordée de palmiers mène à un jardin où se dresse la statue de Christophe Colomb et à la jetée d'où l'on découvre une vue d'ensemble sur la ville.

Circuit du Pico do Facho – *30 mn.* En partant de Vila Baleira, une route fait le tour du Pico do Facho en offrant de beaux points de vue sur les différentes parties de l'île : Vila Baleira, le port, le Pico de Ana Ferreira à l'Ouest et la plage. Cette route traverse des paysages vallonnés et déserts avec pour seuls habitants des vaches, des moutons et quelques bergers dont on aperçoit les cabanes et leurs toits de chaume.

Pico do Castelo – En empruntant la route qui gravit les flancs du pic reboisé, on accède à un belvédère d'où l'on a une vue générale sur l'île, quadrillée de cultures en damier.

Fonte da Areia – Cette « fontaine du sable » est située auprès de curieuses falaises sculptées par l'érosion, qui dominent une côte rocheuse et sauvage.

★**La Pedreira** – *De la route qui, parallèle à la plage, mène à la pointe de Calheta, prendre après l'hôtel Porto Santo une piste à droite. Après 2 km environ, on accède à la carrière.*

Sur le flanc du Pico de Ana Ferreira, cette surprenante formation d'orgues basaltiques s'élançant vers le ciel est spectaculaire.

Pico das Flores et ponta da Canaveira – *Sur la route de la pointe de Calheta, prendre la piste qui longe le centre hippique.*

On parvient d'abord au Pico das Flores – belle **vue** sur les falaises et l'îlot de Baixo –, ensuite la piste se poursuit jusqu'au Morenos, joli site aménagé pour le pique-nique, puis jusqu'à la pointe de Canaveira : **vue**★ assez spectaculaire sur l'îlot de Ferro (de fer) aux belles teintes rouges et son phare ainsi que sur les criques alentour sauvages et austères.

Ponta da Calheta – Séparée de l'îlot de Baixo par une passe dangereuse jonchée d'écueils où la mer écume, cette pointe forme un site agréable avec sa plage hérissée de rochers de basalte noir.

Archipel des Açores

Les Açores demeurent pour beaucoup *terra incognita*. Certains les situent vaguement dans l'Atlantique, les confondent avec les Canaries ou avec Madère, d'autres les imaginent sauvages, couvertes d'une dense végétation tropicale, avec des plages bordées de cocotiers… sous un éternel ciel bleu, symbole de l'anticyclone qui a rendu leur nom célèbre. Or, ces 9 îles, qui s'égrènent sur 600 km, à la latitude de Lisbonne et à 2 h d'avion du continent, évoquent plutôt l'Irlande, une Irlande volcanique ; quant aux plages, elles sont rares et de sable noir. Les Açores frappent par la luminosité et la pureté de l'air qui avivent les couleurs où triomphent le vert, le bleu des hortensias l'été et les tons sombres violacés des roches volcaniques. Malgré leur éloignement, géographiquement parlant, elles font partie du continent européen et, comme entités portugaises, sont membres de l'Union européenne.

Les autours – Les premiers Portugais qui découvrirent ces îles furent impressionnés par la présence d'oiseaux qui leur faisaient penser à une sorte d'épervier que l'on appelle autour (*açor* en portugais). C'étaient des buses, mais le nom resta.

GÉOGRAPHIE

Disposition de l'archipel – On distingue nettement trois groupes d'îles, entre les latitudes 36° 55 N et 39° 43 N. L'ensemble oriental comprend São Miguel et Santa Maria, le groupe central : Terceira, Graciosa, São Jorge, Faial et Pico, et le groupe occidental : Flores et Corvo. Leur superficie totale est de 2 335 km², soit moins d'un tiers de la Corse. Santa Maria, la plus orientale, se trouve à 1 300 km du Portugal et Flores, plus occidentale, à 3 750 km de l'Amérique du Nord.

Sur les flancs du volcan de Pico

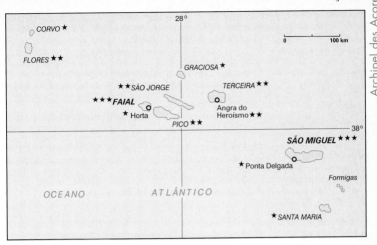

Formation – Les origines géologiques des Açores sont mystérieuses et difficiles à dater. Comme les autres îles appartenant aux archipels atlantiques, elles sont de formation volcanique. On les date de l'ère quaternaire, à l'exception de Santa Maria où l'on a retrouvé des sols tertiaires du miocène. Ces îles, émergeant de fosses marines de plus de 6 000 m de profondeur, sont parmi les plus jeunes du monde. L'archipel a pris naissance dans une zone fragile au contact du rift de l'Atlantique, sur la ligne de fracture qui sépare les blocs de l'Afrique et de l'Eurasie. À part Corvo et Flores, qui appartiennent à la plaque américaine et qui montrent des reliefs Nord-Sud, les îles des Açores font partie de la plaque Eurasie et suivent une orientation Est-Ouest. Depuis leur peuplement au 15ᵉ s., elles furent l'objet d'une intense activité sismique et volcanique : bouleversement de la caldeira de Sete Cidades en 1440, éruptions dans le cratère où se trouve le lagoa do Fogo en 1563, coulées de lave appelées **mistérios** à Pico (en 1562, 1718 et 1720) et à Faial (en 1672), éruptions de São Jorge (1808)... Aujourd'hui, le volcanisme, encore actif, se manifeste par la présence de fumerolles, de geysers, de sources thermales, et de temps à autre par l'éruption d'un nouveau volcan (le Capelinhos à Faial en 1957), ou par un tremblement de terre (1980 à Terceira). De nombreuses éruptions sousmarines ont aussi été signalées, repérables à des bouillonnements, à des émissions de gaz et des nuages de vapeur. La plus spectaculaire fut celle de 1811, qui donna naissance à un îlot de 90 m de haut et 2 000 m de périmètre au large de São Miguel. Le commandant d'une frégate anglaise, qui avait assisté à cette éruption, y planta le drapeau du Royaume-Uni et le baptisa du nom de son bâtiment, la *Sabrina*. Mais l'îlot disparut peu de temps après, emportant avec lui drapeau et rêve de colonisation !

Aspect physique – L'activité volcanique de type vulcanien, c'est-à-dire explosif, a donné quantité de cendres et formé des **caldeiras**, vastes cratères dus à une explosion ou, pour les plus importants, à un effondrement. Dans ces caldeiras et aux alentours, de nouvelles explosions ont créé des petits cônes. Les éruptions de caractère effusif, qui se manifestent par des coulées de lave, ont produit les curieux **mistérios** que l'on trouve dans les îles de Pico et Faial. La plupart des côtes se présentent sous la forme de falaises noires tombant plus ou moins à pic. L'érosion marine a été très intense, et l'une des formes du relief les plus caractéristiques est la **fajã** (les plus spectaculaires se trouvent à São Jorge), sorte de plate-forme due à l'effondrement des falaises. On notera aussi la présence d'orgues de basalte provenant de la cristallisation des roches volcaniques.

HISTOIRE

Depuis le 14ᵉ s., ces îles étaient mentionnées dans quelques récits et apparaissaient sur des portulans (dont l'Atlas catalan de 1375) avec des contours fantaisistes. Très tôt, certains voulurent les identifier à l'Atlantide qui, d'après Platon, se situait au-delà des colonnes d'Hercule.

Expéditions et colonisation – Quand Henri le Navigateur créa l'école de Sagres, il eut connaissance de certaines anecdotes à propos des « îles de la mer » et décida d'envoyer une expédition pour les démythifier. Vers 1427, Santa Maria fut découverte par le navigateur Diogo de Silves. L'infant Henri chargea alors le frère Gonçalo Velho Cabral, maître de l'ordre du Christ, d'aller en prendre possession. Celui-ci devint capitaine-donataire de Santa Maria et de São Miguel (1444). En effet, comme à Madère, chaque île des Açores fut mise sous la responsabilité d'un **capitaine-donataire** chargé de leur peuplement et de leur mise en valeur ; il y investissait souvent sa fortune. En 1494, Manuel Iᵉʳ supprima ces charges héréditaires qui amenaient à des abus de pouvoir. Dans les îles centrales, plusieurs capitaines-donataires d'origine flamande, Jacques de Bruges à Terceira, Wilhem Van der Haegen à São Jorge, Josse Van Huerter à Faial, firent venir des compatriotes, « os flamengos » comme on les appelait ici.

AÇORES

En 1452, toutes les îles avaient été découvertes, mais elles furent peuplées plus ou moins rapidement : Terceira en 1450, Pico et Faial en 1466, Graciosa et São Jorge en 1480, Flores et Corvo seulement au siècle suivant.

Querelles de succession – Au 16e s., les Açores furent impliquées dans la succession au trône du roi Sébastien. L'un des prétendants à la couronne, **Antoine de Portugal, prieur de Crato**, était venu se réfugier à Terceira et y avait trouvé un tel soutien qu'en 1582 il fut élu roi du Portugal par les Açoriens, alors que Philippe II d'Espagne régnait déjà sur le Portugal depuis deux ans. En 1583, les troupes espagnoles reprirent le dessus et le prieur de Crato se réfugia en France.

Au 19e s., elles furent le théâtre des luttes politiques entre les partisans du régime constitutionnel (Pierre IV) et du régime absolu (Dom Miguel). À la mort de Jean VI en 1826, son fils Pierre IV, qui régnait sur le Brésil sous le nom de Pierre Ier, avait laissé le trône du Portugal à sa fille Marie II sous la régence de son frère Miguel, mais ce dernier s'était approprié la couronne, aidé par les absolutistes. Les partisans de Pierre IV et de sa fille ayant quitté São Miguel en 1831 avec quelques milliers de soldats, débarquèrent à Mindelo près de Porto, l'année suivante, ce qui permit à Pierre IV d'instaurer le régime constitutionnel en 1834.

D'un point de vue économique, certaines îles connurent rapidement la prospérité grâce aux plantes tinctoriales, le pastel et l'orseille, mais la grande richesse des Açores vint de son rôle d'escale entre les colonies d'Amérique et le continent européen. À la fin du 19e s., Faial devint célèbre comme relais pour les câbles intercontinentaux.

LES AÇORES AUJOURD'HUI

Population – Elle est assez hétérogène ; les premiers habitants étaient des Portugais sans terre, des captifs maures ou des Flamands envoyés par la duchesse de Bourgogne, fille du roi Jean Ier. Au 19e s., des familles américaines vinrent s'installer à Faial et à São Miguel et y laissèrent quelques descendants.

Aujourd'hui, le nombre d'habitants est estimé à 242 073 ; en 1960, il était de 327 000. Cette population est caractérisée par une forte émigration se renouvelant à chaque génération. Au 17e s., cette émigration était surtout tournée vers le Brésil, plus tard ce fut vers les États-Unis (Massachusetts et Californie). Entre 1955 et 1974, plus de 130 000 Açoriens émigrèrent en Amérique du Nord. Les Açoriens émigrés sont fidèles à leurs origines et reviennent régulièrement dans leurs îles. En été, les « Luso-americanos », surnom donné à ceux qui se sont installés aux États-Unis et au Canada, forment la majeure partie des touristes. Actuellement, l'émigration se stabilise.

Économie – Les Açores vivent essentiellement de l'**agriculture**, et plus particulièrement de l'élevage laitier qui représente 1/4 de la production totale du Portugal. Les vaches hollandaises sont une composante du paysage açorien. São Miguel s'est aussi spécialisé dans des cultures industrielles : thé, tabac, betterave et surtout ananas sous serre. Les cultures se répartissent en fonction du relief : jusqu'à 150 m : pommes de terre, bananiers, vignes ; de 150 à 400 m : maïs et fourrage ; et au-dessus de 400 m : pâturages.

Les Açores exportent les denrées alimentaires vers les colonies d'émigration açoriennes en Amérique du Nord et vers la métropole.

La **pêche**, bien qu'ayant beaucoup diminué depuis la disparition de la chasse au cachalot, représente toujours une activité importante. Près de 90 % du thon portugais est pêché ici.

São Miguel et Terceira, les deux îles les plus peuplées de l'archipel (3/4 de la population à elles deux), regroupent une grande partie de l'administration et de l'économie. Pour permettre un développement plus égal entre les îles, chacune a été équipée d'un aéroport, et une compagnie aérienne régionale, la SATA, a été créée pour les desservir toutes.

Le système administratif – Depuis 1976, l'archipel des Açores est une région autonome dotée d'une assemblée et d'un gouvernement régional. Le parlement de la région, qui comprend 50 membres, siège dans l'île de Faial, à Horta. Chaque île est représentée par deux députés plus un certain nombre proportionnel à la population de l'île. Le président de la région autonome a ses bureaux à São Miguel et les ministères sont répartis entre Faial, São Miguel et Terceira. À Angra do Heroísmo se trouve la résidence du ministre de la République. L'université se trouve à Ponta Delgada et possède une antenne à Angra do Heroísmo.

Sur le **drapeau** de l'archipel apparaissent neuf étoiles représentant les neuf îles et au centre de l'écusson un *açor* : l'oiseau, replié sur lui-même et protégé par une de ses ailes jusqu'en 1976, vole maintenant de ses deux ailes déployées.

ANTICYCLONE, CLIMAT ET VÉGÉTATION

Au milieu du 19e s., Élisée Reclus notait : « Les courants aériens qui se portent vers les côtes de l'Ibérie, de la France, des îles Britanniques commencent dans cette partie centrale du bassin maritime. On comprend quelle sera, pour les météorologues, l'importance du câble qui reliera les Açores à tout le réseau des observatoires européens : c'est au point même de croisement des grands courants aériens que sera placée la station maîtresse d'où seront télégraphiées, quelques jours à l'avance, les probabilités du temps à l'Europe entière. » À partir de 1893, la prédiction d'Élisée Reclus se réalisa : un câble sous-marin entre Faial et le continent permit de transmettre les informations recueillies par les observatoires de Faial, Flores, São Miguel, Terceira et Santa Maria à l'Observatoire de Paris.

L'anticyclone des Açores doit son origine à la position de l'archipel dans une zone de contact entre les courants marins froids, venus de l'Atlantique Nord, et les courants chauds de la région tropicale de l'Océan. Ici se réunissent les hautes pressions chaudes subtropicales et les hautes pressions de renforcement polaire.

Climat – On a coutume de dire qu'aux Açores on peut avoir les quatre saisons dans la même journée ; le temps change en effet extrêmement rapidement. Les nuages ont tendance à s'installer au-dessus des îles et à noyer les hauteurs, abandonnant les côtes au soleil.
Le climat se caractérise par une humidité importante – le taux d'hygrométrie peut atteindre 80 % – et des températures douces toute l'année. La moyenne est de 14 °C en hiver et de 23 °C en été.

Végétation – Du fait de l'humidité, de la latitude et des sols volcaniques, la végétation des Açores est dense et très variée. Les espèces tropicales se marient sans problème aux plantes européennes et l'on y voit les plus étonnants voisinages : séquoias et dragonniers, tulipiers, jacarandas, pins, hêtres, araucarias, palmiers, cèdres. L'arbre le mieux représenté est le cryptomeria du Japon.
C'est dans le domaine des fleurs que cette variété surprend le plus. La fleur symbole des Açores est l'**hortensia**, bleu ou blanc, qui apparaît l'été ; cette plante pousse ici de façon sauvage et cohabite avec des fleurs tropicales comme les cannas.

LA CHASSE À LA BALEINE

Herman Melville dans *Moby Dick* écrivait à propos des Açores : « Les navires de Nantucket jettent l'ancre fréquemment pour compléter les équipages avec les solides paysans de ces îles rocheuses... on ne sait pas pourquoi, mais c'est parmi les insulaires que sont recrutés les meilleurs baleiniers. » Depuis le 17e s., la chasse à la baleine se pratiquait autour des Açores, organisée par les Anglais, puis par les Américains. Ceux-ci armaient de grands voiliers et partaient en mer parfois pour des années. Les Açoriens s'embarquaient nombreux et par ce biais pouvaient émigrer aux États-Unis.

« Baleine en vue ! » – Après 1870, à la suite de la découverte du pétrole qui remplaçait l'huile de baleine comme combustible, les baleiniers américains devinrent rarissimes et les Açoriens décidèrent alors de chasser depuis leurs côtes. Ils fabriquèrent des embarcations effilées et rapides, les *baleeiras*, qui leur permettaient de rattraper les cachalots *(baleias)*, type de cétacé le plus répandu dans ces eaux. Des guetteurs, basés principalement dans les îles de Flores, Faial et Pico, scrutaient en permanence l'horizon à la recherche d'un troupeau, et, dès qu'ils apercevaient le fameux souffle – jet d'eau que rejette la baleine en remontant des profondeurs –, ils donnaient l'alerte en criant « Baleia à vista », « baleine en vue ». Aussitôt, c'était le branle-bas de combat. Les hommes se précipitaient au port et mettaient à l'eau les baleinières. La poursuite commençait. Dès qu'ils approchaient du monstre marin, le harponneur visait à l'arrière de l'œil. L'animal touché s'enfonçait dans l'eau entraînant avec lui la corde du harpon. Celle-ci défilait si vite qu'il fallait l'arroser pour qu'elle ne prenne pas feu. Vingt minutes après, l'animal émergeait de nouveau pour reprendre son souffle. Il recevait alors un second harpon et la lutte pouvait continuer ainsi pendant des heures, véritable corrida de la mer.
Une fois mort, le cachalot était remorqué jusqu'aux usines baleinières comme celle de Cais do Pico *(voir p. 354)*, où il était dépecé et débité pour récupérer tous les ingrédients : graisse, os, foie, et le précieux spermaceti utilisé pour les cosmétiques. Cette

Th. Vogel/EXPLORER

Scrimshaws

activité ne cessa qu'en 1981 et de nombreux Açoriens sont encore nostalgiques à l'évocation de cette grande aventure périlleuse. C'était une source de revenus importante, et sa disparition, bien qu'en partie remplacée par la pêche au thon, a contribué à l'émigration des jeunes générations. Aujourd'hui, certains pêcheurs se sont reconvertis et emmènent les touristes au large pour observer de près les cétacés et les dauphins.

L'ARCHITECTURE

Quelques monuments gothiques ou manuélins ont survécu aux séismes ou aux éruptions volcaniques, mais la plupart des églises, des couvents et des palais sont de style baroque. Ce style s'est développé au 18e s., période de grande richesse grâce à l'or du Brésil qui transitait par les Açores, plus particulièrement par Ponta Delgada et Angra do Heroísmo. À l'intérieur des églises, aux monumentales façades austères avec leurs encadrements de pierre volcanique, la décoration révèle un autre faste : retables dorés, azulejos, lutrins en bois de jacaranda ornés d'ivoire, plafonds en cèdre sculptés ou peints en trompe-l'œil, autels en argent. Quelques bâtiments publics (hôtel de ville de Ponta Delgada à São Miguel, de Velas à São Jorge), quelques palais comme celui des Bettencourt à Angra do Heroísmo et d'autres à Ponta Delgada ou Ribeira Grande datent aussi de cette époque.

Au 19e s., à Ponta Delgada, à Furnas et à Horta, quelques grandes familles américaines, enrichies dans la production des oranges ou dans le commerce, se firent construire des demeures somptueuses dans un style anglo-saxon, comme la demeure de Thomas Hickling à Ponta Delgada, qui est devenue l'hôtel São Pedro. Certains, par dérision, appelaient cette architecture « orange architecture », évoquant ainsi l'origine de la fortune qui permettait un tel luxe.

L'**architecture rurale** a été bien préservée dans la plupart des îles, surtout à Santa Maria et à Terceira, où l'on retrouve l'influence de l'Alentejo et de l'Algarve avec des maisons blanchies à la chaux, d'immenses cheminées et quelques traits de couleurs vives pour souligner leurs silhouettes.

TRADITIONS

Comme souvent dans les îles isolées, les Açores ont conservé des traditions vivaces qui ont cependant tendance à disparaître. On ne revêt plus qu'exceptionnellement, pendant les fêtes, le costume traditionnel, en particulier le *capote*, cette surprenante cape dans laquelle les femmes s'enveloppaient, un énorme capuchon soutenu par un fanon de baleine leur cachant complètement le visage.

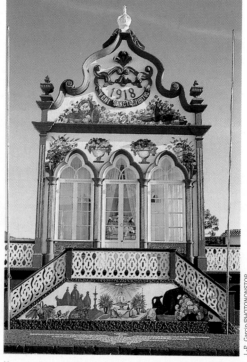

Un « empire » du Saint-Esprit, à São Sebastião, île de Terceira

RENSEIGNEMENTS PRATIQUES

spécifiques aux Açores

Tout ce qui est commun avec le reste du Portugal (formalités, type d'hébergement, postes, change, etc.) est décrit dans le chapitre des Renseignements pratiques à la fin du volume.

Heure légale

Il y a 2 h de décalage avec la France. Quand il est 8 h en France, il est 6 h aux Açores.

Téléphone

Pour téléphoner de France, il faut actuellement faire le 00 + 351 + 296 pour São Miguel et Santa Maria, 295 pour Terceira, Graciosa et São Jorge, 292 pour Faial, Pico, Flores et Corvo.
Pour appeler l'étranger depuis les Açores ; composer le 00 puis l'indicatif du pays (33 pour la France).

Où s'adresser ?

Direction régionale du tourisme : *Casa do Relógio, Colónia Alemã – 9900-014 Horta – Faial –* ☎ *292 29 38 01/2/3.*

Délégations du tourisme :

à São Miguel : *Avenida Infante D. Henrique – 9500-150 Ponta Delgada –* ☎ *296 28 57 43 ou 296 28 51 52 ou Aéroport João Paulo II – 9500 Ponta Delgada –* ☎ *296 28 45 69.*

à Terceira : *Rua Recreio dos Artistas, 35 – 9700-160 Angra do Heroísmo –* ☎ *295 21 61 09 ou 295 21 33 93 ou Rua Direita, 74 – 9700-066 Angra do Heroismo –* ☎ *295 21 29 22.*

à Faial : *Rua Vasco da Gama – 9900-014 Horta –* ☎ *292 29 22 37 ou 292 29 38 01/2/3.*

Offices de tourisme :

à Santa Maria : *Aeroporto de Santa Maria – 9580 Vila do Porto –* ☎ *296 88 63 55.*

à Graciosa : *Praça Fontes Pereira de Melo – 9880 Santa Cruz –* ☎ *295 71 25 09.*

à Pico : *Rua Conselheiro Terra Pinheiro – 9950 Madalena –* ☎ *292 62 35 24.*

à São Jorge : *Rua Conselheiro Dr José Pereira, 1-3 r/c – 9800 Velas –* ☎ *295 41 24 40.*

à Flores : *Rua Armas da Silveira – 9970 Santa Cruz das Flores –* ☎ *292 59 23 69.*
Pour Corvo, se renseigner à Faial, il n'y a pas d'Office de tourisme dans cette île.

À quelle saison y aller ?

La saison la plus agréable est de mai à septembre. C'est la période où il pleut le moins. Il fait très doux et les hortensias, véritables joyaux des îles, sont en fleur. En octobre, les brouillards sont épais, et, le reste de l'année, le temps est souvent gris, bien qu'il puisse faire très beau certains hivers.

Quels vêtements prévoir ?

À toute saison, il faut prévoir des vêtements pour la pluie, de bonnes chaussures de marche, et au moins un pull. En hiver, prendre des vêtements chauds. En été, il ne fait jamais froid : des vêtements légers suffisent, sauf en altitude.

Comment s'y rendre ?

Depuis l'Europe, le seul moyen de s'y rendre est l'avion. Tous les vols font escale à Lisbonne, car seule la TAP assure les vols entre Lisbonne et Ponta Delgada (São Miguel), Lajes (Terceira) ou Horta (Faial).
Des liaisons régulières sont aussi assurées avec Madère (se renseigner auprès de la TAP) et avec l'Amérique du Nord.

La langue

Le portugais des Açores est un peu différent de celui du continent du fait de certains archaïsmes, mais vous pourrez vous aider du petit lexique en fin de volume. Dans tous les offices de tourisme, hôtels, restaurants, agences de location de voiture, vous trouverez du personnel parlant anglais, français et allemand.

Les banques

Dans toutes les îles, sauf Corvo.

Pour se déplacer d'île en île

La compagnie aérienne des Açores, la SATA *(av. Infante D. Henrique, 55 – Ponta Delgada –* ☎ *296 20 97 20)* assure des liaisons entre toutes les îles. Certaines de ces liaisons n'ont lieu qu'une ou deux fois par semaine ; donc, attention pour organiser votre périple d'île en île, il faut tenir compte des vols existants.

À Paris, on peut se renseigner sur les horaires de la SATA auprès de la TAP Air Portugal, *43/45, av. de l'Opéra, 75002 Paris,* ☎ *01 53 45 48 10.*

En été, un bateau assure des liaisons plusieurs fois par semaine entre les îles du groupe central. Ces trajets peuvent être assez longs : 4 h entre Terceira et Graciosa, 3 h 30 entre Terceira et São Jorge, 1 h 15 entre São Jorge et Pico... Enfin, Faial et Pico sont reliées plusieurs fois par jour *(1/2 h de trajet)* et Flores et Corvo quotidiennement pendant l'été *(2 h dans chaque sens).*

On peut se procurer les horaires des bateaux auprès de l'Office de tourisme du Portugal.

Pour se déplacer à l'intérieur des îles

Taxis – Dans toutes les îles, de nombreux taxis, reconnaissables à leur couleur beige, proposent des excursions en général à un prix forfaitaire.

Location de voiture – Des compagnies de location proposent des voitures à louer dans toutes les îles. Dans les plus petites comme Graciosa ou Flores, l'état des voitures laisse parfois à désirer et il vaut mieux vérifier l'état des freins.

Autobus locaux – Il y a des bus réguliers dans les principales îles.

Les routes aux Açores

Dans l'ensemble, elles ont été refaites et sont en assez bon état, mais il y a peu de signalisation.

L'hébergement

L'équipement touristique varie beaucoup d'une île à l'autre. São Miguel (Ponta Delgada et Furnas), Terceira (Angra do Heroísmo et Praia da Vitoria) et Faial (Horta) sont bien équipées ; par contre, les petites îles ne comptent souvent que 2 ou 3 hôtels. Pendant la période touristique, il vaut mieux réserver.

Les prix sont à peu près équivalents à ceux pratiqués sur le continent. Il faut compter de 50 à 100 € pour les hôtels de luxe et de 25 à 50 € pour les pensions et les *residenciais*. Le logement chez l'habitant est le mode le plus économique ; se renseigner auprès des offices de tourisme.

Dans certaines îles, le camping commence à se développer.

Restaurants et gastronomie – Il y a de nombreux restaurants aux prix tout à fait raisonnables. On se régalera de poissons grillés accompagnés d'un frais *vinho verde* ou dans certains endroits comme Furnas de la spécialité locale : le *cozido das Furnas*, sorte de pot-au-feu cuit dans la terre chaude.

Les sports

Randonnée – C'est l'un des sports les plus pratiqués aux Açores. Les îles les plus agréables pour se promener sont Pico (ascension du volcan), São Jorge (magnifiques promenades le long des côtes), Flores, Corvo (la caldeira) et São Miguel, où s'offre une multitude de possibilités. Pour les amateurs de randonnée, voir plus loin la bibliographie.

Les plages – Elles sont assez rares, sauf dans l'île de São Miguel (longues plages sur la côte Sud) ; signalons celles de Santa Maria (baie de São Lourenço et Praia Formosa), de Faial (Porto Pim, Praia do Almoxarife, Praia do Norte) et de Terceira (Praia da Vitoria). Dans les autres îles, on peut se baigner dans des piscines naturelles creusées dans la lave. Les enfants du pays n'hésitent pas à se baigner dans les ports.

J.P. Garcin/PHOTONONSTOP

Randonnée aux Açores

Plongée sous-marine – Les fonds sous-marins sont très beaux et des clubs de plongée se sont créés à São Miguel, à Terceira, à Faial.

Ports de plaisance – Les principaux havres pour les plaisanciers sont Horta, Angra do Heroísmo et Ponta Delgada.

Golf – Terceira possède un terrain de golf non loin de Lajes et São Miguel deux : l'un à Furnas et l'autre près de Ribeira Grande.

Thermalisme – Quelques établissements thermaux ont été aménagés pour profiter des bienfaits des eaux chaudes provenant de la terre : à Furnas (São Miguel), Veradouro (Faial) et Carapacho (Graciosa).

Principales manifestations

Toute l'année ont lieu les fêtes des saints patrons des différents villages, ainsi que les fameuses fêtes du Saint-Esprit qui se déroulent dans toutes les îles.

Parmi les fêtes les plus importantes des Açores, citons :

5e dimanche après Pâques
São Miguel   Fête do Santo Cristo à Ponta Delgada.

29 juin
São Miguel   Cavalcades de São Pedro à Ribeira Grande.

Dernière semaine de juin
Terceira   Fête de la Saint-Jean (processions, touradas).

22 juillet
Pico   Fête de Madalena.

1er au 2e dimanche d'août
Faial   Semaine de la mer dans le port d'Horta (rassemblement de bateaux).

15 août
Santa Maria   Fête de l'île. Élection de l'empereur du Saint-Esprit.

Sites à voir absolument au cours d'une escale

São Miguel : Sete Cidades★★★, Furnas★★ et Lagoa do Fogo★★
Santa Maria : baie de São Lourenço★★
Terceira : Angra do Heroísmo★ et Algar do Carvão★★
Graciosa : Santa Cruz★ et Furna do Enxofre★★
São Jorge : petit tour de l'île *(compter 4 h)*★★
Faial : Horta★, Caldeira★★, Capelinhos★★★
Pico : ascension du Pico★★★
Flores : tour de l'île *(compter 4 h)*★★
Corvo : Caldeirão★
Observation de cétacés.

Bibliographie

Romans
Gros temps sur l'archipel de Vitorino Nemésio *(La Différence)*, un très beau roman se passant à Faial et dans les autres îles au début du 20e s.
Femme de Porto Pim et autres histoires d'Antonio Tabucchi *(Havas Poche, coll. 10/18)*, nouvelles ayant pour cadre différentes îles des Açores.

Guides de randonnée
Ils n'existent qu'en anglais.
Landscapes of the Azores de Andreas Stieglitz *(Sunflower)*.
The Azores Garden Islands of the Atlantic de David Sayers et Albano Cymbron.

Les fêtes gardent cependant toute leur importance. À Ponta Delgada, de véritables foules viennent de tous les coins des Açores et des colonies d'émigration outre-Atlantique pour célébrer le « Cristo dos Milagres », le 5e dimanche après Pâques. Dans toutes les îles se pratique le **culte du Saint-Esprit**, avec l'élection de l'empereur, mais c'est à Terceira qu'il est resté le plus présent *(voir introduction à l'île)*.
Dans l'île de São Miguel, à Ribeira Grande, a lieu le 29 juin la cavalcade de saint Pierre et, en août, Faial, à l'occasion de Nossa Senhora da Guia, organise une grande fête de la mer qui attire des bateaux de toutes provenances.

Île de SÃO MIGUEL★★★

District de Ponta Delgada

747 km² (65 km x 16 km) – 131 510 habitants

Principales localités : Ponta Delgada, Ribeira Grande

« A ilha verde », l'île verte, est le surnom donné à cette île, la plus vaste et la plus peuplée de l'archipel (plus de la moitié de la population). Elle fait partie du groupe oriental avec Santa Maria. Malgré un certain modernisme qui lui a valu d'être surnommée « Japon » par les habitants des autres îles, elle offre encore des scènes traditionnelles comme le transport des bidons de lait sur des carrioles tirées par des chevaux.

Ses paysages exceptionnels, son volcanisme actif, ses plages, ses petites routes bordées de platanes ou de haies d'hortensias, son équipement touristique comptent parmi les nombreux attraits de cette île qui est la plus visitée de l'archipel.

Histoire – En 1444, elle fut abordée par frère **Gonçalo Velho Cabral**, maître de l'ordre du Christ, qui en devint capitaine-donataire. Elle fut rapidement peuplée par des colons venant de l'Alentejo, de l'Algarve, de l'Estrémadure, ainsi que par des juifs, des Maures, et même des Bretons (un village s'appelle toujours Bretanha).

En 1640, après la restauration de l'indépendance portugaise, São Miguel devint la plaque tournante entre l'Amérique et l'Europe et établit de nombreux contacts avec le Brésil. L'île s'enrichit énormément ; de nombreuses églises et demeures datent de cette époque. Le commerce des oranges avec l'Angleterre fut une autre source de prospérité, mais, en 1860, une maladie dévasta les orangeraies et les agriculteurs se tournèrent alors vers les cultures du tabac, du thé, de la chicorée et surtout des ananas.

Géographie – L'île de São Miguel est formée de deux massifs volcaniques séparés par une dépression tapissée de laves de récentes éruptions, qui s'étend entre Ponta Delgada et Ribeira Grande. La partie la plus ancienne, à l'Est, est dominée par le **Pico da Vara** (1 103 m). Les paysages les plus spectaculaires de l'île sont les cratères où se sont formés des lacs : Sete Cidades, Lagoa do Fogo et Furnas. Le volcanisme se manifeste encore aujourd'hui par la présence de sources chaudes et de boues en ébullition (les solfatares) abondantes à Furnas, Ribeira Grande et Mosteiros. La côte, découpée, surtout au Nord et à l'Est, tombe en falaises abruptes au pied desquelles s'étendent parfois de petites plages de sable noir. Sur la côte Sud, au relief plus doux, les plages de Pópulo, d'Água d'Alto, de Ribeira Chã, de Vila Franca do Campo et de Ribeira Quente sont plus étendues.

Les grandes activités de l'île sont la culture des ananas qui poussent dans plus de 6 000 serres, l'élevage laitier, les conserveries, l'artisanat et le tannage des peaux.

★PONTA DELGADA 20 091 habitants

Principale ville de l'archipel, Ponta Delgada est le siège du gouvernement régional et de l'université.

Elle devint capitale de l'île en 1546, et les fortifications furent construites aux 16ᵉ et 17ᵉ s. pour la protéger des attaques des corsaires.

Aux 18ᵉ et 19ᵉ s., l'enrichissement de la ville se manifesta par la construction de palais et d'églises. En 1831, ce fut le port de départ de l'expédition portugaise qui proclama la charte constitutionnelle plaçant sur le trône Marie II, expédition à laquelle 3 500 Açoriens prirent part.

> **Accès** – Des vols directs sont assurés quotidiennement avec Lisbonne, Madère et l'Amérique du Nord ainsi qu'avec les autres îles.
>
> **Séjour** – Ceux qui ont peu de temps pourront en deux jours voir Ponta Delgada, Sete Cidades et Furnas, mais pour vraiment profiter de l'île, il faut compter au moins 4 jours.

Curiosités

Le **quartier historique** de Ponta Delgada se situe en retrait de l'**avenida do Infante Dom Henrique**, grand boulevard promenade, aux trottoirs pavés de noir et blanc, qui longe le port. Le réseau serré de ses rues, bordées de belles demeures du 17ᵉ au 19ᵉ s., est aéré par la présence de places, de squares et de jardins publics s'épanouissant à l'ombre des araucarias.

Praça Gonçalo Velho Cabral – Cette place, où s'élèvent la statue du découvreur de l'île et les **portes de la ville** (18ᵉ s.), formées de trois arches cernées de basalte, est prolongée par le **largo da Matriz**, autre place dominée par la haute façade de l'église São Sebastião et par l'intéressant **hôtel de ville** baroque (17ᵉ s.).

Église São Sebastião – Construite au 16ᵉ s. à l'emplacement d'une chapelle plus ancienne, elle est célèbre pour son élégant **portail manuélin★** en calcaire blanc dont les pierres furent transportées du Portugal.

À l'intérieur, on admirera la voûte du chœur et, sur le maître-autel, les statues dorées baroques des Évangélistes. À gauche du chœur, la sacristie, décorée d'azu-

PONTA DELGADA

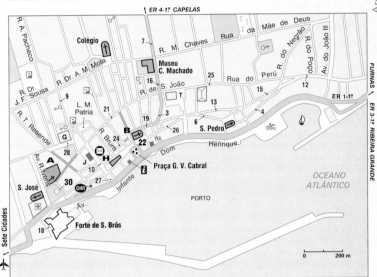

lejos, conserve de très beaux meubles du 17ᵉ s. en jacaranda. À droite du chœur, le **trésor** abrite des pièces d'orfèvrerie et de très précieux ornements religieux du 14ᵉ s. qui appartenaient à la cathédrale d'Exeter en Angleterre.

Forte de São Brás – Il fut construit au 16ᵉ s. et réaménagé au 19ᵉ s.

Devant le fort s'étend la vaste **praça 5 de Outubro**, ou largo de São Francisco, où s'élèvent un kiosque à musique et un arbre impressionnant (**metrosiderus**). Deux importantes églises la bordent.

★**Convento de Nossa Senhora da Esperança** – Ce couvent abrite le **Christ des Miracles** (Cristo dos Milagres) qui fait accourir la foule pour la fête de Santo Cristo le 5ᵉ dimanche après Pâques. De nombreux émigrants reviennent à cette occasion. Cette statue aurait été donnée au 16ᵉ s. par le pape Paul III à des religieuses venues à Rome demander une bulle établissant leur couvent près de Ponta Delgada. À l'intérieur, l'église, longue et étroite, est coupée en deux par une grille en fer forgé qui fait clôture. La statue du Senhor Cristo est conservée de l'autre côté de cette grille ; on ne l'aperçoit que de loin, ainsi que le trésor (riche orfèvrerie) et les azulejos polychromes d'António de Oliveira Bernardes qui l'entourent.

À l'extérieur, à un angle du bâtiment, sous une ancre sculptée dans le mur avec le mot « Esperança », se suicida le poète **Antero de Quental** (1842-1891), un enfant du pays *(voir index)*.

Église São José – Elle faisait partie d'un couvent franciscain construit au 17ᵉ s., aujourd'hui hôpital. À l'intérieur, la vaste nef est voûtée de bois peint en trompe-l'œil. La chapelle de Nossa Senhora das Dores, construite à la fin du 18ᵉ s., montre une façade baroque.

Église São Pedro – 17ᵉ et 18ᵉ s. Dominant le port, en face de l'**hôtel São Pedro**, ancienne demeure de Thomas Hickling, cette église cache derrière une élégante façade un intérieur baroque riche en retables dorés et en plafonds peints en trompe-l'œil. On y admirera, dans la chapelle à droite du chœur, la **statue de Nossa Senhora das Dores★** (Notre-Dame-des-Soupirs), l'une des plus belles des Açores (18ᵉ s.).

Museu Carlos Machado ⊘ – Il est installé dans le couvent Santo André (17ᵉ-18ᵉ s.). Dans l'église se remarquent deux admirables grilles de fer forgé (en bas et en haut). Le musée possède une intéressante collection de peintures du début du 16ᵉ s., dont deux charmants **panneaux★** dans le style du maître de Sardoal (début du 16ᵉ s.) évoquant l'un sainte Catherine et sainte Barbe, l'autre sainte Marguerite et sainte Apollonie ; dans la même salle, une série de tableaux, œuvre d'un anonyme, représente des martyrs. Parmi les sculptures baroques, nombreux anges torchères.

Église du Colégio – Derrière le musée, l'église de l'ancien collège des jésuites montre une façade baroque, plaquée au 18ᵉ s., qui ressemble à celle d'un palais.

★★★① SETE CIDADES ET L'OUEST DE L'ÎLE

80 km – compter une demi-journée

Partir de Ponta Delgada et prendre la route de l'aéroport ; poursuivre jusqu'à l'embranchement indiquant Sete Cidades.

★**Pico do Carvão** – De cet endroit, un belvédère domine une grande partie de l'île : vues sur le centre, la côte Nord et Ponta Delgada.

La route passe près d'un aqueduc moussu, puis près de petits lacs, dont le **lagoa do Canário** entouré d'un jardin botanique.

★★★**Sete Cidades** – Il faut découvrir la merveille des Açores depuis le belvédère de la **Vista do Rei**★★★ au Sud du cratère. De là se révèle d'un coup d'œil cette caldeira de 12 km de circonférence au fond de laquelle s'épanouissent deux lacs identiques l'un vert, l'autre bleu, et le village portant aussi le nom de Sete Cidades (les sept cités). Sur la gauche, occupée en partie par un petit cône volcanique, un paysage très vert, où les vaches paissent au pied des conifères, évoque la Suisse. Cette configuration de caldeira résulterait d'une éruption survenue en 1440, qui aurait bouleversé toute la physionomie de cette partie de São Miguel. Des navigateurs qui étaient passés au large de l'île avant la colonisation la décrivaient dominée par un pic à chaque extrémité. Quelques années plus tard, quand les premiers Portugais s'y installèrent, le pic à l'Ouest de l'île avait disparu dans une explosion volcanique laissant place à la caldeira décrite alors comme une montagne « brûlée », expression imagée pour dépeindre les roches volcaniques calcinées qui la recouvraient. Ce site extraordinaire a inspiré de nombreuses légendes, dont celle des sept évêques qui, fuyant l'arrivée des Maures, auraient trouvé refuge sur les « îles non trouvées » et y auraient édifié « sept cités ».

De Vista do Rei, un chemin non goudronné (signalé en direction de Cumeeiras, que l'on peut prendre en voiture (ou à pied : compter 2 h) longe le bord du cratère en procurant des vues sur les deux versants intérieur et extérieur. Il croise une route qui descend sur le village de Sete Cidades. Au-delà du village, on parvient aux lacs.

Entre les deux lacs a été construite une digue sur laquelle passe la route. Après cette digue, sur la gauche, un chemin donne accès à une zone de pique-nique aménagée près du lac bleu.

Pour revenir de Sete Cidades, plusieurs possibilités s'offrent selon le temps dont on dispose :

Les « sept cités », du belvédère de la Vista do Rei

– si l'on a peu de temps *(1 h)*, remonter à Vista do Rei en contournant le **lac de Santiago**, puis prendre la belle route s'amorçant près du Monte Palace, un grand hôtel désaffecté. Elle descend entre les haies d'hortensias jusqu'à la route qui ramène à Ponta Delgada ;

– si l'on dispose d'au moins 3 h, rejoindre le **belvédère de Escalvado**★ sur la côte : de là, belle vue sur Mosteiros et ses rochers, puis poursuivre par une route sinueuse jusqu'à Capelas, avant de rejoindre Ponta Delgada par Fajã de Cima.

★★ ACHADA DAS FURNAS

C'est un site idyllique enchâssé dans une couronne de collines et de montagnes. Il faut le découvrir depuis les belvédères du Pico do Ferro *(voir le centre de l'île)* ou du Salto do Cavalo *(voir l'Est de l'île)*. Le nom de Furnas (grottes) évoque les cavités d'où jaillissent sources et geysers de boues sulfureuses en ébullition, solfatares ou caldeiras se signalant de loin par un panache de vapeur. La végétation, d'une luxuriance exceptionnelle grâce au sol chaud et à l'humidité, compose un écrin autour de la coquette petite ville blanche de Furnas.

Furnas – Merveilleux endroit pour séjourner, se reposer, se promener à pied, Furnas est aussi très fréquenté pour ses eaux, qui se prêtent au traitement des affections des voies respiratoires, des rhumatismes et des dépressions.

★★ **Les caldeiras** – Curieux phénomène que ces eaux sulfureuses en pleine ébullition (près de 100 °C) produisant des émanations et des vapeurs. Celle de Pêro Botelho porte le nom d'un homme qui y a trouvé la mort à la suite d'une chute accidentelle. On se promène entre les quelques caldeiras, véritables bouches de l'enfer. Les autochtones déposent dans ces formidables marmites des épis de maïs qui sont rapidement ébouillantés et les proposent ensuite aux touristes.

★★ **Parque Terra Nostra** ⏱ – Sa plantation au 18ᵉ s. par Thomas Hickling fut poursuivie par la famille Praia e Monforte. Ici se mêlent les essences les plus diverses. Les mélèzes du Japon abritent sous leurs ombrages toutes les variétés d'hibiscus, d'azalées, d'hortensias et de fleurs et plantes tropicales ; les allées sont bordées de majestueux palmiers royaux.

Devant la maison s'étend une vaste piscine ovale où se déverse une eau chaude ferrugineuse à la couleur jaune. On peut s'y baigner, mais attention aux maillots de bain qui ressortent « rouillés ».

La partie ancienne de l'hôtel Terra Nostra, qui dépend de ce domaine, présente une intéressante architecture des années 1930.

★ **Lagoa das Furnas** – *3,5 km sur la route de Ponta Delgada.* Sur la rive Nord-Ouest de ce vaste lac, au pied de versants pentus, les nuages de vapeur indiquent la présence des caldeiras. Ici, le sol chauffé a été aménagé : on y a creusé et cimenté des trous fermés par de gros couvercles de bois dans lesquels les gens font cuire leur *cozido*, sorte de pot-au-feu local.

Environs

Ribeira Quente – *8 km de Furnas.* La route entre Furnas et Ribeira Quente est une des plus agréables de l'île et plusieurs aires de pique-nique y ont été aménagées. Entre deux tunnels, on aperçoit sur la droite une impressionnante cascade. Le village de Ribeira Quente est surtout connu pour sa plage dont l'eau est réchauffée par des sources d'eau chaude, d'où son nom qui signifie rivière chaude.

★★ LE CENTRE DE L'ÎLE

② De Ponta Delgada à Furnas par le Nord *71 km – 4 h*

Partir de Ponta Delgada vers Lagoa. Après Lagoa, prendre la route de Remédios et du Pico Barrosa.

★★ **Lagoa do Fogo** – Il fut nommé « lac de feu » à la suite d'une éruption qui eut lieu au 16ᵉ s. Aujourd'hui, ce cratère se caractérise par son calme, sa majestueuse beauté et la transparence des eaux qui en couvrent le fond. Il est bordé d'un côté de plages de sable clair, de l'autre par des à-pics.

La route descend sur Ribeira Grande. Des nuages de vapeur signalent la centrale géothermique qui alimente en partie l'île en électricité.

Ribeira Grande – Seconde ville de l'île, elle possède de belles demeures des 16ᵉ au 18ᵉ s., comme le **solar de São Vicente** qui abrite la maison de la culture.

Au centre, la vaste place occupée par un jardin et longée par la rivière de Ribeira Grande est entourée d'intéressants bâtiments : l'**hôtel de ville** des 16ᵉ et 17ᵉ s. avec son bel escalier à double volée et sa tour carrée (remarquer la fenêtre manuéline), et l'**église Espírito Santo** à la foisonnante façade baroque. Celle-ci est aussi appelée église dos Passos, car elle abrite la statue du Christ portant la croix (Senhor dos Passos), traditionnellement portée en procession.

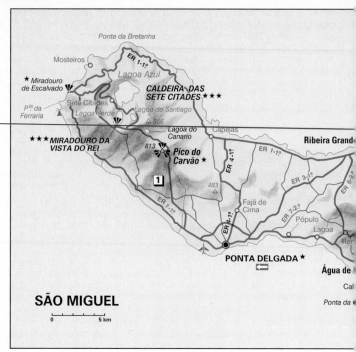

SÃO MIGUEL

0   5 km

La grande église **Nossa Senhora da Estrela** se dresse au-dessus d'un large escalier. À l'intérieur de cet édifice du 18ᵉ s., tous les murs et plafonds sont peints et l'on y retrouve la riche décoration de retables dorés.

Sortir de Ribeira Grande et suivre la signalisation pour les caldeiras.

Caldeiras – Un ensemble de petites fumerolles signale cette zone de volcanisme actif où a été installé un établissement thermal. Ses sources d'eau minérale sont connues.

Revenir à la route qui longe la côte.

La côte est une suite de caps et de baies dans lesquelles se nichent des petites plages comme celle de **Porto Formoso**.

Prendre ensuite la direction de Furnas.

★★**Miradouro do Pico do Ferro** – La vue s'étend sur toute la vallée de Furnas, le village avec le parc Terra Nostra et le lac.

Furnas – *Voir Achada das Furnas.*

③ De Furnas à Ponta Delgada par le Sud *52 km – 3 h*

De Furnas, prendre la route de Ponta Delgada ; à 16 km, prendre une route à droite, puis après 3 km tourner à gauche ; 300 m plus loin, à la fourche, prendre à droite et rouler encore sur 500 m.

★**Lagoa do Congro** – Quittant un paysage de pâturages ourlés de haies d'hortensias, le sentier pédestre qui mène au lac couleur d'émeraude *(compter 40 mn AR)* descend rapidement au fond du cratère dont les versants sont peuplés d'une végétation dense et d'arbres magnifiques.

Vila Franca do Campo – La première capitale de l'île fut en partie détruite par un tremblement de terre en 1522. En face se trouve un **îlot** provenant de l'effondrement d'un cratère. Au centre de la ville, la belle place avec un jardin public fleuri est dominée par l'église gothique **São Miguel**.

Au-dessus de Vila Franca, la **chapelle Nossa Senhora da Paz**, dont l'escalier ressemble en réduction à celui de Bom Jesus de Braga, offre une très belle **vue**★ sur la côte Vila Franca et la mer de serres blanches où mûrissent les ananas.

Après la longue **plage de Água de Alto**, une petite incursion dans la **pointe de Galera** permet de découvrir le charmant petit port de Caloura et quelques belles maisons de vacances.

Água de Pau – *Suivre la signalisation vers l'ermitage et le belvédère (20 mn à pied AR).* Du belvédère s'offre d'un côté une **vue**★ intéressante sur la pointe de Caloura et un cône volcanique couvert jusqu'au sommet de champs dessinant un

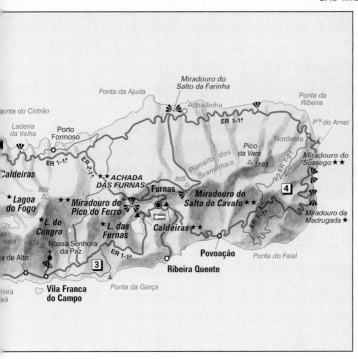

patchwork, de l'autre sur l'ermitage se détachant sur un fond de montagnes. Avant de rejoindre Ponta Delgada, la route longe la côte et les plages qui se succèdent : Lagoa, Pópulo.

4 L'EST DE L'ÎLE à partir de Furnas *85 km – environ 4 h*

À Furnas, prendre la direction de Porto Formoso, puis, à 2 km, tourner à droite.

De Furnas, la route s'élève à travers le plateau dos Graminhais. Une très belle vue sur la vallée de Furnas s'offre depuis le **belvédère du Salto do Cavalo★★**. Arrivé sur la côte après Salga, on s'arrêtera pour admirer la vue sur la côte Nord depuis le belvédère du **Salto da Farinha**.

★★La côte Est de l'île – La partie Est de l'île frappe par la beauté des paysages côtiers. Ceux-ci se découvrent depuis des belvédères aménagés en aires de pique-nique fleuries où, le week-end, les familles de l'île se retrouvent autour d'un barbecue. Les plus spectaculaires sont ceux au Sud du village de Nordeste : **belvédère do Sossego★★** et **belvédère da Madrugada★**. Les falaises tombent à pic sur la mer en de vertigineux escarpements qui parfois se poursuivent par une petite bande de galets. Après le belvédère da Madrugada, on peut accéder par une petite route sinueuse, longue de 2 km, à la plage de Lombo Gordo. Cette côte est dominée par le **Pico da Vara**, tristement célèbre pour l'accident d'avion qui coûta la vie en 1949 à la violoniste Ginette Neveu et au boxeur Marcel Cerdan.

Povoação – C'est le premier site de l'île à avoir été colonisé (son nom signifie population). Le village est construit à l'embouchure d'une pittoresque vallée très cultivée.

Furnas – *Voir Achada das Furnas.*

Île de SANTA MARIA★★

District de Ponta Delgada
97 km² (17 km x 9,5 km) – 5 628 habitants
Principale localité : Vila do Porto

Santa Maria est l'une des îles le moins visitées, et pourtant c'est l'une des plus agréables pour son climat, ses **plages** et ses paysages champêtres où sont disséminées de ravissantes maisons blanches soulignées de couleurs vives et surmontées de hautes cheminées rondes. L'arrivée à Santa Maria surprend : sur un plateau sec couvert de hautes herbes jaunes, évoquant plus le Texas que les Açores, une multitude de baraquements en métal témoignent du rôle de « porte-avions de l'Atlantique » que joua Santa Maria pour les Américains lors de la Seconde Guerre mondiale. Dès 1947, l'aéroport devint civil et

Maison typique de Santa Maria

B. Brillon /MICHELIN

international. Aujourd'hui, les baraquements sont encore en partie occupés par le personnel portugais chargé du contrôle aérien sur cette partie de l'Atlantique, et le mess des officiers, devenu l'hôtel Aeroporto, a conservé une atmosphère rappelant les films américains des années 1940. Quelques kilomètres plus loin, on retrouve les paysages verdoyants des Açores.

Histoire – Les premières caravelles portugaises repérèrent Santa Maria dès 1427 et Gonçalo Velho Cabral devint plus tard son capitaine-donataire. Elle fut peuplée par une poignée de pionniers venant surtout de l'Algarve, ce qui explique une certaine similitude entre l'architecture du Sud du Portugal et celle de Santa Maria.

Géographie – Première des îles açoriennes quand on vient d'Europe, c'est aussi l'île la plus méridionale et la plus chaude de l'archipel. Elle est formée d'un plateau que prolongent des collines comme le Pico Alto, point culminant avec ses 587 m. Santa Maria est la seule île des Açores dont les sols incluent des formations d'origine sédimentaire du tertiaire (calcaires miocènes), d'où la présence de plages de sable blanc.
À 37 km au large, les 8 îlots des **Formigas** constituent une réserve naturelle.

L'île des teintures – La richesse de cette île provenait de la culture du pastel et de la récolte de l'orseille. Le pastel était expédié dans les teintureries flamandes et espagnoles jusqu'à ce qu'il soit supplanté par l'indigo du Brésil ; l'orseille, sorte de lichen qui donne une belle teinte bleue, pousse sur les rochers au bord de la mer et son ramassage était extrêmement périlleux. Il fut exporté jusqu'au milieu du 19ᵉ s.

SANTA MARIA

0 — 5 km

Ponta do Norte

Anjos
Pᵗᵃ do Lobaio

Santa Bárbara

Baía do São Lourenço ★★

★★ **Pico Alto** 587

Almagreira

Miradouro do Espigão ★★

Vila do Porto ⊙

Praia

Santo Espírito

Praia Formosa

Maia

Ponta do Malmerendo

Ponta Malbusca

Ponta do Castelo

Accès – L'île est reliée régulièrement par avion à sa voisine, São Miguel.

Durée du séjour – Il faut compter une journée pour effectuer tranquillement le tour de l'île.

CURIOSITÉS

Vila do Porto – Installée sur un plateau basaltique au Sud de l'île entre le cap Marvão et le cap Forca, la ville s'étire entre deux ravins qui se rejoignent pour former une crique. On peut y voir quelques bâtiments des 16ᵉ et 17ᵉ s., dont le **monastère Santo António**, devenu bibliothèque municipale, et le couvent des franciscains qui abrite l'**hôtel de ville**. L'**église Nossa Senhora da Assunção** (construite à l'origine au 15ᵉ s. mais rebâtie au 19ᵉ s.) a conservé quelques éléments gothiques et manuélins dans les portails et les fenêtres.

Almagreira – En contrebas de ce village, la baie da Praia doit son nom à sa « belle plage » : **Praia Formosa**, l'une des plus agréables des Açores.

★★**Pico Alto** – *Prendre une route à gauche et la suivre sur 2 km.* Du haut du Pico Alto (587 m), une **vue** étendue s'offre sur toute l'île. Remarquer l'habitat dispersé de Santa Bárbara à l'Est.

Santo Espírito – En traversant ce village tout en longueur, on s'arrêtera pour admirer la façade blanche rehaussée de sculptures en lave noire de l'**église Nossa Senhora da Purificação**.

Au-delà de Santo Espírito, la route descend jusqu'à la **pointe do Castelo** : au milieu de ce paysage très sec parsemé d'agaves et de cactus s'élève le phare. Plus bas, **Maia**, ancien port baleinier, est fréquenté aujourd'hui pour sa piscine creusée dans les rochers.

Revenir à Santo Espírito.

De Santo Espírito, rejoindre la baie de São Lourenço. Juste avant d'arriver, tourner à droite pour aller au **belvédère do Espigão**★★ d'où s'offre la plus belle vue sur la baie.

★★ **Baie de São Lourenço** – Ce cratère éventré et inondé par la mer forme aujourd'hui une remarquable baie aux versants concaves couverts de vignes en terrasses. Les quelques maisons bordant les petites plages aux eaux turquoise ne sont occupées que par les estivants.

B. Brillon/MICHELIN

Baie de São Lourenço

Santa Bárbara – Ses maisons se dispersent au milieu des collines et le long de la côte escarpée (baie de Tagarete). L'**église** reconstruite en 1661 est un bel exemple d'art populaire.

Anjos – Petit port de pêche fréquenté l'été pour sa piscine naturelle dans les rochers, Anjos est surtout connu pour son histoire. Une statue représentant **Christophe Colomb** rappelle que le Génois y aurait fait escale de retour de son premier voyage de découverte et aurait assisté à une messe dans la **chapelle Nossa Senhora dos Anjos**. Celle-ci abrite un autel, formé d'un triptyque représentant la sainte Famille, saint Cosme et saint Damien, qui proviendrait de la caravelle de Gonçalo Velho.

Île de TERCEIRA★★

District de Angra do Heroísmo
402 km² (29 km x 17,5 km) – 55 794 habitants
Principales localités : Angra do Heroísmo, Praia da Vitoria

Cette île fut la « troisième » (*terceira* en portugais) à être découverte. Elle est aussi la troisième par sa superficie. Moins spectaculaire que les autres îles en ce qui concerne les paysages, elle est en revanche la plus intéressante sur le plan humain, par ses traditions, son architecture et ses fêtes.

Histoire – Elle fut dénommée l'île de Jésus-Christ lors de la reconnaissance. Son peuplement commença en 1450 sous l'égide de Jacques de Bruges qui installa une petite colonie à Porto Judeu et à Praia da Vitoria.
L'économie de l'île fut très tôt orientée vers la production agricole : les céréales et le pastel. Lors de la succession au trône portugais, le prétendant **Antoine, prieur de Crato**, vint résider dans l'île, ralliant à sa cause les habitants de Terceira. Mais, en 1580, Philippe II d'Espagne prit le pouvoir et envoya des troupes espagnoles conquérir l'île. La tentative de débarquement dans la **baie de Salga**, à laquelle participaient Cervantes et Lope de Vega, se solda par un échec d'autant plus humiliant que les Espagnols furent repoussés à la mer par un troupeau de 1 000 vaches rassemblées en désespoir de cause par un frère augustin. En 1583, d'autres troupes réussirent à dominer l'île et, jusqu'à la restauration de la dynastie portugaise en 1640, Angra do Heroísmo fut le port d'escale des galions espagnols revenant, chargés de richesses, du Pérou et du Mexique. Pendant les luttes libérales au 19e s., l'île joua de nouveau un rôle important, surtout la ville d'Angra.

Géographie – Terceira est un plateau laissant apparaître à l'Est la saillie de la serra do Cume, reste du volcan le plus ancien, le Cinco Picos.
La zone centrale est délimitée par le vaste cratère de la Caldeira de Guilherme Moniz, entouré d'autres formations volcaniques.

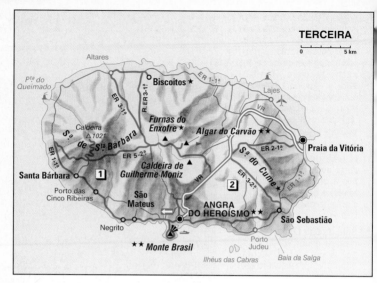

À l'Ouest se dresse la serra de Santa Bárbara, cône au large cratère, le plus récent de l'île et le plus élevé (1 021 m).

Terceira vit essentiellement de l'agriculture : maïs, vignes, élevage ; c'est le grenier à blé des Açores.

Architecture traditionnelle – On remarque partout ces maisons blanches aux larges auvents, aux fenêtres à guillotine et aux énormes cheminées au sommet aplati. Celles-ci rappellent celles de l'Alentejo et de l'Algarve, dans le Sud du Portugal, régions dont étaient originaires les premiers habitants.

Les encadrements de pierre des fenêtres se prolongent curieusement au-dessous par un motif représentant une fleur, une rosace ou un bec.

À côté de chaque maison, le pittoresque séchoir à maïs ou *burra do milho*, ajoute sa touche rustique.

Les « impérios do Espírito Santo » – Curieuse tradition açorienne que le culte voué au Saint-Esprit, particulièrement présent dans l'île de Terceira. Chaque village, chaque quartier possède son « empire du Saint-Esprit », nom donné à ces petites chapelles qui ressemblent à des salons avec leurs baies vitrées ornées de rideaux ou de voilages. On compte sur l'île une soixantaine de ces bâtiments, dont la plupart datent du 19e s. ou du début du 20e s. Les édifices d'origine étaient en bois.

Les empires du Saint-Esprit sont entretenus par des confréries dont le rôle principal est d'organiser les fêtes dont le rituel fut établi au début de la colonisation ; les îliens avaient alors pris l'habitude d'invoquer le Saint-Esprit chaque fois qu'ils étaient victimes de catastrophes naturelles (éruptions, coulées, tremblements de terre, etc.).

À l'origine, la vocation des fêtes du Saint-Esprit était essentiellement charitable, l'un de leurs buts principaux étant d'organiser un repas pour les pauvres.

Aujourd'hui encore, à l'occasion de cette fête, un empereur est élu par le peuple et couronné par un prêtre. On lui remet ses attributs, un sceptre et une couronne présentés sur un plateau d'argent. L'empereur est ensuite conduit en procession à l'empire du Saint-Esprit, où il reçoit des offrandes qu'il distribue aux pauvres du village, pauvres qu'il invite à partager avec tout le village un festin que suit la traditionnelle *tourada à corda*.

L'île des taureaux – Terceira est célèbre pour ses **touradas à corda** (illustration p. 74) qui ont lieu à l'occasion des fêtes de village. Le taureau, dont les cornes sont *embola-das (voir p. 348)* et que 4 hommes en blouse blanche et pantalon gris tiennent au bout d'une longue corde, se précipite sur la foule. Tandis que certains se dispersent à toutes jambes, d'autres, plus téméraires, provoquent le taureau dont la fureur atteint son paroxysme quand on ouvre un grand parapluie noir sous son museau...

Accès – Terceira est reliée par des vols directs à Lisbonne, ainsi qu'à certaines villes d'Amérique du Nord et aux autres îles de l'archipel.

En été, le bateau, qui effectue les liaisons entre les îles du groupe central, y fait escale plusieurs fois par semaine.

Séjour – Il faut compter au moins deux jours pour faire le tour de l'île et passer un peu de temps à Angra do Heroísmo.

Autre spectacle tauromachique recherché, les **touradas** (corridas à cheval) se déroulent régulièrement dans les arènes de Angra do Heroísmo. De nombreux habitants de l'île viennent voir combattre les taureaux provenant d'élevages locaux.

★★ ANGRA DO HEROÍSMO 12 000 habitants

Cette ville au fond d'une large baie qui lui donna son nom *(angra)*, dominée par le Monte Brasil, est dans doute le plus beau havre de l'archipel. Le ministre de la République y réside et une antenne de l'université des Açores y est installée.
Son architecture est particulièrement intéressante pour la synthèse qu'elle présente entre l'architecture portugaise, celle du Brésil (ses rues ressemblent étrangement à celles d'Ouro Preto) et des caractères bien insulaires souvent influencés par l'Angleterre ou les États-Unis.

Histoire – Dès 1474, elle fut le siège d'une capitainerie et, en 1534, le pape Paul III l'éleva au rang d'évêché. Au 16e s., elle connut une activité intense et sa prospérité se manifesta par la richesse des bâtiments qui furent alors édifiés le long du tracé rectiligne des rues, tracé qui existe toujours. Lors de la Restauration en 1640, l'île retrouva sa position de centre économique, politique et religieux des Açores et le conserva jusqu'au 19e s.
L'épithète « do Heroísmo » lui fut conférée par la reine Marie II en mémoire du courage de ses habitants lors de l'assaut des Miguelistes.

Le tremblement de terre de 1980 – Le 1er janvier, un violent séisme ébranla la ville et la détruisit en grande partie sans faire de victimes. En 1983, Angra a été inscrite au Patrimoine mondial par l'Unesco et une restauration remarquable a permis de lui rendre toute sa beauté.

Curiosités

Quartier historique – À l'arrière de la baie d'Angra, où caravelles et galions venaient autrefois se mettre à l'abri, les rues en damier respectent le plan d'origine. Le long des rues inscrites dans le quadrilatère délimité par le port et les ruas Direita, da Sé et Gonçalo Velho, les demeures sont ornées de balcons de fer forgé, d'élégants encadrements de fenêtres ou de portes en pierre soulignant les façades peintes dans des coloris pastel.

Sé – La **cathédrale** fut commencée en 1570 et achevée en 1618 à l'emplacement d'une église du 15e s. C'est le siège de l'évêché des Açores. Sa conception sévère correspond à l'époque de Philippe II. Elle a été très abîmée par un incendie et par le tremblement de terre. Sa voûte est en bois sculpté et le chœur présente un bel autel en argent. La collection de sculptures des maîtres de la cathédrale d'Angra (17e s.) montre des influences espagnole et orientale.

ANGRA DO HEROÍSMO

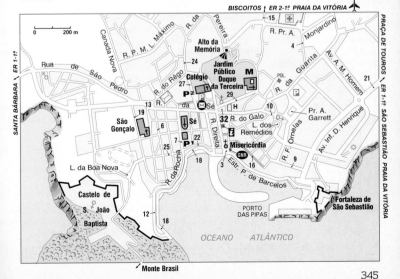

Angra do Heroísmo

Palácio dos Bettencourts ⊘ – Cette demeure du 17ᵉ s. de style baroque abrite aujourd'hui la bibliothèque publique et les archives. À l'intérieur, des azulejos illustrent des épisodes de l'histoire de Terceira.

Église da Misericórdia – Cette église de la 2ᵈᵉ moitié du 18ᵉ s. domine la baie.

Praça da Restauração ou praça Velha – Elle est occupée au fond par la façade de l'**hôtel de ville** construit au 19ᵉ s.

Église du Colégio – Construite par les jésuites au milieu du 17ᵉ s., elle présente un plafond en cèdre ouvragé et abrite des faïences de Delft (dans la sacristie), de nombreux retables et des statues en ivoire indo-portugaises.

Palácio dos capitães-generais – L'ancien collège des jésuites devint le **palais des capitaines-généraux** après l'expulsion de la Compagnie de Jésus par le marquis de Pombal. En grande partie reconstruit après 1980, il fut repeint en blanc et jaune et abrite les services du gouvernement régional. C'est ici qu'eut lieu l'entrevue entre le président Pompidou et le président Nixon en 1971.

Jardim Público Duque da Terceira – Ce jardin planté d'arbres et de fleurs exotiques se trouve dans l'ancienne enceinte du couvent São Francisco.

Convento de São Francisco (musée d'Angra) ⊘ – Il présente des collections d'armes, d'instruments de musique, de céramique et de porcelaine, du mobilier et de la peinture dont les panneaux de sainte Catherine (16ᵉ s.).

Nossa Senhora de Guia – Construite au 18ᵉ s. à l'emplacement d'une chapelle où Vasco de Gama avait fait enterrer son frère Paulo au retour de son voyage aux Indes, cette vaste église aux piliers peints fait partie du couvent São Francisco et abrite une partie des collections du musée.

Église São Gonçalo – Cet édifice du 17ᵉ s., décoré d'azulejos, possède des cloîtres intéressants.

Alto da Memória – Cet obélisque commémore la présence du roi Pierre IV. Il fut érigé à l'emplacement du premier château de la ville. Belle vue sur la ville et le Monte Brasil.

Forteresse São João Baptista – Elle fut édifiée sous la domination espagnole et s'appelait alors forteresse Saint-Philippe. Elle commande l'entrée de la rade et s'appuie sur les flancs du Monte Brasil. C'est un vaste spécimen du grand art de la fortification, l'un des plus importants de l'Europe aux 16ᵉ et 17ᵉ s.
À l'intérieur, les Portugais ont édifié une église pour fêter le départ de l'occupant.

★★**Monte Brasil** – Pour profiter du site, il faut monter au Pico das Cruzinhas en longeant la forteresse São João Baptista. On découvre le cratère au cœur du Monte Brasil ; du monument commémoratif, la **vue**★★ sur Angra est remarquable.

Forteresse de São Sebastião – Édifiée par le roi Sébastien, elle domine le port de Pipas.

☐ ITINÉRAIRE AUTOUR DE L'ÎLE

au départ d'Angra do Heroísmo *85 km – compter une journée*

Entre Angra do Heroísmo et São Mateus, la route côtière est bordée d'élégantes demeures entourées de parcs. Une belle vue s'offre sur le village de São Mateus.

São Mateus – Ce pittoresque hameau de pêcheurs est dominé par la silhouette de son église, la plus haute de l'île.

La partie Ouest de l'île est occupée par de petits villages pimpants, certains à vocation balnéaire comme **Negrito** et **Porto das Cinco Ribeiras**. Vue sur les îles de Graciosa, São Jorge et Pico.

Santa Bárbara – Dans le village, l'église, édifice du 15ᵉ s., abrite une statue en pierre d'Ança *(voir index)* représentant sainte Barbe.

Route de la serra de Santa Bárbara – *Prendre la route vers Esplanada, puis à gauche une route forestière qui monte au sommet.* La route offre de beaux panoramas sur l'île. Du sommet, on découvre le vaste cratère de la **caldeira de Santa Bárbara**.

Rejoindre la route et prendre à gauche jusqu'à la jonction avec la route entre Angra do Heroísmo et Altares. Tourner à gauche.

★**Biscoitos** – Les *biscoitos* sont des couches de lave provenant d'anciennes éruptions volcaniques, qui présentent des formes curieuses, suggérant des paysages lunaires. Des **piscines** naturelles y sont creusées, très fréquentées en été.

Biscoitos est célèbre pour ses vignes, protégées par des murs de pierres sèches formant les *curraletas* qui abritent en moyenne neuf ceps. Un **musée du Vin** (Museu do Vinho) ⊘ montre les installations dans lesquelles les viticulteurs, de génération en génération, élaboraient le *verdelho*, ce vin qui eut son heure de gloire sur les plus grandes tables européennes. Le *verdelho* sec ou doux, issu exclusivement du cépage de ce nom, se produit et mis en bouteilles au musée même. On remarquera les anciennes presses de type romain qui pouvaient être transportées et servaient à la communauté.

De Biscoitos, prendre la route en direction d'Angra, puis tourner à gauche vers Lajes.

Dans le centre de l'île, le terrain a été bouleversé par des convulsions volcaniques qui ont créé des cratères dont l'immense Caldeira de Guilherme Moniz.

Suivre la signalisation pour Furnas do Enxofre.

★**Furnas do Enxofre** – *Après avoir emprunté la route de Cabrito, prendre le chemin à gauche (près du croisement du Pico de Bagacina) jusqu'à un petit parc de stationnement. De là,* 10 mn à pied AR. Très vite apparaissent d'étranges fumées donnant un aspect irréel à ce paysage sauvage. Ce sont les fumerolles qui sortent des puits de soufre ; l'odeur ne trompe pas. Il y fait chaud. Le soufre se cristallise en de jolies fleurs jaune vif. À certains endroits, le rouge domine, imprégnant la terre et les rochers. Jeu des couleurs, des lumières et des fumées.

Caldeira de Guilherme Moniz – Entre Furnas do Enxofre et Algar do Carvão, la route descend et laisse apercevoir à travers la végétation l'immensité de cette caldeira qui fait 15 km de périmètre. L'intérieur plat et verdoyant est couvert d'une épaisse végétation.

★★**Algar do Carvão** ⊘ – Un tunnel de quelques dizaines de mètres permet d'accéder au pied de la cheminée du volcan qui constitue un puits de lumière moussu de 45 m de hauteur. On descend dans la cavité gigantesque formée par les gaz s'échappant lors du refroidissement de la lave. Des voûtes majestueuses dans les coloris beige, noir (obsidienne), ocre s'imbriquent les unes sur les autres. Quelques concrétions siliceuses forment des méduses d'un blanc laiteux sur les parois. Au fond, un lac reflète la succession de voûtes.

La route permet de rejoindre la voie rapide qui ramène à Angra do Heroísmo. Possibilité aussi de prendre l'itinéraire ☐ dans l'autre sens pour revenir à Angra.

☐ DE ANGRA À PRAIA DA VITORIA *35 km – 2 h*

Peu après Angra, on voit les curieux îlots des Cabras qui ont l'air d'avoir été tronçonnés en leur milieu.

São Sebastião – Ce village était le site du peuplement initial de l'île et a conservé quelques monuments anciens.

★**Église São Sebastião** – Construite en 1455, cette église gothique présente un élégant portail, et, à l'intérieur, des chapelles avec des voûtes manuélines et Renaissance. Dans la nef, d'intéressantes fresques du 16ᵉ s. représentent à gauche le Jugement dernier et à droite, dans un décor de château médiéval, saint Martin, sainte Barbe, sainte Marie Madeleine et saint Sébastien.

Tourada *à corda* à São Sebastião

B. Brillon/MICHELIN

En face de l'église, **l'empire du Saint-Esprit** est décoré de peintures représentant la nourriture et le vin offerts par la confrérie. Sur la place voisine s'élève un *padrão (voir index)*.

Après São Sebastião, prendre à gauche une route (E 3.2) qui mène dans la serra do Cume ; suivre ensuite à droite une route montant vers le sommet.

***Serra do Cume** – Les doux versants de cet ancien volcan érodé sont quadrillés de champs, séparés par des murets de pierre noire, où paissent les vaches hollandaises. Ce paysage bucolique devient somptueux à certaines heures (surtout en fin de journée).

***Praia da Vitória** – Le nom de Praia qui vient de la belle **plage** de sable blanc occupant toute la baie fut complété de « da Vitoria » pour commémorer la bataille de 1829 entre libéraux et absolutistes de Dom Miguel.

Un port abrité par un môle de 1 400 m accueille de gros bateaux ; à proximité se trouve la base de Lajes, créée en 1943 par les Anglais et agrandie en 1944 par les Américains. Elle est toujours utilisée par les forces aériennes des États-Unis et sert d'escale aux avions gros porteurs.

La ville s'anime les jours de beau temps quand la plage et les cafés aux alentours se remplissent.

Elle a conservé un centre ancien avec son **hôtel de ville** du 16e s. et son église.

Église paroissiale – Fondée par le premier capitaine-donataire de l'île, Jacomo de Bruges, cette importante église s'ouvre par un portail gothique, don du roi Manuel. Sur le côté, on découvre un autre portail de style manuélin. La décoration intérieure est riche en azulejos et en retables dorés.

Île de GRACIOSA★

District de Angra do Heroísmo
61 km² (12,5 km x 8,5 km) – 4 770 habitants
Principale localité : Santa Cruz de Graciosa

Graciosa, la « gracieuse », doit son nom au charme de Santa Cruz, sa principale bourgade, et à ses paysages composés de vignes et de champs de maïs bien cultivés, de villages fleuris au pied de douces collines parées de moulins à vent. C'est la plus petite île de l'archipel après Corvo et la moins élevée (le Pico Timão culmine à 398 m). Tout l'Est de l'île est occupé par une vaste caldeira.

Histoire – Elle fut probablement découverte par des marins de Terceira et peuplée par des familles portugaises des Beiras, du Minho, ainsi que par des Flamands.

Chateaubriand y séjourna dans le couvent de Santa Cruz en 1810, séjour qu'il évoque dans les *Mémoires d'outre-tombe*.

Les moulins – On sera surpris de découvrir, de-ci de-là, des moulins de style hollandais, dont la calotte en forme de bulbe pointu pivote pour s'orienter dans le sens du vent.

Accès – Par avion, vols réguliers entre Terceira et Graciosa, et, par bateau, plusieurs fois par semaine avec Terceira.

Séjour – Graciosa se visite en quelques heures, mais l'on appréciera les flâneries dans Santa Cruz ou sur les petites routes champêtres.

★SANTA CRUZ DA GRACIOSA 2 000 habitants

Santa Cruz est une charmante petite ville aux façades toutes blanches rehaussées par la pierre volcanique. Au centre, les deux pièces d'eau, entourées d'araucarias majestueux, servaient autrefois d'abreuvoirs pour le bétail. Les demeures nobles et l'église s'y reflètent, formant un ravissant tableau.

Autour du port, dans les maisons basses des pêcheurs, on évoque encore la grande époque de la chasse à la baleine.

Église paroissiale – Elle fut construite au 16e s. et réédifiée deux siècles plus tard. À l'intérieur, les **panneaux★** du retable du maître-autel sont l'œuvre de primitifs portugais du 15e s. ; ils illustrent la sainte Croix ainsi que la Pentecôte (rappelant le culte du Saint-Esprit toujours vivace aux Açores). Dans une chapelle à gauche, statues flamandes de saint Pierre et de saint Antoine.

Museu Etnográfico ⊘ – Dans une demeure ancienne, des objets divers ont été rassemblés : outils, vêtements, poteries évoquant la vie traditionnelle dans l'île. Remarquer la meule à maïs qui était entraînée par un bœuf et les grands pressoirs à vin.

Dans une annexe du musée, sur le port, est exposée une baleinière *(présentation d'un film vidéo sur la chasse à la baleine)*.

Ermitages du Monte da Ajuda – Accessibles à pied *(20 mn)* ou en voiture, trois ermitages consacrés à saint Jean, au Saint-Sauveur et à **Notre-Dame da Ajuda** dominent la ville. De là, très belle **vue★** sur le bourg.

Environs

★**Phare de Ponta da Barca** – *4,5 km à l'Ouest de Santa Cruz*. Du phare, une vue s'offre sur cette pointe formée de falaises rouges plongeant dans la mer turquoise.

DANS L'ÎLE

Praia – Ce bourg ancien s'étend le long du port de pêche et de la plage à laquelle il doit son nom.

★★**Furna do Enxofre** ⊘ – *Visite recommandée entre 11 h et 14 h, moment de la journée où le soleil pénètre à l'intérieur de la grotte.* Ce gouffre se trouve au milieu d'une vaste caldeira dont l'un des versants a été percé d'un tunnel pour en permettre l'accès en voiture. À l'intérieur de la caldeira, la route descend en serpentant jusqu'à l'entrée de la Furna de Enxofre. Là, un chemin, puis un escalier en colimaçon *(184 marches)* enfermé dans une tour permettent de s'enfoncer dans les profondeurs du gouffre. Sous l'immense voûte de la grotte, longue de 220 m et large de 120 m, se trouve un lac d'eau tiède et sulfureuse et l'on entend le glou-glou d'eaux bouillonnantes. L'escalier fut construit en 1939 ; auparavant, les visiteurs, suivant l'exemple du prince Albert de Monaco venu en 1879, descendaient à l'aide d'une échelle de corde.

Furna Maria Encantada – *Sortir de la caldeira. À la sortie du tunnel, prendre la première route à gauche. 100 m plus loin à droite est indiquée la Furna de Maria Encantada. Un chemin étayé de rondins monte jusqu'au rocher au-dessus de la route (5 mn).* Dans le rocher, un tunnel naturel d'une dizaine de mètres débouche sur la caldeira, permettant d'en avoir une vue générale.

En poursuivant la route, on fait le tour de la caldeira : vues sur l'ensemble de l'île.

Carapacho – Des eaux thermales jaillissant au-dessous du niveau de la mer sont utilisées à des fins thérapeutiques. Cette station thermale où l'on soigne les rhumatismes est aussi une petite station balnéaire.

Île de FAIAL★★★

District de Horta

173 km² (21 km x 14 km) – 15 476 habitants

Principale localité : Horta

L'« île bleue », qui doit son surnom à la multitude d'hortensias qui y fleurissent à la belle saison, offre un magnifique point de vue sur le volcan du Pico, et présente elle-même de très intéressants exemples de volcanisme avec la Caldeira et le Capelinhos. La ville d'Horta et son célèbre port de plaisance, les villages riants, les moulins à vent, les plages (Porto Pim, Praia do Almoxarife, Praia do Fajã) confèrent un charme très particulier à Faial.

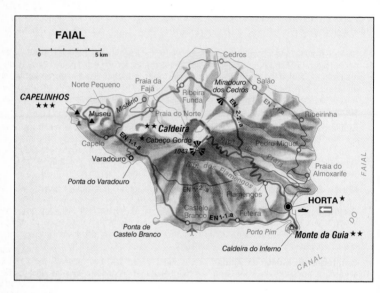

Histoire – Le premier habitant fut un ermite. Plus tard, le Flamand Josse Van Huerter colonisa l'île et y chercha des mines d'argent. Après un premier essai infructueux de peuplement par des Portugais du Nord, il obtint en 1468, grâce à l'intervention de la duchesse de Bourgogne, fille du roi du Portugal Jean Ier, le titre de capitaine-donataire et l'autorisation de faire venir des Flamands. L'agriculture et l'exploitation des plantes tinctoriales apportèrent une certaine prospérité, mais c'est au 19e s. que le port d'Horta devint célèbre et que les activités commerciales se développèrent.

Naissance d'un volcan : le Capelinhos – La pointe Ouest de l'île est recouverte des cendres du volcan Capelinhos, surgi des profondeurs de l'Océan en 1957. Cette année-là, le 27 septembre, débuta une énorme éruption sous-marine s'accompagnant d'émissions de gaz et de nuages de vapeur s'élevant parfois jusqu'à 4 000 m. Un premier îlot se créa, qui disparut peu de temps après. Puis un second îlot-volcan s'unit à Faial par un isthme de lave et de cendre. Pendant treize mois, jusqu'au 24 octobre 1958, ce volcan se manifesta par des explosions sous-marines, des coulées de lave, des éruptions et des pluies de cendre qui recouvrirent le village de Capelo et le phare. Au fur et à mesure que le Capelinhos s'élevait, le lac qui occupait la Caldeira do Faial disparaissait. À la fin de l'éruption, le volcan avait agrandi l'île de Faial de 2,4 km², réduit depuis à 1 km² par l'érosion marine. Plus de 300 maisons avaient été détruites et 2 000 personnes durent être relogées. *Pour la description du Capelinhos, voir plus loin : Tour de l'île.*

Accès – Des vols directs relient Lisbonne à Horta et des liaisons aériennes régulières sont assurées avec les autres îles. Par bateau, Faial est reliée plusieurs fois par jour à l'île de Pico *(une demi-heure)* et plusieurs fois par semaine en été à Pico, São Jorge et Terceira.

Séjour – Il faut compter au moins deux jours pour prendre le plaisir de découvrir Horta et faire le tour de l'île.

★HORTA 6 000 habitants

Horta s'étire le long d'une baie qui forme l'un des rares havres sûrs de l'archipel. C'est ici que s'installa Josse Van Huerter, à qui la ville doit probablement son nom. Horta montre des influences anglo-saxonnes dans son architecture et le nom de certaines propriétés (The Cedars) : elle doit cet héritage aux **Dabney**, de riches com-

merçants américains, consuls des États-Unis, qui furent tout-puissants dans l'île au 19ᵉ s. Après leur départ, la présence américaine s'est maintenue à travers les compagnies des câbles transatlantiques.
Depuis 1976, Horta est le siège du Parlement de la région autonome des Açores, ainsi que de certaines administrations dont la direction du Tourisme.

La météorologie et les câbles télégraphiques – À la fin du siècle dernier, plusieurs scientifiques, dont Élisée Reclus et le prince Albert Iᵉʳ de Monaco, prirent conscience de l'influence de l'anticyclone des Açores sur le climat de l'Ouest de l'Europe. Ils parvinrent à la conclusion que si l'on pouvait transmettre rapidement les informations concernant cet anticyclone, le temps sur le continent pourrait être prévu quelques jours à l'avance. C'est ainsi que fut établi en 1893 un câble télégraphique reliant Faial à Lisbonne. Le « bulletin météo » était né. Huit ans plus tard, le roi Charles Iᵉʳ vint poser la première pierre d'un observatoire météorologique.
Entre 1900 et 1928, Horta devint un très important point d'ancrage des câbles sous-marins reliant l'Europe à l'Amérique. Des compagnies anglaise, allemande, américaine, française et italienne employaient une population cosmopolite logée dans les bâtiments que l'on peut voir autour de la rua Cônsul Dabney, entre autres dans les petits immeubles de la Western Union qui abritent aujourd'hui l'hôtel Faial. Après la Seconde Guerre mondiale, les câbles furent peu à peu délaissés au profit du téléphone-radio et des transports aériens devenus plus réguliers. Leur activité cessa complètement vers 1960.
Dans les années 1930, Faial joua aussi un rôle d'escale et de station de réapprovisionnement pour les hydravions, et voir flotter un ou plusieurs de ces appareils dans le port d'Horta était spectacle courant.

Curiosités

★**Marina de Horta** – C'est le rendez-vous des marins qui effectuent la traversée de l'Atlantique ; elle est devenue une galerie d'art en plein air où chaque équipage laisse sa trace iconographique (« sinon malheur » disent les superstitieux !).

Centre historique – Dominé par les façades grandioses de ses églises tournées vers la mer, ce quartier s'ordonne autour de l'artère principale constituée par les **ruas Conselheiro Medeiros, W. Bensaude** et **Serpa Pinto**. Cet axe, bordé de boutiques et de maisons des 18ᵉ et 19ᵉ s. curieusement surmontées de greniers en bois, aboutit sur la charmante **praça da República**, dont le kiosque à musique est abrité par des araucarias. Le marché donne sur cette place et, au coin Nord-Ouest, sur la rua Ernesto Rebelo, s'élève la curieuse façade 1930 du bâtiment de la **Sociedade Amor da Pátria**, décorée d'une frise d'hortensias bleus.

Église São Salvador – 18ᵉ s. Cette vaste église qui dépendait du collège des jésuites possède quelques beaux azulejos et un mobilier baroque intéressant.

Musée ⊘ – Installé dans l'ancien collège des jésuites, il évoque l'histoire de la ville, notamment les épisodes de l'établissement des câbles. On remarquera l'extraordinaire collection d'**objets en moelle de figuier**★ réalisés par Euclides Rosa entre 1940 et 1960. Ces réalisations miniatures représentant des monuments, des voiliers ou des scènes de la vie quotidienne ont demandé des milliers d'heures de travail.

Fort de Santa Cruz – Commencé au 16ᵉ s., il fut agrandi plus tard et abrite aujourd'hui une auberge.

« Café sport chez Peter » – Ce café, lieu de rassemblement des marins, abrite un **musée du Scrimshaw** ⊘. Ces gravures sur dents de cachalot ont été réalisées par les baleiniers : les plus anciennes représentent des scènes de chasse à la baleine ; parmi les plus récentes, on reconnaît les portraits de marins connus (Tabarly, Chichester).

★★**Monte da Guia** – *Suivre la route qui monte au sommet du Monte da Guia.* La baie d'Horta est protégée par deux volcans reliés à la terre par des isthmes. Au Sud, le Monte Queimado domine le port ; il est relié par un isthme au Monte da Guia. Du sommet du Monte da Guia, près de l'**ermitage de Nossa Senhora da Guia**, on découvre la **Caldeira do Inferno**, ancien cratère envahi par la mer. En redescendant, **vue**★ sur la ville et sur la plage de Porto Pim. L'anse de Porto Pim était protégée par des fortifications.

TOUR DE L'ÎLE *80 km à partir de Horta – compter 5 h*

À Horta, prendre la route de l'aéroport et longer la côte Sud-Ouest.

La pointe de **Castelo Branco** doit son nom à sa falaise blanche. À **Varadouro**, une petite station thermale, des piscines ont été creusées dans la lave.

Suivre ensuite la signalisation pour le Capelinhos.

Dans le village de Capelo subsistent les ruines des maisons détruites lors de l'éruption du Capelinhos.

Le Capelinhos

★★★**Capelinhos** – *Pour vraiment découvrir ce volcan et les matériaux qui le constituent, il faut le parcourir à pied. Se garer en contrebas du phare, puis compter au moins 1 h.* Le paysage de ce volcan tout neuf, encore vierge de végétation, fascine par ses structures, mouvantes du fait de l'érosion marine, par les coloris des minéraux ocre, rouges, noirs se détachant sur le fond vert du reste de l'île, par ses matériaux : cendres, scories, bombes.

Dans une maison reconstruite, avant d'arriver au phare, un **musée** ⊘ évoque les différentes phases de l'éruption de 1957-1958.

Entre le Capelinhos et Praia do Norte, on traverse Norte Pequeno, dont les maisons sont encore enfouies sous les cendres, puis un **mistério** (coulée de lave provenant d'une éruption de 1672) recouvert d'une dense végétation d'hortensias, de cèdres et de manguiers. Praia do Norte possède une plage de sable noir (praia da Fajã). Après Praia do Norte, la côte devient escarpée et les belvédères se succèdent.

Après Ribeira Funda, prendre à droite la route signalisée Horta et Caldeira.

Cette route traverse des paysages quadrillés de haies d'hortensias. Le **belvédère dos Cedros** en offre une belle vue. Puis l'on rejoint dans la **vallée de la Ribeira de Flamengos** une route qui s'élève en lacet entre les hortensias et les cryptomerias.

★★**Caldeira** – *Un court tunnel piétonnier conduit à l'intérieur du cratère.* L'intérieur de la caldeira (400 m de profondeur et 1 450 m de diamètre) est couvert de cèdres, de fougères, de genévriers, de buis et d'échantillons de la végétation originelle de l'île. Sur le fond très plat se dessinent nettement les contours de l'ancien lac qui s'est vidé à la suite de l'éruption du Capelinhos.

Un sentier permet de faire le tour de la caldeira en 2 h et un autre, difficile et dangereux si l'on est mal chaussé et si le sol est glissant, descend dans la caldeira (compter au moins 5 h pour descendre et remonter).

Le **Cabeço Gordo**★ (1 043 m – *du parking de la caldeira, montée à pied : 45 mn AR*) est un magnifique belvédère sur les îles de Pico et de São Jorge.

Revenir à Horta par la vallée de Flamengos.

Île de PICO★★

District de Horta
447 km² (42 km x 15 km) – 14 809 habitants
Principales localités : Madalena, Lajes, São Roque

Située à seulement 7 km de Faial, cette île tout en longueur, dominée par le volcan qui lui a donné son nom, est la deuxième de l'archipel par sa superficie. Sa population, peu nombreuse, se répartit dans les différents villages côtiers.

Géographie – L'île n'est en fait qu'un seul volcan sur lequel est venu se superposer le cône du Pico qui est le sommet le plus élevé du Portugal (2 351 m).

Le volcanisme récent se manifeste par la présence des **mistérios**, coulées de lave provenant d'éruptions postérieures au peuplement de l'île, qui détruisirent des zones cultivées. Sur ces sols calcinés, noirs, la couche d'humus n'a pas encore eu le temps de se reconstituer et les cultures restent impossibles, donnant de curieux paysages lunaires de lave recouverte de lichen ou d'un fouillis de végétation anarchique et luxuriante complètement impénétrable. Les *mistérios* les plus spectaculaires sont ceux de **Prainha** (1572), de **Santa Luzia** (1718) et de **São João** (1720).

Histoire – Le peuplement commença vers 1460 avec des habitants du Nord du Portugal et Pico fut incorporée à la capitainerie de Faial.

À l'origine, l'économie agricole était centrée sur les cultures des céréales et du pastel, auxquelles s'ajouta le vignoble. À la fin du 18ᵉ s., une nouvelle activité se développa : la **chasse à la baleine** qui représenta vite une importante source de revenu ; elle ne fut interrompue qu'en 1981 *(détails dans l'introduction aux Açores)*.

Les vins de Pico – Les vignes cultivées sur les terrains de lave produisaient un vin, le **verdelho** qui eut une réputation internationale pendant plus de deux cents ans ; particulièrement apprécié des Anglais, des Américains et des Russes, ce vin abreuvait la table des tsars. L'oïdium de la vigne attaqua les plants au milieu du 19ᵉ s. Le vignoble est reconstitué petit à petit.

Accès – Une navette relie plusieurs fois par jour Horta et Madalena, et un bateau, plusieurs jours par semaine en été, s'arrête à Cais do Pico en provenance ou à destination de Terceira et de São Jorge.
Accès possible aussi par avion.

Séjour – L'île de Pico peut se visiter en une journée à partir de Faial, mais si l'on effectue l'ascension du volcan, il faut passer au moins une nuit dans l'île.

★★★VOLCAN DE PICO

La plus grande attraction de l'île de Pico est l'ascension de son volcan, ce cône parfait aux pentes régulières qui se couvre parfois d'un manteau de neige en hiver, mais qui le plus souvent se cache dans les nuages : tantôt chapeauté, tantôt enveloppé d'une modeste écharpe... rarement nu.

Il faut compter au moins 7 h à pied (3 h pour monter jusqu'au cratère, 30 mn pour en faire le tour, 1 h si l'on veut monter au pico Pequeno et 2 h 30 pour redescendre). Cette excursion est relativement difficile et fatigante du fait du dénivelé et des roches volcaniques sur lesquelles on évolue. De bonnes chaussures de montagne sont indispensables. Penser à emporter au moins 1 litre d'eau par personne (1 litre et demi s'il fait chaud). La plupart des randonneurs effectuent la montée de nuit pour arriver au sommet pour le lever du soleil. Dans ce cas, il vaut mieux se faire accompagner par un guide (s'adresser à l'Office de tourisme ou à l'hôtel). Dans la journée et par temps clair, le tracé du chemin est facile à suivre.

Accès – *De Madalena, demandez à un taxi de vous amener au pied du chemin. Si vous avez une voiture, prendre la route ER 3.2a et tourner à droite après 13 km. Une petite route s'élève pendant 5 km, puis arrive au pied du sentier.*

Après 20 mn de montée, on parvient à une grotte (attention aux chutes), puis le sentier continue sur la droite à travers une végétation de fougères, de bruyères et de pins nains *(compter 1/4 h)*. On atteint alors le premier des piquets en ciment qui jalonnent toute la montée jusqu'au cratère. Le chemin devient assez difficile et il faut parfois s'aider des mains. La vue s'étend sur les petits cônes volcaniques au pied du Pico. Après 3 h de montée, on accède enfin au cratère, profond de 30 m. Le paysage nu et tourmenté dessinant un cercle de 700 m de périmètre est impressionnant. À l'extrémité se trouve le **Pico Pequeno** (70 m) qui constitue le sommet de la montagne. Il est possible d'en faire l'ascension *(la pente est très raide – compter 1 h pour monter et redescendre)*. Au sommet, les fumerolles et l'odeur du soufre rappellent que ce volcan n'est pas tout à fait endormi. Par temps clair, le **panorama★★★** s'étend sur São Jorge, s'allongeant tel un monstre marin, et sur Faial avec sa petite protubérance du Capelinhos. Au loin, Graciosa et Terceira.

En redescendant vers Madalena, une courte visite aux **Furnas de Frei Matias** *(5 mn à pied depuis la route)* permet de découvrir une grotte dont les longues galeries souterraines s'étirent entre des puits de lumière moussus *(se munir d'une torche électrique)*.

TOUR DE L'ÎLE

1 De Madalena à São Roque *28 km – 2 h*

Madalena – C'est le port d'accès à 9 km d'Horta (île de Faial), protégé par deux îlots : Em Pé et Deitado (debout et couché) où vivent des colonies d'oiseaux de mer. La petite ville est agréable ; toute l'animation est centrée autour de l'**église Santa Maria Madalena**, dont l'élégante façade du 19e s. s'ouvre sur un intérieur du 17e s. décoré de riches retables en bois doré.

★**Cachorro** – *Après Bandeiras, quitter la route principale sur la gauche et suivre la signalisation.* Derrière les pistes d'atterrissage de l'aéroport s'étend un petit village construit en lave au bord de rochers et de falaises noires creusées de grottes dans lesquelles la mer s'engouffre avec fracas. La plupart des constructions étaient des chais pour le vin.
On traverse ensuite les villages de **Santa Luzia** et de **Santo António** dont l'église toute simple présente à l'intérieur un retable baroque naïf.

★**São Roque do Pico** – Cette ville connut une certaine prospérité au temps de la chasse à la baleine. De nos jours, si des cétacés sont aperçus à l'horizon, le signal est donné et des bateaux proposent aux touristes d'aller les observer.

Cais do Pico – C'est le port de São Roque. Il possède la seule **usine baleinière** de l'archipel (désaffectée depuis 1981). Les baleines (surtout des cachalots) étaient remorquées de toutes les îles du centre pour venir s'échouer sur ce quai et y être débitées. Sur la façade de l'usine, on peut lire : « Vitaminas, Óleos, Farinhas, Adubos, Armações Baleeiras reunidas Lda », ce qui signifie : vitamines, huiles, farines, engrais, puis le nom de la coopérative. La graisse fondue dans les chaudières donnait l'huile, le foie pressé procurait les vitamines, la viande moulinée devenait farine pour l'alimentation des animaux et les os broyés s'utilisaient comme engrais. Une baleinière effilée évoque cette chasse sportive et périlleuse.

Volcan de Pico

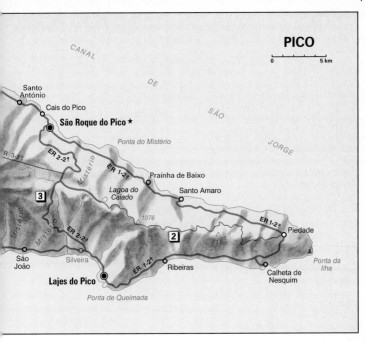

Couvent et église São Pedro de Alcantara – Cet édifice baroque se détache sur fond de volcan. Sa façade est intéressante et, dans le chœur, on admirera le foisonnant retable et les azulejos.

Église São Roque – *Elle se trouve dans une autre partie de la ville, au-delà du centre de São Roque, au bord de la mer.* C'est un grand édifice du 18e s. dont l'intérieur est décoré de statues, de meubles en bois de jacaranda avec des incrustations en ivoire et d'une lampe en argent offerte par le roi Jean V.

De São Roque à Lajes do Pico – Deux itinéraires sont possibles.

② Par la côte

50 km, compter 2 h 30. Conseillé à ceux qui ont du temps et qui ne craignent pas trop les kilomètres de route sinueuse.

Cet itinéraire passe par **Prainha**, connu pour son *mistério* et ses piscines naturelles, **Santo Amaro** et son chantier de construction navale, **Piedade** et les paysages champêtres du bout de l'île, puis il parcourt la côte Sud-Est, escarpée, mais bordée de replats de lave sur lesquels sont installés les ports de pêche de **Calheta de Nesquim** et de **Ribeiras**.

③ Par le centre de l'île

32 km avec l'excursion jusqu'au lac do Caiado – compter 1 h. Prendre la route de Lajes qui s'élève rapidement et traverse la partie centrale de l'île. Après 10 km, prendre à gauche la route du lac do Caiado (5 km).

Souvent noyée dans les nuages, la partie centrale de l'île, dont l'altitude se situe entre 800 et 1 000 m, est occupée par de nombreux petits lacs de cratères et une végétation rase et étrange, formée en partie d'espèces indigènes.

Une route traverse l'île d'Est en Ouest et permet de découvrir ces très beaux paysages (par temps clair). Dans l'itinéraire décrit, nous nous arrêterons au lac do Caiado pour revenir à la route principale.

Lajes do Pico – Ce fut le premier établissement dans l'île. Sa principale activité depuis le 19e s. et jusqu'en 1981 fut la chasse à la baleine. Cette petite ville, blanche et tranquille au milieu des champs de maïs, est prolongée par un plateau de lave appelé Fajã *(voir l'île de São Jorge)*.

★ **Museu dos Baleeiros** ⊘ – Le musée des Baleiniers est installé dans un ancien abri à bateaux sur le port. La belle **collection de scrimshaws** (dents de cachalot ou défenses de morse en ivoire gravées de motifs, *illustration p. 331*) montre l'évolution de cet art : les premiers étaient à peine esquissés en pointillé, les plus travaillés sont sculptés en ronde bosse. La baleinière *(baleeira)*, embarcation effilée, est présentée avec tout le matériel nécessaire à la chasse aux cétacés.

Ermitage São Pedro – En continuant le long des quais, on arrive à cette chapelle blanche, la plus ancienne de l'île. À côté de la chapelle se trouve le **monument** élevé en 1960 pour célébrer le cinquième centenaire du peuplement de l'île.

★★ 4 De Lajes à Madalena : mistérios et vignobles

35 km – environ 1 h 30

La route traverse de part et d'autre de **São João** les deux mistérios datant de l'éruption de 1718, qui a en partie détruit le village. Le *mistério* de São João a été aménagé à certains endroits avec des aires de pique-nique et des sentiers.

São Mateus – Le village est dominé par son imposante église. Une partie des hameaux entourant São Mateus vivait autrefois du vignoble.

La route passe à travers les vignes cloisonnées par des murets de lave. Le paysage est fascinant : merveilleux contraste du noir des murets, du vert tendre des vignes et du bleu intense de la mer ; les caves complètent ce tableau.

Avant d'atteindre Madalena, la route passe par **Candelaria**, puis **Criação Velha** qui fut le lieu de naissance du *verdelho*.

Île de SÃO JORGE★★

District de Horta

246 km² (56 km x 8 km) – 9 681 habitants

Principale localité : Velas

Cette île, dont la forme évoque un cigare, s'étire en longueur parallèlement à celle de Pico. Ses paysages sauvages et grandioses se prêtent tout particulièrement à la randonnée à pied *(voir la référence aux guides de randonnée p. 335)*.

Accès – En été, le bateau qui dessert les îles du groupe central passe plusieurs fois par semaine à São Jorge. Toute l'année, l'île est reliée aux autres îles par avion.

Séjour – Il faut compter une journée pour faire un tour intéressant de São Jorge en voiture.

Géographie – L'île de São Jorge n'est qu'un seul grand volcan linéaire. Elle est située au centre de l'archipel et, de ses sommets, se découvrent toutes les autres îles du groupe central. Son point culminant est le Pico da Esperança (1 053 m). Au centre, des cônes de petites dimensions sont le fruit d'éruptions volcaniques récentes. Les côtes formées d'escarpements tombant à pic dans la mer sont prolongées au ras de l'eau par de curieuses plates-formes de basalte, vestiges de falaises qui ont été érodées et se sont effondrées : les **fajãs**. Ces *fajãs*, dont les terrains fertiles sont plantés de vergers et de champs, étaient autrefois très peuplées, mais celles qui ne sont pas desservies par des routes ont été abandonnées.

Histoire – L'île fut habitée dès 1443 par des Flamands amenés par Wilhem Van der Haegen, dont le nom fut transformé en Guilherme da Silveira. Le peuplement fut rapide et sa capitainerie fit l'objet d'une donation en 1483 à João Vaz Corte Real. La principale richesse de l'île était l'exploitation des plantes tinctoriales, pastel et orseille, qui étaient exportées vers les Flandres. Au 18e s., l'île fut pillée par le corsaire français Duguay-Trouin qui y débarqua 700 hommes.

São Jorge souffrit de plusieurs tremblements de terre dont le dernier, en 1980, fit d'assez importants dégâts et obligea une partie de la population à émigrer.

Le fromage et les tapis – São Jorge est connu pour ses gros fromages ronds confectionnés dans des fromageries de plus en plus modernes avec le lait des vaches hollandaises qui paissent parmi les hortensias. Ce fromage est exporté. Autre spécialité de l'île : les couvre-lits tissés réalisés sur des métiers de bois rudimentaires.

VELAS

Velas est établi sur une *fajã* à proximité de la baie de Entre-Morros (le mot *morro* signifie butte).

Cette bourgade a conservé quelques bâtiments anciens comme l'**hôtel de ville**, de style baroque açorien du 18ᵉ s., dont le portail s'encadre de colonnes salmoniques, et les **Portas do mar**, également du 18ᵉ s., qui sont un vestige des fortifications. L'église **Sâo Jorge** du 16ᵉ s. présente une intéressante façade.

De Velas à Ponta dos Rosais – *14 km à l'Ouest*. La route longe la baie de Entre-Morros, traverse le village de Rosais et rejoint **Sete Fontes**, un agréable parc forestier aménagé avec une aire de pique-nique et des enclos d'animaux. Il est possible de poursuivre jusqu'à la ponta dos Rosais en voiture, mais il est plus plaisant de faire ce trajet à pied *(2 h 30 AR)* : il procure de belles vues sur les deux côtés de l'île. À la pointe battue par les flots se trouvent le phare et un îlot.

★★TOUR DE L'ÎLE
83 km – environ 4 h

La côte Nord
Partir de Velas en direction de Santo António.

Particulièrement escarpée, la côte Nord offre des points de vue extraordinaires. Les villages de Toledo, Santo António, Norte Pequeno, bien que tout proches de la mer, se trouvent à 500 m d'altitude. La route, bordée de très hautes haies d'hortensias, mène de belvédère en belvédère d'où se révèlent des vues impressionnantes sur la côte.

★★**Fajã do Ouvidor** – C'est la *fajã* la plus importante de la côte Nord et un hameau s'y est implanté. Un belvédère la surplombe offrant une vue aérienne sur ce morceau de terre plat, couvert de cultures et de maisons, dominé par la falaise abrupte.

★★**Miradouro da Fajã dos Cubres** – Après Norte Pequeno, de ce belvédère se découvre le paysage le plus caractéristique de São Jorge. D'ici, vues de profil, les fajãs apparaissent comme des festons bordant le pied d'escarpements vertigineux. La plus impressionnante est la **fajã da Caldeira do Santo Cristo** occupée par une lagune qui a été déclarée réserve naturelle pour préserver les clovisses, coquillages que l'on ne trouve plus qu'ici.

Pour rejoindre la côte Sud jusqu'à Ribeira Seca, on traverse de magnifiques paysages, véritable bocage d'hortensias ; la **vue**★★ est particulièrement belle depuis le **miradouro do Urzal**.

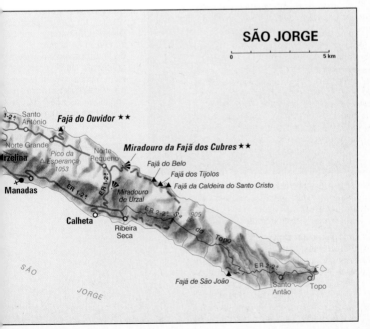

SÃO JORGE

0   5 km

1-2ª Santo António
Fajã do Ouvidor ★★
Norte Grande
Urzelina
Pico da Esperança 1053
Norte Pequeno
Miradouro da Fajã dos Cubres ★★
Fajã do Belo
Fajã dos Tijolos
Fajã da Caldeira do Santo Cristo
ER 1-2ª
Manadas
Miradouro de Urzal
ER 1-2ª
Calheta
Ribeira Seca
ER 2-2ª
905
do
Topo
SÃO
JORGE
Fajã de São João
ER 2-2ª
Santo Antão
Topo

La côte Sud

De relief plus doux, elle est plus habitée et les villages se succèdent près de l'eau. Elle se prolonge jusqu'à la pointe de Topo, mais, dans notre itinéraire, nous nous contenterons de voir la **serra do Topo** et la **fajã de São João** depuis **Ribeira Seca**. La côte entre Calheta et Velas est la plus hospitalière et les villages se sont développés comme zones balnéaires, avec des piscines et des campings.

Calheta – Ce port de pêche a conservé quelques maisons anciennes.

Manadas – Ce hameau pittoresque est surtout célèbre pour l'**église Santa Bárbara★** ⊙ qui se trouve en contrebas du village près de la mer. Une petite route y mène. Du 18ᵉ s., c'est l'une des plus jolies églises des Açores. Sa décoration intérieure extrêmement riche a été menée par un artiste italien. Le **plafond en cèdre★** ouvragé s'orne de sculptures naïves comme celle de saint Georges terrassant le dragon. Les azulejos racontent l'histoire de sainte Barbe. Dans la sacristie, beaux chapiers.

Urzelina – Urzela signifie orseille ; ce lichen brun a donné son nom au village reconstruit après l'éruption volcanique de 1808. Le clocher émerge des laves qui ont enseveli l'église. Au bord de la mer, de petits moulins à vent fonctionnent sur fond de Pico.

Avant d'arriver à Velas, un belvédère permet d'avoir une intéressante **vue aérienne** sur la ville.

PROMENADES À PIED

São Jorge est de toutes parts un merveilleux site pour les randonnées. Nous décrirons ici la plus particulière à cette île, celle qui permet de découvrir les *fajãs* du Nord.

Vue du belvédère de la fajã dos Cubres

★Randonnée des fajãs de Caldeira et dos Cubres – *3 h à pied. Être bien chaussé. L'itinéraire décrit commence après Ribeira Seca et se termine à Fajã dos Cubres. Il faut prévoir un taxi, qui vient vous chercher à la fin de la randonnée.*

Prendre le sentier qui s'amorce à gauche de la route entre Ribeira Seca et Topo, à 5,5 km de l'embranchement avec la route venant de Norte Pequeno.

Une descente au fort dénivelé sur un sentier pavé et jalonné de marches mène au niveau de la mer. De là, on traverse plusieurs fajãs avec leurs vergers et leurs hameaux dont la plupart des maisons sont abandonnées : Fajã da Caldeira, Fajã dos Tijolos, Fajã do Belo et enfin Fajã dos Cubres. De magnifiques points de vue sur les luxuriantes *fajãs* et les falaises qui tombent à pic s'offrent tout le long du parcours.

Île de FLORES★★

District de Horta
143 km² (17 km x 12,5 km) – 3 992 habitants
Principale localité : Santa Cruz

L'île « des fleurs » est la plus occidentale des Açores, l'extrémité de l'Europe. Elle se trouve à 236 km de Faial. Peu peuplée, très accidentée, éloignée du reste de l'archipel avec sa petite sœur Corvo, elle demeure sauvage et ses paysages comptent parmi les plus majestueux des Açores. Sa végétation luxuriante s'explique par la pluviosité qui sévit en moyenne près de 300 jours par an.

La base d'observation scientifique française qui s'était installée à Flores en 1966 a fermé en juin 1993. Depuis quelques années, sa mission météorologique avait été remplacée par un rôle de relais pour la base spatiale de Kourou en Guyane.

Histoire – Un Flamand, Wilhem Van der Haegen, aurait tenté de peupler l'île, mais, découragé par l'éloignement, il finit par s'installer à São Jorge, et il fallut attendre le 16e s. pour qu'arrivent des agriculteurs du continent, qui cultivaient des céréales et exploitaient les plantes tinctoriales : le pastel et l'orseille.

Géographie – Au centre de l'île, un plateau d'une altitude moyenne de 550 m, dominé par le Morro Alto (914 m), est jalonné de lacs de cratères (les sept lacs) composant de magnifiques paysages. Le plus spectaculaire est le lagoa Funda. De ce plateau à la mer, l'érosion a creusé de profondes vallées, des falaises escarpées d'où chutent de hautes cascades parmi une végétation dense.

L'eau omniprésente était utilisée comme force motrice dans les multiples petits moulins à eau, construits en pierre de lave noire, installés sur les torrents. C'est là que les paysans venaient moudre le blé et le maïs récoltés sur les champs en terrasses. L'île trouve aujourd'hui ses principales ressources dans l'élevage et l'agriculture.

Accès – L'île de Flores est accessible uniquement par avion à partir des autres îles.

Séjour – Il est possible de faire le tour de l'île en une journée, mais Flores mérite le temps de flâneries, de promenades à pied, et il faut compter un jour de plus si l'on veut faire l'excursion à Corvo.

SANTA CRUZ DAS FLORES 2 482 habitants

Santa Cruz, le centre administratif de l'île, est un bourg tranquille et agréable dont les rues aboutissent à un petit port où quelques baleinières reposent, vestiges d'une époque où la chasse au cachalot était une activité importante.

Museu Etnográfico ⊙ – Installé dans une maison ancienne, ce musée présente la reconstitution d'intérieurs traditionnels et une collection d'objets représentatifs du mode de vie de la population de l'île axé sur la mer et la pêche, l'art des baleiniers (scrimshaws) et les travaux des champs.

Couvent São Boaventura ⊙ – Cet édifice du 17e s., qui était le couvent des franciscains, a été restauré pour abriter une partie du musée. L'église présente un chœur baroque d'influence hispano-mexicaine.

★★TOUR DE L'ÎLE 68 km – environ 4 h

À la sortie de Santa Cruz, prendre la route en direction de Lajes. Très sinueuse, elle suit les courbes du relief, s'enfonce dans les ravins profonds, longe les crêtes et offre des points de vue superbes au-delà des massifs jaune et rouge vif des cannas ou bleus des hortensias qui la bordent.

Fazenda das Lajes – L'église du Senhor Santo Cristo, dont la façade est recouverte d'azulejos, est l'une des plus représentatives de l'architecture religieuse açorienne.

Lajes – La seconde bourgade de l'île vit surtout de son port et d'une importante station radio.

Après Lajes, prendre la route au Sud. Tourner à droite vers le lagoa Funda.

★★**Lagoa Funda** – Ce lac de cratère, dont le nom signifie lac profond, s'étend sur des kilomètres, en contrebas de la route, au pied de versants raides couverts d'hortensias. Après 3 km, on arrive à un parking non aménagé d'où l'on voit à droite et en contrebas l'extrémité du lagoa Funda et, à gauche, au niveau de la route, le **lagoa Rasa**.

Revenir à la route ; 600 m après la borne 25 km, on peut voir en hauteur la rocha dos Bordões.

★★**Rocha dos Bordões** – Ces orgues de basalte, constitués par la solidification du basalte en hautes stries verticales, jaillissent des bouquets de fleurs qui sont à leur pied. Quelques centaines de mètres plus loin, dans un tournant, on les aperçoit encore encadrant une cascade.

Prendre une route vers Mosteiro.

La petite route sinueuse passe près du village de **Mosteiro**, au milieu de ravissants paysages champêtres sur fond de mer, longe un hameau abandonné, puis rejoint la route principale.

Un peu plus loin, prendre la route pour Fajãzinha et Fajã Grande.

Fajãzinha – Avant d'arriver à Fajãzinha, on domine ce village et une très belle **vue★★** s'offre sur son site *(illustration p. 381)*. L'église **Nossa Senhora dos Remédios** est un édifice du 18ᵉ s. Dans les environs se trouve la cascade de Ribeira Grande, haute de 300 m.

Fajã Grande – C'est la station balnéaire de Flores : une longue plage de galets s'étire au pied de l'impressionnante falaise d'où se précipitent les cascades dont la plus spectaculaire est accessible depuis la route de Ponta da Fajã.

Cascade – *Tourner à droite en direction de Ponta da Fajã, puis 400 m plus loin, s'arrêter au premier pont. 20 mn à pied AR. Prendre le chemin de terre qui se trouve à gauche du pont quand on regarde vers la falaise.* Le chemin suit le torrent et passe près de quelques moulins à eau. La cascade tombe du haut de la falaise sur un replat où elle se divise en une multitude de cascatelles pour aller se noyer dans une vasque naturelle parmi les mousses et les hortensias.

Revenir à la route principale et prendre la direction de Santa Cruz. Tourner à gauche vers les lacs.

Lagoa Seca et lagoa Branca – La route longe le cratère de la lagoa Seca, lac maintenant asséché. Un peu plus loin à gauche se trouve la lagoa Branca (lac Blanc).

Île de CORVO★

District de Horta

17 km² (6,5 km x 4 km) – 418 habitants

Seule localité : Vila Nova do Corvo

À 15 milles marins au Nord-Est de Flores surgit de l'eau un gros rocher noir battu par l'écume : c'est l'île du Corbeau (Corvo), partie émergée d'un volcan marin, le Monte Gordo (718 m). N'ayant aucune baie protégée, son accès est difficile. Elle fut la dernière des îles à arborer le drapeau portugais en 1452, et son peuplement ne commença qu'au milieu du 16ᵉ s. Une société agropastorale, assez écartée du reste du monde, s'y développa. En hiver, pendant des semaines, aucun bateau ne pouvait aborder et la communication avec Flores se faisait par l'intermédiaire de feux allumés sur un tertre. Pourtant, malgré son isolement, à la fin du 18ᵉ s. et au 19ᵉ s., les baleiniers américains vinrent recruter de nombreux marins dans cette île célèbre pour le courage de ses hommes.

Il n'y a pratiquement pas de possibilité d'hébergement à Corvo ; il faut donc y aller pour la journée depuis Flores. Pendant l'été, tous les jours – en principe – un bateau part du port de Santa Cruz das Flores à 10 h, arrive à 12 h à Corvo et fait le trajet du retour entre 16 h et 18 h. Il vaut mieux réserver à l'avance par l'intermédiaire de son hôtel ⊘.

CURIOSITÉS

Vila Nova do Corvo – À l'arrivée du bateau, les gens attendent avec leurs petites remorques tractées par des motoculteurs les arrivages de produits de première nécessité. Les quelque 400 habitants de l'île vivent dans ce village aux rues tortueuses et à l'architecture toute simple. Les façades en pierre noire ont été pour la plupart blanchies à la chaux, et, à de nombreuses maisons s'ajoute la soue à cochon. L'**église Nossa Senhora dos Milagres** conserve une statue flamande du 16ᵉ s.

C'est la plus petite et la moins peuplée des communes du Portugal, mais elle possède un aéroport ! En longeant la piste d'atterrissage, on atteint des moulins en bord de mer et, en face, le restaurant géré par la municipalité.

★**Cratère du Caldeirão** – 6 km de Vila Nova. *Une excursion ⓥ en jeep est proposée à partir du restaurant (compter 3/4 h AR). Il est aussi possible d'effectuer cette promenade à pied : il faut compter 3 h AR en suivant la route. Il y a 550 m de dénivelé. Prévoir des vêtements chauds car les hauteurs sont souvent dans les nuages.* La route qui mène à la caldeira traverse de beaux paysages champêtres égayés de haies d'hortensias. Dans le cratère central dont le périmètre fait 3,4 km, s'étalent, à 300 m de profondeur, deux lacs d'eau bleue où de petits îlots, selon la tradition, représentent la disposition des îles des Açores (excepté Flores et Corvo). Les versants du cratère étaient cultivés et celui en face du belvédère est encore quadrillé de murets de pierre.

Caldeira de Corvo

B. Maltaverne/EXPLORER

Conditions de visite

En raison des variations du coût de la vie et de l'évolution incessante des horaires d'ouverture de la plupart des curiosités, nous ne pouvons donner les informations ci-dessous qu'à titre indicatif.

Ces renseignements s'appliquent à des touristes voyageant isolément et ne bénéficiant pas de réduction. Pour les groupes constitués, il est généralement possible d'obtenir des conditions particulières concernant les horaires ou les tarifs, avec un accord préalable.

Les églises ne se visitent pas pendant les offices. Les conditions de visite en sont données si l'intérieur présente un intérêt particulier.

Les prix sont donnés en euros.

Dans la partie descriptive du guide, les curiosités soumises à des conditions de visite sont signalées par le signe ⊘.

A

ABRANTES
🛈 Largo 1° de Maio – 2200-320 – ☎ 241 36 25 55

Église Santa Maria : Musée – visite de 9 h à 12 h et de 13 h à 18 h. Fermé les vendredi et samedi. Entrée libre. ☎ 241 36 34 28.

ALCOBAÇA
🛈 Praça 25 de Abril – 2460-018 – ☎ 262 58 23 77

Mosteiro de Santa Maria – Visite de 9 h à 18 h 30 (visites non autorisées de 11 h à 12 h, pendant la messe). Fermé le 1er janvier, le Vendredi saint, le dimanche de Pâques et le 25 décembre. 3 €. ☎ 262 50 51 20.

Museu da Junta Nacional do Vinho – Visite guidée (45 mn) de 9 h à 12 h 30 et de 14 h à 17 h 30 (samedi et dimanche de 10 h à 12 h 30 et de 14 h à 17 h du 30 mai à septembre). Fermé le lundi et les jours fériés de mai à septembre et le samedi, le dimanche et les jours fériés d'octobre à avril. 1,50 €. ☎ 262 58 22 22.

ALGARVE

Castro Marim : Château – Visite de 9 h à 17 h (18 h d'avril à octobre). Entrée libre. ☎ 281 51 07 46.

Olhão : Église paroissiale – Visite de 9 h à 11 h 30 et de 15 h à 17 h (samedi de 9 h à 11 h 30). 1 €. ☎ 289 70 51 17.

Estói : Ruines romaines de Milreu – Visite de 9 h 30 à 12 h 30 et de 14 h à 17 h (18 h de mai à septembre). Fermé le lundi. 1,25 €. ☎ 289 99 78 23.

São Brás de Alportel : Casa da Cultura António Bentes - Museu Etnográfico do Trajo Algarvio – Visite de 10 h à 13 h et de 14 h à 17 h (de 14 h à 17 h samedi, dimanche et jours fériés). 0,75 €. ☎ 289 84 26 18.

Loulé : Musée municipal – Visite de 9 h à 17 h 30 (de 10 h à 14 h samedi et jours fériés). Fermé le dimanche. 1 €. ☎ 289 40 06 42.

Almansil : Église São Lourenço – Visite de 9 h 30 à 13 h et de 14 h 15 à 17 h 30 (18 h de juillet à septembre). Fermé le dimanche et le lundi matin. ☎ 289 39 54 51.

Centro cultural de São Lourenço – Visite de 10 h à 19 h (20 h de juillet à septembre). ☎ 289 39 54 75.

Vilamoura : Museu e Estação Arqueológica do Cerro da Vila – Visite en hiver de 9 h à 12 h 30 et de 14 h à 18 h ; en été de 10 h à 13 h et de 14 h à 20 h. Fermé le 1er janvier, le dimanche de Pâques et le 25 décembre. 2 €. ☎ 289 31 21 53.

Armação de Pêra : Promenade en bateau – Pour la location d'une barque à moteur, s'adresser aux pêcheurs le long de la plage de 10 h à 16 h 18 h 30 en été). 12,50 € par personne. ☎ 282 31 21 45.

Chapelle Nossa Senhora da Rocha – Visite de 9 h à 17 h 30. Sur la plage de Senhora da Rocha, il est possible de louer des barques pour la visite des grottes. ☎ 282 31 21 45.

Carvoeiro : Algar Seco – Pour visiter les grottes marines du cap Carvoeiro, s'adresser aux pêcheurs qui se trouvent à Algar Seco ou sur la plage de Carvoeiro. ☎ 282 35 77 28.

Vila do Bispo : Église – Visite le matin sauf le mercredi.

Château d'Almourol

Alcoutim: **Château et Núcleo Arqueológico de Alcoutim** – Visite de 9 h 30 à 18 h 30. 1 €. ☎ 281 54 61 04.

Chapelle de Nossa Senhora da Conceição : **Musée d'Art sacré** – Visite de 9 h à 12 h 30 et de 14 h à 17 h 30. 1 €. ☎ 281 54 66 31.

Château d'ALMOUROL

Visite – On peut gagner le château en barque de 9 h à 18 h. 0,50 € AR. Pour de plus amples informations, contacter l'Office du tourisme de Vila Nova da Barquinha, ☎ 249 72 03 58 ou 249 71 20 94.

AMARANTE

🛈 Alameda Teixeira de Pascoaes – 4600-011 – ☎ 255 42 02 46
🛈 R. Cândido dos Reis – 4600-055 – ☎ 255 43 29 80

Musée Amadeu de Souza Cardoso – Visite de 9 h à 12 h 30 et de 14 h à 17 h 30. Fermé le lundi et les jours fériés. 1 €. ☎ 255 42 02 33.

AROUCA

🛈 Praça Brandão Vasconcelos – 4540-110 – ☎ 256 94 35 75

Église du monastère – Visite de 9 h à 19 h. ☎ 256 94 41 21.

Museu de Arte Sacra – Visite guidée (1 h) de 9 h 30 à 12 h et de 14 h à 17 h. Fermé le lundi, le 1er janvier, le Vendredi saint, le dimanche de Pâques, le 1er mai et le 25 décembre. 1,75 €. ☎ 256 94 33 21.

Serra da ARRÁBIDA

Portinho da Arrábida : Museu Oceanográfico – Visite de 10 h à 16 h (de 15 h à 18 h le samedi, le dimanche et les jours fériés). Fermé le lundi et les 24 et 25 décembre. 1,50 €. ☎ 265 53 42 22.

AVEIRO

🛈 R. João Mendonça, 8 – 3800-200 – ☎ 234 42 36 80 ou 243 42 07 60

Antigo Convento de Jesus – Visite guidée (30 mn à 1 h 30) de 10 h à 17 h 30. Fermé le lundi, le 1er janvier, le Vendredi saint, le dimanche de Pâques, le 1er mai et le 25 décembre. 1,50 € ; gratuit le dimanche et le matin des jours fériés. ☎ 234 42 32 97 ou 234 38 31 88.

Promenades en bateau dans la ria de Aveiro – Compter une journée pour un circuit complet, incluant 3 h environ de détente à terre. Départs quotidiens du canal central de Aveiro, du 15 juin au 15 septembre, à 10 h et à 14 h 30, retour à 13 h 30 et à 18 h. Pour tous renseignements, s'adresser au bureau de tourisme d'Aveiro. 7,50 € (enfants : 5 €). ☎ 234 42 36 80 ou 234 42 07 60.

Réserve naturelle des dunes de São Jacinto : Centre d'interprétation – Visite guidée de 9 h à 12 h et de 14 h à 17 h. Fermé le jeudi, le dimanche et les jours fériés. ☎ 234 33 12 82 ou 234 83 10 63.

Ílhavo : Museu Marítimo – Visite de 9 h à 12 h 30 et de 14 h à 17 h 30. Fermé le lundi et les jours fériés et le matin les mardi et dimanche. 0,50 €. ☎ 234 32 17 97.

Vista Alegre : Musée – Visite de 9 h à 12 h 30 et de 14 h à 16 h 30 (17 h le samedi, le dimanche et les jours fériés). Fermé le lundi, le 1er janvier, le Vendredi saint, le dimanche de Pâques, le 1er mai et le 25 décembre. Entrée libre. ☎ 234 32 07 55.

B

Quinta da BACALHOA

Jardins – Visite guidée (1 h) de 11 h à 16 h. Fermé le dimanche et les jours fériés.
☎ 212 18 00 11.

BARCELOS
🛈 Largo da Porta Nova (Torre de Menagem) – 4750-329 – ☎ 253 81 18 82

Musée archéologique – Visite de 9 h à 18 h. Fermé le 1ᵉʳ janvier, le Vendredi saint, le dimanche de Pâques, le 1ᵉʳ mai et le 25 décembre. Entrée libre. ☎ 253 80 96 00.

Museu da Olaria – Visite de 10 h à 17 h 30 (le samedi, le dimanche et les jours fériés de 10 h à 12 h et de 14 h à 17 h). Fermé le lundi, le 1ᵉʳ janvier, le Vendredi saint, le dimanche de Pâques, le 15 août, le 1ᵉʳ novembre et les 24 et 25 décembre. 1,35 €.
☎ 253 82 47 41.

Mosteiro da BATALHA
🛈 Praça Mouzinho de Albuquerque – 2440-109 – ☎ 244 76 51 80

Visite – de 9 h à 17 h (18 h d'avril à septembre). Fermé le 1ᵉʳ janvier, le Vendredi saint, le dimanche de Pâques, le 1ᵉʳ mai et le 25 décembre. 3 €, gratuit le dimanche et les jours fériés jusqu'à 14 h. ☎ 244 76 54 97.

BEJA
🛈 R. Capitão Francisco de Sousa, 25 – 7800-451 – ☎ 284 31 19 13

Museu da Rainha D. Leonor – Visite de 9 h 30 à 12 h 30 et de 14 h à 17 h. Fermé le lundi et les jours fériés. 0,50 €, gratuit le dimanche. ☎ 284 32 16 51.

Château – Visite en été de 10 h à 13 h et de 14 h à 18 h ; en hiver de 9 h à 12 h et de 13 h à 16 h. Fermé le lundi, le 1ᵉʳ janvier, le 25 décembre et le jour férié municipal. 0,75 €, gratuit le dimanche et les jours fériés. ☎ 284 31 19 13.

Église Santo Amaro (Section d'art wisigothique) – Mêmes conditions de visite que le musée Rainha D. Leonor.

São Cucufate : Villa romaine – Visite de 14 h à 17 h le lundi et mardi, de 9 h à 12 h 30 de mercredi à samedi et de 9 h à 12 h et de 14 h à 17 h 30 le dimanche. Entrée libre.
☎ 284 43 61 02 (mairie).

Serpa : Museu Etnográfico – Visite de 9 h à 12 h 30 et de 14 h à 17 h 30 (18 h en été). Fermé le lundi et les jours fériés. Entrée libre. ☎ 284 54 47 27.

Castro Verde : Église Nossa Senhora da Conceição – S'adresser à M. le curé, Residência Paroquial, av. Humberto Delgado. ☎ 286 32 71 81 ou 286 32 21 76.

BELMONTE
🛈 Praça da República, 18 – 6250-034 – ☎ 275 91 14 88

Château – Visite de 10 h à 12 h 30 et de 14 h à 17 h. Fermé le 1ᵉʳ janvier, le Vendredi saint, le dimanche de Pâques, le 1ᵉʳ mai et le 25 décembre. Entrée libre. ☎ 275 91 39 01.

Église São Tiago – Visite guidée (30 mn) de 9 h à 12 h et de 14 h à 18 h. Fermé le 1ᵉʳ janvier, à Pâques et le 25 décembre. Entrée libre. Pour la visite, s'adresser à l'Office de tourisme.

Panthéon des Cabral – Visite guidée de 11 h à 11 h 30 et de 15 h à 15 h 30 (jusqu'à 20 h le samedi). Fermé le 1ᵉʳ janvier, à Pâques et le 25 décembre. Entrée libre. Pour la visite, s'adresser à l'Office de tourisme.

Chapelle Santo António – Demander la clé au curé de Belmonte, le père José Martins.
☎ 275 91 14 61.

Église paroissiale – Visite pendant la journée. Si elle est fermée, demander la clé au curé de Belmonte, le père José Martins. ☎ 275 91 14 61.

Île de BERLENGA

Accès – L'île est desservie du 15 mai au 15 septembre, à partir de Peniche, par un service quotidien de bateaux : 15 € par personne AR ; durée de la traversée : 45 mn. Location auprès de la société Viamar, 2520-628 Peniche, ou s'informer auprès de l'Office du tourisme de Peniche. ☎ 262 78 21 53.

Promenade en barque – S'adresser à la société Berlenga Turpesa de Tiago & Bernardo, largo da Ribeira – 2520-275 Peniche. ☎ 262 78 99 60 ou 262 78 23 14.

BRAGA
🛈 Av. da Liberdade, 1 – 4700-251 – ☎ 253 26 25 50

Sé – Visite guidée (1 h) de 8 h à 18 h 30 (19 h 30 en été). 2 €. ☎ 253 26 33 17.

Capela dos Coimbras – Visite uniquement le Jeudi saint de 9 h à 19 h.

Museu dos Biscaínhos – Visite guidée (30 mn) de 10 h à 12 h 15 et de 14 h à 17 h 30. Dernière entrée à 12 h et à 17 h. Fermé le lundi, le 1ᵉʳ janvier, le dimanche de Pâques, le 1ᵉʳ mai et le 25 décembre. 2 €, gratuit le dimanche et le matin des jours fériés.
☎ 253 20 46 50/3.

Capela da Nossa Senhora da Penha de França – Pour visiter, s'adresser à la résidence (Lar) D. Pedro V ou au ☎ 253 20 06 40.

Environs

Bom Jesus do Monte – Accès par funiculaire de 8 h à 19 h tous les jours, toutes les demi-heures. 1 € AR.

Chapelle São Frutuoso de Montélios – Visite de 9 h à 17 h 30 (de 10 h à 18 h 30 d'octobre à mars). Fermé le lundi. 0,50 €.

BRAGANÇA   🆔 Av. Cidade de Zamora – 5300-111 – ☎ 273 38 12 73

Château et Musée militaire – Visite de 10 h à 12 h et de 14 h à 17 h (17 h 30 en été). Fermé le jeudi, les jours fériés et le 22 août (férié municipal). 1,25 €, gratuit le dimanche matin. ☎ 273 32 23 78.

Domus municipalis – Visite de 9 h à 12 h et de 14 h à 17 h. Fermé le jeudi et les jours fériés. Entrée libre. ☎ 273 32 21 81.

Museu do Abade de Baçal – Visite de 10 h à 17 h (18 h le samedi, dimanche et jours fériés). Fermé le lundi, le 1er janvier, le Vendredi saint, le dimanche de Pâques, le 1er mai et le 25 décembre. 2 €, gratuit le dimanche et les jours fériés jusqu'à 14 h. ☎ 273 33 15 95.

Mata do BUÇACO   🆔 R. Emídio Navarro – Almas do Buçaco – 3050-201 LUSO – ☎ 231 93 91 33

Convento dos Carmelitas Descalços – Visite de 10 h à 12 h 30 et de 14 h à 17 h 30. Fermé le vendredi. 0,5 €. ☎ 231 93 92 26.

Forêt – Accessible de 8 h à 21 h. ☎ 231 93 92 26.

Museu militar – Visite de 10 h à 12 h et de 14 h à 17 h. Fermé le lundi, le 1er janvier, le Vendredi saint, le dimanche de Pâques et le 25 décembre. 1 €. ☎ 231 93 93 10.

C

CALDAS DA RAINHA   🆔 R. Engº Duarte Pacheco – 2500-198 – ☎ 262 83 97 00
🆔 (en été) Praça da República – 2500-198 – ☎ 262 83 45 11

Museu José Malhoa – Visite de 10 h à 12 h 30 et de 14 h à 17 h. Fermé le lundi, le 1er janvier, le Vendredi saint, le dimanche de Pâques, le 1er mai et le 25 décembre. 2 €, gratuit le matin les dimanches et jours fériés le matin. ☎ 262 83 19 84.

Museu do Hospital e das Caldas – Visite de 10 h à 12 h et de 14 h à 17 h. Fermé le samedi, le dimanche et les jours fériés. 1,50 €. ☎ 262 83 03 00 (poste 423).

Museu da Cerâmica – Visite de 10 h à 12 h et de 14 h à 17 h. Fermé le dimanche et les jours fériés. ☎ 262 84 02 80.

Fábrica e Museu de Faianças Rafael Bordalo Pinheiro – Visite de 10 h à 12 h et de 14 h 30 à 16 h 30. Fermé le samedi, le dimanche et les jours fériés. 1 €. ☎ 258 84 23 53.

CAMINHA   🆔 R. Ricardo Joaquim de Sousa – 4910-155 – ☎ 258 92 19 52

Église paroissiale – Visite le samedi et le dimanche de 15 h à 18 h 30. Les autres jours, prendre rendez-vous au ☎ 258 92 14 13.

CARAMULO   🆔 Estrada Principal do Caramulo – 3475-031 – ☎ 232 86 14 37

Musée – Visite de 10 h à 13 h et de 14 h à 17 h (18 h du 24 février au 7 octobre). Fermé les 24 et 25 décembre. 5 €. ☎ 232 86 12 70.

CASCAIS   🆔 R. Visconde da Luz,14 – 2750-326 – ☎ 214 86 82 04 ou 214 86 70 44

Museu dos Condes de Castro de Guimarães – Visite guidée (30-45 mn) de 10 h à 17 h. Fermé le lundi et les jours fériés. 1,30 €, gratuit le dimanche. ☎ 214 82 54 01.

Biblioteca dos Condes de Castro Guimarães – Visite de 9 h à 17 h (13 h le samedi). Fermé le dimanche et les jours fériés (et le samedi en juillet, août et septembre). ☎ 214 83 69 70.

CASTELO BRANCO   🆔 Alameda da Liberdade – 6000-074 – ☎ 272 33 03 39

Museu Francisco Tavares Proença Júnior – Visite de 10 h à 12 h 30 et de 14 h à 17 h 30. Fermé le lundi, le 1er janvier, le Vendredi saint, le dimanche de Pâques, le 1er mai et le 25 décembre. 2 €, gratuit le dimanche et les jours fériés de 10 h à 12 h 30. ☎ 272 34 42 77.

CASTELO BRANCO

Jardim do Antigo Paço Episcopal – Visite de 9 h à 17 h (20 h le samedi, le dimanche et les jours fériés). Fermé le 25 décembre. 0,10 €. ☎ 272 34 10 02.

Convento da Graça e Museu de Arte Sacra da Misericórdia – Visite guidée de 9 h à 12 h et de 14 h à 17 h 30. Fermé le samedi, le dimanche et les jours fériés. Entrée libre. ☎ 272 34 44 54, poste 57.

Excursions

Penamacor : **Église da Misericórdia** – Visite de 9 h à 17 h. Fermé le dimanche et les jours fériés. ☎ 277 39 41 33.

Couvent de Santo António – Visite de 9 h à 17 h. Fermé le dimanche et les jours fériés. ☎ 277 39 41 33.

CASTELO DE VIDE
🚹 R. Bartolomeu Álvares de Santa, 81-83 – 7320-117 –
☎ 245 90 13 61/2 ou 245 90 13 50

Donjon – Visite de 9 h à 17 h (19 h en été). Entrée libre.

CHAVES
🚹 Terreiro de Cavalaria – 5400-531 – ☎ 276 34 06 61

Museu da Região Flaviense – Visite de 9 h à 12 h 30 et de 14 h à 17 h 30 (le samedi et le dimanche, de 14 h à 17 h 30). Fermé le lundi et les jours fériés. 0,50 €, comprenant la visite du Musée militaire. ☎ 276 34 05 00.

Donjon : Musée militaire – Visite de 9 h à 12 h 30 et de 14 h à 17 h 30 (le samedi et le dimanche, de 14 h à 17 h 30). Fermé le lundi et les jours fériés. 0,50 €, comprenant la visite du Museu da Região Flaviense. ☎ 276 34 05 00.

Caldas de Chaves – Visite guidée (30 mn) de 8 h à 12 h et de 17 h à 19 h (à partir de 9 h d'octobre à mai), le dimanche et les jours fériés de 8 h à 11 h. Fermé à Pâques et à Noël. Entrée libre. ☎ 276 33 24 45.

Termas de Vidago – Visite de 8 h à 12 h et de 16 h à 19 h. Fermé le dimanche ainsi que du 1er octobre au 31 mai. ☎ 276 99 94 04.

Termas de Pedras Salgadas – Visite de 8 h à 12 h et de 16 h à 19 h. Fermé le dimanche et du 16 octobre au 31 mai. ☎ 259 43 71 68.

Caldas Santas de Carvalhelhos – Cures du 1er juillet au 30 septembre. Informations au ☎ 276 41 51 50.

COIMBRA
🚹 Largo D. Dinis – 3020-123 – ☎ 239 83 25 91
🚹 Praça da República – 3000-343 – ☎ 239 83 32 02

Sé Velha – Visite de 10 h à 18 h. Fermé le vendredi et les jours fériés. 0,75 €. ☎ 239 82 52 73.

Museu Nacional Machado de Castro – Visite de 9 h 30 à 12 h 30 et de 14 h à 17 h 30. Fermé le lundi. 3 €, gratuit le matin le dimanche et les jours fériés. ☎ 239 82 37 27.

Sé Nova – Visite de 9 h à 12 h 30 et de 14 h à 18 h. Fermé le lundi. ☎ 239 82 31 38.

Universidade Velha – Visite de 9 h à 19 h. Fermé le 25 décembre. Visite de la bibliothèque, du musée, de la Sala dos Capelos et de la chapelle : 4 €. ☎ 239 85 98 41 ou 239 85 98 00.

Casa-Museu Bissaya-Barreto – Visite de 15 h à 18 h. Fermé le lundi et les jours fériés ainsi que le samedi et le dimanche du 1er octobre au dimanche de Pâques. 2,50 €. ☎ 239 85 38 00.

Mosteiro de Santa Cruz – Visite de 9 h à 12 h et de 14 h à 17 h 45. Sacristie, cloître et musée : 1 €. ☎ 239 82 29 41.

M. Dusart

Portail de la chapelle de la vieille université de Coimbra

Jardim botânico – Visite de 9 h à 17 h 30 (20 h en été). ☎ 239 82 28 97.

Mosteiro de Celas – Visite de 10 h à 12 h et de 14 h à 18 h sur rendez-vous auprès de l'église São António, au ☎ 239 71 19 92.

Convento de Santa Clara-a-Velha – En travaux.

Convento de Santa Clara-a-Nova – Visite guidée de 8 h 30 à 18 h. Visite du cloître et du chœur inférieur de 9 h à 12 h et de 14 h à 17 h. Fermé le lundi et le dimanche. 1,50 €. ☎ 239 44 16 74.

Portugal dos Pequeninos – Visite de 10 h à 17 h en hiver ; de 10 h 19 h du 1er mars au 31 mai ; de 9 h à 20 h du 1er juin au 15 septembre. 5 € (enfants de moins de 10 ans : 2,50 €). ☎ 239 44 12 25.

Quinta das Lágrimas – Visite de 9 h à 19 h. 0,75 €. ☎ 239 44 16 15.

Ruines de CONÍMBRIGA

Museu Monográfico – Visite de 10 h à 20 h (de 10 h à 13 h et de 14 h à 18 h du 16 septembre au 15 mars). Fermé le lundi. 3 € (visite des ruines comprises dans le prix du billet). ☎ 239 94 11 77.

CRATO

🛈 Largo do Município – 7430-130 – ☎ 245 99 61 61

Monastère de Flor da Rosa – Visite guidée de 10 h à 12 h et de 14 h à 17 h 30. Fermé le lundi. Entrée libre.

Environs

Alter do Chão : Coudelaria de Alter Real – Visite guidée (1 h) de 9 h 30 à 16 h 30, le samedi et le dimanche de 11 h à 16 h 30. Fermé le lundi et les jours fériés. ☎ 245 61 00 60.

E

ELVAS

🛈 Praça da República – 7350-126 – ☎ 268 62 22 36

Château – Visite de 9 h 30 à 17 h 30. Fermé le 1er janvier, le 1er mai et le 25 décembre. 1,25 €. ☎ 268 62 64 03.

Cabo ESPICHEL

Sanctuaire Nossa Senhora do Cabo – Visite de 9 h 30 à 17 h 30. ☎ 212 68 10 31.

Serra da ESTRELA

Covilhã : Museu de Lanifícios – Visite de 9 h 30 à 12 h et de 14 h 30 à 18 h. Fermé le lundi, le 1er janvier, le 1er mai et le 25 décembre. ☎ 275 31 97 12.

Caldas de Manteigas : Posto aquícola – Visite de 9 h à 12 h et de 14 h à 16 h. ☎ 275 98 15 05.

ESTREMOZ

🛈 Largo da República, 26 – 7100-505 – ☎ 268 33 35 41

Capela da Rainha Santa Isabel – Visite guidée de 9 h 30 à 11 h 30 et de 14 h à 17 h. Fermé le lundi et les jours fériés. Si la chapelle est fermée, s'adresser à la Galeria de Desenho, largo D. Dinis, ☎ 268 33 92 00.

Musée municipal – Visite de 9 h à 12 h 30 et de 14 h à 17 h 30 (d'avril à septembre de 9 h à 12 h 30 et de 15 h à 18 h 30). Fermé le lundi et les jours fériés. 0,95 €, entrée libre le samedi. ☎ 268 33 92 00 (poste 246).

Musée rural – Visite de 10 h à 12 h 30 et de 14 h à 17 h 30. Fermé le lundi, le dimanche et les jours fériés. 1 €. ☎ 268 33 31 46.

ÉVORA

🛈 Praça do Giraldo, 73 – 7000-508 – ☎ 266 70 26 71
🛈 R. de Avis, 90 – 7000-591 – ☎ 266 74 25 34

Sé – Visite de 9 h à 12 h 30 et de 14 h à 17 h. Fermé le lundi et le 25 décembre. 2,50 €. ☎ 266 75 93 30.

Musée régional – Visite de 9 h 30 à 12 h 30 et de 14 h à 17 h 30. Fermé le lundi, le mardi matin, le 1er janvier, le Vendredi saint, le dimanche de Pâques, le 29 juin et le 25 décembre. 1,50 €, gratuit les matins des dimanches et des jours fériés. ☎ 266 70 26 04.

Convento dos Lóios – **Église** : visite de 9 h à 12 h et de 14 h à 18 h. Fermé le lundi. 2,50 €. ☎ 266 70 47 14.

Galerie d'art du palais des ducs de Cadaval – Le palais est fermé pour travaux. ☎ 266 70 47 14.

Église São Francisco – **Chapelle des Os** : visite de 9 h (10 h en été) à 13 h et de 14 h à 17 h 30 (18 h en été). 0,50 €. ☎ 266 70 45 21.

Église das Mercês (musée des Arts décoratifs) – Fermé pour travaux. ☎ 266 70 26 04.

Universidade de Évora – Visite de 8 h à 18 h (20 h en été) ; de 10 h (8 h le samedi) à 14 h et de 15 h à 18 h les jours fériés. Fermé les jours fériés tombant en semaine. 1,25 € le samedi après-midi, le dimanche et les jours fériés ; entrée libre les autres jours. ☎ 266 74 08 75.

Convento de São Bento de Cástris – Visite guidée de 9 h à 12 h 30 et de 14 h à 16 h. Fermé le samedi, le dimanche et les jours fériés. ☎ 266 73 22 31 ou 266 76 00 80.

Grottes de Escoural – Visite de 9 h à 12 h et de 13 h 30 à 17 h 30 (17 h les samedis, dimanches et jours fériés). Fermé le lundi, le matin le mardi, le 1er janvier, le Vendredi saint, le dimanche de Pâques, le 1er mai et le 25 décembre. Entrée libre. ☎ 266 76 98 37.

Viana do Alentejo : Château – Visite en été de 10 h à 12 h 30 et de 14 h à 18 h ; en hiver de 9 h à 12 h 30 et de 14 h à 17 h. Fermé le samedi et le dimanche. Entrée libre. ☎ 266 93 99 36.

ÉVORAMONTE

Château – Visite de 10 h à 12 h 30 et de 14 h à 17 h. Fermé le lundi, le 1er janvier, le Vendredi saint, le dimanche de Pâques, le 1er mai et le 25 décembre. Entrée libre.

F

FARO

☑ R. da Misericórdia, 8 – 8000-269 – ☎ 289 80 36 04 ou 289 80 36 67
☑ Av. 5 de Outubro, 18-20 – 8001-902 – ☎ 289 80 04 00

Sé – Visite de 10 h à 13 h et de 14 h 30 à 17 h (de 10 h à 13 h le dimanche et les jours fériés). 1 €. ☎ 289 80 66 32.

Galeria do Trem – Visite de 10 h à 13 h et de 14 h à 18 h (de 10 h à 14 h et de 15 h à 19 h les samedis et jours fériés). Fermé le dimanche. Entrée libre. ☎ 289 80 41 97.

Galeria do Arco – Visite de 12 h à 18 h. Fermé le dimanche et les jours fériés. Entrée libre. ☎ 289 80 10 37 ou 289 89 74 01.

Musée municipal – Visite de 9 h 30 à 17 h 30 en hiver et de 10 h à 18 h en été. Fermé le samedi, le dimanche et les jours fériés. 0,55 €. ☎ 289 87 08 70 (mairie).

Centro da Ciência Viva – Visite de 10 h à 17 h ; de 15 h à 19 h le samedi, le dimanche et les jours fériés. ☎ 289 89 09 20.

Museu da Marinha – Visite de 14 h à 16 h. Fermé les samedis, dimanches et jours fériés. 0,50 €. ☎ 289 80 36 01.

Église do Carmo – Visite de 10 h à 13 h et de 15 h à 17 h (18 h de mai à septembre). Fermé le lundi. 2,5 € (accès à la chapelle des Os), entrée libre le dimanche et les jours fériés jusqu'à 14 h.

Museu de Etnografia Regional – Visite de 9 h à 12 h 30 et de 14 h à 17 h 30. Fermé le samedi, le dimanche et les jours fériés. 1,50 €. ☎ 289 82 76 10.

Miradouro de Santo Antonio – Musée : visite de 9 h à 12 h et de 14 h à 17 h. Fermé le samedi, le dimanche et les jours fériés. 0,55 €. ☎ 289 87 08 70.

FÁTIMA

☑ Av. José Alves Correia da Silva – 2495-455 – ☎ 249 53 11 39

Museu de Cera – Visite de 9 h 30 à 18 h 30 (de 10 h à 17 h de novembre à mars). Fermé le 25 décembre. 4 €. ☎ 249 53 93 00.

Grottes de Mira de Aire – Visite guidée (40 mn) de 9 h 30 à 17 h 30 d'octobre à mars ; à 18 h d'avril à mai ; à 19 h en juin et septembre ; à 20 h en juillet et août. 3,49 €. ☎ 244 44 03 22.

Grottes de São Mamede – Visite guidée (20-25 mn) de 9 h à 17 h (18 h d'avril à juin et 19 h de juin à septembre). 3,50 €. ☎ 244 70 43 02.

Grottes d'Alvados – Visite guidée (35 mn) en juin et août de 9 h 30 à 20 h 30 ; en juillet et septembre jusqu'à 19 h ; en avril et mai jusqu'à 18 h ; le reste de l'année jusqu'à 17 h 30. 3,49 € (enfants entre 6 et 12 ans : 2 €). ☎ 249 83 67 13.

Grottes de Santo António – Visite guidée (30 mn) de 9 h 30 à 13 h et de 14 h à 17 h 30 d'octobre à mars (18 h en avril et mai ; 19 h en juin et septembre ; 20 h 30 en juillet et août). 3,49 € (enfants de 6 à 11 ans : 2 €). ☎ 249 84 18 76.

FIGUEIRA DA FOZ

☑ Av. 25 de Abril – 3080-501 – ☎ 233 40 28 20/27

Museu Municipal Dr. Santos Rocha – Visite du 31 mai au 16 septembre de 9 h 30 à 17 h 30 (de 14 h à 17 h 30 le samedi et le dimanche). Fermé le lundi et les jours fériés. 1,25 €. ☎ 233 40 28 40.

Montemor-o-Velho : Château – Visite de 10 h à 12 h 30 et de 14 h à 17 h. Fermé le lundi, le Vendredi saint, le dimanche de Pâques et le 25 décembre. Entrée libre. ☎ 239 68 03 80.

G

GUARDA

🏛 Praça Luís de Camões – 6300-725 – ☎ 271 20 55 30
🏛 Largo do Municipio (Ed. da Câmara Municipal) – 6300-854 – ☎ 271 22 18 17

Sé – Visite de 9 h 30 à 12 h 30 et de 14 h à 17 h (17 h 30 le samedi et le dimanche). Fermé le lundi. Entrée libre. ☎ 271 21 12 31.

Museu da Guarda – Visite de 10 h à 12 h 30 et de 14 h à 17 h 30. Fermé le lundi, le 1er janvier, le Vendredi saint, le dimanche de Pâques, le 1er mai et le 25 décembre. 2,25 €, gratuit le matin le dimanche et les jours fériés. ☎ 271 21 34 60.

Penedono : Château – Visite de 9 h 30 à 12 h 30 et de 14 h 30 à 19 h (18 h samedi, dimanche et jours fériés). Fermé le Vendredi saint et le dimanche de Pâques. Entrée libre. ☎ 254 5 41 50 ou 254 6 57 70. En cas de fermeture, demander la clé dans l'établissement qui se trouve à côté du château, à M. Luís Martins.

Sabugal : Château – Visite de 9 h 30 à 13 h et de 14 h à 18 h (18 h 30 le dimanche). Fermé le mardi et le mercredi. Entrée libre. ☎ 271 75 10 40 (mairie).

Trancoso : Château – Visite guidée en semaine de 8 h à 12 h 30 et de 14 h à 20 h ; le samedi, le dimanche et les jours fériés de 10 h à 13 h et de 14 h à 17 h 30. Fermé le 1er janvier et le 25 décembre. Entrée libre. Si le château est fermé, s'adresser à l'Office de tourisme ☎ 271 81 11 47 ou au poste local de la Garde nationale républicaine.

GUIMARÃES

🏛 Alameda de São Dâmaso, 83 – 4810-283 – ☎ 253 41 24 50
🏛 Praça de S. Tiago – 4810-300 – ☎ 253 51 87 90

Château – Visite de 9 h 30 à 12 h et de 14 h à 17 h 30 (18 h en juillet et août). Fermé le 1er janvier, le Vendredi saint, le dimanche de Pâques, le 1er mai et le 25 décembre. 1,25 € (donjon). ☎ 253 41 22 73.

Église São Miguel do Castelo – Visite de 9 h 30 à 12 h et de 14 h à 17 h 30 (18 h en juillet et août). Fermé le 1er janvier, le Vendredi saint, le dimanche de Pâques, le 1er mai et le 25 décembre. ☎ 253 41 22 73.

Paço dos Duques de Bragança – Visite de 9 h 30 à 17 h 30 (19 h en juillet et août). Fermé le 1er janvier, le Vendredi saint, le dimanche de Pâques, le 1er mai et le 25 décembre. 3 €, gratuit le dimanche et les jours fériés jusqu'à 14 h. ☎ 253 41 22 73.

Museu Alberto Sampaio (Colegiada de N. S. da Oliveira) – Visite de 10 h à 12 h 30 et de 14 h à 17 h 30. Fermé le lundi, le 1er janvier, le Vendredi saint, le dimanche de Pâques, le 1er mai et le 25 décembre. 2 €, gratuit le dimanche matin. ☎ 253 42 39 10.

Museu Martins Sarmento – Visite guidée (30 mn) de 9 h 30 à 12 h et de 14 h à 17 h. Fermé le lundi, les jours fériés et le 24 juin (férié municipal). 1,50 €. ☎ 253 41 40 11.

Église São Francisco – **Sacristie** : visite de 9 h à 12 h et de 14 h 30 à 17 h 30. Fermé le lundi. ☎ 253 51 25 07.

Excursion

Téléphérique de Penha – Fonctionne en semaine de 11 h à 19 h (20 h en août), les week-ends et jours fériés d'octobre à avril : de 10 h à 19 h. 1,50 € aller simple, 2,50 € AR (enfants de 5 à 12 ans : 1 € aller simple, 1,50 € AR). ☎ 253 51 50 85.

Collégiale Nossa Senhora da Oliveira

L.Y. Loirat/EXPLORER

LAGOS

🅸 Largo Marquês de Pombal – 8600-722 – ☎ 282 76 30 31

Église Santo António et Musée régional – Visite de 9 h 30 à 12 h 30 et de 14 h à 17 h. Fermé le lundi et les jours fériés. 1,85 €, gratuit le dimanche. ☎ 282 76 23 01.

Forte da Ponta da Bandeira – Visite de 9 h 30 à 12 h 30 et de 14 h à 17 h. Fermé le lundi et les jours fériés. 1,75 €. ☎ 282 76 93 17.

Excursion

Ponta da Piedade : Grottes marines – Visite en bateau. S'adresser aux pêcheurs le long de la plage au fort de la Ponta da Bandeira, à Praia de Dona Ana ou à Ponta da Piedade.

LAMEGO

🅸 Av. Visconde Guedes Teixeira – 5100-074 – ☎ 254 61 20 05

Musée – Visite de 10 h à 12 h 30 et de 14 h à 17 h. Fermé le lundi, le 1er janvier, le Vendredi saint, le dimanche de Pâques, le 1er mai, le 8 septembre et le 25 décembre. 2 €, gratuit le matin le dimanche et les jours fériés. ☎ 254 60 02 30.

Capela do Desterro – S'adresser à Mme Aurora Rodrigues, r. Cardoso Avelino, 11-2° ou ☎ 254 61 37 88.

Environs

Capela de São Pedro de Balsemão – Visite guidée de 10 h à 12 h 30 et de 14 h à 18 h. Fermé le lundi, le mardi matin, le 1er janvier, le Vendredi saint, le dimanche de Pâques, le 1er mai et le 25 décembre. ☎ 254 65 56 56 (Mme Prágenes).

Excursion

São João de Tarouca : Église – Visite de 10 h à 12 h et de 14 h à 17 h. Fermé le lundi. ☎ 254 67 98 49 (M. Caetano).

LEIRIA

🅸 Jardim Luís de Camões – 2401-801 – ☎ 244 82 37 73

Château – Visite de 9 h (10 h le samedi, le dimanche et les jours fériés) à 17 h 30 (18 h 30 en été). Fermé le 1er janvier et le 25 décembre. 0,78 €. ☎ 244 81 39 82.

LISBOA

🅸 Palácio Foz, Praça dos Restauradores – 1250-187 – ☎ 213 46 33 14 ou 213 46 36 24

Baixa

Núcleo Arqueológico da R. dos Correeiros – Visite guidée (45 mn) le jeudi de 15 h à 17 h et le samedi de 10 h à 12 h et de 15 h à 17 h. Entrée libre. Il est préférable de réserver la visite 2 jours à l'avance au ☎ 213 21 17 00.

Elevador de Santa Justa – Fonctionne de 7 h à 23 h. 0,9 €. ☎ 213 61 30 00/38.

Chiado

Église do Carmo (Museu Arqueológico) – Visite de 10 h à 13 h et de 14 h à 17 h. Fermé le dimanche et les jours fériés. 1,50 €. ☎ 213 46 04 73.

Museu Nacional do Chiado – Visite de 14 h à 18 h le mardi, de 10 h à 18 h du mercredi au dimanche. Fermé le lundi. 3 €, gratuit le dimanche et les jours fériés jusqu'à 14 h. ☎ 213 43 21 48.

Museu de Arte Sacra de São Roque – Visite de 10 h à 17 h. Fermé le lundi et les jours fériés. 1 €. ☎ 213 23 53 81.

Alfama

Sé : Cloître : visite de 10 h à 17 h. Fermé les jours fériés. 0,50 €. ☎ 218 86 67 52 ou 218 87 66 28 (Mme Almira).

Trésor – Visite de 10 h à 17 h. Fermé le dimanche et les jours fériés. 2 €.

Museu Antoniano – Visite de 10 h à 13 h et de 14 h à 18 h. Fermé le lundi, le 25 avril et les jours fériés. 0,92 €. ☎ 218 86 04 47.

Museu de Artes Decorativas (Fundação Ricardo do Espírito Santo da Silva) – Visite de 10 h à 17 h. Fermé le mardi, le 1er janvier, le Vendredi saint, le 1er mai et le 25 décembre. 4 €. ☎ 218 88 46 00.

Église São Vicente de Fora – Visite de 9 h à 18 h. Fermé le lundi, le 1er janvier, le dimanche de Pâques et le 25 décembre. 2,50 €. ☎ 218 88 56 52.

Église de Santa Engrácia (Panthéon national) – Visite du panthéon national de 10 h à 18 h (19 h le samedi). Fermé le lundi, le 1er janvier, le dimanche de Pâques, le 1er mai et le 25 décembre. 1,25 €, gratuit le dimanche et les jours fériés jusqu'à 14 h. ☎ 218 88 15 29.

O Porto e o Tejo

Oceanário de Lisboa – Visite de 10 h à 18 h (19 h en été). 8,50 €. ☎ 218 91 70 02.

Téléphérique du parc des Nations – Fonctionne en semaine de 11 h à 19 h, le week-end de 10 h à 20 h (21 h en été). 5 € AR, 2,50 € aller simple. ☎ 218 95 61 45.

Museu Nacional do Azulejo – Visite de 10 h à 18 h (le mardi de 14 h à 18 h). Fermé le lundi, le 1er janvier, le Vendredi saint, le dimanche de Pâques, le 1er mai et le 25 décembre. 2,25 €, gratuit le dimanche matin. ☎ 218 14 77 47.

Museu da Água da EPAL – Visite de 10 h à 18 h. Fermé le dimanche et les jours fériés. 2 €, gratuit les 22 mars, 18 mai et 1er octobre. ☎ 218 13 55 22.

Museu Militar – Visite de 10 h à 17 h. Fermé le lundi et les jours fériés. 2 €. ☎ 218 84 25 13/68.

Museu Nacional de Arte Antiga – Visite de 10 h à 18 h (de 14 h à 18 h le mardi). Fermé le lundi, le 1er janvier, le Vendredi saint, le dimanche de Pâques, le 1er mai et le 25 décembre. 3 €, gratuit le dimanche matin. ☎ 213 91 28 00.

Panneau du polyptyque de saint Vincent

Cristo Rei – Stationnement : 0,75 €. Accès par ascenseur de 9 h 30 à 19 h (de 9 h 30 à 18 h en hiver). 1,50 €. ☎ 212 75 10 00.

Belém

Museu Nacional dos Coches – Visite de 10 h à 18 h (dernière entrée à 17 h 30). Fermé le lundi, le 1er janvier, le Vendredi saint, le dimanche de Pâques, le 1er mai et le 25 décembre. 3 €, gratuit le dimanche de 10 h à 14 h. ☎ 213 61 08 50 ou 218 95 59 94.

Mosteiro dos Jerónimos – Église Santa Maria : visite de 10 h à 17 h (18 h 30 en été). Respecter les horaires de culte. Fermé le lundi, le 1er janvier, le Vendredi saint, le dimanche de Pâques, le 1er mai et le 25 décembre. ☎ 213 62 00 34.

Cloître : mêmes horaires que l'église. 2,50 €, gratuit le dimanche jusqu'à 14 h.

Museu Nacional de Arqueologia – Visite de 10 h à 18 h (de 14 h à 18 h le mardi). Fermé le lundi et le mardi matin, le 1er janvier, le Vendredi saint, le dimanche de Pâques, le 1er mai et le 25 décembre. 2 €, gratuit le dimanche et les jours fériés jusqu'à 14 h. ☎ 213 62 00 00.

Museu da Marinha – Visite du 1er juin au 30 septembre de 10 h à 18 h ; le reste de l'année de 10 h à 17 h. Fermé le lundi et les jours fériés. 2,50 €. ☎ 213 62 00 19.

Museu do Design – Visite de 11 h à 19 h 15. 2,50 €. ☎ 213 61 24 00.

Museu de Arte Popular – Visite de 10 h à 12 h 30 et de 14 h à 17 h. Fermé le lundi, le 1er janvier, le Vendredi saint, le dimanche de Pâques, le 1er mai et le 25 décembre. 1,75 €, gratuit le matin le dimanche et les jours fériés. ☎ 213 01 12 82.

Padrão dos Descobrimentos – Visite de 9 h à 18 h 30 (17 h du 1er juillet au 31 août). Fermé le lundi, le 22 juin et les jours fériés. 1,80 €. ☎ 213 03 19 50.

Torre de Belém – Visite de 10 h à 17 h (18 h en été). Fermé le lundi, le 1er janvier, le Vendredi saint, le dimanche de Pâques, le 1er mai et le 25 décembre. 3 €. ☎ 213 62 00 38.

Palácio Nacional da Ajuda – Visite de 10 h à 17 h (dernière entrée à 16 h 30). Fermé le mercredi, le 1er janvier, le dimanche de Pâques, le 1er mai, le 25 décembre et en février. 2,99 €, gratuit le dimanche jusqu'à 14 h. ☎ 213 63 70 95 ou 213 62 02 64.

Autour de l'Avenida da Liberdade

Parque Eduardo VII – Serre froide : visite de 9 h à 17 h 30 (16 h 30 du 1er octobre au 21 mars). Fermé le 1er janvier, le 25 avril, le 1er mai et le 25 décembre. 1,07 €. ☎ 213 88 22 78.

Jardim Botânico – Visite de 9 h à 19 h (20 h en été). Fermé le 1er janvier et le 25 décembre. 1,25 €. ☎ 213 92 18 02/29/30.

Museu de Ciência da Universidade de Lisboa – Visite de 10 h à 13 h et de 14 h à 17 h ; de 15 h à 18 h le samedi. Fermé le dimanche et les jours fériés. 1 € (2 € avec le planétarium). ☎ 213 92 18 08.

Museu Nacional de História Natural – Visite de 10 h à 18 h (20 h le vendredi, le samedi et le dimanche). 3 €. ☎ 213 92 18 00.

LISBOA

La fondation Gulbenkian

Museu Calouste Gulbenkian – Visite de 10 h à 18 h (de 14 h à 18 h le mardi). Fermé le lundi et les jours fériés. 3 €, gratuit le dimanche. ☎ 217 82 34 22.

Centro de Arte Moderna – Visite de 10 h à 18 h (19 h le mercredi et le samedi). 2,50 €, gratuit le dimanche. ☎ 217 59 02 41.

Amoreiras

Fundação Arpad Szenes-Vieira da Silva – Visite de 12 h à 20 h (de 10 h à 18 h le dimanche). Fermé le mardi et les jours fériés. 2,50 €, gratuit le lundi. ☎ 213 88 00 53/44.

Aqueduto das Águas Livres – Visite de 10 h à 18 h. Fermé le dimanche, les jours fériés et en décembre, janvier et février. 2 € ; gratuit le 22 mars, le 18 mai, le 1er et le 5 décembre. ☎ 218 13 55 22.

Mãe d'Água das Amoreiras – Visite de 10 h à 18 h. Fermé le dimanche et les jours fériés. 2 € ; gratuit le 22 mars, le 18 mai, le 1er et le 5 décembre. ☎ 218 13 55 22.

Autres curiosités

Casa-Museu Anastácio Gonçalves – Visite de 10 h à 18 h (de 10 h à 14 h le mardi). Fermé le lundi, le dimanche de Pâques, le 1er janvier, le 1er mai et le 25 décembre. 2,50 €. ☎ 213 54 08 23.

Palácio Fronteira – Visite guidée (1 h) de juin à septembre à 10 h 30, 11 h, 11 h 30, 12 h ; le reste de l'année à 11 h et 12 h. Fermé le dimanche et les jours fériés. 5 € (jardin seul : 2 €), le samedi : 7,50 € (jardin seul : 2,50 €). ☎ 217 78 20 23.

Jardim zoológico – Visite de 10 h à 20 h (18 h d'octobre à mars). 10,47 €. ☎ 217 23 29 00.

Museu da Música – Visite de 13 h 30 à 20 h. Fermé le lundi et le dimanche. 2 €. ☎ 217 71 09 90/8.

Casa-Museu de Amália Rodrigues – Visite guidée de 10 h à 18 h. 5 €.

Casa do Fado e da Guitarra Portuguesa – Visite du mercredi au lundi de 10 h à 18 h. ☎ 218 82 34 70.

Casa Fernando Pessoa – Visite de 10 h à 18 h (de 13 h à 20 h le jeudi). Fermé le samedi, le dimanche et les jours fériés. Entrée libre. ☎ 213 96 81 90/9.

Museu da Cidade – Visite de 10 h à 13 h et de 14 h à 20 h. Fermé le lundi et les jours fériés. 1,84 €, gratuit le dimanche. ☎ 217 51 32 00.

Museu Rafael Bordalo Pinheiro – Visite de 10 h à 13 h et de 14 h à 18 h. Fermé le lundi et les jours fériés. 1,4 €, gratuit le dimanche. ☎ 217 57 47 64.

Museu Nacional do Traje – Visite de 10 h 30 à 18 h. Fermé le lundi, le 1er janvier, le Vendredi saint, le dimanche de Pâques, le 1er mai et le 25 décembre. 2,99 €, (comprend la visite du Museu Nacional do Teatro et du jardin do Monteiro-Mor), gratuit le dimanche de 10 h 30 à 14 h 30. ☎ 217 59 03 18 ou 217 58 85 37.

Jardim botanique do Monteiro-Mor – Visite de 10 h à 17 h 30 (19 h d'avril à octobre). Fermé le lundi. 1,25 €, gratuit le dimanche et les jours fériés de 10 h à 14 h. ☎ 217 59 03 18.

Museu Nacional do Teatro – Visite de 10 h à 18 h. Fermé le lundi, le mardi matin, le 1er janvier, le 25 avril, le Vendredi saint, le dimanche de Pâques, le 1er mai et le 25 décembre. 2,99 € (comprend la visite du Museu Nacional do Traje et du jardin do Monteiro-Mor), gratuit le dimanche de 10 h à 14 h. ☎ 217 56 74 10/19.

Aquarium Vasco da Gama – Visite de 10 h à 18 h. 2,50 €. ☎ 214 19 63 37.

M

MAFRA
🅱 Av. 25 de Abril – 2640-456 – ☎ 261 81 20 23

Palais et couvent – Visite guidée (1 h 15) de 10 h à 17 h (de juillet à septembre de 9 h 30 à 18 h). Fermé le mardi, le Vendredi saint, le dimanche de Pâques, le 1er mai, le jeudi de l'Ascension (férié municipal) et le 25 décembre. 3 €, gratuit le dimanche et les jours fériés de 10 h à 12 h. ☎ 261 81 75 50.

Église Santo André – Visite sur demande préalable auprès de la Casa da Cultura. ☎ 261 81 44 16.

MARVÃO
🅱 Largo de Sta. Maria – 7330-101 – ☎ 245 99 38 86
🅱 R. Dr. António Matos Magalhães – 7330-101 – ☎ 245 99 35 26

Église Santa Maria – **Musée municipal** : visite de 9 h à 12 h 30 et de 14 h à 17 h 30. 1 €. ☎ 245 90 91 32.

MÉRTOLA
🅱 Largo Vasco da Gama – 7750-328 – ☎ 286 61 25 73

Église-mosquée – Visite de 10 h à 12 h 30 et de 15 h à 18 h. Fermé le lundi. En cas de fermeture, contacter sœur Teresa au ☎ 286 61 23 50 ou 286 61 11 01.

Bibliothèque du couvent de Mafra

Núcleo romano – Visite de 9 h à 12 h 30 et de 14 h à 17 h 30. Le samedi et le dimanche, réserver la visite au ☎ 286 61 25 73.

Núcleo visigótico – Visite de 9 h (10 h le samedi) à 12 h 30 et de 14 h à 17 h 30. En été, de 9 h à 12 h 30 et de 15 h à 18 h 30, le samedi de 10 h à 12 h 30 et de 14 h 30 à 19 h. ☎ 286 61 25 73 (Office de tourisme).

Núcleo de tecelagem – Visite de 9 h à 12 h 30 et de 14 h à 17 h 30. Le samedi et le dimanche, réserver la visite au ☎ 286 61 25 73.

MIRANDA DO DOURO 🚇 Largo do Menino Jesus da Cartolinha – 5210-225 – ☎ 273 43 11 32

Sé – Visite de 9 h à 12 h et de 14 h à 17 h. Fermé le lundi, le 1er janvier, le Vendredi saint, le dimanche de Pâques, le 1er mai, le 10 juillet et le 25 décembre.

Museu regional da Terra de Miranda – Visite de 10 h à 12 h 30 et de 14 h 30 à 18 h 30. Fermé le lundi et le dimanche après-midi d'octobre à avril. 1,25 €, gratuit le dimanche matin. ☎ 273 43 11 64.

MIRANDELA 🚇 Praça do Mercado – 5370-287 – ☎ 278 26 57 68
🚇 R. D. Afonso III – 5370-403 – ☎ 278 20 02 77

Museu municipal Armindo Teixeira Lopes – Visite de 10 h à 12 h 30 et de 14 h à 18 h. Le samedi, de 14 h 30 à 18 h. Fermé le dimanche et les jours fériés. Entrée libre. ☎ 278 26 57 68.

Excursion

Romeu : Museu das Curiosidades – Visite de 12 h à 16 h (18 h d'avril à septembre). Fermé le lundi, le premier dimanche de septembre et le 25 décembre. 1,25 €. ☎ 278 93 91 34.

MONSARAZ 🚇 Largo D. Nuno Álvares Pereira, 5 – 7200-299 – ☎ 266 55 71 36

Ancien tribunal – Visite de 10 h à 18 h (de 9 h à 19 h en été). 1 €. ☎ 266 55 71 29.

N

NAZARÉ 🚇 Av. da República – 2450-101 – ☎ 262 56 11 94

Funiculaire du Sítio – Fonctionne de 7 h à minuit (2 h du matin en été). Fermé en mars. 0,60 € par personne. ☎ 262 56 90 70.

Ermida da Memória – Visite d'avril à septembre de 9 h à 19 h ; le reste de l'année de 9 h à 18 h. ☎ 262 55 17 95.

ÓBIDOS

🖪 R. Direita – 2510-060 – ☎ 262 95 92 31

Église Santa Maria – Visite de 9 h 30 à 12 h 30 et de 14 h 30 à 17 h (19 h d'avril à octobre). ☎ 262 95 96 33.

Musée municipal – Visite de 10 h à 12 h 30 et de 14 h à 18 h. Fermé le 1er janvier, le 11 janvier (férié municipal) et le 25 décembre. 1,25 €, gratuit le dimanche matin. ☎ 262 95 50 10.

Sanctuaire Senhor da Pedra – Visite de 9 h 30 à 12 h 30 et de 14 h 30 à 17 h (19 h d'avril à octobre). Fermé le lundi. ☎ 262 95 96 33.

OLIVEIRA DO HOSPITAL

🖪 R. do Colégio (Casa da Cultura de Oliveira) – 3400-269 – ☎ 238 60 92 69

Église paroissiale – Visite de 9 h à 18 h. ☎ 238 60 11 03.

P – Q

PALMELA

🖪 Castelo de Palmela – 2950-221 – ☎ 212 33 21 22

Château – Visite de 9 h 30 à 12 h 30 et de 14 h à 18 h (20 h en été). Fermé le lundi. ☎ 212 33 21 03.

Église São Pedro – Visite de 10 h à 13 h et de 14 h à 18 h ; de 10 h à 13 h le dimanche. Fermé le mercredi. ☎ 212 35 00 25 (de 18 h 30 à 20 h).

PINHEL

Musée municipal – Fermé pour travaux. ☎ 271 41 00 00.

POMBAL

🖪 R. Eduardo Gomes – 3100-440 – ☎ 236 21 32 30

Château – Visite de 9 h à 17 h. Entrée libre. ☎ 236 21 32 30.

PONTE DE LIMA

🖪 Praça da República – 4990-062 – ☎ 258 94 23 35/7

Igreja-museu dos Terceiros – Visite de 10 h à 12 h 30 et de 14 h à 17 h. Fermé le mardi. ☎ 258 94 25 63.

PORTALEGRE

🖪 Rossio (Palácio Póvoas) – 7300-095 – ☎ 245 33 13 59

Museu José Régio – Visite guidée (30-45 mn) de 9 h 30 à 12 h 30 et de 14 h à 18 h. Fermé le lundi et les jours fériés. 1,80 €. ☎ 245 20 36 25.

Musée municipal – Visite guidée (45 mn) de 9 h 30 à 12 h 30 et de 14 h à 18 h. Fermé le mardi, le 1er janvier, les 24 et 25 décembre. 1,80 €. ☎ 245 30 01 20 (poste 344).

Museu da Tapeçaria de Portalegre – Guy Fino – Visite de 10 h à 13 h et de 15 h à 19 h. Fermé le mercredi. ☎ 245 20 82 59.

PORTO

🖪 R. Clube dos Fenianos, 25 – 4000-172 – ☎ 223 39 34 72
🖪 R. Infante D. Henrique, 63 (Casa do Infante) – 4050-297 – ☎ 222 00 97 70

Torre dos Clérigos – Tour et carillon : visite de 9 h 30 à 13 h et de 14 h 30 à 19 h. 1 €. ☎ 222 00 17 29.

Museu Nacional Soares dos Reis – Visite de 10 h à 12 h 30 et de 14 h à 18 h. Fermé le lundi, le mardi matin, le 1er janvier, le dimanche de Pâques, le 25 avril, le 1er mai et le 25 décembre. 1,75 €, gratuit le dimanche matin.

Sé – Visite de 9 h à 12 h 30 et de 14 h 30 à 19 h. Cloître : 1,25 €. ☎ 222 05 90 28.

Église São Lourenço dos Grilos (Museu de Arte Sacra) – Visite de 10 h à 12 h et de 14 h à 17 h. 1 €.

Santa Casa da Misericórdia – Visite guidée (30 mn) de 10 h à 12 h et de 14 h à 18 h. Fermé samedi, dimanche et jours fériés. 1,50 €. ☎ 222 07 47 10.

Palácio da Bolsa – Visite guidée (30 mn) de 9 h à 13 h et de 14 h à 18 h. D'avril à octobre, de 9 h à 19 h. Fermé le 1er janvier et le 25 décembre. 4 €. ☎ 223 39 90 13.

Église São Francisco – Visite de 9 h 30 à 17 h 30 (16 h 30 d'octobre à avril). Fermé le dimanche et les jours fériés. 2,50 €. ☎ 222 00 84 41.

Museu Romântico – Visite guidée sur rendez-vous (20 mn) de 10 h à 12 h 30 et de 14 h à 17 h 30 (de 14 h à 17 h 30 le dimanche). Fermé le lundi et les jours fériés. 0,75 €, gratuit le samedi et le dimanche. ☎ 226 05 70 33.

P. Thierry/HOA QUI

Quai de Ribeira, à Porto

Solar do Vinho do Porto – Ouvert de 10 h à 24 h. Fermé le dimanche et les jours fériés. ☎ 226 09 77 93 ou 226 09 47 49.

Casa Tait – Visite de 10 h à 12 h et de 14 h à 17 h (de 14 h à 18 h le samedi et le dimanche). Fermé le lundi et les jours fériés. ☎ 226 09 11 31.

Église Santa Clara – Visite de 9 h 30 à 12 h et de 14 h à 17 h. Fermé le samedi et le dimanche. ☎ 222 01 48 37.

Museu Guerra Junqueiro – Visite de 10 h à12 h et de 14 h à 17 h. Fermé le lundi, le dimanche matin et les jours fériés. 0,75 € ; gratuit le samedi et le dimanche. ☎ 222 00 36 89.

Fundação Eng. António de Almeida – Visite guidée (30 mn) de 14 h 30 à 17 h 30. Fermé le dimanche et les jours fériés et en août. ☎ 226 06 74 18.

Fundação de Serralves – Museu de Arte Contemporânea – Visite de 10 h à 19 h (20 h d'avril à septembre, 22 h le jeudi). Fermé le lundi, le 1er janvier et le 25 décembre. Gratuit le dimanche de 10 h à 14 h. 4 € ; 2,50 € (uniquement les jardins). ☎ 226 15 65 00.

Église da Cedofeita – Visite de 10 h à 12 h 30 et de 15 h à 19 h. ☎ 222 00 56 20.

Excursion

Santa Maria da Feira – Château – Visite de 9 h à 12 h 30 et de 14 h à 18 h. Fermé le lundi. 1,25 €. ☎ 256 37 22 48.

QUELUZ

🏛 Praça da República (Edifício do Turismo) – 2710-616 – ☎ 219 23 11 57 ou 219 24 17 00

Palais national – Visite de 10 h à 13 h et de 14 h à 17 h. Fermé le mardi, le 1er janvier, le dimanche de Pâques, le 1er mai, le 29 juin et le 25 décembre. Palais et jardin : 3 € ; jardin seul : 0,50 €. ☎ 214 35 00 39 ou 214 36 38 61.

R – S

Pointe de SAGRES et cap de Saint VINCENT

Forteresse – Visite de 10 h à 18 h 30 (20 h 30 de mai à septembre). Fermé le 1er mai et le 25 décembre. 3 €. ☎ 243 30 44 62.

SANTARÉM

🏛 R. Capelo Ivens, 63 – 2000-039 – ☎ 243 30 44 00/37

Église São João de Alporão – Museu Arqueológico – Visite de 9 h 30 à 12 h 30 et de 14 h à 18 h (17 h 30 le jeudi, vendredi, samedi et dimanche). Fermé le lundi et les jours fériés. 2,25 €. ☎ 243 30 44 62.

Torre das Cabaças – Visite de 9 h 30 à 12 h 30 et de 14 h à 18 h (17 h 30 le jeudi, vendredi, samedi et dimanche). Fermé le lundi et les jours fériés. 1 €, entrée conjointe avec le Musée municipal : 2,25 €. ☎ 243 30 44 62.

Église da Graça – Visite de 9 h 30 à 12 h 30 et de 14 h 30 à 17 h 30. Fermé le lundi et les jours fériés. ☎ 243 32 55 52.

Église Santa Clara – Visite de 9 h 30 à 12 h 30 et de 14 h 30 à 17 h 30. Fermé le lundi et les jours fériés. ☎ 243 32 55 52.

Arredores

Alpiarça : Casa dos Patudos – Visite guidée (1 h 30) de 10 h à 12 h 30 et de 14 h à 17 h 30 (18 h 30 en été). Fermé le lundi, le 25 janvier, le 25 avril, le dimanche de Pâques, le 1er mai et le 25 décembre. 2,50 €. ☎ 243 55 83 21.

Cartaxo : Museu Rural e do Vinho – Visite de 10 h 30 à 12 h 30 et de 15 h à 17 h 30. Le samedi, dimanche et jours fériés de 9 h 30 à 12 h 30 et de 15 h à 17 h 30. 0,65 €, gratuit le mercredi. ☎ 243 70 02 65.

SANTIAGO DO CACÉM   🖪 Praça do Mercado Municipal – 7540-135 – ☎ 269 82 66 96

Musée municipal – Visite de 10 h à 12 h et de 14 h à 17 h (uniquement l'après-midi le samedi et le dimanche). Fermé le lundi et les jours fériés. Entrée libre. ☎ 269 82 73 75.

Ruines romaines de Miróbriga – Visite de 9 h à 12 h 30 et de 14 h à 17 h 30 (de 9 h à 20 h en été). Fermé le lundi, le 1er janvier, le Vendredi saint, le dimanche de Pâques, le 1er mai et le 25 décembre. 1,50 €, gratuit le dimanche et les jours fériés le matin. ☎ 269 82 38 03.

SETÚBAL   🖪 Tv. Frei Gaspar, 10 – 2900-388 – ☎ 265 52 42 84
🖪 R. do Porto Santo – 2900-334 – ☎ 265 53 42 22

Église de Jésus : Musée – Visite de 9 h à 12 h et de 13 h 30 à 17 h 30. Fermé le lundi et les jours fériés. Entrée libre. ☎ 265 53 78 90.

Museu Regional de Arqueologia e Etnografia – Visite de 9 h à 12 h 30 et de 14 h à 17 h 30. Fermé le dimanche, le lundi, les jours fériés et le samedi au mois d'août. Entrée libre. ☎ 265 23 93 65.

Excursion

Accès à la péninsule de Tróia par bac – 20 mn ; départs du port de plaisance toutes les demi-heures. 0,80 €. ☎ 265 49 90 00.

Alcácer do Sal : Museu Arqueológico – Visite de 9 h à 12 h 30 et de 14 h à 17 h 30. ☎ 265 61 00 70.

SILVES   🖪 R. 25 de Abril – 8300-184 – ☎ 282 44 22 55

Château – Visite de 9 h à 17 h d'octobre à avril ; de 9 h à 19 h en mai, juin et septembre ; de 9 h à 20 h en juillet et août. 1,25 €, gratuit le 3 septembre. ☎ 282 44 56 24.

Museu da Cortiça – Visite de 10 h à 13 h et de 15 h à 20 h. 1,25 €.

Museu arqueológico – Visite de 9 h à 18 h. Fermé le dimanche, le 1er janvier et le 25 décembre. 1,50 €. ☎ 282 44 48 32.

SINTRA   🖪 Praça da República, 23 – 2710-616 – ☎ 219 23 11 57

Palácio real – Visite de 10 h à 17 h. Fermé le mercredi et les jours de cérémonies officielles, ainsi que le 1er janvier, le Vendredi saint, le dimanche de Pâques, le 1er mai, le 29 juillet et le 25 décembre. 2 €, gratuit le dimanche matin. ☎ 219 23 00 85 ou 219 10 68 40.

Museu do Brinquedo – Visite de 10 h à 18 h. Fermé le lundi, le 1er mai et le 25 décembre. 2,99 €. ☎ 219 10 60 16.

Museu de Arte Moderna (Colecção Berardo) – Visite de 10 h à 18 h du mercredi au dimanche et de 14 h à 18 h le mardi. Fermé le lundi. 3 €. ☎ 219 24 81 70.

Quinta da Regaleira – Visite guidée de 10 h à 15 h 30 de décembre à février ; de 10 h à 16 h de mars à mai ; de 10 h à 18 h de juin à septembre ; de 10 h à 16 h en octobre et novembre. 10 €. ☎ 219 10 66 50.

Serra de SINTRA

Parque da Pena – Visite de 10 h à 17 h (19 h du 1er juillet au 15 septembre). Dernière entrée : 1 h avant la fermeture. Fermé le lundi, le 1er janvier, le Vendredi saint, le dimanche de Pâques, le 1er mai, le 29 juin et le 25 décembre. 5 €. ☎ 219 10 53 40.

Castelo dos Mouros – Visite de 9 h à 19 h (20 h en été). Dernière entrée 1 h avant la fermeture. 3 €. ☎ 219 23 73 00.

Palácio Nacional da Pena – Visite de 10 h à 17 h (18 h 30 du 1ᵉʳ juillet au 15 septembre). Fermé le lundi, le 1ᵉʳ janvier, le Vendredi saint, le dimanche de Pâques, le 1ᵉʳ mai, le 29 juin et le 25 décembre. 3 €. ☎ 219 23 02 27 ou 219 24 08 61.

Chapelle de Peninha – Fermé pour travaux. ☎ 219 23 51 16.

Parque de Monserrate – Visite de 9 h à 20 h. Il faut réserver la visite 15 jours à l'avance. Fermé le 25 décembre. 3 €. ☎ 219 23 73 00.

T

TOMAR

 Av. Dr Cândido Madureira – 2300-531 – ☎ 249 32 98 23 ou 249 32 24 27

Convento de Cristo – Visite tous les jours de 9 h 15 à 12 h 30 et de 14 h à 17 h (18 h du 1ᵉʳ juin au 30 septembre). 3 €. ☎ 249 31 34 81.

Chapelle Nossa Senhora da Conceição – Visite de 10 h à 17 h 45 (18 h du 1ᵉʳ juin au 30 septembre). Pour visiter, demander au couvent du Christ. ☎ 249 31 34 81.

Synagogue – Visite guidée de 10 h à 13 h et de 14 h à 18 h. Fermé le 1ᵉʳ janvier, le dimanche de Pâques, le 1ᵉʳ mai et le 25 décembre. Entrée libre. ☎ 249 32 24 27.

Le couvent du Christ

Y. Travert/PHOTONONSTOP

V

Parque Arqueológico do VALE DO CÔA

Siège : Av. Gago Coutinho, 19-2° – 5150-025 Vila Nova de Foz Côa. ☎ 279 76 82 60. Fax 279 76 82 70.

Centre de réception de Castelo Melhor : ☎ 279 76 33 44.

Centre de réception de Muxagata : ☎ 279 76 42 98.
Réserver les visites au moins deux mois à l'avance, voire plus en haute saison.

Visites guidées en jeep – 2 h. Départs pour le site de Penascosa du centre de réception de Castelo Melhor, pour celui de Ribeira de Piscos du centre de réception de Muxagata et celui de Canada do Inferno du siège du parc à Vila Nova de Foz Côa. Horaires de visite variables en fonction des conditions naturelles de luminosité. Fermé le lundi, le 1ᵉʳ janvier, le 1ᵉʳ mai et le 25 décembre. Prix indicatif : 2,50 € par visite.

VIANA DO CASTELO
R. do Hospital Velho – 4900 540 – ☎ 258 82 26 20 ou 258 82 49 71
Castelo de Santiago da Barra – 4900-360 – ☎ 258 82 02 70/1/2

Basilique de Santa Luzia – Visite de 8 h à 17 h (19 h en été ; le dimanche de 11 h à 12 h, eucharistie dominicale). Entrée libre à la basilique ; montée au dôme central : 0,50 € (0,50 € en ascenseur). ☎ 258 82 31 73.

Église da Misericórdia – Visite de 10 h à 16 h (visite guidée en juillet, août et septembre). ☎ 258 82 23 50.

Musée municipal – Visite de 9 h 30 à 12 h et de 14 h à 17 h. Fermé le lundi et les jours fériés. 0,75 €. ☎ 258 82 03 77.

VIANA DO CASTELO

Excursion

Bravães : Église São Salvador – Visite de 8 h à 19 h. ☎ 258 45 21 97.

Lindoso : Château – Visite guidée (20 mn) de 9 h 30 à 12 h 30 et de 14 h à 17 h 30. Fermé le lundi. 1 €. ☎ 253 51 53 18.

VILA DO CONDE
🖪 R. 25 de Abril, 103 – 4480-739 – ☎ 252 24 84 73

Museu-escola das Rendas de Bilros – Visite de 9 h à 12 h et de 14 h à 19 h. Le samedi, le dimanche et les jours fériés de 15 h à 18 h. ☎ 252 64 30 70.

Couvent Santa Clara – Visite guidée (15 mn) de 9 h à 12 h 30 et de 14 h 30 à 18 h. ☎ 252 63 10 16 (école Santa Clara).

VILA FRANCA DE XIRA
🖪 R. Almirante Cândido dos Reis, 147-149 r/c – 2600-186 – ☎ 263 27 60 43

Museu etnográfico da Junta Distrital de Lisboa – Visite guidée de 10 h à 12 h 30 et de 14 h à 18 h. Fermé le lundi et les jours fériés. Entrée libre. ☎ 263 27 30 57.

Environs

Alverca do Ribatejo : Museu do Ar – Visite de 10 h à 17 h (18 h de juillet à septembre). Fermé le lundi, le 1er janvier, le dimanche de Pâques et les 24 et 25 décembre. 1,50 €, gratuit le dimanche de 10 h à 12 h 30. ☎ 219 58 27 82.

VILA REAL
🖪 Av. Carvalho Araújo, 94 – 5000-657 – ☎ 259 32 28 19

Palácio de Mateus – Visite guidée (45 mn) de 9 h à 13 h et de 14 h à 17 h de novembre à février (18 h en octobre, mars, avril et mai), de 9 h à 19 h 30 de juin à septembre. Fermé le 25 décembre. Visite complète : 6 € ; visite des jardins : 4 €. ☎ 259 32 31 21.

VILA VIÇOSA
🖪 Câmara Municipal – 7160-255 – ☎ 268 88 93 10/4

Paço Ducal – Visite guidée (1 h) d'octobre à mars de 9 h 30 à 13 h et de 14 h à 17 h, de 9 h 30 à 13 h et d'avril à septembre de 14 h 30 à 17 h 30 (18 h le samedi et le dimanche). Fermé le lundi et les jours fériés. 5 €. ☎ 268 98 06 59.

Museu dos Coches – Horaires identiques à ceux du Paço Ducal. 1,50 €.

Château – Musée archéologique – Visite guidée (1 h 30) de 9 h 30 à 13 h et de 14 h à 17 h ; d'avril à septembre de 9 h 30 à 13 h et de 14 h 30 à 17 h 30 (18 h le samedi et le dimanche). Fermé le lundi et les jours fériés. 2,50 €. ☎ 268 88 11 01.

Musée de la Chasse – Visite guidée (1 h) de 9 h 30 à 13 h et de 14 h à 17 h ; d'avril à septembre de 9 h 30 à 13 h et de 14 h 30 à 17 h 30 (18 h le samedi et le dimanche). Fermé le lundi et les jours fériés. 5 €.

VISEU
🖪 Av. Gulbenkian – 3150-055 – ☎ 232 42 20 50

Museu Grão Vasco – Fermé pour travaux. ☎ 232 42 20 49.

Sé : Trésor d'art sacré – Fermé pour travaux. ☎ 232 42 88 18.

Excursion

Penalva do Castelo : Casa da Ínsua – Visite accompagnée (30 mn) de 10 h à 12 h et de 13 h à la tombée de la nuit. Fermé le 25 décembre. 2 €. ☎ 232 64 22 22.

Archipel de Madère

Île de MADÈRE

Visite de l'île en autocar – Pour connaître les lignes régulières, se renseigner à l'Office du tourisme de Funchal, indiqué ci-après.

Funchal 🅑 Av. Arriaga 18 – 9000-064 – ☎ 291 22 56 58

Adegas de São Francisco – Visite guidée (environ 1 h 30, avec dégustation de vins) de 9 h à 19 h (14 h le samedi). Fermé le dimanche et les jours fériés. 2,99 €. ☎ 291 74 01 00.

Palácio de São Lourenço – La visite doit être réservée à l'avance au ☎ 291 22 56 58 (Office du tourisme).

Museu de Arte Sacra – Visite de 10 h à 12 h 30 et de 14 h 30 à 18 h (le dimanche de 10 h à 13 h). Fermé le lundi et les jours fériés. 2,25 €. ☎ 291 22 89 00.

Casa-Museu Photografia Vicentes – Visite de 14 h à 18 h. Fermé le lundi, le samedi, le dimanche et les jours fériés. ☎ 291 22 50 50.

Musée municipal et aquarium – Visite de 10 h à 12 h 30 et de 14 h à 18 h. Fermé le lundi et les jours fériés. 1,50 €. ☎ 291 22 97 61.

Museu Frederico de Freitas – Provisoirement fermé pour travaux. ☎ 291 22 05 78.

Convento de Santa Clara – Visite guidée (45-60 mn) de 10 h à 12 h et de 15 h à 17 h. ☎ 291 74 26 12.

Quinta das Cruzes – Visite de 10 h à 12 h 30 et de 14 h à 17 h, le dimanche de 10 h à 13 h. Fermé le lundi et les jours fériés. 1,75 €, gratuit le dimanche. ☎ 291 74 13 82/84/88.

Museu da Electricidade : Casa da Luz – Visite de 10 h à 12 h 30 et de 14 h à 18 h. Fermé le lundi. 2 €. ☎ 291 23 39 00.

Forte de São Tiago : Museu de Arte Contemporânea – Visite de 10 h à 12 h 30 et de 14 h à 17 h 45. Fermé le dimanche et les jours fériés. 1,75 €. ☎ 291 22 64 56.

Instituto do Bordado e da Tapeçaria – Visite de 10 h à 12 h 30 et de 14 h 30 à 17 h 30. Fermé le samedi, le dimanche et les jours fériés. 1,50 €. ☎ 291 22 31 41.

Instituto do Vinho de Madeira – Visite de 9 h à 12 h et de 14 h à 17 h. Fermé le samedi, le dimanche et les jours fériés. Entrée libre. ☎ 291 20 46 00.

Museu Cristóvão Colombo – Visite de 9 h 30 à 13 h et de 15 h à 19 h, le samedi de 9 h 30 à 13 h. Fermé le dimanche et les jours fériés. 1 €. ☎ 291 23 33 57.

Jardim Botânico – Visite de 9 h à 17 h 30. Fermé le 25 décembre. 1,50 €. ☎ 291 20 20 00.

La quinta das Cruzes

Environs

Quinta do Palheiro Ferreiro – Visite de 9 h 30 à 12 h 30. Fermé le samedi, le dimanche et le 1er janvier, le Vendredi saint, le 1er mai et le 25 décembre. 6,48 €. ☎ 291 79 30 44.

Monte : Téléphérique – Caminho das Barbosas, 8. Ouvert de 9 h à 18 h 30 en hiver et de 9 h à 20 h 30 en été. 7,49 € l'aller, 12,49 € AR. ☎ 291 78 02 80.
Jardim tropical do Monte Palace – Visite de 9 h à 18 h. Fermé le dimanche, le Vendredi saint et le 25 décembre. 7,50 €. ☎ 291 78 23 39 ou 291 74 26 50.

La côte Est

Caniçal : Museu da Baleia – Visite de 10 h à 12 h et de 13 h à 18 h. Fermé le lundi, le 1er janvier, le 1er mai et le 25 décembre. 1,25 €. ☎ 291 96 14 07.

De Santana à Santa

São Vicente : Grottes – Visite guidée (25 mn) de 9 h à 12 h. Fermé le 1er janvier et le 25 décembre. 3 €. ☎ 291 84 24 04.

De Ribeira Brava à Santa

Ribeira Brava : Museu Etnográfico da Madeira – Visite de 10 h à 12 h 30 et de 14 h à 18 h. Fermé le lundi et les jours fériés. ☎ 291 95 25 98.

Île de PORTO SANTO

🚩 Av. Henrique Vieira e Castro – 9400-165 Porto Santo – ☎ 291 96 14 07

Accès – Par avion – La TAP propose 5 ou 7 vols par jour dans les deux sens. Le premier vol de Madère vers Porto Santo a lieu à 8 h, le dernier à 21 h 30. Le vol dure environ 15 mn ; le prix AR est de l'ordre de 15 €. ☎ 291 23 92 10.
Par bateau – La traversée dure 2 h 45. Un bateau quitte Funchal à 8 h et repart de Porto Santo à 18 h (sauf le mardi). À certaines époques, il peut y avoir plus de trajets et des horaires différents. Le prix AR dans la journée est de 42,50 € (48,75 € en été) ; si le retour a lieu un autre jour, il est de 34 € (41,25 € en été). Renseignements auprès de la société Porto Santo Line, r. da Praia, 4. ☎ 291 22 65 11 ou 291 21 03 00.

VILA BALEIRA

Casa-museu de Cristóvão Colombo – Visite de 10 h à 18 h (de 10 h à 14 h le samedi, le dimanche et les jours fériés). Entrée libre. ☎ 291 98 34 05.

Archipel des Açores

SÃO MIGUEL

Ponta Delgada

🚩 Av. Infante D. Henrique – 9500-150 – ☎ 296 28 57 43 ou 296 28 51 52

Museu Carlos Machado – Visite de 9 h 30 à 12 h 30 et de 14 h à 17 h 30 (d'octobre à avril de 10 h à 12 h 30 et de 14 h à 17 h), le samedi et le dimanche de 14 h à 17 h 30. Fermé le lundi et les jours fériés. 2 €, gratuit le dimanche. ☎ 296 28 38 14.

L'Ouest de l'île

Furnas : Parc Terra Nostra – Visite de 10 h à 17 h (19 h en été). 2,49 € (enfants 1,25 €). ☎ 296 54 90 90.

Île de TERCEIRA

Angra do Heroísmo

🚩 R. Direita, 74 – 9700-066 – ☎ 295 21 61 09 ou 295 21 33 93

Palácios dos Bettencourts : Bibliothèque – Visite de 9 h à 19 h (17 h en été), le samedi de 9 h 30 à 12 h. Fermé le samedi en hiver, le dimanche et les jours fériés. Entrée libre. ☎ 295 21 26 90/7.

Convento de São Francisco (musée d'Angra) – Visite guidée (1 h) de 10 h (9 h en été) à 12 h et de 14 h à 17 h, le samedi de 14 h à 17 h. Fermé le lundi et les jours fériés. 1 €, gratuit le dimanche. ☎ 295 21 31 47/8.

Excursions dans l'île

Biscoitos : Museu do Vinho – Visite de 10 h à 12 h et de 13 h à 16 h (18 h en été). Fermé le lundi et le dimanche (en hiver uniquement). Entrée libre. ☎ 295 90 84 04.

Algar do Carvão – Visite de 15 h à 17 h du 1er juin au 30 septembre (d'octobre au 31 mai, réserver 2 à 3 jours à l'avance). 2,50 €. S'adresser à « Os Montanheiros », r. da Rocha, 6/8 – 9700-169 Angra do Heroísmo. ☎ 295 21 29 92.

Île de GRACIOSA

Santa Cruz da Graciosa

Praça Fontes Pereira de Melo – 9880-377 – ☎ 295 71 25 09

Museu Etnográfico – Visite guidée (30 mn) de 9 h à 12 h 30 et de 14 h à 17 h 30. De mai à septembre, visite le samedi et le dimanche de 14 h à 17 h. 1 €. ☎ 295 71 24 29.

Centre de l'île

Furna do Enxofre – Visite guidée de 11 h à 16 h. Fermé le lundi. 0,50 €. ☎ 295 71 21 24.

Île de FAIAL

Horta

Rua Vasco da Gama – 9900-017 – ☎ 292 29 22 37 ou 292 29 36 01

Musée – Visite guidée de 10 h à 12 h 30 et de 14 h à 17 h 30 (de 9 h 30 à 12 h 30 et de 14 h à 17 h 30 en été), le samedi et le dimanche de 14 h à 17 h 30. Fermé le lundi et les jours fériés. 1 €. ☎ 292 29 33 48.

Musée du Scrimshaw – Visite de 9 h à 12 h et de 14 h à 17 h. Fermé le dimanche, le 1er janvier et le 25 décembre. 2,50 €. ☎ 292 29 23 27.

Excursion dans l'île

Capelinhos : Musée – Visite de 10 h à 12 h (13 h en été) et de 14 h à 17 h (17 h 30 en été). Fermé le matin les samedis et dimanches, le lundi et les jours fériés. Entrée libre. ☎ 292 94 51 65.

Île de PICO

R. Conselheiro Terra Pinheiro – 9950-329 Madalena – ☎ 292 62 35 24

Lajes do Pico : Museu dos Baleeiros – Visite de 10 h à 12 h et de 14 h à 17 h (de 9 h 30 à 12 h 30 et de 14 h à 17 h 30 en été). Fermé le matin les lundis, samedis, dimanches et jours fériés. 1 €, gratuit le dimanche et le 29 juin (férié municipal). ☎ 292 67 22 76.

Île de SÃO JORGE

R. Conselheiro Dr. José Pereira, 1 r/c – 9800-530 Velas – ☎ 295 41 24 40

Manadas : Église Santa Bárbara – Visite guidée en semaine uniquement de 9 h à 12 h 30 et de 14 h à 17 h. Pour la visite, contacter Mme Albertina (Junta de Freguesia) au ☎ 295 41 40 12.

Île de FLORES

Santa Cruz das Flores

R. Dr. Armas da Silveira – 9970-331 – ☎ 292 59 23 69

Museu Etnográfico et Convento de São Boaventura – Visite de 9 h à 12 h et de 14 h à 17 h. Fermé le samedi, le dimanche et les jours fériés. 1 €. ☎ 292 59 21 59.

Île de CORVO

Accès par bateau – Passage entre Flores et Corvo : 20 € AR (enfants de 6 à 10 ans : 12,50 €). Réservation à Santa Cruz das Flores : ☎ 292 59 22 89.

Excursion

Cratère du Caldeirão – Montée en jeep : 5 €. ☎ 292 59 62 23 ou 292 59 61 15.

Fajãzinha dans l'île de Flores

B. Brillion/MICHELIN

Index

A

D – E

F

M

Y – Z

Écrivez-nous !
Toutes vos remarques aideront à enrichir le guide

Merci de renvoyer ce questionnaire à l'adresse suivante :
**Michelin Editions des Voyages. Questionnaire Le Guide Vert.
46, avenue de Breteuil. 75324 Paris Cedex 07**

---

1. Est-ce la première fois que vous achetez Le Guide Vert ? oui   non

---

2. Titre acheté : ....

---

3. Quels sont les éléments qui ont déterminé l'achat de ce guide ?

	Pas du tout important	Peu important	Important	Très important
L'attrait de la couverture				
L'attrait de la mise en page				
La structure, l'organisation du guide				
La notoriété de la collection				
L'habitude de la collection				
Le niveau d'information culturelle				
Le niveau d'information pratique				
Le nombre de cartes et plans				

Vos commentaires : ....

---

4. Que pensez-vous des éléments suivants du guide ?

	Mauvais	Moyen	Bien	Très Bien
Les cartes du début du guide («les plus beaux sites», «circuits de découvertes»)				
Les cartes et plans du guide				
La description des sites (style, longueur...)				
Le niveau d'information culturelle				
Le niveau d'information pratique				
Le format				

Vos commentaires si vous avez répondu mauvais ou moyen : ....

---

5. Quels éléments avez-vous le plus utilisés ?

	Pas du tout utilisé	Peu utilisé	Utilisé fréquemment	Très utilisé
Les cartes du début du guide				
Le chapitre «Invitation au Voyage»				
Le chapitre «Informations Pratiques»				
Le chapitre «Villes et Sites»				

Vos commentaires : ....

6. Que pensez-vous des adresses du guide ?

HÔTELS :	Pas assez	Suffisamment	Trop
Toutes catégories confondues			
«À bon compte»			
«Valeur sûre»			
«Une petite folie»			

RESTAURANTS :	Pas assez	Suffisamment	Trop
Toutes catégories confondues			
«À bon compte»			
«Valeur sûre»			
«Une petite folie»			

Vos commentaires :

---

7. Notez sur 20 votre guide :

Vos souhaits, vos suggestions d'amélioration

1. Vous avez particulièrement aimé un lieu, un village, un monument qui n'est pas dans Le Guide Vert, ou vous n'êtes pas d'accord avec certains de nos choix. Faites-nous part de vos suggestions :

2. Les hôtels et restaurants du guide, les adresses que vous souhaitez nous signaler.
Nous reverrons sur place les hôtels et restaurants que vous signalez.

Nom et adresse de l'établissement :

Localité : Code Postal :

	Mauvais	Quelconque	Bon	Très bon
Rapport qualité/prix				
La qualité des plats				
Accueil				
Cadre et agrément				
Confort				
Respect des prix				

Vos commentaires :

Vous êtes : Homme Femme Âge

Nom et prénom :

Adresse :

Ces informations sont exclusivement destinées aux services internes de Michelin.
Elles peuvent être utilisées à toute fin d'étude, selon la loi informatique
et liberté du 06/01/78. Droit d'accès et de rectification garanti.